Das Buch

Im Lager Auschwitz-Birkenau, wo in den Jahren 1940–44 mehrere Millionen Menschen vergast und verbrannt worden sind, gab es ein Gefangenenorchester, das aus jungen Frauen bestand. Es war einer eitlen Laune des Lagerkommandanten entsprungen und sollte ebenso zur Manipulation der Häftlinge dienen wie zur Erbauung der Mörder. Dirigentin war Alma Rosé, Nichte des Komponisten Gustav Mahler, Jüdin aus Wien. Sie verlangte von den Mitgliedern des Ensembles, jungen Mädchen aus Deutschland, Frankreich, Polen und anderen europäischen Ländern, äußerste Disziplin und Gehorsam. Der Kampf ums Überleben war für sie der Kampf um die musikalische »Leistung«: Marschmusik für die ausgemergelten »Arbeitskommandos«, Beethoven, Schumann, Puccini, Mendelssohn für den Kommandanten, die Aufseherinnen von der SS und den KZ-Arzt Dr. Mengele. Die Sängerin Fania Fénelon wurde im Januar 1944 Mitglied des Mädchenorchesters. Sie beschreibt mit schlichter Anteilnahme die Phasen der Erniedrigung bis hin zur Entmenschlichung, die sie erlebt hat, sie schildert den verzweifelten Kampf gegen die Todesangst ihrer Gefährtinnen und die Zerstörung ihrer Persönlichkeit.

Die Autorin

Fania Fénelon, Tochter eines wohlhabenden jüdischen Kaufmanns, besuchte in Paris die Musikhochschule und wurde im Mai 1943 als Widerstandskämpferin von der Gestapo verhaftet. Um den Torturen zu entgehen, gibt sich die 21jährige als »Volljüdin« aus und kommt im Januar 1944 nach Auschwitz. Fünfzehn Monate später wird sie von britischen Soldaten im KZ Bergen-Belsen befreit. In Paris wird sie zur gefeierten Chanson-Sängerin, bis sie 1966 an der Seite ihres Lebensgefährten, eines farbigen Sängers, als Dozentin nach Ost-Berlin geht. Nach dessen Unfalltod kehrte sie nach Frankreich zurück und schrieb – aufgrund ihres Tagebuchs aus dem Lager – in den Jahren 1973–75 ›Das Mädchenorchester in Auschwitz‹, das nach einem Drehbuch von Arthur Miller verfilmt worden ist. Sie starb am 19. Dezember 1983 in einem Krankenhaus bei Paris.

Fania Fénelon:
Das Mädchenorchester in Auschwitz

Deutsch von Sigi Loritz

Deutscher
Taschenbuch
Verlag

Dieses Buch widme ich den Überlebenden des
Vernichtungslagers Birkenau

Fania Fénelon

Ungekürzte Ausgabe
Oktober 1981
9. Auflage Februar 1991
Deutscher Taschenbuch Verlag GmbH & Co. KG,
München
© 1976 Stock/Opera Mundi, Paris
Titel der französischen Originalausgabe:
›Suris pour l'Orchestre‹
© 1980 der deutschsprachigen Ausgabe: Röderberg-Verlag,
Frankfurt/Main · ISBN 3-87682-721-3
Umschlaggestaltung: Celestino Piatti unter Verwendung einer
Aufnahme von der Lagereinfahrt zum KZ Auschwitz-Birkenau
(Bilderdienst Süddeutscher Verlag, München) und eines Büh-
nenfotos von Fania Fénelon
Gesamtherstellung: C. H. Beck'sche Buchdruckerei,
Nördlingen
Printed in Germany · ISBN 3-423-01706-6

»Stirb nicht!«

Diese deutsche Stimme, ich weiß nicht, was sie zu mir sagt; sie schafft es nicht, mich aus dem schwarzen Abgrund zu ziehen, in dem ich versinke, mich verfange, jede Sekunde noch tiefer. Seit Tagen habe ich nicht mehr die Kraft, meine Augen offen zu halten. Ist das mein Urin, der mich mal wärmt, mal schüttelt vor Kälte, oder ist es das Fieber? Der Typhus entleert mich an meinem Platz. Ich werde verenden.

Mein Kopf tut mir zum Zerspringen weh. Das Schreien, das Jammern, das Stöhnen der Mädchen zerreißt ihn in spitze Scherben, in Spiegelsplitterchen, die mich zerfleischen, die sich in meinen Schädel bohren.

Ich befehle meiner Hand, sie rauszuziehen. Meine Hände, das sind Skelettkrallen geworden, die mir nicht mehr gehorchen. Die Knochen müßten schon die Haut durchbohren. Vielleicht sind sie abgefallen? Das darf nicht geschehen. Meine Hände muß ich mir erhalten, um Klavier spielen zu können. Klavierspielen ... diese Knöchelchen am Ende meines Arms können höchstens noch den Totentanz klappern, ich lache ...

Nein, ich bin nicht verrückt, aber diese Idee – lächerlich.

Ich habe Durst, entsetzlichen Durst. Die SS hat das Wasser abgestellt. Es gibt Tage, an denen wir nichts zu essen hatten. Ich habe schon lange keinen Hunger mehr.

Ich werde leicht, schwebe auf einer Wolke, versinke im haltlosen Sand ... nein, ich fliege in Watte. Seltsam ...

Ich bin schmutzig ... zum Glück kam ich auf einen Trick: ich wasche mich mit meinem Urin, so fühle ich mich frischer. Ich darf nicht aufgeben, ich muß mich sauber halten. Urin ist nicht schmutzig. Wenn ich Durst habe, kann ich ihn trinken – und ich habe davon getrunken.

Ich weiß nicht, wie spät es ist. Welcher Tag? Das, das weiß ich. Die Mädchen zählen die Tage: der 15. April. Was soll's. Das ist ein Tag wie jeder andere. Aber wo bin ich denn genau? Bin ich nicht mehr in Birkenau? Dort waren wir siebenundvierzig, wir waren ›die Damen vom Orchester‹ ... hier in Bergen-Belsen, in dieser Baracke ohne Fenster, sind wir tausend ... von Anfang an Leichen. Gott, wie das stinkt! ... Jetzt hab ich's, es fällt mir wieder ein, wir kamen am 3. November 1944 hier an.

Was für ein Höllenzug in meinem Kopf ... Ist es Tag, ist es Nacht?

Ich geb's auf, es ist zu mühsam ... man geht unter dabei.

Über mir, auf meinem Gesicht, ein Hauch ... ein undefinierbarer Geruch, ein köstlicher Duft.

Eine Stimme durchdringt die Watteberge, übertönt das Gedröhne in meinen Ohren: *»Meine kleine Sängerin ...«*

»Kleine Sängerin« ... alle SS-Leute nennen mich so.

»Stirb nicht!«

Das ist ein Befehl. Was soll's, ich muß keine Befehle mehr entgegennehmen, mein Gehirn übersetzt ihn zwar, befiehlt mir aber nicht mehr.

Ich versuche, die Augen aufzumachen, und sehe Irma Grese, diese SS-Aufseherin, die wir ihrer äußeren Erscheinung wegen »Engel« nennen. Ihre göttlichen blonden Zöpfe, wie ein Heiligenschein, ihre blauen Augen, ihr himmlischer Teint verschwimmen im Nebel. Sie schüttelt mich: *»Stirb nicht! Deine englischen Freunde sind da!«*

Gibt's das? Diese Walküre hat ja einen Funken vergnügtes Leuchten im Blick, fast so, als finde sie das spaßig!

Mir fallen die Augen wieder zu, sie macht mich müde.

»Was hat sie dir gesagt?« wollen die große Irène und Anny wissen.

Ich wiederhole den Satz auf deutsch.

Sie werden ungeduldig. »Sag's uns in französisch, übersetze!«

»Ich hab's vergessen.«

»Aber eben hast du's uns doch auf deutsch gesagt.«

Sie quetschen mich aus, ich weiß es nicht mehr, bin still ...

»Sag doch was!«

Ihre Stimmen flehen mich an: »Stirb nicht!«

Das ist der Auslöser, und ich wiederhole ihnen: »Stirb nicht! Deine Freunde, die Engländer sind da ...«

Sie sind enttäuscht: »Nur das, nichts weiter?« murmelt die kleine Irène. Florette mischt sich ein: »Blödsinn! Diesen Streich haben die uns schon oft gespielt mit den Russen, den Engländern und den Amis. In Auschwitz servierten sie uns den Salat siebzehnmal!«

Ich höre die ruhige Stimme der großen Irène: »Und wenn es wahr wäre?« Anny sagt verträumt: »Wenn man das glauben könnte, und es hörte auf, jetzt, so ...« Mir wird immer schummriger, von Florettes Gezeter bekomme ich nur noch Fetzen mit.

Gott, ist mir heiß! Meine Zunge ist ein Riesenstück Pappe! Durst . . .! Mein Bewußtsein schwindet weiter. Von unendlich weit her, wie vom Grund eines Bombentrichters dringen vertraute Stimmen zu mir: »Hör doch, Irène, du siehst doch, es ist aus. Sie atmet nicht mehr. Mein Glasscherbchen beschlägt sich nicht . . . und dieser Trick klappt immer, sogar in den Krankenhäusern machen sie's so.«

»Probier nochmal . . . vielleicht ist sie doch noch nicht tot?«

Von wem sprechen sie? Wer ist tot?

Ach so, die Tote bin ich? – Ach, sie gehen mir auf die Nerven. Ich habe zwar einen gewaltigen Typhus, aber empfohlen habe ich mich noch nicht. Ich will das Ende unserer Geschichte erfahren. Ich werde darüber Zeugnis ablegen.

Rund um den Block Gebrüll und Pfiffe . . . Eine Angstwelle macht sich breit in unserer Baracke, läßt sie vibrieren. Über dem Stiefelgetrampel, im schallenden Hintergrund zerreißen die Maschinengewehre immer noch die Leere des Schießplatzes. Tag und Nacht bringt ihr tac-tac, tac-tac unser Gehirn zum Vibrieren . . . Jungens sind diese Schützen, knapp fünfzehnjährige darunter!

»Sie werden uns doch nicht von diesen Bengeln abknallen lassen?«

»Glaubst du, die genieren sich«, feixt Florette.

»Das sind doch noch Kinder!«

Seit heute morgen munkelt man, die SS habe den Befehl erhalten, uns zu vernichten. Dieses Gepolter da draußen klingt nicht nach Befreiung des Lagers, wir glauben ihm, es wird »wahr« machen.

In allen Ecken der Baracke, auf den verschiedensten Kojen-Etagen bricht lautes Gelächter von Verrücktgewordenen los. Eine Wahnsinnsstimme schreit: »Uhrzeit? . . . Uhrzeit? . . . Ich will die UHRZEIT wissen!«

»Was mußt du dich um die Uhrzeit kümmern?«

Die Stimme wird zutraulicher: »Um drei Uhr werden sie uns erschießen.« Sie steigert sich, schwächt ab, um wieder hochzukommen, klingt wie das große Würgen, das steigt, krampft, entkrampft und wiederkommt: UHRZEIT?

Rührselig fantasiert jemand vom Frühling, Blumen, kleinen Vögeln. Das muß es doch noch irgendwo geben. Hier gibt es nicht mal einen Zweig für ihre Füßchen; na denn, ihr Blumen, ihr Vögelchen ... Mir scheint, wenn ich weniger erschöpft wäre, würde ich das spaßig finden.

Draußen ist alles unverändert ... und doch auch wieder nicht. Verschiedenartige Geräusche hallen wider. Man rennt, schreit sich Fragen zu; ich verstehe gar nichts mehr. Mein Kopf schwillt an, bläht sich auf, wird so groß wie die Baracke, er faßt den ganzen Lärm ... er ist sein Staudamm. Ich habe keinen Gedanken mehr, kein einziges Bild hinter meinen geschlossenen Augen. Ich versinke im Lärm, er verschluckt mich, verdaut mich, ich werde Lärm ... Ich bin ein Resonanzkasten ... und ... ich träume von Stille! ...

Nein, ich träume nicht, es ist still. Die Maschinengewehre schweigen. Es ist wie ein großer, ruhiger See. Ich lasse mich in seinem Wasser treiben ...

Ich muß eingeschlafen sein, wieder versunken, wie lange? Hinter mir das wohlbekannte Knarren der Tür, die aufgeht. Ein Mann spricht von weit, von endlos weit ... was sagt er? Niemand antwortet ihm. Das ist nicht normal. Was ist los? Fremdartige Worte dringen in mein Ohr, das ist eine Sprache, die ich kenne, das ist ENGLISCH!

Von allen Seiten beginnt's zu schreien, ich höre Frauen aus ihren Kojen purzeln, rennen ... Das ist doch nicht möglich, ich phantasiere.

Die Mädchen, diese Mädchen, die ich sooo mag, werfen sich auf mich, schütteln mich: »Fania, wach auf!«

»Hörst du, die ENGLÄNDER sind da! Du mußt mit ihnen sprechen.«

Ein Arm schiebt sich unter meine Schultern, hebt mich hoch: »Sprich ...«

Liebend gern, aber wie könnte ich mit diesem Lederlappen, den ich im Mund spüre?

Ich reiße die Augen auf, Geister im Nebel ... und auf einmal, da, ich sehe ihn: er hat ein komisches, flaches Mützchen auf dem Kopf, er kniet, schlägt sich verbeugend mit der Hand an die Brust und murmelt wiederholt: »Mein Gott, mein Gott!«

Man könnte glauben, ein Jude an der Klagemauer.

Er hat blaue Augen, und das ist nicht das deutsche Blau! Er nimmt seine Mütze ab, ist rothaarig, allerliebst! Sein Gesicht ist voller Sommersprossen, seine kleine komische Nase auch. Er sieht süß aus mit den Leberfleckchen auf den Händen. Dicke Tränen kullern ihm über die Wangen. Kindertränen. Es ist schrecklich und komisch zugleich: »Können Sie mich hören?«

Ich murmle: »Ja . . .«

Freudenschreie, die Mädchen trampeln: »Da, sie hat ihn gehört, sie antwortet ihm!«

Um mich herum herrscht wahrer Freudentaumel. Sie tanzen. Tanzend werfen sie die Beine so hoch sie nur können. Manche schmeißen sich auf den Boden, küssen die Erde, kugeln sich im Schmutz, weinen, lachen . . . Andere kotzen. Es ist beispiellos, Himmel und Hölle in einem!

Die Fragen sprudeln nur so: »Woher kommen sie? Wie kamen sie bis hierher, zu diesem Unglückslager? Wußten sie was von uns? Frag ihn . . .«

Er antwortet mir: »Nein. Ganz durch Zufall haben wir euch gefunden. Wir wußten nicht, daß hier ein KZ ist. Von Hannover aus verfolgten wir die Deutschen durch diese Wälder und sahen plötzlich vor uns SS-Leute mit einer weißen Fahne.«

Eine Frau mischt sich ein: »Habt ihr sie massakriert?«

»MAS...SA...KRIERT?« wiederholt der Tommy kopfschüttelnd.

Ich übersetze es ihm.

»Ich weiß nicht . . . ich bin nur ein einfacher Soldat.«

Die Mädchen um uns herum brüllen: »Quälen, foltern, mit Stumpf und Stiel in den Boden stampfen muß man sie alle!«

ALLE.

Dieser Haßausbruch, den ich tief mitempfinde, reißt mich aus dem Fiebertraum. Ich möchte auch schreien können, stütze mich auf und falle wieder zurück, ich bin zu schwach. Jetzt, zum ersten Mal, spüre ich mich sterben. Um mich herum wird alles wieder verworren. Und doch lächle ich – ich meine wenigstens – ich lächle. Ich wäre ja befreit worden! Dann lasse ich mich fallen.

Irène merkt es, sie schreit: »Nein, nein, nicht sie, das ist zu ungerecht!«

Dieses »ungerecht« kommt mir wunderbar und komisch vor.

Irgendeine brüllt: »Sing, Fania, sing!«

Dieser Befehl elektrisiert mich, ich klammere mich an den Hauch Leben, der mir noch geblieben ist, mache den Mund auf, ich muß singen . . .

Der Soldat meint, ich sterbe, reißt mich aus meinem Sumpf, hebt mich auf seine Arme, es ekelt ihn nicht! Wie wohl fühle ich mich da! Ich muß leicht sein, federleicht (ich wog achtundzwanzig Kilo). An diese Männerbrust gedrückt, auf sie gestützt, meine Kraft aus der seinen schöpfend, stimme ich die ›Marseillaise‹ an. Meine Stimme ist nicht tot, ich kann singen, ich le-be! ...

Der junge Kerl ist verdutzt. Mich auf dem Arm tragend stürzt er hinaus, rennt auf einen Offizier zu und schreit wie verrückt: »Sie singt! Sie singt!«

Die frische Luft schlägt mir wie eine Ohrfeige ins Gesicht, nimmt mir den Atem und gibt ihn mir wieder. Hinter uns her kommen die Mädchen gelaufen.

Klinisch habe ich wahrscheinlich immer noch Typhus, und doch, in der Minute, in der ich die Kraft zum Singen finde, fühle ich mich geheilt. Ich bin wieder klar da, kann wieder sehen, was um mich herum geschieht.

Das geschieht: Die Soldaten nehmen die Lager-SS fest. Lassen sie in einer Reihe entlang der Mauer antreten. Dieser Augen-blick, nach dem wir uns so sehnten – der bloße Gedanke daran füllte uns schon mit Freude –, jetzt ist er da, jetzt erleben wir ihn!

Aus allen Baracken kommen Häftlinge. Unsere Männer, von denen wir so lange getrennt waren, kommen auf uns zu. Man sucht diejenigen, die man kennt, einen Vater, einen Bruder, einen Onkel, einen Ehemann, man sucht ...

Ich bin in einem sauberen Gebäude, in dem der SS. Umringt von einem khakifarbenen Gewimmel. Mein Gott, wie gut sie riechen, wie wohltuend der Schweiß dieser Männer riecht!

Infanterie befreite uns, die Motorisierten kommen nach. Durchs Fenster sehe ich den ersten Jeep ins Lager fahren. Noch bevor er steht, springt ein Offizier ab, ein Holländer, schaut suchend geradeaus ... um sich herum ... läuft plötzlich wie ein Verrückter mit offenen Armen los und schreit: »Margrett! Mar-grett!«, erreicht sie, eine schlotternde Frau, deren gestreifte Lumpen wie an eine Fahnenstange genagelte Fetzen flattern – seine Frau ... dreiviertel tot, ausgelaugt, verdreckt – er drückt sie, drückt es an sich, dieses Restchen Leben, das ihn anlächelt.

Mir hält man ein Mikrofon hin ...

Das ist das Wunder: So wie mich vorher das bloße Atmen erschöpfte, mein Herz seine Schläge sparte, mir mein Leben schon wie im Unendlichen erschien, so richte ich mich jetzt auf, ein Freudenschauer überläuft mich, und ich singe noch einmal die ›Marseillaise‹. Dieses Mal bricht sie mit solcher Kraft und Gewalt aus mir heraus, wie ich sie noch nie hatte und zweifellos auch nie wieder haben werde.

Fast lieb, wie ich sie kaum kannte, stammelt Florette: »Fania, du hast gesungen, in einer Art gesungen, die ... diese Marseillaise, das war ... und du hast gezittert dabei, gezittert von Kopf bis Fuß. Nie werd' ich das vergessen. Oh, du bringst mich zum Heulen ... ich muß dich küssen.«

Ergriffen steckt ein belgischer Offizier die Hand in die Tasche seines Kampfanzuges und gibt mir ... einen Lippenstift; was für ein sagenhaftes Geschenk! Ich kann mir kein schöneres vorstellen als diesen alten, fast aufgebrauchten Stift, der Gott weiß von wo und wem stammt, von seiner Frau, seiner Verlobten, einer Prostituierten ...

Der Mann mit dem Mikrophon läßt nicht locker: »Bitte, Fräulein! Das ist für die BBC ... Fräulein, die BBC ... das Leben fängt wieder an.«

Ich singe ›God save the King‹, und die Tränen schießen diesen Militärs aus den Augen, fließen über diese verschwitzten Gesichter, hinterlassen helle Spuren auf den vom Krieg verklebten Wangen.

Ich singe die ›Internationale‹, und die russischen Häftlinge fallen im Chor ein.

Ich singe ... und vor mir, um mich herum, aus allen Teilen des Lagers kommen, an Barackenwände gestützt, sterbende Schatten, Skelette. Sie richten sich auf, wachsen, werden groß! Ein riesengroßes »Hurra« bricht aus ihrer Brust, steigt an, braust los, reißt alle mit. Sie sind wieder Menschen geworden, Männer und Frauen ...

Einige Monate später erfuhr ich, daß an diesem Tag, in dieser Stunde, in London meine Cousine vor ihrem Radioapparat ohnmächtig wurde, als sie mich singen hörte und dabei mit einem Schlag erfuhr, daß ich deportiert worden war und gerade befreit wurde.

»Madame Butterfly!«

Ruft da jemand Madame Butterfly? Hier in der Quarantäne-
baracke, am 23. Januar 1944, in Auschwitz? Das kann doch
nicht sein! Ich schau mich um, endlos lange Kojenreihen, wie
drei-etagige Holzkäfige, ekelhaft und dunkel. Auf jeder Etage
liegen sechs Frauen oder mehr, ausgestreckt wie Sardinen, eng
und gegeneinander aufgereiht, mal Kopf mal Füße, fast nackt,
überall rasiert, vor Hunger und Kälte zitternd. Tausend Frauen
sind in der Baracke, sagte man mir vorher. Trotz der zornigen
»Ruhe!«-Schreie der Blockowa* muß man schreien, um sich
verständlich zu machen. Da drin also ist Madame Butterfly! . . .

Soeben bekam ich von der Blockowa eine Tracht Prügel, weil
ich draußen, wo man nicht darf, einen Eimer voll Dreckwasser
ausleerte. Aber wo darf man? Ich weine vor Wut, die Tränen
ziehen Furchen durch mein schmutzverschmiertes Gesicht und
vermischen sich mit Blut. Ich wische sie mit dem Handrücken
ab und drücke mich in dieser absoluten Teilnahmslosigkeit hier
noch näher an Clara, ihre Wärme hilft mir ein bißchen. Ich
mache die Augen zu . . . aber das ist doch unmöglich, schon
wieder verlangt eine Polin in unverständlichem Kauderwelsch
lautstark nach Madame Butterfly.

Ich frage meine Nachbarinnen: »Was will sie?«

»Sie sucht Musikerinnen.«

»Wozu?«

»Fürs Orchester.«

Ein Orchester, hier? Ich muß falsch verstanden haben und
frage noch einmal: »Was hast du gesagt?«

»Ein Orchester! O laß mich doch in Ruhe! Was hast du schon
davon?«

Ich protestiere: »Aber ich kann ›Madame Butterfly‹ singen
und spielen, ich habe sie mit Germaine Martinelli einstudiert.«

»Dann geh und sag's ihr!«

Ich beuge mich vor und fuchtle mit den Armen, sie muß mich
sehen. Es ist zwar verboten, aber ich werde runterklettern. Cla-

---

* Blockleiterin. Sie trug eine schwarze Armbinde mit weißer Aufschrift:
BLOCKOWA.

ra hält mich zurück: »Die machen sich doch lustig über dich, das ist nur ein schlechter Scherz, sie werden dich wieder verprügeln.«

»Und wenn, ich gehe hin.«

Die Mädchen helfen mir. Mit dickem Kopf und schmerzenden Gliedern hinke ich hin zu diesem Koloß, der draußen vor der Tür steht. Ein Riese ist diese Polin!

Sie schaut mich mißtrauisch an, ich bin so klein, so schmutzig, mit Dreck und Blut verschmiert. In schlechtem Deutsch, das ich mehr rate als verstehe, fragt sie mich ungläubig: »Du, Madame Butterfly?«

»Ja, ja.«

Dieser Trampel scheint sich Sängerinnen anders vorzustellen; stellt sie sich's überhaupt vor?

Sie befiehlt mir was, das ich nicht verstehe. Das reizt sie, und ich bin schon auf die nächste Ohrfeige gefaßt, als mir ein Mädchen von drinnen, von einer Koje her, übersetzt: »Sie sagt, du sollst mit ihr gehen. Eine der Französinnen vom Orchester hat dich erkannt und die Kapo hat ihr befohlen, dich zu holen.«

Was in diesem Augenblick geschieht, ist doch undenkbar. Logischerweise kann das gar nicht das Ende dessen sein, was ich bisher durchstehen mußte und wovon sich ein ganzer Film abgerissener Bildfolgen vor mir abspult, während ich Schritt für Schritt diesem Koloß aus Fleisch und Knochen folge.

. . . Sammellager Drancy. In meinem Kalender stellten die eingesperrten Tage eine kleine Leiter dar, die am 20. Januar 1944 endete; das bedeutete neun Monate Haft.

Von jetzt an gehöre ich zu einem Deportierten-Transport nach Deutschland. Sechs Uhr morgens. Von der dritten Etage aus beginnt unsere Gruppe den Abstieg auf der Abfahrtstreppe. Auf jedem Treppenabsatz stecken uns Hände Geschenke zu, eine Tafel Schokolade, ein Glas Marmelade, ein Paar Wollhandschuhe.

Gedränge auf dem letzten Absatz; jemand schreit spöttisch: »Nicht drängeln, habt's doch nicht so eilig . . . man vergißt euch schon nicht!«

Diese Stimme . . . das ist doch Léon. Was tut der denn hier? . . . Mit festem Griff packt eine Hand meinen Ellbogen, während die gleiche Stimme mein Ohr liebkost: »Ich hätte dich doch nicht allein gehen lassen können.«

Das ist wohl Léon in seiner gewandten Pariser Art. Ein hübscher Kerl, dessen Beruf mir nie ganz klar war; ein schwarzhaariger, schmalhüftiger, schneidiger junger Mann.

»Versteh doch, ich sagte mir: ›Dieses kleine Mädchen da braucht einen Mann neben sich, der ihm die Koffer schleppt, sich um sie kümmert und sie an traurigen Abenden zum Träumen bringt ...‹ So, und weil ich ernsthaft auf dich gesetzt habe und nicht will, daß mir ein anderer Mann meinen Platz stiehlt, deshalb habe ich so hoch gespielt.«

»Aber du warst doch ausgerissen. Haben sie dich wieder geschnappt? Du bist doch wohl nicht von selbst zurückgekommen?«

Er lacht verschmitzt, wie ein kleiner Schlingel, dem ein Streich gelungen ist.

»So ungefähr. Das Schwerste war, mich zur gleichen Abfahrt wie der deinen festnehmen zu lassen; schwierig, bis sie das gefressen hatten, denn solche Reisen sind nicht gerade gefragt. Aber du siehst, es ist geschafft! ...«

Worte, die mich lächeln lassen, weich machen und reizen. Die Männer in meinem Leben möchte ich mir schon selber aussuchen dürfen. Und doch, was für ein Liebesbeweis!

Armer Léon, wir wurden sofort wieder getrennt; einer der Polizisten schob ihn zu einem der vorderen Lastwagen.

Um mich herum sind nur Unbekannte. Meine Nachbarin: eine junge Frau, dreißig vielleicht, sehr schön, mit ihren zwei kleinen Töchterchen, deren Händchen in hübschen Handschuhen stecken. Neben mir ein junges Mädchen von ungefähr zwanzig mit einem reizenden Gesicht auf einem großen, unförmigen Körper. Zwischen uns beiden funkt sofort Sympathie; sie heißt Clara.

Es ist kalt, eiskalt. Dieses frühe Paris um sechs Uhr morgens sieht unheimlich aus. Eiszapfen hängen reihenweise an Dachrinnen und an vor Kälte geplatzten Rohren. Blinkende Blaulichter der Luftschutzstreifen machen die Nacht noch kälter.

Unser überdeckter Lastwagen ist hinten offen; im Morgengrauen drehen die wenigen, frierenden Vorbeikommenden kaum den Kopf nach unserem Zug aus leichenblassen, teilnahmslosen Gesichtern. Dabei müßte unser Konvoi doch auffallen mit den vielen Frauen, von denen manche Pelzmäntel tragen, den Männern aller Altersstufen, den Greisen, den Kindern ...

Am Rangierbahnhof: ein uralter Zug, Güterwagen, die den Krieg 14/18 schon mitmachten; eine keuchende Lokomotive, die die Auszeichnung des großen weißen V*, das makellose »Victoria«, nicht verdiente.

Altersschwach schafft sie kaum unser Gepäck. Jeder nimmt mit, was er zusammenraffen konnte: Kleider, Lebensmittel, Alkohol, Zigaretten, Schmuck, Geld.

Aus allen Himmelsrichtungen zusammengewürfelt sind wir zu Hundert in einen Viehwagen gepfercht: Greise, Kinder, Frauen, Männer, Juden, Nichtjuden, alles durcheinander. Es ist sehr dunkel da drin. Frisches Stroh auf dem Boden. Die Geschicktesten und die Stärksten tun sich zusammen und besetzen die Ecken. Ein jeder baut sich sein Nest, nistet seinen Hintern ins Stroh wie die Hühner. Man könnte meinen, sie wollten eine Ewigkeit da verbringen!

Die zauberhafte Mama ermahnt ihre Töchterchen leise zu Höflichkeit und gutem Benehmen: »Seid nicht so laut, ihr seid doch nicht allein hier.« Aber schon geht's los, Schreierei und Händel: »Ich hatte den Platz aber vor Ihnen.« Lächerlich! Man erzählt sich Geschichten, Witze, lamentiert, winselt und weiß alles aus sicherer Quelle: »Wir kommen in ein Arbeitslager in Bayern, mit so kleinen, gemütlichen deutschen Häuschen, sauber und adrett mit einem kleinen Garten für Familien mit Kindern.«

»Er faselt!«

»Du spinnst, das Lager, das ist das Schlimmste, was es überhaupt gibt, das weiß ich.«

Ich ... ich, ich ... ich ... Ich ...

Der Gestank der Klo-Tonne wird schnell unerträglich. Bei jedem Ruck hört man das beunruhigende Klatschen und Schwappen. Rings um den Kübel ist das Stroh schon völlig verdreckt.

Ein Kind, das mitten im Waggon auf dem Boden sitzt, wiederholt unentwegt mit seinem durchdringenden Stimmchen: »Das fährt ... das fährt ... das fährt ...«

Jemand schreit: »Der soll still sein, der Dreckskerl!«

»Man merkt, daß Sie keine Kinder haben!« brüllt seine Mutter.

»Ich, da liegen Sie aber schief, ich hab' sechs.«

»Und wo sind sie?«

»Das sag ich nicht.«

---

* Als die Deutschen Stalingrad erreichten, schmückte das von Churchill eingeführte V alle öffentlichen Gebäude, Avenuen, Kreuzungen, Transporte.

»Haben Sie Angst, ich denunziere sie?«

Diese Gemeinheit bringt niemand zum Lachen. Ganz im Gegenteil, die zwei Frauen gehen aufeinander los. Es ist so zermürbend.

Die Essenszeit wird zum allgemeinen Volkspicknick, nur weniger solidarisch. Der ganze Wagen kaut; widerlich, aber erholsamer.

Clara fragt nervös: »Hast du was zum Essen dabei?«

»Sicher.«

Ich zeige ihr meine Schätze: Sardinen, echte, in Olivenöl, Hartwurst, Bauernleberwurst, Camembert, Marmelade.

Sie gibt mir Gänseleber, Champagner ...

»Nicht möglich, das ist ja ein Festessen, dein Weihnachtsmann kauft wohl auf dem schwarzen Markt!«

Jetzt entspannt sie sich und lacht; im Halbdunkel glänzen ihre kleinen, gleichmäßigen Zähne wie Perlen an einer Kette.

Während wir unser Luxusfutter picken, uns mit Roederer Brut erfrischen, schwören wir uns, einander nie zu verlassen und alles zu teilen.

In der muffigen, satten, stinkigen Stimmung nach diesem Freß- und Zechgelage rülpst und döst der ganze Waggon.

Clara läßt sich treiben und gesteht mir vertraulich, sie sei vorher sehr schlank gewesen und wohlproportioniert. Erst im Gefängnis sei sie immer dicker geworden; in Drancy wurde es dann fürchterlich, sie blähte sich, als blase man sie auf.

»Nur meine Beine bleiben schlank ... schau, ich bin ganz unförmig. Mein Verlobter wird mich nicht mehr wollen, er wird mich verlassen!«

Weinend erzählt sie mir von ihren Eltern: »Wir wohnten am Trocadéro ...« und die Vergangenheit eines kleinen, glücklichen, umsorgten Mädchens rollt wie das Pastellbild einer englischen Kinderstube vor mir auf. Eine leichte, behütete, kristallklare Kindheit, in die erst jetzt die Realität des Krieges dringt.

»Weißt du, Jean-Pierre, mein Verlobter, war bei einem Nachrichtennetz. Ich habe Briefe ausgetragen, Treffpunkte weitergegeben, telefonische Verbindungen vermittelt und hatte keine Ahnung, wie wichtig das alles war. Ich glaube, man hat mich nur verhaftet, weil ich Halbjüdin bin.«

Die Mama unterbricht uns: »Meine Töchterchen auch. Da sie meinen Mann, der beim Widerstand ist, nicht fassen konnten, nahmen sie uns fest. Wir sind ihre Geiseln, eine Falle ... zum Glück schnappte sie für meinen Mann nicht zu ..., deshalb deportieren sie uns. Für mich ist das Wichtigste, daß ihr Vater den Deutschen entkommen ist. Er würde den Tod riskieren, für uns wird es halt eine schlimme Zeit werden, die wir überstehen müssen.«

»Und du«, fragt mich Clara, »wie war's bei dir?«

»Meine Geschichte ist fast wie deine. Ich bin auch Halbjüdin, half auch einem Freund beim Widerstand, Briefkasten, Treffpunkte, nachts schlief der bei mir, der Unterschlupf brauchte.«

»Das war aber gefährlich!«

»Sicher. Jemand denunzierte mich, und ich wurde verhaftet. In jener Nacht schlief so ein Kumpel bei mir. Ich hatte bei der Nachbarin geschlafen, kam zurück, im Morgenrock, die Kleider über dem Arm und ... stell dir mein Gesicht vor, zu dritt erwarteten sie mich. Sie brachten mich zum Quai de Gesvres. Anfangs machte ich mir keine Sorgen, meine Papiere waren in Ordnung, meine Lebensmittelkarten so echt wie nur möglich. Sie waren schließlich von einem Inspektor auf den Namen Fania Fénelon ausgestellt, mein Pseudonym als Sängerin. Ich hatte sogar einen Nachtausweis von der Kommandantur.«

»Hast du nachts gesungen?«

»Ja, in Bars.«

Sie schüttelt den Kopf, ihr Tonfall wird etwas weniger geziert, und sie stellt fest: »Da hätte ich dich nicht hören können, wir sind abends nicht mehr ausgegangen. Wir wollten uns nicht unter die Deutschen mischen, und in den Kabaretts gab's ja nur noch sie und die Kollaborateure.«

Ich bin still; ich stürzte mich geradezu dahinein und leistete dort sogar ausgezeichnete Arbeit. Wie hätte sie die Besitzerin von »Melody's« wohl beurteilt, die wie eine Puffmutter aussah – vielleicht war sie es –, die uns aber beschützte. Wie hätte sie diese Nutten verachtet, die sich den deutschen Offizieren an den Hals hängten und uns Papiere, Fotografien und Auskünfte zukommen ließen ...

»Haben sie deinen echten Namen rausgekriegt?«

»Nein. Ich habe ihn schließlich selber gesagt. Mir reichte es, dauernd geschlagen zu werden. Schläge tun immer gleich weh ... Und dann behaupteten sie stur und steif, ich sei Kommunist. Das wäre zwar schwierig zu beweisen gewesen, aber vielleicht wären sie doch dahintergekommen. Damit hätte ich dann riskiert, erschossen zu werden. Aber sterben, um zu sterben, dann doch noch lieber unter dem Namen meines Vaters: Goldstein. Jude, die Sache war sofort entschieden. Ich wurde nach Drancy gebracht, was mir sogar annehmbar schien, um am Leben zu bleiben.«

Clara grübelt: »Wie haben sie dich geschlagen?«

»Mit Eisenstangen in die Nieren.«

Sie faltet ihre kleinen, schwammigen Hände: »Mein Gott! Und du hast nichts gesagt?«

»Ich hatte nicht viel zu sagen.«

»Ich weiß nicht, was ich an deiner Stelle getan hätte.«

Trotz ihrer Korpulenz kam mir Clara so schwach, so verwundbar vor, daß mich ein großes, beschützendes Mitleid für sie überfiel; sie ist ja noch ein Kind, um das ich mich kümmern werde.

Sie stellt mir noch ein paar Fragen, denen ich aber ausweiche. Ich mag nicht wieder diese Zeit durchmachen, die das Heute vorbereitet hat. Die kleinen Mädchen trällern ›Malbrough-geht-in-den-Krieg‹. Wir singen den Refrain mit. Clara hat eine nette Stimme, einen lockeren, luftigen Sopran. Auch andere Leute singen mit uns. Galgenhumor! Als ich allerdings ›. . . geschlafen im Heu!‹ singe, werden alle sauer, mein Humor gefällt ihnen nicht. Ihr »Genug!« ist wie ein einziger Aufschrei.

»Laßt uns schlafen!«

»Wenn ihr wüßtet, was uns erwartet, würdet ihr nicht singen!« prophezeit eine Frau.

Eine andere hat die glänzende Idee, uns ihre Offenbarung kundzutun: »Ich wollte es vorher nicht sagen, aber ich weiß, daß wir alle in diesem Zug massakriert werden! Mit Maschinengewehren werden sie uns im Waggon abknallen, alle, alle! . . .«

»Nein, mit Strom, elektrisch!«

Ich stelle mir vor, wie unser Güterzug mit seinen zugestopften Öffnungen und von außen verriegelten Türen Ostfrankreich durchquert. An den Bahnübergängen sagen die Leute sicher: ›Da schau, unsere Lebensmittelrationen, die nach Deutschland verschwinden!‹

Wir rollen seit mehr als fünfzig Stunden. Der Gestank ist entsetzlich, die Tür wurde nur einmal geöffnet. Von SS-Soldaten bewacht, leerten die Männer jedes Waggons die Klo-Kübel. Seither entleert sich dieses stinkende Faß allein, es fällt um.

Wir sterben vor Durst, alle Flaschen sind leer: Wasser, Kaffee, Tee, Wein, Schnaps . . . Man kann die verpestete Luft nicht mehr atmen, die Lüftung ist gleich Null, wir sind am Ersticken.

Auf meiner Uhr ist es Mitternacht, als der Zug hält. Unsere

Tür ist wieder offen: Luft! Schnell, Luft! Ein einziges Gedränge. Befehle auf französisch: »Aussteigen! Lassen Sie Ihr Gepäck, Ihre Koffer und Taschen im Zug!«

Die Jungen hüpfen hinunter, die andern tun ihr möglichstes. Scheinwerfer beleuchten den Bahnsteig, ihr blendendes Licht macht die Nacht noch schwärzer. Bilder wechseln wie Halluzinationen. Clara ist neben mir. Wir sind von Geschrei, Gebrüll und Befehlen in gutturalem Deutsch umgeben.

»Raus! Los! Los! Schneller! . . .«

Rufe im Dunkel: »Mama, wo bist du?«

»Françoise, Jeanette, wo seid ihr?«

»Hier«, ruft ein Kinderstimmchen. »Mama, wir sind hier . . .«

»Wo hier?«

SS-Leute steigen in die Waggons, mit Stiefeltritten und Kolbenhieben treiben sie diejenigen auf den Bahnsteig, die vor lauter Gelenkversteifungen ganz gelähmt sind, die völlig Erschöpften und Kranken, zuletzt werfen sie einen Toten runter.

Gestalten, wie Skelette in gestreiften Anzügen, mit kahlgeschorenen Schädeln kommen auf uns zu, stille Schatten; sie steigen in die Waggons, diese seltsamen »Träger«, bringen unser Gepäck, stopfen es auf ihre Wagen und nehmen es mit. Der festgetretene Schnee ist schmutzig, trotzdem versuchen Clara und ich, ihn in unseren Händen schmelzen zu lassen, zum Trinken!

Autogebrumm; es sind Militärlastwagen, aber sie haben riesige rote Kreuze im weißen Kreis.*

»Da ist das Rote Kreuz!« schreit Clara, »jetzt kann uns nichts mehr passieren.«

Um uns herum stoßen SS-Leute Frauen und Männer zu den Fahrzeugen. Alte und Kinder können nicht so schnell, sie fallen, stehen wieder auf. Weil sie sich nicht voneinander trennen lassen wollen, werden sie brutal zusammengeschlagen . . .

Vom Sog mitgerissen bin ich gerade dabei, auch einzusteigen. Ein Feldwebel verweigert es mir: »Dein Alter?«

Ich sage es ihm, er stößt mich zurück: »Du kannst laufen!«

Aus dem hinteren Teil des Lastwagens rufen mich die Mama und ihre kleinen Mädchen. Dank der Dunkelheit könnte ich es schon schaffen, zu ihnen zu kommen. Clara läßt mich aber

---

* Diese als Krankenwagen getarnten Lastwagen erleichterten den Transport der Deportierten zur Gaskammer. Später führte der Schienenstrang bis ins Lager selbst hinein.

nicht: »Steig nicht ein, tagelang hat man uns in die verpestete Luft gesperrt, zu Fuß gehen wird uns gut tun, auch im Schnee.«

Zwei Kolonnen sind aufgestellt: fünfzig Männer, fünfzig Frauen – der Rest des Zuges verladen unter dem Zeichen des Roten Kreuzes. Der Konvoi fährt los, rutscht im Schnee und verspritzt ungestüm ganze Haufen von Schneematsch. Hinten, aus dem letzten Lastwagen, winken mir die Töchterchen ein Wiedersehen zu, die ältere schwenkt ein Taschentuch ... Ich lächle ihnen zu, bis ich sie nicht mehr sehen kann.

Ein Befehl. Unser Zug schwankt los, umgeben von Soldaten und Polizeihunden. Wir gehen ganz zügig, Clara und ich unter-gehakt, fast vergnügt. Es ist sehr kalt und schneit in großen Flocken, aber ich habe ja meinen Pelzmantel und bin mit mei-nen pelzgefütterten Stiefeln bestens beschuht. Ich lästere: »Hier würde ich allerdings meinen Winterurlaub nicht verbringen, das Personal ist mir nicht stilvoll genug, es fehlt jegliches Entgegen-kommen!«

Clara macht nicht mit, sie ist beunruhigt. »Am Bahnhof ... diese Männer!«

»Das müssen Gefangene sein.«

»Du meinst wohl Sträflinge. Man könnte fast Tote sagen!«

Ich beruhige sie: »Mach dir keine Sorgen, das hat mit uns nichts zu tun. Du hast doch das Rote Kreuz auf den Lastwagen gesehen ...«

»Seltsam, den Himmel sieht man auch nicht, ... als ob es gar keinen gäbe. Mir ist, als sei zwischen ihm und uns so was wie eine riesengroße Rauchwand. Sieh doch, der Horizont, wie rot der ist, man sieht ja eine Flamme.«

»Hier muß es Fabriken geben, und da werden wir wohl ar-beiten.«

Neben Clara geht ein Soldat mit Rangabzeichen. Er ist weder schön noch häßlich. Er ist undurchschaubar, vollkommen zu-geknöpft, ein Zwischending aus Stein und Tier. Mit einer Ein-heitsstimme, genauso ausdruckslos wie er selbst, spricht er sie auf französisch an: »Wollen Sie mit mir bumsen? Sie kriegen Kaffee.«

Kaffee! Eine Frau kostet also nicht viel hier, oder aber der Kaffee ist sehr teuer! Sie schweigt. Er insistiert nicht. Da er gut gestimmt zu sein scheint, frage ich ihn: »Kommen wir in ein Arbeitslager?«

»Machen Sie sich keine Sorgen, Ihnen wird's gut gehen.«

Davon bin ich allerdings ganz und gar nicht überzeugt.

Nach etwa halbstündigem Marsch, der Eingang des Lagers Birkenau*: eine Art großes Einfahrtstor zwischen zwei Ziegelbauten, flüchtig beleuchtet durch die Scheinwerfer von den Wachttürmen, die nachts sporadisch die Zäune und Straßen des Lagers absuchen. Sie hängen sich an die Stacheldrahtverhaue, durchstreifen die Nacht wie ein irrationales, beängstigendes Ballett.

Die Taschenlampen der SS-Männer kreisen im Dunkeln und lassen in den Augen der Hunde einen wilden Schein aufflackkern.

Über dem hohen Einfahrtstor eine Inschrift. »Arbeitslager«. Das wirkt fast tröstlich.

Man treibt uns zu einem Ziegelsteinbau: »Empfangsblock«. Das Willkommen des Hitzeschwalls füllt uns mit Wohlbehagen. Das Licht ist zwar schummrig, aber es reicht. An einem großen Tisch sitzen gutgekleidete Mädchen, die sich durch polnische Zurufe verständigen. Sie scheinen eine Art Festungsleben zu führen, das ihnen wohl völlig genügt.

Ich wage zu fragen: »Bekommen wir bei Ihnen unsere Sachen wieder?«

Die Dicke, Breitknochige, mustert mich mit erstaunten Kuhaugen und brüllt mir als Antwort ins Gesicht: »Pja Kref!«**

»Ich bin nicht ›Pja Kref‹, ich bin Französin.«

Eine von ihnen muß meine Antwort verstanden haben, denn sie weint vor Lachen ... Gekränkt kotzt die andere ohne aufzuhören eine ganze Litanei ihrer rachsüchtigen »Pja Krefs« aus ...

Meine »Pja Kref« entreißt mir die Handtasche, ich begreife. Ich gebe ihr meinen Mantel, und einen Augenblick lang zerreißt es mir das Herz, wenn ich sehe, wie sie meinen Pelz, den Gegenstand meiner ganzen Fürsorge, mit ihren dicken, kurzen, einnehmenden Pfoten betastet und dabei das seidige Fell zerquetscht. Mein letzter Kontakt mit meiner Vergangenheit. Gerupft an meinem Platz, nackt wie Clara und alle anderen, bleibe ich stehen, wo ich bin, mitten in meinen Kleidern, die auf dem Boden um mich herum verstreut liegen wie die Haut einer Schlange, die sich häutet, während diebische Schatten mit kahlgeschorenen Köpfen sie zusammenraffen und mitnehmen. Auf einem Tisch türmen sich Handtaschen und Schmuck.

SS-Frauen in Uniform schlendern lässig durch dieses Beute-

* Birkenau war ein Teil des Konzentrationslagers Auschwitz.
** »Bluthund«, der schlimmste polnische Fluch.

gut. Unter ihren eisigen, verachtenden Blicken habe ich den Eindruck, weniger als ein Tier zu sein: ein fremdartiges, besudeltes Objekt, das ihre etablierte Ordnung stört.

Arme Clara! Bedauernswert mit ihren großen Brüsten, die bis auf ihren dicken Bauch fallen; sie gleicht einem Apfel auf zwei Streichhölzern. Eine junge Polin übernimmt uns. Meine herrlichen, pechschwarzen Haare, zwei dicke, geflochtene Kränze um meinen Kopf. Was für ein Gemetzel! Die Schere kann sie nicht einmal anschneiden, sie rutscht ab. Die Polin klemmt sich verbissen dahinter, endlich – sie hat's gepackt, abgeschnitten! Die Zöpfe fallen: zwei schöne, glänzende, glatte Schlangen. Jetzt stürzt sich das Mädchen mit dem Schermesser auf meinen Schädel, meine Achselhöhlen, meinen Schamhügel ... ohne Wasser noch Seife, mit einer rostigen, schartigen Klinge, die kratzt, aufschürft, ausrupft. Es müßte mir sehr weh tun, aber ich spüre fast nichts. Meine Augen verfolgen jede Bewegung der andern, der rotbackigen Polin, deren viel zu enge Bluse über dem Busen aufklafft. Sie nimmt meine Zöpfe, schwenkt sie vergnügt durch die Luft und foppt mich damit. Lacht, sie lacht ... lacht so hysterisch, daß ich außer mir bin vor ohnmächtiger Verzweiflung. Unbändige Wut steigt in mir hoch, rasendes Verlangen, weh zu tun, zu zerstören, zu töten: ›Wenn ich eines Tages hier rauskomme, werde ich eine Polin umbringen ... Und alle andern sollen krepieren, so daß keine einzige übrigbleibt auf der Welt, verflucht sei dieses Volk. Das wird mein Lebensziel!‹

Immer schon brauchte ich ein Lebensziel; hier in Auschwitz ist dieses so gut wie jedes andere! Mit der gleichen Leidenschaft, mit der ich da haßte, verabscheue ich mich jetzt für diesen schändlichen Gedanken.

Wir kommen zur Tätowierung. Teilnahmslos sehe ich zu, wie sich auf meinem linken Unterarm meine Häftlingsnummer abzeichnet: 7 4 8 6 2. Irgend jemand sagt, ein SS-Mann habe vorgeschlagen, uns auf der Stirn zu tätowieren, aber Berlin habe abgelehnt!

Damals war ich noch nicht soweit, daß ich darüber lachen konnte ...

Diese Brandmarkung entmutigt Clara. Verständnislos, immer noch ungläubig, schaut sie nachdenklich ihren runden, weißen Arm an: »Warum behandeln die uns so? Das tun sie doch sicher nicht mit allen Arbeiterinnen?«

Unschuldige Clara, ihre Seele ist so hell wie ihre Haut.

Für mich ist das vorbei, ich habe verstanden: die Schlagworte an den Wänden, die mir eine Elsässerin übersetzt: »Der Block ist Dein Heim« – »Eine Laus ist Dein Tod« – »Arbeit macht frei« – »Du bist nicht im Sanatorium«.

Wie ein Schlag in den leeren Magen treffen sie mich. Ich bin nichts mehr, nicht einmal ein Sklave. Für mich gibt es nichts mehr, weder Recht noch Gesetz; ich bin allein, verlassen, dem Henker ausgeliefert. Das also ist die Endstation: die Hölle!

Ich sehe uns wieder unter der eiskalten Dusche frieren, die Arme fest an den Körper gedrückt. Danach zurück in den Saal, entmutigt, zitternd, tätowiert und ohne ein einziges Haar. Es klingt seltsam, aber das ist die große Erniedrigung, kein Haar mehr zu haben!

Schattengleiche Gestalten fegen, sammeln sie, tragen alle Haare wie einen Schatz mit sich fort.*

Nach der Dusche schmeißt man uns alte Männerschuhe hin, ein Kopftuch für den nackten Schädel, so was wie eine Garnitur Unterwäsche, ein Kleid. Ich habe ein geblümtes Sommerkleid mit einem an die Brust gehefteten gelben Stern.**

Seine Bedeutung muß ich nicht erst erfragen, die Farbe sagt mir alles. Gelb, das ist die Farbe der Juden. Wenn ich daran denke, daß ich noch nie den Stern getragen habe!

Danach treibt man uns in eine Art antikes Theater; wir verteilen uns auf die Holzstufen. Es ist eiskalt. Neben mir hockt ein Mädchen, die Arme um die Knie geschlungen, den Kopf darauf gestützt, und murmelt in russisch vor sich hin: »Diese Unmenschen, diese Scheusale, die werden bezahlen . . . die müssen alles bezahlen . . . einer nach dem andern wird umgelegt . . . die werden büßen!«

Ich frage sie in ihrer Sprache: »Woher bist du?«

Sie hebt ihren beuligen, frisch rasierten, mit krebsroten Kratzern bedeckten Schädel. So, so sehe ich auch aus, also wäre es nicht schwierig, meine Beulen mal genauer zu untersuchen,

---

* Später erfuhr ich, daß aus den so gewonnenen Haaren Kabelhüllen, Filze und Stoffe gemacht wurden. Knochen wurden zu Dünger und Maschinenkohle verarbeitet. Mit einem Filtersystem wurde menschliches Fett aufgesammelt, daraus machte man Öl und Seife.

** Ein farbiges Stoffdreieck, auf dem der Buchstabe die Nationalität anzeigte: Rot – Politische; Grün – Kriminelle; Schwarz – Asoziale; Rosa – Homosexuelle. Für Juden ein gelbes Dreieck mit dem Buchstaben der Nationalität, dessen Spitze nach oben zeigte, darunter ein zweites gelbes Dreieck mit der Spitze nach unten, das ergab den Davidstern.

vorausgesetzt, ich habe ihn, den Glücksknubbel..., die andern, was soll's, aber der, der Glück bringt!

Sie brummt: »Ukraine. Und du, Russin?«

»Nein, Französin.«

Erstaunt starrt sie mich an und setzt ihren Monolog fort...

Ich flüstere ihr zu, denn sprechen ist verboten: »Wo arbeitet man? Wann ißt man? Seit zwei Tagen hatte ich kein Glas Wasser mehr...«

Was ich ihr sage, ist zweifellos nicht einmal eine Antwort wert; sie leiert die Litanei ihrer Wunschträume weiter: »Das hört auf, sie werden alle umgebracht... abgeknallt...«

Niedergeschlagen bleiben wir so sitzen, ungefähr zwei Stunden lang. An mich gekuschelt erneuert Clara ganz leise ihren Schwur: »Du weißt, wir trennen uns nie. Wir teilen alles. Für uns gilt das auf Gedeih und Verderb!«

Dieser Allerweltssatz wiegt schwer in dem eisigen Zirkus. In unregelmäßigen Abständen streicht der Scheinwerfer eines Wachtturms durch die Oberlichter, läßt Bruchstücke der Szenerie auftauchen, entreißt dem Schatten zusammengekauerte Frauenbündel, die auf den Bänken zittern.

Manchmal verirrt sich von unten, aus der Manege des Zirkus, der Strahl einer Taschenlampe über die Stufen auf der Suche nach Gott weiß was. Von draußen dringt kein Ton zu uns herein, ab und zu ein Wehklagen, ein Seufzer, ein Schrei – lauter Gebete.

»Ruhe! Kein Wort mehr!« bellt eine unsichtbare Wache, und schon verbreitet sich wieder Stille, absolute, totale Stille – Grabesstille. Aber wir leben doch noch. LEBEN!

Wenn ich am Leben bleiben will, muß ich durchhalten, aber wie? Später lerne ich es, jeder Tag lehrt es mich.

Das Licht geht an. Unten im Rund erscheinen fette Kreaturen, der Stubendienst. Sie schleppen eine Art Faß voll Suppe herein. Unser Napf wird gefüllt, patsch! Ich habe keinen Löffel, und das große Würgen kommt mir schon beim bloßen Gedanken daran, dieses schleimige Wasser, in dem weiß ich was alles herumschwimmt, schlucken zu sollen.

Die kleine Russin befiehlt mir: »Iß, du mußt, du mußt dir deinen Körper wieder aufwärmen.«

Äußerst geräuschvoll schlürfen wir diesen garstigen, stinkenden Fraß. Unten, im kleinen Kreis der gelben Lichter, hat der Stubendienst seine Nummer beendet – niemand klatscht. Das Licht geht aus. Einen Augenblick noch huscht ein Lichtstrahl der Taschenlampe unserer »Platzanweiserin« über die Stufen, dann verschlucken Nacht und Stille diesen Ort wieder. Das Schauspiel ist aus.

Nach ihrem Abgang erwacht zaghaft, wie mit Bedauern, der Wintertag, kläglich, kleinlaut. Zunächst weiter warten. Endlich geht die Tür auf, und schon donnern die Befehle. Mit Pfiffen und Stockschlägen jagt man uns raus. Wir ersticken fast in der eisigen Luft. Meine nackten Füße vergegenwärtigen mir wieder meine ungleichen Männerlatschen: ein gelber und ein schwarzer; ein Stiefelchen und ein Halbschuh ohne Schnürsenkel, Größe 42 – ich trage Größe 34. Wie kann man so in Reih und Glied marschieren, Gleichschritt halten, mit so was an den Füßen? Ein neuer Alptraum überfällt mich: Marschieren bedeutet leben – zurückbleiben, fallen bedeutet den Tod! Voller Haß sehe ich mir den Morast von Auschwitz, in dem ich versinke, genauer an. Diese Erde, die nie trocknet, nicht einmal mitten im Hochsommer. Dunkles Grau, mooriges Rot, je nach Umgebung; man könnte fast sagen, ein flüssiger Lavastrom, der sich immerzu weiterwälzt, den Regen, Wind und Schnee übereinanderschieben. Heimtückisch zieht er mich an. Mir wird vollkommen bewußt, daß mein Leben von der Länge dieses Marsches abhängt. Zum Glück ist er sehr kurz. Wir halten vor einem ungeheuer langen, gedrungenen, fahlen Ziegelbau: ›Das ist der Quarantäneblock, eine Baracke, aus der man nicht mehr lebend herauskommt!‹

Er ist niedrig, unendlich groß, ein dunkler Schuppen. Tausend Frauen sind auf drei-etagigen Holzgestellen zusammengepfercht, so eng wie im Leichenhaus. Es ist fast ein Leichenhaus, der Fäulnisgestank würgt.

Clara und ich kommen als letzte herein, bleiben noch ein paar Minuten an der Tür stehen. Ich weiß nicht warum, aber ich muß an die Mama mit ihren zwei kleinen Mädchen denken. Vielleicht finde ich sie da drin wieder? Ahnungslos wage ich die Blockowa zu fragen: »Bitte, Madame, wo sind die Leute, die mit den Wagen vom Roten Kreuz fuhren?«

Meine Anmaßung bringt sie aus der Fassung, sie starrt mich an, taxiert mich. Will sie mich zusammenschlagen mit ihrem harten Prügel, einem knorrigen Stock, wie man sie bei uns auf dem Land gebraucht? Mutig wiederhole ich: »Die Leute auf den Lastwagen vom Roten Kreuz, wo sind sie?«

Sie lacht glucksend, packt mich mit der Hand am Arm, klemmt mich dabei in die Muskeln und zwingt mich so, mich zur offenen Tür umzudrehen: »Da schau ...«

Sie zeigt mir, ungefähr fünfzig Meter entfernt, ein Gebäude, das geradezu am Boden festklebt und von einem niedrigen, viereckigen Schornstein überragt wird: »Siehst du den Rauch, dort aus dem Schornstein? ... Das sind sie, da sind deine Freunde und braten schon ...«

»Alle?«

»Alle.«

Man ließ ihnen nicht einmal die Chance des Quarantäneblocks, das rote Kreuz auf den Lastwagen war ein Köder.

Die Blockowa läßt meinen Arm nicht los, zutraulich dreht sie sogar ihr dickes, fettes Gesicht noch näher zu mir her: »Da durch wirst du auch verschwinden ...«

Wie soll man daran zweifeln!

»Herunter!« brüllt die Blockowa.

»Jetzt gehts aufs Scheißhaus, wird auch höchste Zeit!« stänkert Adèle, die Rothaarige, während sie von ihrer Pritsche runtersteigt.

In Reih und Glied, im Schlamm rutschend und in unseren

dünnen Kleidchen schlotternd, überqueren wir einen Teil des Lagers.

Die Latrinenbaracke – wer ist bloß auf diese Idee* gekommen?

Ein gewaltiges Loch, einfach die Erde ausgehoben, ich schätze so zehn Meter tief, rundherum mit dicken Steinbrocken eingefaßt. Rundum Bretterwände mit einem Dach obendrauf. Diese riesige, trichterförmige Kloake ist mit Holzstangen umgeben. Bevor die Tür ganz offen ist, brechen die Mädchen schon aus dem Glied und drängeln hinein, um sich dort auf die Holzstangen zu setzen, den Hintern in der Luft. Diejenigen aber, die Durchfall haben, kommen erst gar nicht ganz hin, sondern erleichtern sich da, wo sie gerade sind, den Schlägen und Flüchen der Blockowa ausgeliefert.

Ich schaue und schaue, ich darf doch nichts vergessen von dieser stinkenden Scheußlichkeit: zu ungefähr fünfzig, eng nebeneinander an dieses Gestänge geklammert, gleichen sie alten, kranken, mageren, zitternden Hennen auf ihren mistigen Hühnerleitern. Diejenigen, die lange Beine haben, erreichen mit den Fußspitzen gerade noch den Boden, aber die andern, die Kleinen, die mit baumelnden Beinen, zu denen ich gehöre, müssen sich mit beiden Händen an diesen runden, rutschigen Stangen festklammern. In diese Grube fallen bedeutet einen abscheulichen Tod.**

Clara und ich sitzen nebeneinander und können noch rot werden vor Scham. Jetzt ist sie völlig entmutigt, am Ende ihrer Nervenstärke. Ich habe Angst um sie und zische sie an: »Du hältst dich fest und fällst nicht runter, hast du verstanden!«

Die Frauen in den Boxen uns gegenüber starren Clara und mich gefühlskalt an. Wir bedeuten dieser vielfach verdreckten Schädelreihe, die durch einen mehr oder weniger kurzen Haarflaum gefärbt ist, überhaupt nichts. Ihre mageren, knochigen Hände sind wie Vogelkrallen um den Holzrahmen ihrer Kojen geklammert. Ihre tief eingefallenen Augen flackern wie Kerzenlichter, die man für weiß ich welche dämonischen Darbietungen in Totenschädel stellt. Ich schaue sie an und Sterbensangst packt mich: Sie werden zu Spiegeln und zeigen mir mein eigenes Abbild. In wieviel Tagen werde ich auch so sein? Schon in

* Eine »Idee« des Kommandanten Kramer.
** Dieser »Unfall« ist vielen kranken Frauen passiert, die zu schwach waren, sich am Gestänge festzuhalten.

wenigen Stunden erfuhr ich so viel, verflogen Illusionen. Dreist wird einem die Suppe gestohlen, dieses infame Gebräu; die Kleinen wie ich sind der Gnade der Großen ausgeliefert, die Starken leben auf Kosten der Schwachen, man wird mit absoluter Gefühllosigkeit in den Tod gejagt. Die Fronarbeiter gehen, und man sieht sie nie wieder, die Kranken werden ins Revier geschickt, von wo sie nicht mehr zurückkommen, ohne daß sich auch nur eine dieser Frauen Gedanken darüber macht! Während der Nacht bleibt eine Tote neben den Lebenden liegen, morgens schmeißt man ihre Leiche auf den Boden und weckt damit nicht das geringste Interesse. Unvorstellbar, daß es so was gibt! Die Mädchen sprechen, weinen, stöhnen, schreien. Tausend Frauen, die nur noch Gedärm sind.

Aufs neue erwacht meine Zwangsvorstellung, von dieser Welt verschlungen, verdaut zu werden. Wie soll ich ihr bloß entkommen? In der obersten Koje, platt auf dem Bauch liegend, von Clara beschützt vor den anderen, möchte ich nur noch die Augen schließen, mein Gesicht zwischen den Armen vergraben und nichts mehr hören und sehen. Aber das darf ich nicht, denn wir müssen den Kopf hochhalten, weg vom verdreckten, stinkenden Strohsack, der unser Gemeinschaftsbett ist.

Clara fängt an zu weinen.

Ihr Schluchzen verdoppelt und verdreifacht sich. Das muß ich verhindern und sage deshalb irgend etwas zu ihr, was mir gerade einfällt: »Ich werde dir ein Märchen erzählen.«

Das wirkt so wunderlich, so unerwartet, daß Clara mich verständnislos anschaut. Blitzschnell öffne ich das Sesam mit »Es war einmal . . .«

Alles kommt drin vor, ich krame sogar in der Traumkiste und es wird lang: Schmuck, Kleider, Festgelage, Liebe. Wohlriechende Räucherkerzen brennen überall neben den tiefen Sofas. Rosenblätter regnet's so dicht wie Schneestürme, und makellose Tauben steigen ins Himmelsblau. Die heißen Küsse der Prinzen hätten die Mumien in ihren großen Pyramiden auferweckt, und triumphierend ende ich mit »und wenn sie nicht gestorben sind . . .«.

Ich schaue rings um mich und lache lauthals.

Stimmen meckern: »Halt die Klappe!« Es muß so fünf Uhr morgens sein. In Paris käme ich jetzt aus einer Bar, in der ich gesungen hätte . . .

Wann folgendes war, weiß ich nicht mehr, denn ich döste im Dunkel vor mich hin, muß sogar geschlafen haben. Die letzten

Stunden verschwimmen ohnehin in meinem Gedächtnis, ich weiß nichts mehr davon, ich erinnere mich nur noch an einen lauten Krach: Geheul, Verwünschungen, gehässiges Lachen, beängstigendes Lachen, wie von Verrückten ...

Jetzt holt man mich da raus, um ›Butterfly‹ zu singen und zu spielen. Ich kann's nicht fassen, nicht glauben ... Und doch gehe ich hinter der monströsen Polin raus. Die Kälte beißt mich grausam in die Ohren. Sie, die Polin, stiefelt mit langen Schritten vor mir her, während ich mit nackten Füßen in den großen Männerschuhen hin und her rutsche. Ich versinke im eisigen Schnee, die Kälte ist klirrend. *Sie* friert nicht in ihrem warmen Mantel, ihren Stiefeln, ihrem Kopftuch. Der Schnee schnappt geradezu nach meinen Schuhen und will sie festhalten. So wird der Abstand zwischen der Polin und mir immer größer, sie geht ihren Weg, ohne sich umzuschauen. Wenn ich sie jetzt verlöre! Ich schwitze vor Angst und verliere einen Schuh, der im Schnee stecken bleibt. Helf was helfen mag, ich werfe den andern auch weg und laufe barfuß ... Tausende kleiner Eisnadeln stechen mich. Wir verlassen das Lager A und kommen in den Teil B, wo die »Prominenten« hausen.

Endlich sind wir da!

Die Riesin hält vor einer Baracke, dreht sich um und schaut mich mißtrauisch und ungläubig an; wenn ich sie getäuscht hätte! Hartnäckig stößt sie ihren Zeigefinger auf meine Brust und brüllt: »Du ... Madame Butterfly?«

Von Angst gepackt schreie ich zurück: »Ja ... ja, ich, Madame Butterfly!«, während sich in mir unbändige Lust zu sinnlosem Lachen regt.

4
Das sind ja Engel!

Die Polin macht mir die Tür auf und ich gehe hinein ... ins Paradies. Licht. Öfen. Es ist so warm, daß ich fast ersticke und nicht mehr weitergehen kann. Notenständer, Noten, eine Frau auf einem Podium. Vor mir sitzen junge, hübsche Mädchen, gut gekleidet in Faltenrock und Pulli, mit Musikinstrumenten in ihren Händen: Geigen, Gitarren, Mandolinen, Blockflöten ... und ein Flügel, er thront wie ein König daneben.

Das kann nicht wahr sein, das gibts doch nicht! Ich bin wohl verrückt geworden. Nein, ich bin tot! Das sind die Engel! ... Das muß passiert sein, als ich in Schnee und Eis das Lager durchquerte. Innerlich tröste ich mich. ›Deine Reise ist aus, du bist angekommen ... im Musikhimmel, ganz sicher, denn du liebtest doch nur sie, du wirst wieder spielen. Das hier, das ist dein erster Halt. Du bist im Himmel und wirst dich zwischen die zauberhaften Mädchen setzen.‹

Eine junge, blonde Frau mit weichen Gesichtszügen kommt her zu mir, wischt mitleidig das Blut ab, das mir aus Mund und Nase geflossen war, und säubert mein Gesicht mit einem feuchten Lappen. Wie zart ist doch ein Engel! Dann gibt sie mir ein Stück Brot; Brot und Salz zum Willkommen. Eine Geste, die mich ans tiefste Zeitalter der Barmherzigkeit erinnert. Ich sage »danke«, und dieses Wort, das ich schon vergessen hatte, erfüllt mich mit Wohlbehagen. Leicht wie ein Geist, scheint mir, und lächelnd gehe ich zu den Musikanten hin.

Keine spricht, niemand bewegt sich, all diese allerliebsten jungen Mädchen schauen mich an. Ein einmaliger, göttlicher Augenblick. Ich bin auf einem rosa Wattewölkchen, ich schwebe ... Jetzt belebt sich das Bild: der Dirigent,* eine große Dunkelhaarige, streng, würdevoll und aufrecht, fragt mich in sehr gutem Französisch, ohne deutschen Akzent: »Kannst du Klavier spielen?«

Mein »Ja, Madame!« klingt so voll Inbrunst wie das Halleluja in einer Kathedrale.

»Dann geh an den Flügel und spiele und singe ›Madame Butterfly‹.«

---

* Der Dirigent, bei uns eine Frau, trug links eine schwarze Armbinde mit einer weißen Lyra.

Barfuß gehe ich zum Flügel. Es ist ein Bechstein, der Traum meines Lebens! Ich setze mich auf den Hocker, von wo ich gerade noch mit der Spitze meines großen Zehs das Pedal erreiche. Meine Hände auf diesen Elfenbeintasten lassen mich vor Scham erröten. Sie sind häßlich, schändlich. Ich möchte die Finger wieder zurückziehen, verstecken können. So lange schon konnte ich sie nicht mehr waschen! Nun denn, wichtiger ist doch: Ich bin da!

Dankbarkeit würgt mich wie ein Kloß im Hals, mich, die ich an nichts glaube; ich spüre sogar etwas wie den Wunsch, Gott zu danken. Aber dann schlägt der Traum in Wirklichkeit um: Ich bin hier, um ein Examen zu bestehen, in wenigen Minuten kann ich rausfliegen, wieder zurückgeschickt werden, dahin, von wo ich komme. Das hier sind keine Engel, sondern Frauen, die mich mustern, die einen freundlich, die andern verächtlich. Warum? Ich verstehe es nicht und schiebe diese wachsende Unsicherheit von mir weg. Später werde ich versuchen, es zu begreifen, später werde ich es wissen ...

Richtig verliebt fanden meine Hände wieder ihren vertrauten Kontakt mit den weißen und schwarzen Tasten ... und ich beginne mit ›Sur la mer calmée‹ (Eines Tages seh'n wir ...). Wird mir Puccini das Leben retten? Dann singe ich in deutsch ›Wenn es Frühling wird‹ von Peter Kreuder, dessen Rhythmus mich an gewisse Zigeunerweisen erinnert.

Jetzt gibt es keine Juden, keine Polen, keine Arier mehr, alle klatschen in die Hände. Sogar ihre Füße werden unruhig. Tanzfreude liegt in der Luft.

Meine Hände werden ruhig, lassen aber nicht ab von der Klaviatur, solange ich ihren Kontakt spüre, kann mir nichts geschehen. Ich streichle, ich liebkose diesen Flügel. Er ist mein Retter, meine Liebe, mein Leben. In diese schwirrende Stille fällt das Urteil auf deutsch: »Ja, gut!«

Dann präzisiert sie auf französisch: »Ich nehme dich ins Orchester.«

Eine unheimlich wiederbelebende Wärme durchzieht mich, ich bade geradezu in ihrer Wonne: Ich bin ins Orchester aufgenommen! Und Clara? Ich kann sie nicht aufgeben, mein Schwur, den ich beinahe vergessen hätte. Mein Hochgefühl macht mich leichtsinnig und ich wage zu sagen: »Madame, Madame, ich habe eine Bekannte, Clara, eine Freundin mit einer zauberhaften Stimme. Sie müssen sie holen lassen.«

Unter dem kalten, unfaßbaren Blick der großen braunen Augen, die mich fixieren, verliere ich jedes Maß: »Ohne sie bleibe ich nicht hier. Ich gehe, ich gehe wieder zurück! . . .«

Mir ist weder klar, was ich sage, noch was ich wage. Ein Nein wäre für mich das Ende dieser Welt! Die viel realistischeren Mädchen sind wie versteinert, bin ich denn verrückt geworden? Nichts regt sich im Blick der Chefin, sie ist wirklich eine Deutsche. Aber dann entscheidet sie sich und ruft: »Zocha!« Dieses Riesenweib kommt sklavisch dienernd.

»Geh und hol Clara vom Quarantäneblock und bring sie hierher.«

Während ich auf meinem Klavierschemel kleben bleibe, drängen sich die Mädchen um mich herum, stellen mir Fragen über Fragen, die ich allerdings nur schlecht wahrnehme. Wenn diese Zocha Clara nicht findet? Wenn Clara zu einem Arbeitskommando eingeteilt worden ist, wenn sie in die Latrinengrube gefallen ist, wenn, wenn . . .? Hier in Birkenau schlägt das Schicksal blitzschnell zu, in ein paar Sekunden kann sich alles verändern, kann es unwiederbringlich werden . . .

Dann sehe ich Clara hereinkommen, meine Clara, die wie eine Ente watschelt, plump und dick, so dick . . . Ihr Äußeres interessiert die Chefin nicht, sie beachtet es kaum. Was sie will, ist eine Stimme, und Clara hat eine Stimme, eine wahre Nachtigallenstimme, einen leichten, reizvollen, seltenen Sopran. Solange ich sie begleite, fürchte ich nicht um sie, und ich habe recht.

»Ich will euch haben. Ihr kommt beide ins Orchester. Ich werde sofort unserer Lagerführerin davon berichten und euch einkleiden lassen.«

Höchst erregt umzingeln uns die Mädchen, drücken uns, ihre und unsere Fragen überschlagen sich, ein Geschnatter wie am Ententeich.

Meine Ohren entnehmen ihm Namen und Ratschläge, meine Augen halten ein Gesicht, einen Ausdruck, die Tiefe eines Blickes fest. Eva, älter als die andern, dreißig vielleicht, ist Polin. Ihre grau-blauen Augen verraten viel Weichheit. An sie erinnere ich mich schon, an den Kontakt ihrer mitfühlenden Finger auf meinem Gesicht.

Kraftvoll zieht mich eine Hand zu sich hin. »Ich heiße Florette. Ich habe dich in Paris schon gesehen!«

Sie hat wundervolle Augen, grün, besitzergreifend, eifersüchtig, deren Blick unruhig wird: »Das bist doch du, die ich im ›Melody's‹ singen hörte?«

»Wahrscheinlich, ich war dort.«

»Ich war mir sicher. Wir haben dort vor einem Jahr mal einen Abend verbracht, meine Eltern und ich. Ich war siebzehn damals. Siehst du, ich hab' dich nicht vergessen. Aber unserm Chef gesagt hat's die kleine Irène.«

Irène, noch kleiner als ich, eine Leistung, muß ungefähr so alt sein wie ich. Mit erstaunlich hellem Teint und dunklen Augen, die so schwarz sind, daß man die Iris nicht erkennen kann. Siegessicher klingt ihre Stimme in meinen Ohren: »Ich hab' dich zuerst erkannt, ich! Ich hab' dich gesehen und singen hören – in Drancy. Gestern, als ich dich in der Kolonne des Quarantäneblocks entdeckte, rannte ich, um es unserer Kapo zu sagen.«

»Wie heißt sie?«

»Alma Rosé.«

»Es gab doch ein Quartett, das so hieß, von Rosé dirigiert. Er war auch dessen Erster Geiger und jahrelang Konzertmeister der Wiener Philharmoniker. Ich entsinne mich genau, in Paris in der Salle Gaveau habe ich ihn gesehen. Ich höre noch das Schubert-Quartett, das sie spielten, ein Genuß – ein außergewöhnlicher Violinist! . . .«

»Alma ist seine Tochter.«

»Ja dann, dann wäre sie ja die Nichte von Gustav Mahler, dem Komponisten. Ich weiß, daß er der Schwager von Rosé war.«

»Du täuschst dich nicht«, bestätigt mir Eva. »Sie ist auch eine sehr große Violinistin.«

»Und sie haben sie interniert?«

»Das braucht dich nicht umzuwerfen, ihr Talent gibt ihr noch lange kein Herz«, sagte Florette ironisch. »Du wirst schnell merken, daß es hier genug blöde Kühe gibt. Unsere Blockowa, die Tschaikowska, ist eine Pest, besonders zu uns Juden. Und Panie Founia, die Küchenchefin, eine andere Polackin, ist ein Luder! Mach dir keine Illusionen, du bist in Auschwitz, im Frauenlager Birkenau, und das ist kein Paradies!«

Diese genaueren Einzelheiten erschrecken Clara, der die Liebe zur Musik nicht ausreichen wird. Sie fragt nervös: »Wo sind wir? Wer seid ihr?«

»Das ist der Musikblock. Wir sind das Frauenorchester vom Lager Birkenau. Und ihr, kommt ihr wirklich aus Frankreich?«

»Ja, aus Paris.«

»Zu wieviel seid ihr angekommen?«

»Ich zählte zwölf Waggons, wir müßten also etwa tausendzweihundert sein.«

»Bei uns in Birkenau kamen 50 Frauen an und drüben bei den Männern 50 Männer. Der Rest, die tausendeinhundert Personen, hat sich in Rauch aufgelöst. Siehst du, so einfach ist die Rechnung . . .«

Ich erzähle: »Also wißt ihr, wenn Clara nicht zu mir gesagt hätte, ›komm, geh mit mir zu Fuß‹, ich wäre auf den Lastwagen gestiegen zu der Frau, die mich rief. Clara hat mir das Leben gerettet.«

Das läßt alle kalt – hier ist wirklich alles sehr einfach.

Eine Läuferin, Nase und Augen rotgefroren, stürmt herein und schreit schon von der Tür her: »Achtung! Die Mandel kommt!«

Die Mädchen werden reglos, sie erstarren richtig in ihrer »Habt-Acht-Stellung«, was mich jedoch weniger beeindruckt als der Auftritt der Lagerführerin Mandel. Sie ist noch nicht dreißig, sehr schön, groß, schlank . . . makellos in ihrer Uniform. Und ich, ich stehe da, vor ihr: meine Arme schlappern in diesem extravaganten Kleid, einer geblümten Gartenfestrobe, die nirgends sitzt, barfuß, kahlgeschoren, das Gesicht verschmiert, obwohl Eva es schnell abgewischt hatte, mit Clara neben mir, die genauso erbärmlich aussieht. Irène murmelt zwischen den Zähnen: »Mach stillgestanden!« Noch nie machte ich das, ich kann es gar nicht. Ich versuche aber doch meine Haltung zu versteifen. Merkt das die Lagerführerin? Sie befiehlt: »Rührt euch!« Um mich herum scharren Füße auf dem Boden, und die Körper werden wieder schlaffer. Die Mädchen entspannen sich, bleiben aber stehen und warten ab, was geschehen wird.

Alma, die respektvoll drei Schritte hinter Maria Mandel steht, stellt uns vor: »Das sind die zwei Sängerinnen. Die Kleine spielt auch sehr gut Klavier.«

Mandel, die ihre Hände elegant auf die Hüften stützt, weiße Hände, schmal und zart, die auf dem Grau der Uniform besonders wirken, schaut uns durchdringend an. Ihre Augen, so hartblau wie Fayencemalerei, bleiben auf mich gerichtet, durchbohren mich. Zum ersten Mal schaut mich ein Repräsentant der germanischen Rasse an, scheint von meiner Gegenwart Notiz zu nehmen. Sie nimmt ihre Schirmmütze ab; ihre Haare sind wundervoll blond, in dicken Zöpfen um ihren Kopf gesteckt –

ich sehe die meinen wieder in der Hand der Polin. Das Bild dieser Frau setzt sich in meiner Netzhaut fest, es wird unauslöschbar bleiben. Mir entgeht nichts von der Führerin: Ihr Gesicht ist leuchtend, ohne einen Hauch von Schminke (das ist der SS verboten), ihre sehr weißen Zähne sind groß und schön. Sie ist vollkommen. Zu vollkommen. Ein strahlendes Muster der Herrenrasse. Eine Gebärmutter der Auswahl, was tut sie also hier, anstatt Kinder zu gebären?

Sie dreht den Kopf leicht zu Alma hin: »Welche singt ›Madame Butterfly‹?«

»Die Kleine, Frau Lagerführerin.«

In ruhigem, gelassenem Ton bestimmt sie: »Sagen Sie ihnen, jede soll einzeln singen.«

Ich setze mich ans Klavier und begleite Clara, deren Stimme wirklich wie die einer Nachtigall ist. Ein Entzücken! Dann singe ich ›Sur la mer calmée‹ und beobachte dabei genau das Gesicht der Deutschen. Mir ist völlig bewußt, daß ich um mein Leben singe und spiele. Wenn ihr mein Vortrag nicht gefällt, wenn sie in ihm nicht ihre eigene Auffassung der Arie findet, muß ich dorthin zurück, von wo ich komme.

Auf einem Stuhl sitzend, ihre langen Beine in Seidenstrümpfen hübsch übereinandergeschlagen, das Kinn hoch, lächelt die SS-Mandel fast unmerklich.

»Sie müssen eingekleidet werden. Kommt mit!«

Ich verstehe, wir sind angenommen, und Alma verdeutlicht es uns noch: »Kommt, ihr seid aufgenommen.«

Die SS-Führerin geht mit langen, harmonischen Schritten voraus; sie muß göttlich Walzer tanzen. Rücksichtsvoll folgt ihr Alma. Clara und ich trotten erleichtert hinter ihnen her, mit so viel Abstand, wie wir für angebracht halten. Als ihr Gefolge also betreten wir eine große, hellbeleuchtete Baracke, gut beheizt, ein anderes Privilegiertennest. Mir scheint, daran mangelt's im Lager nicht! Das Erscheinen unserer SS-Führerin läßt alle erstarren. »Kommt her«, bedeutet uns Frau Mandel, und da sie nicht »Rührt euch« befiehlt, stehen wir nun Polinnen gegenüber, die sich in ihrer Habt-Acht-Stellung strecken. Eine angenehme Vision, sie so versteinert vor sich zu sehen, in dieser Respekthaltung. Lässig befiehlt die Lagerführerin »Rührt euch«. Erlöst werden die Mädchen wieder aktiv; hinter den Ladentischen sortieren sie haufenweise Kleidungsstücke, vielerlei Zeug, auch Wertvolles, Erinnerungsstücke, Proviant, halt alles, was der Koffer eines Menschen fassen kann, der sein Zuhause fürs Unbekannte aufgeben muß. Hier also endeten unsere Koffer ...

»Gebt ihnen Kleider in ihrer Größe«, präzisiert die Mandel.

Die Mädchen werden geschäftig, messen sogar die Kleider an uns. Ich warte nur noch darauf, daß sie uns nach unserem Geschmack fragen, ob wir einen rosa Büstenhalter mit Spitze oder vielleicht den kleinen weißen aus Satin bevorzugen ... Ein Geschäft voller Neuheiten, übernommen von vornehmen Kunden, eine wahre Wonne! Mir gibt man einen Büstenhalter, ein Höschen, eine Kombination, einen Strumpfhalter und Wollstrümpfe, wie fabelhaft! Ein marineblaues Wollkleid, einen warmen Mantel, weich in der Hand. Auf diese beiden letzten Teile nähen uns Polinnen oder Slowakinnen mit angewidertem Gesichtsausdruck in großen, groben Stichen unsere gelben Sterne. Meine Garderobe wird durch ein weißes Kopftuch vervollständigt.

»Sie sollen sich anziehen.«

Ich hätte mich lieber vorher gewaschen, aber was soll's, ich gehorche.

Die Mandel prüft Claras Ausstattung: »Gut ...«

Ihr Blick begutachtet auch mich bis hinab zu den Füßen, die in den Schuhen schwimmen, die mir Eva lieh, Größe 41! Mit einer gewissen Verbindlichkeit wendet sie sich nun an den Kapo des Blocks: »Frau Schmidt, haben Sie keine Schuhe für meine kleine Sängerin?«

Soviel ist klar, meine Größe und meine Stimme gefallen ihr.

»Aber doch«, versichert diese lebhaft.

Während eine Polin in einem Berg von Schuhen stöbert, mustere ich Frau Schmidt. Sie ist fabelhaft gekleidet, in Kostüm und gut geschnittener Bluse, schlank aber nicht mager. Aber sie muß schrecklich sein, ihre Augen sind ohne Farbe, ihr Mund ohne Lippen.

Ich ziehe schwarze Halbschuhe an, in gut und gern Größe 40.

Die Mandel regt sich auf, wird schroff: »Ich sagte, ihre Größe!«

Diese Forderung erscheint ungeheuer. Seit wann muß man sich um Größen kümmern, um Schuhgrößen für einen gelben Stern, eine Jüdin?

In herablassendem Ton informiert sich Frau Kapo: »Welche Größe hast du?«

»34.«

Das löst einen solchen Skandal aus, daß ich mich schuldig fühle.

»Solche haben wir nicht. Diese Größe gibt es nicht, Frau Lagerführerin.«

Die SS-Mandel wird wütend, ihre Worte hauen und stechen diese Unfähigen. Dann verläßt sie mit großen, zornigen Schritten den Laden. Nun denn, ich werde halt keine Schuhe in meiner Größe haben – ich werde schon was finden, womit ich mir die schwarzen Halbschuhe, die man mir läßt, ausstopfe.

Unter den giftigen Blicken von Frau Schmidt und ihrer Brut schlurfe ich hinter Alma hinaus; verärgert beschleunigt diese ihren Schritt, noch ein Dreh, meine Schuhe im Schnee zu verlieren. Glücklicherweise ist der Weg kurz, ich komme ohne Zwischenfall zurück.

Unsere Baracke betört mich überhaupt nicht mehr. Sie ist nicht jene Fata Morgana, die ich aus lauter Angst, sie könnte sich auflösen, erst gar nicht zu registrieren wagte. Sie ist eine Realität, die ich ausführlich beschreiben möchte. Diese Holzkonstruktion ist in zwei ungleiche Teile aufgeteilt: Im kleineren Teil, der zugleich als Schlaf-, Eß- und Wohnraum dient, sind die einzelnen Betten übereinander längs der weißgestrichenen Wände aufgestellt, zwei lange, sich gegenüberstehende Reihen.

»Jede hat ihre eigene Falle«, kommentiert Florette, »mit einem Laken – warum nicht zwei Linnen, geh und frag! – und einer Wolldecke. In der Pritsche unter der Matratze versteckst du dein Zeug, alles das, was du ›organisieren‹ konntest; das ist zwar kein sicherer Platz, aber es gibt nichts besseres.«

»›Organisieren‹, was heißt das?«

»Dich durchschlagen, dir das verschaffen, was dir fehlt, bei den Mädchen vom ›Canada‹.«

Die Mädchen vom »Canada«, was ist denn das? Wie und womit kann man was kaufen? Fundamentale Fragen, die ich für später zurückstelle, denn noch ist Besichtigung.

Im Hauptgang stehen drei Tische, von denen einer mit Küchenutensilien überfüllt ist. Er wird zum Essenverteilen gebraucht. An einer Wand sind Bretter angebracht, auf denen unsere Schachteln schnurgerade ausgerichtet stehen.

»Siehst du«, erklärt mir die kleine Irène, »dahinein kommen unsere ›Schätze‹. Wir haben immer zu zweit eine Schachtel, also kannst du deine teilen, mit wem du willst.« Sie erklärt genauer: »Zum Aufbewahren, nicht zum Teilen.«

Teilen, was? Unser Elend? Für mich gilt ohne zu zögern, ich werde mit Clara teilen.

Der andere Teil der Baracke ist größer, vielleicht acht auf sechs Meter. Er ist unser Musiksaal. An einer Wand entlang steht ein großer Tisch, auf dem Partituren und Papier liegen. Drum herum sitzen die Schreiberinnen, die Orchester-Partituren schreiben.

In der Mitte dieses Raumes ist ein kleines Podium, um das halbkreisförmig die Notenständer und die Stühle der Spielenden stehen. Außerdem münden noch zwei Zimmer in diesen Saal, das eine für unsern Dirigenten Alma, das andere für unsere Blockowa Tschaikowska. Der mit Dielen ausgelegte Boden ist so toll gescheuert, daß er fast seidig glänzt. Sogar die Wände sind weiß und sauber, und überall gibt's elektrisches Licht; verschwindend wenig!

»Wir sind zu siebenundvierzig da drin. Begreifst du, was das heißt? Frauen von überall her, zusammengesperrt auf so engem Raum und unter solchen Bedingungen. Zehn Nationalitäten. Die Welt in einer Sardinendose. Du kannst dir vorstellen . . .«

Die kleine Irène bringt ihren Gedanken nicht weiter. Eva vervollständigt ihn besonnen, in einem sicher besseren Französisch als dem meinen: »Sie kommen aus Ländern, wo sie oft durch tiefe, blinde Gegensätze im Ererbten und im Religiösen gegeneinander erzogen wurden; ich denke dabei ganz besonders an meine Landsleute, die Polen. Jede dieser Frauen hat ihre eigene Kultur, rassische Abstammung, ethnische Verschiedenheit, Religion, politische Ansicht, und alle prallen hier aufeinander. Das läßt uns verstehen, daß volle Übereinstimmung hier gar nicht herrschen kann, um so mehr, als sie in Erziehung und Bildung einen sehr unterschiedlichen Stand haben.«

Ich höre zwar zu, aber all das erscheint mir so läppisch nach dem, was ich noch vor ein paar Stunden erlebt hatte. Evas ganze Weltanschauung erscheint mir als beides zugleich – Oase und Getto – inmitten der Unmenge von Fangarmen des Lagers Auschwitz und allem, was damit zusammenhängt. Erst viel später begreife ich, daß auch das eine Art Butterbrot ist; eine Scheibe Musik zwischen zwei Scheiben Elend.

Eine Läuferin schreit: »Ihr Mädchen, zum Duschen!«

»Darf man das hier?« stottert Clara.

»Jeden Tag. Das ist Vorschrift. Alma achtet unheimlich darauf. Die Saudeutschen verlangen es. Alle Frauen, die ihnen aufgrund ihres Dienstes näher kommen können, müssen sauber sein. Wir teilen unsere Duschen mit den ›Aristokraten‹ des Lagers: den Mädchen vom ›Canada‹, den Schwarzen Dreiecken und all denen, die mit der SS zusammenkommen, wie Meldeläufer und Dolmetscher.«

Diese Dusche, von der ich so geträumt habe, ist Wirklichkeit geworden. Eva gibt uns ein Stückchen Seife, echte, ein wahres Wunder!

Wir kommen gerade noch rechtzeitig zurück, denn schon hören wir die Blockowa brüllen: »Ruhe! Ruhe! Achtung!«

Sie sah eben die SS-Mandel ankommen, die ganz gegen jede Gewohnheit zum zweiten Mal an diesem Tag keine Läuferin vorausschickte. Die Absätze knallen auf dem Boden, die Körper strecken und versteifen sich, außer denen, die Noten schreiben und deshalb sitzen bleiben dürfen; alle stehen still.

Die Lagerführerin trägt ein riesiges Schuhpaket, sie scheint fröhlich, kommt auf mich zu und läßt ihr Schuhsortiment auf den Boden fallen.

»Setz dich hin!«

Ich gehorche. Sie kniet mit einem Bein auf den Boden, wie eine Schuhverkäuferin, sagt zu mir »Gib mir deinen Fuß« und probiert mir meine Schuhe an.

Die Mädchen schauen uns mit weitaufgerissenen Augen zu. Die Notenschreiberinnen am Tisch bringen den Mund nicht mehr zu. Alma bleibt wie versteinert von dieser unfaßbaren Vision an ihrer Türschwelle stehen und sieht die Obrigkeit des Lagers, unsere Lagerführerin, vor einer Deportierten knien . . .

Ein Schauspiel, das ich genieße!

Ein Paar pelzgefütterte Stiefelchen paßt mir ausgezeichnet. Die Mandel steht wieder auf, ich stehe wieder auf, und sie tut ihre Zufriedenheit kund: »So wird meine kleine Butterfly warme Füße haben. Das ist unerläßlich für den Hals.«

Alma macht mir ein Zeichen, und ich probiere ein »Stillgestanden«, das mir auch fast gelingt.

»Dankeschön, Frau Lagerführerin! Dankeschön für die Freude, die Sie mir gerade geschenkt haben!«

»Aber daß es hier im Lager ein Orchester gibt . . .« wundert sich Clara.

Sie band sich das Kopftuch um, das ihr Frau Schmidt gab, um den nackten Schädel zu verstecken, was ihrem Gesicht etwas von der zierlichen Süße einer Sofapuppe verleiht.

Mißtrauisch beharrt sie weiter darauf: »Und wozu dieses Orchester?«

»Kraft durch Freude!« spottete Florette.

Clara ärgert sich: »Ich meine doch, wann spielt es? Für wen?«

»Für die Häftlinge natürlich!«

»Machst du dich lustig über mich?«

»Nein«, schaltet sich Irène ein, »sie macht sich nicht lustig über dich. Kramer, der Kommandant vom Frauenlager Birkenau, hat sich das ausgedacht, um damit den Arbeitskommandos Gleichschritt einzuhämmern, wenn sie morgens Birkenau verlassen, um außerhalb zu arbeiten, und wenn sie abends zurückkommen. Zuerst gab es nur im Männerlager Auschwitz ein Orchester. Höß glaubte wohl, das mache sich gut, das komme gut an bei den Chefs, wenn sie das Lager besichtigen.«

Jetzt will ich es genau wissen: »Wir spielen also unter freiem Himmel, zweimal täglich.«

»Draußen für die Häftlinge, drinnen für die SS.«

»Für sie auch?«

»Was hast du denn gedacht?« grinst Florette.

Sie hat recht, was habe ich denn gedacht? Diese Herren lieben Blumen, Mondschein, Musik!

Florette macht weiter: »Am Anfang, als ich ankam, war das Orchester eine Zirkusnummer, aber ohne Fanfare!, dirigiert von dem Dreckstück Tschaikowska. Sie hatte den Kopf voller Flausen und erzählte ihnen, sie sei ein Nachkomme des Komponisten, hat man schon mal so was gehört!, so daß diese Blödmänner sie zum Dirigenten machten. Ihr kommt jetzt erst, jetzt klappt es, aber ich, ich machte diesen Jahrmarkt noch mit.«

An einen Bettpfosten gelehnt richtet sie sich aufs Erzählen ein: »Ich war in der Quarantäne, als das Gerücht umging, hier gebe es ein Orchester. An diesem Tag waren wir fast glücklich; wenn es in Birkenau ein Orchester gab, dann war es vielleicht gar nicht so schrecklich, wie man vermutete. Möglicherweise war bloß die Quarantäne so schlimm, und danach würde es leichter. Wir griffen nach jedem Strohhalm. Das muß ich euch ja nicht klarmachen, ihr kommt ja von da. Nur hatte ich nicht so viel Dusel wie ihr, ich schmorte meine vierzig Tage dort und drehte Däumchen! Ich sah und sah kein Ende! Dort rausgekommen bin ich fast wie Fania, nur mit dem einen Unterschied, den es auch zwischen der Musik und mir gibt – das ist kein wohlklingender Akkord. Ich hatte sieben Jahre lang intensiv Geige gespielt, leider ohne herzhaft anzubeißen, und dann habe ich drei Jahre lang keinen Bogen mehr angefaßt. Da kam eines Morgens eine Läuferin und schrie wie aus den Kulissen: ›Wenn hier Musikerinnen sind, sollen sie sich melden!‹ ›Geh hin‹, sagten meine Strohsackfreundinnen zu mir, ›was riskierst du schon?‹ An der Tür traf ich noch zwei Musikkandidatinnen, zwei Belgierinnen, die aus einer anderen Ecke des Blocks kamen und die ich wiedererkannte. Wir kamen mit dem gleichen Transport an. Die eine davon ist die große Irène, die Violinistin ... Wir nennen sie so, um sie von der anderen, der kleinen Irène, zu unterscheiden. Siehst du, das Mädchen dahinten, das übt.«

Ich schaue sie mir an, siebzehn- bis achtzehnjährig, groß, reizend, die kurzen, kaum zentimeterlangen Härchen färben ihren hübschen Schädel rundherum golden.

»Die andere ist Anny, sie spielt Mandoline«, zeigt mir Florette, »diese große, magere, nur noch Haut und Knochen, dort neben dem Flügel. Wir drei kamen zusammen zur Musik. Ihre Baracke war damals noch im Lager A, gleich neben dem Quarantäneblock und unserm Revier. Die große Irène setzte den Bogen an und spielte wundervoll die Chaconne von Bach. Sie durchfallen lassen, hätte taubsein bedeutet! Anny, die ganz nett die Mandoline zupft, strengte sich irrsinnig an. Jetzt war ich an der Reihe. Mit absoluter Schamlosigkeit stürzte ich mich auf die ›Meditation von Thais‹. Aber Massenet mußte diesen grenzenlosen Frevel nicht lange ertragen. Die Tschaikowska fluchte mir ihre ›Pja Kref‹ um die Ohren und hörte nicht mehr auf damit. Dieses verdorbene Stück konnte leicht die Heikle spielen, gerade sie, die von Musik überhaupt nichts versteht. Das war was, sie dirigieren hören! Die Märsche im Dreivierteltakt, die Walzer in Zwei- und Viervertel. Rummel war's, nicht mal Tingeltangel! Aber die große Trommel und die Zimbeln, das klappte! Wahrscheinlich fand der Idiot das kriegerisch! Ich weiß nicht, wie die SS diesen Höllenlärm überhaupt aushalten konnten, die hatten wohl keine Ohren . . .! Danach hat man mich ins Lager B geschickt, in den Teil, in dem wir jetzt sind, und am Tag nach meiner Umquartierung wurden da auch wieder Musikerinnen gesucht. Da ich inzwischen gehört hatte, das Orchester habe gerade einen anderen Chef bekommen, probierte ich einen Trick. Jetzt dirigierte nämlich Alma, und die Tschaikowska war Blockowa. Auf den ersten Blick erschien mir die neue Chefin sehr sympathisch. Inzwischen bin ich allerdings nüchterner geworden. Eine echte Deutsche. Also, an diesem Tag fragte ich, ob ich mir mein Stück selber aussuchen dürfe, und griff so ganz beiläufig nach Zigeunermusik, wovon ich eine Partitur rumliegen sah – die verträgt Mittelmäßigkeit noch am ehesten. Ich baute auf mein ungarisches Blut und spielte frisch drauf los ein Csárdásfinale, um ein bißchen zu blenden. Ich kann nicht behaupten, daß mein Vortrag die Zuhörerschaft mitriß, das wäre schon übertrieben; genausowenig begeistert sagte dann Alma zu mir: ›Ich nehme dich auf Probe, für acht Tage. Danach sehen wir weiter.‹«

»Hat sie dich behalten?«

»Oh, das ist eine andere Geschichte, übrigens die einzige menschenfreundliche Geste, die ich bei unserer Kapo entdeckte. Weißt du, wo andere ein Herz haben, hat sie einen leeren Geigenkasten, da klingt's hohl! Während meiner Quarantänezeit war ich krank, und wenn ich damals nicht krepiert bin, dann nur, weil mein Stündlein noch nicht geschlagen hat. Weil ich sowieso nichts mehr runterkriegte, hatte ich meine Brotrationen gehortet, und damit konnte ich mir ein prächtiges Paar Holzschuhe organisieren. Das war ein wahres Glück! Hat aber nicht lange gedauert; vier Tage später waren sie geklaut, ich hatte einen Zorn! Zum Verzweifeln! Aber bei wem soll man sich beklagen? Mit Stehlen muß man sich hier genauso abfinden wie mit allem. Du kennst ja den Schlammboden in Auschwitz, diese Sauerei! Als ich mich zwei Tage später im Musikblock vorstellte – damals wohnten wir ja noch nicht alle zusammen –, war ich barfuß. Das bei Alma, die mit nichts spaßt, schon gar nicht in Sachen Sauberkeit. Wie aus dem Ei gepellt mußte man sein, und wir hatten doch nichts zum Putzen. Die Tschaikowska hatte am Eingang einen Eimer Wasser hingestellt, darin mußten alle Mädchen ihre Schuhe abwaschen. Dieses Luder von Blockowa sieht also meine nackten, lehmverklebten Füße und zwingt mich, sie in diesem eiskalten Dreckwasser zu waschen. Ich heule laut drauf los. Alma kommt raus aus ihrem Zimmer, sieht mich schlottern, meine blaugefrorenen Füße auf dem Zementboden tropfen und kriegt tatsächlich einen Anflug von Mitleid: ›Komm, ich laß dich einkleiden, du gehörst zum Orchester.‹ Sie hat mich zu den dritten Geigen gesetzt, zu zwei arischen Polinnen, Wischa und Panie Irena. Wischa hatte eher einen zu weichen, schlappen Bogenstrich, der nicht viel aus der Geige herausholte. Panie Irena, die sofort den Mund verzog, wenn Alma ihr sagte, wie falsch sie gespielt habe, spielte so leise, daß man sie gar nicht mehr hörte, und war damit aus der Klemme. Mich hat sie zwischen die zwei gesetzt, als Saft und Kraft der dritten Geigen. Resultat: Mehr Saft, aber auch saurerer! Seither hat mir Alma ihren Dirigentenstab mehr um die Ohren gehauen, als mich damit gestreichelt. Von ihrem Geschimpfe hab' ich 'ne Sammlung so dick wie ein Doppelalbum. Bei ihr zählt nur die Musik. Und das bei uns, stell dir doch vor, wie verwöhnt sie ist! Hier kann man die echten Musikerinnen, die Professionellen, an einer Hand zählen. Trotzdem hat sich Alma in den Kopf gesetzt, mit uns gute Musik zu machen. Man muß wirklich sagen, mit ihrem Auftauchen hier hat sich alles verändert. Kramer, der Lagerkommandant, und die Mandel haben sich gesagt: ›Mit dieser Geigenvirtuosin können wir sogar Konzerte hören.‹ Jetzt will Alma bei der SS Eindruck schinden, ernsthaft, und läßt uns dafür schuften. Und was noch dazu kommt: Weil sie so anspruchsvoll ist, können wir von einem auf den andern Tag liquidiert werden.«

»Warum?«

Die kleine Irène antwortet mir: »Du wirst's gleich verstehen. Solange wir Märsche spielten, waren Qualität und Eintönigkeit völlig unwichtig; ich glaube sogar, die lachten über unsern Zirkus. Aber jetzt ist alles anders: Wir sind ein Orchester geworden. Kramer und Mandel verstehen was von Musik, schätzen sie, und wenn ihnen unser Vortrag nicht gefällt, können sie unser Ensemble auflösen. Sie können uns sogar verschwinden lassen, ganz wie sie gerade gelaunt sind. Also müssen wir unser Repertoire variieren, müssen es erneuern, aber wie – ohne neue Orchestrierungen?«

Soeben gesellte sich die große Irène zu uns; sie wird knapp siebzehn Jahre alt sein. Wie zartes Moos wachsen ihre glänzenden, kastanienfarbenen Haare und sind schon fast ein samtenes Mützchen geworden, an das sie mit ihren langen, wohlgeformten Fingern faßt. Mit zarter, tragender Stimme und leicht belgischem Akzent erklärt sie mir: »Außerdem, das muß ich dazusagen, ist es unmöglich, Noten für uns aus Berlin kommen zu lassen. Kein Musiker auf der ganzen Welt hat je Partituren für ein Orchester geschrieben, das so zusammengesetzt ist wie das unsrige.«

Ihr Vergißmeinnicht-Blick bleibt auf mich gerichtet. »Du, kannst du nicht orchestrieren?«

»Doch.«

Wahrer Wonnerausch läßt sie jubeln, klatschen und lachen. Irène bittet Regina, die »Ordonnanz« von Alma: »Lauf schnell, sag Alma Bescheid, wir wollen sie sprechen!« Die Kleine rennt weg.

Was habe ich da gesagt? Es stimmt zwar, daß ich Harmonielehre, Fuge und Kontrapunkt lernte, daß ich weiß, wie man die Instrumente in der Partitur aufteilt, aber sagen, daß ich das sehr wohl kann, daß ich orchestrieren kann, das ist zuviel behauptet.

Unsere Kapo kommt aus ihrem Zimmer, vergißt jegliches Protokoll, die Mädchen umzingeln sie und verkünden die große Neuigkeit. Ohne ihre Steifheit abzuschütteln, lächelt mir Alma zu: »Kannst du wirklich orchestrieren?«

»Ja.«

»Komm mit.«

Sie stellt mir zahlreiche Fragen, jongliert mit einzelnen Stückbezeichnungen, Komponisten, ihren Werken und Sätzen. Kein einziges Mal antworte ich mit Nein. Sei's drum – ich steige voll ein. Schließlich hängt das Leben des Orchesters davon ab. Ich behaupte tapfer, ich könne orchestrieren, was es auch sei, ich könne alles machen, alles! Sie kommentiert meine Feststellung mit »sehr gut, fabelhaft, die SS-Offiziere werden das zu schätzen wissen«. Ihre Hochstimmung erstaunt mich, sie ist nicht kriecherisch, sie ist glücklich, wenn sie ihren Chefs gefallen und alles recht machen kann. Hat sie denn vergessen, daß es doch die SS ist, die sie deportiert hat, hier eingesperrt?

Wie ein Lauffeuer verbreitet sich die Neuigkeit im Saal: »Die kleine Neue kann orchestrieren!« Die Mädchen kommen näher her. An ihren strahlenden Augen, ihrer Zufriedenheit, an Almas Genugtuung sehe und begreife ich, wie sie alle in Unsicherheit, in einer Angst leben, die nun meine vermeintlichen Kenntnisse vertreiben können. Mein Dazukommen wird zum Festtag. Alma gibt uns so was wie schulfrei – wir haben keine Probe. Ein äußerst seltsames Fest zwar – vom tränenfeuchten Freuen bis zum lauthals Lachen –, aber doch ein Fest.

Ich weiß nicht, was Clara denkt, die mir nicht von der Seite weicht; ihre niedere Stirn, vorher verdeckt von den Haaren, macht sie zum kleinen, eigensinnigen Dickkopf. Ihr Interesse scheint auf was ganz anderes gerichtet zu sein. Erst als sie mich am Arm packt und fast anschreit: »Komm, die bringen das Essen!« verstehe ich, was sie beschäftigt.

Florettes kalte Dusche: »Das Essen! Was denkst du denn, wo du bist, am englischen Königshof? Das hier ist Panie Founia – die knallt dir mit ihren dreckigen Pfoten deine Häftlingsration hin.«

Panie Founia, unsere Küchenführerin, muß so um die fünfzig sein, mit kleinen, stechenden schwarzen Augen, zwei funkelnde Kohlen in einer Schmalzkugel; sie ist unförmig und schwabbelig. Ihre weißen Haare sind zu einem schmutzig-gelben Knoten zusammengedreht. Der Typhus im Lager verzerrte ihr die eine Gesichtshälfte, machte sie schief. Sie brüllt in polnisch was weiß ich was alles, lauter Befehle und Beleidigungen, und verteilt an uns, zusammen mit ihrem Hilfslehrling Marila, einer zwanzigjährigen Göre, ein Stück Brot, das ich ungefähr auf ein halbes Pfund schätze, und ein kleines Würfelchen Margarine.

Jenny, die rothaarige, schlagfertige Pariserin mit ihren lebhaften Mäuseäugelchen, stellt fest: »Das reicht auch nicht, um rund um die Uhr zu nagen!«

Anny, die Mandolinistin, stimmt ihr in ihrem volltönenden Belgisch zu: »Das reicht wirklich nicht, wißt ihr was, heute müssen wir feiern! Wir sollten mit Fania und Clara teilen!«

Mein Herz ist wie eine Seifenblase zum Zerplatzen groß geworden, ich möchte am liebsten jedem davon ein Stück abgeben. Ich gehe also auf einen Tisch zu, und schon hält mich Jenny am Arm fest: »Bist du verrückt! Der Tisch da ist für uns verboten!«

»Warum?«

»Weil du eine dreckige Jüdin bist.«

Ich schaue sie nur an und bin still, ich möchte mir doch jetzt nicht meine Freude verderben. Mißtrauisch wendet sich Clara an mich: »Was hast du mit deiner Margarine gemacht? Hast du sie schon gegessen?«

»Nein, das ist Gift für mich, ich vertrage sie nicht.«

Sie traut mir nicht: »Hast du sie in unsern Karton getan?«

Dieses »unser« Karton geht mir so auf die Nerven, daß ich

frage: »Wie kommt es eigentlich, daß ihr alle eure Kartons zu zweit habt? Das ist doch nicht zu fassen! Was alle haben, gehört doch allen, jeder muß es essen können, und wenn es nichts gibt, ißt man halt nichts.«

Verblüfft sehen sie mich an und zeigen demonstrativ, daß ich dummes Zeug fasele. Als erste sträubt sich Clara zornig: »O nein! Ich verstehe das sehr gut! Man muß sich nicht auch noch die Haare vom Kopf fressen lassen.«

Geniert schweigt sie und schämt sich ein bißchen vor der Großzügigkeit derer, von denen sie ja auch gerade profitiert, macht dann aber weiter: »Ich will damit nur sagen, daß ich es nicht unbedingt wieder verteilen möchte, wenn ich etwas habe. Mit dir ist das was anderes, du bist ja schließlich meine Freundin. Teilen ist doch immer noch eine Frage der Zusammengehörigkeit . . .«

Ihre Reaktion, die den andern ganz normal zu sein scheint, entsetzt mich, ich kann das nicht. Für mich gilt, dem Beispiel meines Vaters zu folgen. Mama hat mir erzählt: »Es war ganz am Anfang unserer Ehe, wir hatten nur ein Zimmer, Küche und WC auf dem Flur. Wir besaßen nicht viel, aber dein Vater hatte zwei Hemden. Eines Abends bemerkte ich, daß er nur noch eins hatte: ›Wo ist dein Hemd geblieben?‹

›Ich hab's hergegeben.‹

›Bist du verrückt, hast nur zwei Hemden und gibst eins her!‹

›Stimmt. Aber er hatte keins; jetzt hat jeder eins.‹«

Nachdenklich schaue ich die Mädchen an, wie sie still vor sich hin essen und langsam kauen, wie ein Volk am Rande des Hungertodes. Sie haben zwar gutmütig geteilt, aber ihre Augen weichen nicht von der Nachbarportion, wie ausgehungerte, ausgemergelte Hunde, die unentwegt das Fressen des andern anstarren, während sie ihr eigenes verschlingen. Sie konnten meine Geschichte gar nicht verstehen, alle hatten sich schon die Lagermentalität übergestülpt, die einen mehr, die anderen weniger. Dagegen wehre ich mich: »Was mich betrifft, ich werde alles, was ich je kriegen kann, mit allen teilen.«

Anny, die eben noch hergab, was sie hatte, protestiert: »Aber doch nicht mit den Polinnen, schau sie dir doch an!«

Die Ellbogen auf dem Tisch, dem Tisch für Arier, ohne jeden Kontakt mit uns, schielen sie hinterlistig auf Eva, die sich neben mich gesetzt hat. Ihre viehische Roheit wirkt wie in Stein gemeißelt, es kann einem unheimlich werden dabei. Dickköpfig frage ich: »Warum sollte ich Unterschiede machen?«

Da platzt Florette: »Weil das Monstren sind, Schlampen, weil es lauter Antisemiten sind!«

Hier im Lager, wo die Krematorien Tag und Nacht brennen, wo sie täglich unser Massaker miterleben, wie können sie da immer noch gegen die Juden sein? Wer hat sie denn in die Welt gesetzt? Ich greife an: »Du auch, Eva, bist du auch Antisemit?«

»Nein, nein, ich nicht.«

Florette grinst: »Hör dir das an! Sie, die ›grande dame‹ im Lager, kein Antisemit, daß ich nicht lache! Sie ist doch wie alle Antisemiten, sie hat ›ihre‹ oder ›ihren‹ *guten* Juden, aber die andern, alle andern, gehören vergast.«

Gedämpft protestiert Eva: »Nein, das ist falsch, ich bin nicht so« (sie zeigt auf ihre Landsleute am Tisch). »Ich habe nicht wie sie hinsichtlich einer Rasse oder Religion lieben und hassen gelernt.«

Das will ich genau wissen und insistiere: »Aber wird die Haltung deiner Landsleute nicht durch das totale Fehlen der Verständigung gerechtfertigt? Sie verstehen unsere Sprache nicht, das isoliert sie.«

»Meinst du«, kommt mir Rachel dazwischen, eine in Polen geborene polnische Jüdin, »wir sprechen ihre Sprache, und sie halten himmelweiten Abstand von uns, einzig und allein, weil wir Juden sind.«

»Da ist noch etwas anderes«, erklärt mir Irène. »Diese Mädchen da wissen, daß man Nichtjuden nicht vergast, es sei denn, sie sind Kommunisten, was sie aber nicht tangiert, denn sie sind gleichzeitig antisowjetisch. Also, da sie sowieso nichts riskieren, fühlen sie sich überlegen. Sie sind sicher, nach dem Krieg wieder heimzukommen. Nun denk nur daran, daß viele von ihnen schon sehr lange hier eingesperrt sind. In ihnen kocht das Bedürfnis nach Rache, sie haben Haß gehortet, er ist ihr Schatz. Und letztlich haben sie seit eh und je gelernt, wie alt sie auch sein mögen, daß es immer auf Kosten der Juden ging, wenn sie arm und unterdrückt waren. Wie kannst du denn erwarten, daß sie jetzt auf einmal zugeben, Antisemit sein heiße unwissend und dumm sein? Sie wissen es nicht, sie haben es nie gelernt.«

Unverbesserlich erwidere ich ihr großartig: »Dann müssen wir es ihnen eben beibringen!«

Das Gelächter, das jetzt losdonnert, zerreißt zwar fast mein Trommelfell, aber nicht meinen blinden Idealismus.

Eva stöhnt: »Da lohnt sich nicht einmal der Versuch, das ist absolut unnütz, du wirst dich nicht verständlich machen können. Sie respektieren nichts außer Gewalt.«

Die sommersprossige Jenny wechselt von ihrer Ecke aus mit ihrem lockeren Mundwerk das Thema: »Oh, jetzt reicht's mir aber mit euren Geschichten! Laßt uns doch von daheim sprechen, wann hast denn du das geliebte Paris verlassen? Bringen die Feldgrauen dort immer noch alle Welt zum Heulen? Und Schmusen im Dunkeln, gibt's das noch? Wie ist die Mode? Aus welchem Quartier kommst du? Das frag' ich dich nur, weil mein Schatz ein Feuerwehrmann ist. Wenn's mal bei dir gebrannt hätte, wäre er gekommen und hätt's gelöscht. Der kann das, weißt du, und nicht nur 's Feuer im Kamin . . .«

Sie lacht und lacht und wirft den Kopf zurück. Die anderen wollen mehr davon hören. »In der Kaserne, der Feuerwehrmann, sprecht doch weiter . . .«

Jenny zieht ihre Mundwinkel hoch: »Hör nicht auf die, das ist pure Eifersucht! Mein Freund, weißt du, du kannst dir nicht vorstellen, wie schön der ist!«

Aus allen Ecken hagelt's Fragen: »Was sagt man in Paris? Meint man, der Krieg hört bald auf? Stimmt es, daß die Deutschen den Eiffelturm mit Schneidbrennern abmontierten, weil sie Eisen brauchen?«

Ich beruhige sie: »Aber nein. Die waren mit ein paar Bronzestatuen zufrieden, dem »Ballon de Ternes«, zum Schmelzen und Weiterverwenden.«

Jenny meint rührselig zu diesem Los: »Ich bin zwar nie in diese Gegend gekommen, aber das war doch Geschichte!«

In ihrem Wissensdurst werfen sie alles in einen Topf, Wichtiges und Unwichtiges:

»Wie schminkt man sich? Sind die Röcke kürzer oder länger geworden? Und die Frisuren? Tanzt man immer noch Swing? Sind die »Zazou«* noch Mode? Und Laval und Pétain? Warst du in der unbesetzten Zone? Stimmt's, daß man in den abgelegenen kleinen Dörfern im Hinterland noch ißt wie früher?«

Ich erzähle ihnen den ganzen Mischmasch, von den Umhängetaschen, vom Hamstern per Fahrrad, von den Ringellöckchen-Sonntagsmalern auf der Place du Tertre, beschreibe die Hochfrisuren . . .

»Na, denn«, stöhnt Jenny und streichelt melancholisch ihren geschorenen Schädel. »Wenn das immer noch Mode ist, bis wir

* Exzentrische Jugend 1942 in Frankreich.

zurückkommen, dann werden wir's kaum erwarten können, daß das da wächst!«

»Mach dir keine Sorgen, dann werden *wir* die Mode machen. Was trägt man?«

»Diesen Sommer blumige Glockenröcke bis zum Knie, sehr weit, bunt bedruckt. Die Mädchen sehen aus wie Blumen, es ist hübsch auf den Champs Elysées!«

Sie träumen voll Heimweh vor sich hin, während ich weitererzähle: »Seit der Besatzung ersetzen am 14. Juli die Frauen die Fahnen, weil beflaggen doch verboten ist, das Blau-weiß-rot – Bluse, Rock und Halstuch – muß man gesehen haben! Einzeln fiel es nicht sehr auf, aber in Gruppen, in ganzen Banden, Arm in Arm untergehakt von Concorde zum Étoile, von der Place de la République bis zur Bastille war Paris tricolore ... phantastisch!«

Mit tränenfeuchten Augen fragen sie zurück: »Und die deutschen Fritze, was machten die für Gesichter?«

»Sie waren grün!«

Gelächter.

»Und die Absätze, so hoch ... Stelzen, und alle jungen Frauen machen mit. Strümpfe gibt es nicht, also malt man sich die Beine an ...«

Jenny fleht: »Erzähl uns den neuesten Witz.«

»Ein SS-Mann kauft jeden Morgen seine Zeitung am Kiosk, und der Verkäufer sagt jeden Morgen zu ihm: ›Voilà, con‹. Eines Morgens fragt ihn der Depp: ›Was heißt *con?*‹ – ›Das heißt Chef.‹ Da plustert sich der SS-Mann auf und stottert auf französisch: ›Also, ich kleiner *con,* Hitler großer *con!*‹«

So einen Erfolg wie diesen hatte ich noch nie. Das Gelächter treibt ihnen die Tränen in die Augen, mir auch.

Trotziges, ironisches Paris! Frankreich ist für sie ein Riesenschluck Sauerstoff, so stark, daß er ihnen in den Kopf steigt. Sie werden ganz weich, sie lachen, sie weinen, sie singen, sie sind alle ein bißchen übergeschnappt.

»Und die letzten Chansons?«

Clara und ich geben für sie einen regelrechten »Liederabend«, singen einen Titel nach dem andern: ›Vous qui passez sans me voir‹; ›Ici, l'on pêche‹; ›Les Prénoms effacés‹; ›Revenir‹; Qu'avez-vous fait de mon amour?‹? ›Où es-tu, mon amour?‹ Sie klatschen Beifall und rufen: »Mehr! Noch-ein-mal!« Das reinste Freudenfieber! Niemand denkt ans Schlafen, sogar die Polinnen machen mit; Panie Founia mit ihrem schiefen Mund und ihr kleiner Sklave Marila bleiben still in ihrer Ecke sitzen und lachen mit uns, sooft wir lachen, und tun, als würden sie uns verstehen. Zweifellos meinen sie, dann gehören sie auch zu uns. Aber können sie wirklich verstehen, was uns ›Compagnons, dormez-vous‹ bedeutet?

Bei der letzten Strophe, bei ›Compagnons, la France est devant vous!‹ fallen sich die Mädchen um den Hals und weinen.

Ein einmaliger Augenblick. Eng miteinander verbunden, begeistert im Gefühl der Brüderlichkeit, bilden wir einen Felsblock ohne Risse und erleben zusammen diese außergewöhnliche Nacht. Wir haben die Lagerlichter vergessen, die Scheinwerfer, die Wachttürme, die elektrischen Drahtverhaue. Wir wissen auch nicht mehr, daß der Himmel hier nur Rauch ist, und es fällt uns gar nicht auf, daß der Tag schon wieder graut, daß aus dem Heute schon Morgen geworden ist.

Es ist sieben Uhr, eine Läuferin meldet das Kommen der Aufseherin. Alma stürzt aus ihrem Zimmer, während Tschaikowska brüllt: »Achtung! Zum Appell! Fünf zu Fünf!«

Appell. Wir bleiben im Stillgestanden mitten in unserem Schlafsaal unbestimmt lange stehen, aber wie lange es auch dauern mag, ich weiß unser Glück zu schätzen. Zur selben Zeit stehen überall im Lager internierte Männer und Frauen, halbnackt, halbtot, stundenlang in rigoroser Habt-Acht-Stellung da – im Schnee, im Regen, im Eis.

Die SS-Abordnung bemerkt uns sofort, Clara und mich. Eine Aufseherin zeigt herablassend auf uns: »Was ist denn das?«

Eine andere: »Was tun denn diese beiden hier?«

Vor Respekt erstarrt antwortet Alma: »Das sind zwei neue Musikerinnen, Französinnen, Frau Aufseherin.«

Unser Anzug scheint sie zu ärgern; soll sie die Initiative genehmigen oder bestrafen? Rachsüchtig stellt sie fest:

»Und schon eingekleidet?«

»Auf Befehl der Frau Lagerführerin Mandel.«

»Gut.«

Nach dem Appell macht sich ein Teil des Orchesters zum Rausgehen fertig, angetan mit einer Art Uniform: marineblauer Rock, schwarze Wollstrümpfe, gestreifte Jacke*, weißes Kopf-

---

* Die deportierten Juden trugen im Gegensatz zu einer landläufigen Auffassung nicht alle die gestreifte Uniform, Hose und Jacke für Männer, Sackkleid für Frauen. Da sie zum schnellen Vergastwerden verurteilt waren, gab man ihnen x-beliebige Fetzen. Nur wer eine Funktion ausübte oder arisch war, hatte Anspruch auf Gestreiftes.

tuch, was an deutsche Krankenschwestern erinnert. So gekleidet gleicht unsere Musik eher einer schlecht genährten Waisenhauskapelle als einer Musikkapelle. Heute morgen fällt mir auf, wie mager die Mädchen sind! Die Zusammensetzung unserer Kapelle ist genauso erstaunlich wie die unseres Symphonieorchesters; ein paar Geigen und Gitarren, Flöten, Akkordeon und natürlich die unvermeidliche Trommel. Zweifellos glaubt die SS, sie könne mit ihrem badabum badabum bum bum, unterstützt durch die zim zim der Zimbeln, die Toten im Schritt marschieren lassen! Bis dahin marschieren erst mal wir in Fünferreihe im Gleichschritt. Alma voraus, ich am Schluß neben dem entsetzlichen Eisschrank Danka mit den Zimbeln. Ich bat darum, sie begleiten zu dürfen, ich will sehen, verstehen – wenn ich kann –, wofür es uns gibt.

Diese Parodie von einer Kapelle zieht vorbei, spielt einen Marsch so lustig wie Tiroler und läßt an eine Brotzeit mit kühlem Bier im Schwarzwald denken. Dreihundert Meter ungefähr trennen uns von dem Platz, auf dem wir morgens und abends unser seltsames Konzert geben. Rechts und links entlang des Weges sind Baracken, vor denen die Häftlinge pünktlich zum Appell im strengen Stillgestanden auf den Befehl zum Abmarsch warten, der erst gegeben wird, wenn wir an unserem Platz angekommen sind. Der doppelte Haß dieser gequälten Menschen, an denen unsere »Parade« vorbeikommt, bedrückt mich schmerzlich. Ich weiß nicht einmal, ob diese Frauen uns sehen, ich wage nicht, sie anzuschauen, aber ihre Blicke sind spürbar – sie stechen wie tausend Nadeln und gehen unter die Haut.

An der Kreuzung, wo Lager A und B zusammentreffen, steht unser Podium mit seinen vier Stufen und aufgestellten Stühlen; warum nicht gleich ein Musikpavillon? Wir nehmen unsere Plätze ein. Alma schaut sich nach ihrem Publikum um, wie wenn sie dessen entspannten Blick messen wollte, dann zu ihren Musikern, hebt den Stab, und während Offiziere und Kapos ihr »Achtung!« brüllen, dessen Echo durch alle Lagerstraßen hallt, donnert ein Arbeitsmarsch los, militärisch, mitreißend, fast freudig.

Eins, zwei, skandiert Almas Taktstock; *eins, zwei … drei …vier …* befehlen die Kapos, und der Vorbeimarsch beginnt. Sie kommen aus allen Gassen und Wegen und marschieren an uns vorbei. Jetzt wage ich es, sie anzusehen. Ich zwinge mich dazu, ich muß mich daran erinnern können – denn später werde ich Zeugnis davon ablegen!

Dieser Beschluß wird Gestalt annehmen und mich bis zum Ende durchhalten lassen.

Hager, in Lumpen, in Schnee und Matsch ausrutschend, gegen das Fallen ankämpfend, manchmal sich gegenseitig stützend – dieses Recht hat man ihnen gelassen –, schiebt sich der Sträflingstrupp dem Ausgang zu. Ich leide mit allen, mit allen zusammen und mit jeder einzelnen. Ein haßerfüllter und verachtender Blick geht mir wie eine Verwundung durch und durch. Ein Fluch bleibt wie Ausgespucktes an mir hängen, »Drückeberger, Schlampen, Judasse!« hat eine von ihnen geschrien. Andere zucken mit ihren knochigen Schultern, die sich auf den Fetzen, von denen manche gestreift sind, deutlich abzeichnen. Wie schmerzlich leid tun mir die Frauen, die nicht einmal mehr ihren Kopf heben, die schon amorph, losgelöst von Haß und Liebe, auf der Schwelle des Todes an uns vorbeigehen. Aber vielleicht tun mir gerade die, die mir zulächeln, am meisten weh; ihr Verständnis quält mich wie ein gemeinsam getragenes Los, das ich nicht verdient habe.

Erst jetzt, in diesem Augenblick, begreife ich allmählich, *wo* ich bin, in welchem Wahnsinn. Im Quarantäneblock, erniedrigt durch Dusche, Tätowierung, Rasur, ausgehungert, bestürzt, geschlagen, ist mir nicht bewußt geworden, *was* auf mich zukommen wird. Hier in der eiskalten Luft dieses Wintermorgens, in dieser geometrischen Landschaft mit ihren flachen, auf den Boden geklebten Baracken, beherrscht von Stacheldrahtzäunen und Wachttürmen, ohne einen einzigen Baum bis zum Horizont, unter dieser Decke aus stehendem Rauch, da nehme ich das Vernichtungslager Birkenau mit seinem abscheulichen Marionettentheater wahr; dem des Orchesters, dirigiert von dieser eleganten Frau, mit diesen ordentlich gekleideten Mädchen, die auf ihren Stühlen sitzen und spielen, den Takt schlagen zum Schritt dieser Skelettgestalten, dieser Schatten, die uns Gesichter zeigen, die schon gar keine mehr sind.

In dieser Morgendämmerung, unheilvoll wie der Morgen der Hinrichtung, ziehen die Arbeitskommandos zur stärkenden, regenerierenden Arbeit aus, *Arbeit macht froh!* Zu welcher Arbeit? Ich kann sie mir nicht einmal vorstellen. Sie gehen ganz einfach ihren Tod beschleunigen. Sie, die sich ohnehin nur mühsam fortschleppen, müssen in ihrem Schritt militärische Zucht zeigen. Und schmerzlich begreife ich, daß wir dazu da sind, ihr Martyrium noch zu betonen.

Eins, zwei ... eins, zwei ... hält Almas Stab diesen Vorbei-marsch, der kein Ende nimmt, im Takt. Und ein SS-Mann klopft ihn mit seiner Stiefelspitze, bis die letzte Frau, gefolgt vom letzten Soldaten und vom letzten Hund, das Lagertor passiert hat.

6

Unser Brot zieht vorbei . . .

Ich weiß nicht, wie spät es ist . . . fünf Uhr, sechs Uhr . . . Ich kann nicht mehr schlafen, tief in meiner Brust macht sich ein Angstgefühl breit, ich möchte davonlaufen; wenn es doch all das nie gegeben hätte.

So leise wie nur möglich klettere ich von meinem obersten Bett herunter. Die Fenster der Baracken wurden verhältnismäßig hoch eingesetzt und ich bin klein, wie ein Kind erwische ich gerade noch die unterste Scheibe zum Rausschauen. Die Scheinwerfer, die Lagerlichter erhellen die Nacht, es ist, als sei ich mitten in einem Rangierbahnhof, Juvisy, Villeneuve-Saint-Georges, Trappes . . .

Was suche ich eigentlich hinter diesem Fenster? Rausschauen heißt doch das Leben sehen, hier aber bedeutet es den Tod sehen! Es schneit. Dicke, träge Flocken fliegen langsam, fast zögernd, bevor sie sich niederlassen. Und da, ganz am Ende unserer Straße, erscheint ein Trupp Männer, der sich vorwärtsbewegt, Soldaten der Roten Armee. Zwanzig ungefähr. Ihren schlammverschmutzten, zerrissenen Uniformrock über die Schulter geworfen, kommen sie wie aus einem Guß näher, Schulter an Schulter, im Gleichschritt, barfuß im Schnee, den Blick in die Ferne gerichtet. Nicht ein einziger Muskel bewegt sich in ihrem Gesicht. Sie sind sehr groß. Zweifellos erscheinen sie mir viel größer, als sie in Wirklichkeit sind. Sie begegnen einem SS-Mann und ziehen mit derselben Gleichmäßigkeit, ohne hinzuschauen, ihre Uniformmütze vom Kopf; sie entblößen ihre glattrasierten Schädel. Der SS-Mann salutiert mit der Hand an der Kopfbedeckung. Einer der vorderen ihrer Gruppe singt, seine Stimme ist schön, voll und tief, ich verstehe die Worte ganz klar:

> Ein Zug führt mich von Moskau fort
> stampft weiter . . . Tag und Nacht . . .
> Aus meinem Rock von grobem Stoff
> nehm ich dein Bild, vergilbt vom Rauch . . .
> vertrauter noch
>
> Ich denk an dich, mein Herzlieb du
> und weiß, wir seh'n uns wieder . . .

Völlig zerfetzt kommen die Russen die Lagerstaße herunter, ich verschlucke sie förmlich mit meinen Augen. Als sei es ein doppelt belichteter Film, so sehe ich schon unsere Befreier vorbeiziehen. Für mich sind sie die russische Armee auf dem Vormarsch!

Leise, wie eine Katze, kommt Bronia angeschlichen, eine arische Russin. Auch sie schaut sie sich an. Ein kleiner Lichtstrahl fällt auf ihre breiten Backenknochen, auf ihre blonden Zöpfe – Nichtjuden werden nicht geschoren. Sie lächelt mich an, ihre Zähne sind stark und strahlend weiß. Man kann sie sich gut in der endlosen Weite der Ukraine vorstellen, wie sie dort hoch oben auf dem Wagen, eine Heugabel in der Hand, mit ihren starken Armen die Garben lädt; ein echtes Reklameplakat für Kolchosen.

»Bronia, woher kommen die, wer sind sie?«

»Diese Männer, meine Brüderchen. Ich will dir ihre Geschichte so erzählen, wie man sie mir erzählt hat, als ich im April 43 ins Lager gekommen bin. 1941, als die deutsche Armee in mein Land eingefallen ist, haben sie sechzehntausend Gefangene gemacht und hierher nach Auschwitz gebracht. Zu der Zeit war hier weit und breit nichts als Sumpf. Am Horizont zitterten ein paar einsame Birken. Die SS hat bestimmt, die russischen Soldaten sollen ihr Lager selber bauen. Aber die haben gesagt: ›Nein, wir sind Soldaten und wir bauen nicht unseren eigenen Käfig.‹ Darauf haben ihnen die Deutschen geantwortet: ›Wollt ihr essen, schlafen? Dann arbeitet!‹ – ›Nein.‹ – ›Arbeiten! Arbeiten!‹ hat die SS verlangt und geschrien. ›Nein‹, haben die Sowjetsoldaten gesagt ... haben sich in ihre Uniformmäntel gewickelt und da hingelegt, wo sie standen, in diesen Morast, den sie mit ihren Körpern zudeckten. Die SS hat immer weiter ›Arbeiten!‹ kommandiert, aber die Soldaten haben nichts mehr gesagt. Sie sind vor Hunger und Kälte gestorben, einer nach dem andern. Man weiß nicht, was die Deutschen mit den Leichen getan haben. Vielleicht sind sie von selbst versunken, in diesem nie trocknenden Schlamm von Auschwitz, vielleicht sind sie da – unter unseren Füßen. Zwanzig von ihnen haben überlebt und verweigern die Arbeit immer noch. Besiegt also mußte ihnen die SS Kleider geben, Schuhe haben sie nicht genommen, weil das Schuhe von Deportierten waren. Ihre Uniformjacken haben sie behalten und sind barfuß geblieben. Die einzige Arbeit, die sie akzeptiert haben, ist, sehr früh morgens das Brot zu verteilen.«

Bronia schweigt. Wer könnte Legende von Wirklichkeit trennen? Ihre Stimme befiehlt mir: »Schau dir diese Männer an, das ist unser Brot, das vorbeizieht ...«

Unser Brot, unsere Hoffnung, unsere Gewißheit ...

Halbacht. Die Musikkapelle, mit der ich nicht draußen war, kommt zurück.

»Oh, hier ist's doch besser als draußen!«

Flora, die Holländerin, drückt so ihre Zufriedenheit aus. Eine Zufriedenheit, die so egoistisch, so zynisch klingt, daß ich mich schäme. Jennys Stimme lenkt mich ab:

»Die bringen uns die Soße. Eßt, in zwanzig Minuten müssen wir im Sattel sitzen.«

»Wir kommen«, rufen die Mädchen zurück und stöbern in ihrem Karton. Clara beobachtet über den unsrigen gebeugt die andern scheu und mißtrauisch zugleich, man könnte meinen, sie verteidige die königliche Schatztruhe! Da wir noch nicht lange hier sind, sind auch unsere Reserven miserabel, nichts als ein Restchen Brot und meine Margarine. Gerissen, wie ein geldgieriger Bauer, fragt mich Clara: »Wenn du deine Margarine doch nicht ißt, gibst du sie dann mir?«

Mein armes Dickerle, ich spüre schon den Hang in ihr, alles wild drauflos zu verschlingen, so daß ich Angst bekomme.

»Natürlich, nimm sie«, und sie schenkt mir sogar den warmen Dankesblick eines verwöhnten Cockers dafür.

Florette wärmt ihre Hände an der weißen Viertelsportion und quengelt: »Das wird von Mal zu Mal scheußlicher. Und das Brot ... Unmöglich! Woraus machen sie das eigentlich, aus verkalkten Knochen?«

Was mir unmöglich vorkommt, ist, diesen Satz hier zu hören, aber niemand stört sich daran. Nur Flora lächelt vage, versteht sie's? Dieses Mädchen hat doch so was Rindviehhaftes an sich, ist so dumm von Kopf bis Fuß, daß es mich ganz rasend macht. Die Sommersprossen-Jenny klopft mit ihrem Stück Brot auf dem Holztisch herum und spottet: »Nein, hört euch das mal an, das ersetzt ja den Hammer beim Schlappenflicken! Im Lieferanten haben die sich aber gewaltig getäuscht; das ist doch nicht vom Bäcker, höchstens vom Bastler.«

Ich überbiete sie noch: »Du hast ganz recht, das ist so hart, daß man damit dem Hitler den Kopf zertrümmern könnte!«

Riesengelächter, größer als beabsichtigt, bricht aus. Nur die Deutschen und die Polen verziehen den Mund; da sie uns nicht verstehen, meinen sie immer, unser Spaß gehe auf ihr Konto.

Anny schießt los: »Das ist die Idee. Man sollte Hitler mit seinem eigenen Brot umbringen! Das wäre himmlische Gerechtigkeit!«

Noch ein letztes Auflachen, das im Glucksen erstickt, dann gehen wir eine nach der anderen aus dem Raum.

Arbeit! Arbeit! Die Musikanten stimmen schon die Instrumente. Um den Tisch sitzen die Schreiberinnen, und ich mache die Bestandsaufnahme meiner Hilfen. Es ist ganz und gar nicht glänzend, was da so herumsitzt, meist Musikantenschrott. Zocha, fünfundzwanzig, ein fettes Bauernmädchen mit einem Wust von ungezähmten, schnurglatten Haaren, eine so entsetzlich schlechte Geigerin, daß sie sogar schon, bevor Alma kam, von ihrer Beschützerin Tschaikowska an die Wand gespielt wurde. Danka, abgehärtet wie ein Athlet, muß die gefährlichste sein, ihr stechender Blick wirkt intelligent. Wenn sie nicht kopiert, schlägt sie die Zimbeln so laut, daß man taub werden könnte; zweifellos meint sie, nur sie bringe mit ihrem ungestümen Zim! Zim! Dsching! Dsching! die Arbeitskommandos in Bewegung und besteche mit ihrem Diensteifer die SS. Zwischen diesen beiden Monstren die fünfundzwanzigjährige Marischa, blaß und ausgeblasen, völlig untergetaucht, sogar ihre Dummheit ist farblos. Am andern Ende – auch an diesem Tisch trennt man, genauso wie an allen anderen, die arische Serviette vom jüdischen Putzlappen – läßt Hilde ihren dickköpfigen, frischrasierten Schädel übers Papier hängen. Wendig und tyrannisch kam sie mir gleich wie der »Führer« unter den deutschen Juden unseres Blocks vor.

Alma wies einmal auf meine Schreiberinnen hin und sagte zu mir: »Ich befehle denen.« Welche Machtbefugnis habe ich dann überhaupt noch über diese arischen Polinnen, die genau wissen, daß ich ihnen nichts anhaben kann, oder Hilde, die sich schon überlegen fühlt, weil sie Deutsche ist? Die eines Dompteurs ohne Peitsche, schutzlos und nackt unter heimtückischen Bestien? Glänzende Aussichten!

Alma erscheint. Alle stehen auf. Ich beobachte diese Frau im Näherkommen, sie ist nicht hübsch, aber welche Ausstrahlung sie hat! Man könnte meinen, sie betrete die Bühne. Ich stelle mir den Augenblick vor, in dem sie ihre sehr schöne Hand auf die Türklinke legt, sich aufs Öffnen vorbereitet, ihre ganze Persönlichkeit zusammenrafft, sich streckt, atmet, wie ihre Lungen vor Stolz anschwellen und sie dann die Klinke drückt für ihren Auftritt . . . den des Chefs.

Sie geht an ihrem Ensemble vorbei, ohne darauf zu achten, und bleibt vor mir stehen: »Kannst du mir ›Lustspiel‹ orchestrieren? Die Herrn Offiziere mögen Ouvertüren von Suppé sehr gern. Vor einiger Zeit haben sie mir den Klavierauszug davon gegeben. Sieh zu, was du daraus machen kannst. Das wäre ein guter Anfang für dich.«

»Gewiß, Madame.«

Begeistert lächelt mir Alma zu. Meine Schreiberinnen am Tisch spitzen die Öhrchen, denn wenn ich wirklich die Fähigkeiten besitze, die ich vorgebe, dann bin ich eine Garantie fürs Weiterleben des Orchesters. Außerdem belauern mich nicht nur meine Schreiberinnen, sondern alle Mädchen, sogar die stumpfsinnigste Polin hat meine wichtige Bedeutung erkannt. Jetzt muß ich ihnen zeigen, was ich kann. Ich frage also Alma: »Kann ich Papier haben?«

»Auf dem Tisch liegt Papier.«

»Ich meine liniertes, Notenpapier.«

Alma wirft den Kopf hoch: »Das haben wir nicht. Sie ziehen die Linien mit dem Lineal.«

»Feder und Tinte?«

Alma wird spitz: »Hier gibt's nur Bleistifte. Man muß nehmen, was da ist. Wir haben Krieg.«

Dieser Satz haut mich um. Will sie denn vor allem Deutsche sein? Alma ist sehr groß, es fällt ihr überhaupt nicht schwer, mich von oben herab anzusehen, was sie auch tut: »Ist das alles?«

Ich lasse mich nicht kleinkriegen, sondern erwidere ihr: »Nein, Madame!«

Nicht die leiseste Spur eines Lächelns ist noch wahrzunehmen, sie ist spitz und steif wie ihr Taktstock geworden. Ich bin nicht groß gewachsen, also muß ich mich gleich durchsetzen, wenn ich respektiert werden will.

»Was brauchst du noch?«

»Schreiberinnen.«

»Gut. Ich gebe dir ein paar. Ich habe genug schlechte Musikerinnen!«

Das stimmt allerdings. Ich frage mich noch immer, wie wir mit so ungleichen qualitativen Kenntnissen und Instrumenten gut spielen sollen?

Alma klopft auf ihrem kleinen Podium traditionsgemäß mit dem Taktstock auf das Pult und hebt die Arme hoch. Mit dieser Geste beginnt mein Tag und ist vorgezeichnet wie das Notenpapier, das ich nicht habe.

Dieser Suppé, den die SS so schätzt, ist mir mehr als gleichgültig, er ist mir unerträglich. Ich finde ihn abscheulich. Und doch lese ich den Klavierauszug mit der gleichen Beachtung, dem gleichen Interesse, als sei es ein Werk von Prokofjew, vor allem mit der gleichen inneren Angst – ich habe doch noch nie orchestriert.

Wie in allen Märschen dominieren auch hier Trompeten, Posaunen, Klarinetten – aber ich verfüge über zehn Geigen, eine Querflöte, drei Blockflöten, zwei Akkordeons, drei Gitarren, fünf Mandolinen, eine Trommel und Zimbeln! Kein Komponist hat je an eine solche Zusammenstellung gedacht.

Ich beginne zu lesen, und schon kommt alles besser in die Reihe. Die Melodiestimmen, Saxophon und Klarinette, ersetze ich durch die Geigen und Flöten. Gitarren und Mandolinen sollen begleiten. Die Akkordeons müssen das ganze Ensemble als Baß verbinden, unterstützen, und Trommel und Zimbeln sorgen für den richtigen Rhythmus.

Ich bin begeistert, denn ich spüre, daß ich mich nicht nur glimpflich durchschlängele. In mir reiht sich mit wundersamer Leichtigkeit Ton an Ton, woran ich nie zu glauben gewagt hätte. Fast von selbst setzen die Instrumente ein, klingen voller und voller, es ist herrlich. Ich komponiere diesen Marsch geradezu noch einmal, höre ihn mitreißend und schwungvoll, dirigiere ihn, lasse mich mittragen ... Schlagartig falle ich in die Wirklichkeit zurück, sehe die lange und gequälte Kolonne, vor der er gespielt wird. Unfähig, weiterzuschreiben, bleibe ich mit dem Bleistift in der Hand sitzen und schaue ins Leere ... Um überleben zu können, werde ich nicht nur, wie die Ungarn sagen, über mein Herz gehen, sondern auf ihm herumtrampeln, es zertreten müssen.

Meine drei Polinnen starren mich an, was sie denken, ist mir sonnenklar. Für sie zögere ich, habe ich Angst, vielleicht sogar geblufft. Sie freuen sich schon. Heute abend werden die Löwen ihren Dompteur auffressen können. Ich lächle ihren mißtrauischen Blicken zu, lasse mir die schon linierten Blätter geben, zähle sie und sage trocken:

»Das reicht nicht, ich brauche fünfundzwanzig Blätter, so schnell wie möglich. Unsere Chefin muß dringend mit der Probe dieses Marsches beginnen können.«

Sie sind sauer und schweigen, während ich mich fast jubelnd an die Arbeit mache.

Sie fasziniert mich, es ist eine andere Art, Musik zu machen.

Was für ein Durchbruch! Flüssig und schnell formt mein Bleistift die Noten. Seit meinem Studium habe ich weder die Fertig-
keit, noch mein Gehör verloren. Leider, denn jeden Augenblick
höre ich Danebengespieltes und springe bei jedem falschen Ton
hoch. Vom Takt gar nicht zu sprechen. Alma bemüht sich, den
des Komponisten reinzubringen. In diesem Orchester gibt es
alles, vom Besten bis zum Schlechtesten. Die Besten sind die
große Irène – ausgezeichnete Geigerin, die gewissermaßen unser Yehudi Menuhin wird –, Halina und Ibi spielen frisch und
weich wie Pfirsichhaut, wohltuend gut. Konkurrenzlos im
Spottschlechten ist Jenny, sie fiedelte vor dem Krieg in Kinos.
Extravagant! Sie malträtiert ihre Saiten im langgezogenen Bogenstrich, pschin, pschin! das kratzt und kreischt so siegreich
und laut, daß sie mit Sicherheit die andern übertönt. Außer den
Geigen gibt es auch bei den anderen Instrumenten noch sehr
gute Spielerinnen; drei Berufsspielerinnen: Lily als Akkordeonistin, Helga am Schlagzeug, Frau Kröner als Flötistin. Von den
Mandolinen und Gitarren höre ich außer dem sehr netten Spiel
der Belgierin Anny nichts besonders Gutes. Die Schlechtesten
sind bei den zweiten und dritten Geigen, von denen ganz bestimmt Florette die Schlimmste ist.

Sehnsüchtig schaue ich die beiden Kästen mit Cello und Baßgeige an, die verstaubt an der Wand lehnen. Ich habe mich
erkundigt: Marta, die Cellistin, mußte kurz bevor ich kam ins
Revier. Wenn ich auch auf ihr Instrument noch verzichten
kann, so halte ich doch den Kontrabaß für unentbehrlich. Ich
brauche eine Bassistin, ich will mit Alma sprechen.

Alma leidet. Sie lebt für die Musik, bekommt aber die Spielerinnen technisch nicht in den Griff. Das bringt sie zur Weißglut. Sie leitet ihr Orchester mit Gefühl, sie kann es nicht führen. Ich habe das schon nach kurzer Zeit begriffen. Alma ist
Violinvirtuosin, sie kann nicht dirigieren, sie liest ihre Partitur
als Ausübende, nicht als Dirigent. Sie regt sich auf, platzt,
flucht, schlägt die Schuldigen mit dem Taktstock auf die Finger.
Unablässig läßt sie den gleichen Satz wiederholen, stolpert über
die gleichen Fehler und schafft damit neue. Das erschöpft die
Guten, stumpft die anderen ab, und ich soll, mitten in diesem
Klimbim, ein Stück instrumentieren, das mit dem, was ich höre,
überhaupt nichts zu tun hat. Es ist zum Zuvielkriegen – aber ich
schaffe es.

Wir proben täglich siebzehn Stunden, den »Nachtdienst«
nicht mitgezählt. Das sind die Konzerte, die die SS-Offiziere zu

jeder x-beliebigen Zeit hören wollen, um sich von der »harten« Arbeit zu erholen. Und gerade diese »Musikabende« gewähren dem Orchester den Strafaufschub.

Essenspause. Alma legt ihren Stab ab, beurteilt die Qualität der Probe kurz:

»Zum Kotzen! Zum Kotzen!« und befiehlt mir: »Bleib noch ein bißchen da.«

Für wen hält sie sich, daß sie mir Warten befehlen kann? Als ob mir jemand meine Portion verwahren oder gar warmhalten würde. Durch die offene Tür beobachte ich den Tisch mit den Küchenutensilien, auf dem das Essen verteilt wird, und stelle beruhigt fest, daß der Stubendienst Marila mit Panie Founia, die ich nun definitiv Founia-Schiefmaul taufe, noch nicht aus der Küche zurück ist.

Alma fragt besorgt: »Kannst du diese Instrumentierung machen?«

Ohne sie anzuschauen, antworte ich: »Ja, Madame.«

»Zeig her.«

Ich breite meine Partitur vor ihr aus. Sie ist wieder beruhigt, glücklich. Jetzt ist sie überzeugt, daß ich sie nicht betrogen habe. Ich bin allerdings weniger beruhigt als sie. Trotz des beschwingten Auftakts darf man von mir nicht zuviel verlangen.

»Dank dir werden wir echte Konzerte geben . . .«

Ich nütze ihre Euphorie, um bei ihr für meinen Kontrabaß zu werben.

»Ja, das wäre gut. Ich werde die Mandel bitten, daß ein Musiker vom Männerorchester kommt und der . . . « (sie zögert einen Augenblick, schaut in den Nebenraum und wählt) »Yvette Stunden geben darf. Ich glaube, sie wird es schnell lernen.«

Alma teilt die Verpflegung nicht mit uns; zweifellos ißt sie nicht so schlecht. Sie geht in ihr Zimmer zurück, wohin ihr Regina das Essen bringt, und ich komme gerade noch früh genug zu den andern, um zwei Schöpflöffel Suppe, platsch, platsch, die mich verkleckern, in meinen Napf zu erwischen.

»Das gibt keine Flecken«, meint Anny ironisch, »da ist kein Fett drin.«

Was »zum Kotzen« ist, ist dieser vergammelte Blechnapf, der haarscharf dem des anderen Blocks gleicht; so gesehen also hoffnungslos. Clara, die neben mir sitzt, sieht sich diesen Fraß mit ungläubigen, tränennassen Augen an: »Ich hab' Hunger, und hier gibts das gleiche zum Essen . . . «

Florette hat sie verstanden: »Was hast denn du gemeint? Meinst du, du kriegst hier Hähnchen?«

»So blöd bin ich ja nun auch nicht, aber schließlich sind wir doch das Orchester!«

»Aha«, lacht Jenny spöttisch, »man merkt also doch, daß du im XVIᵉ großgeworden bist. Hast du deine Privilegien noch nicht aufgegeben? Tu's endlich, hier mußt du, wir sitzen alle in der gleichen Scheiße! Das ist Gleichheit!«

Die kleine Irène empört sich: »Ich wette, diese Stehlratten in der Küche haben schon wieder alle Kartoffeln rausgefischt.«

»Hast du vielleicht oft welche gesehen?« explodiert Florette. »Ich kann dir das Rezept dieser Biester geben: Der letzte Dreck, alle verderblichen Überbleibsel aus den Koffern und den gestohlenen Paketen, alles, was auf dem Tisch der SS nach nichts aussieht oder nach Berlin geschickt werden kann, ist für uns – ranziger Speck, vertrocknete und vergammelte Trauben, verschimmelte Marmelade, Kuchenkrümel, Zuckerersatz, Wursthaut. Sie schmeißen einfach all das ins Wasser und rühren! Das stopft und würgt zum Speien!«

Ich beiße auf was Festeres und angle mit zwei Fingern – schließlich bin ich ja nicht am englischen Königshof! – ein unbestimmtes Etwas aus dem Mund.

»Was denn«, ulkt Jenny, »das ist ja eine Kartoffelschale. Das beweist, daß es Kartoffeln gibt zum Menü. Friß sie!«

Und dann, mit einem Hauch Neid: »Du hast Glück, das ist was zum Beißen!«

Nicht eine lacht. Der Fraß ist nicht zum Lachen. Über den Tod kann man lachen, aber nicht über das, was einen am Leben erhält.

Wir gehen in den Musiksaal zurück und Alma kommt, wie die Uhr in Person, genau in dem Augenblick aus ihrem Zimmer, als wir uns gesetzt haben. Man könnte meinen, sie verfolge hinter ihrer Tür unsere Schritte. Warum eigentlich nicht?

Die Zeit vergeht. Die Probe ist aus, und die Kapelle macht sich zum Rausgehen fertig. Nachdem sie den Arbeitskommandos beim Ausmarsch »geholfen« hat, wird sie ihnen auch bei der Rückkehr »helfen«. Damit ist das Tagwerk der Musikantinnen beendet. Wir müssen nur noch den zweiten Appell überstehen, wobei man uns wieder wie eine Viehherde zählt. Dann ist es Zeit zum Abendessen, ein bißchen Brot und heute – was für ein Genuß! – ein Ministück nicht vergammelter Käse!

Dieser Tag verewigt sich in mir als typischer Alltag, als Musterbeispiel für all die Tage, die noch kommen werden; das erste Glied in der Kette. Wieviele werden es wohl, bis meine Rechnung mit dem Schicksal beglichen ist?

Wir sind erschöpft, ausgehungert ... möchten schlafen, ausreißen, vergessen ...

Pfiffe, die sich mit ihrem schrillen Ton gegenseitig zu antworten scheinen und so ihren Schallgürtel um die Baracken schließen, zerreißen die Nacht. Um mich herum wacht niemand auf. Dieser Lärm muß sie doch in ihrem Schlaf stören. Die Mädchen drehen sich auf die andere Seite und stöhnen. Ich frage mich warum, und dabei erwacht in mir eine beschützende Zärtlichkeit für sie, die sich langsam immer mehr entfaltet, als komme sie aus grauer Vorzeit. Woher kann das kommen, ich bin doch auch eine der Jüngsten?

Draußen rennen hastig und lärmend Soldaten. Waffen klappern, Pfiffe befehlen. Mein Herz rast. Klingt das etwa nach dem Aufruhr einer Befreiung des Lagers? Sie laufen wie die Verrückten, um Kopf und Kragen . . . Das macht mich nervös. Um alles in der Welt, was ist denn los? Wer kann mir's sagen?

Die große Irène schläft wie ein Baby, macht genau so ein Schmollmündchen. Eva erinnert so platt auf dem Rücken eher an eine aufgebahrte Edelfrau. Dahinten in Polen, in einer alten Schloßkapelle, in Krakau oder sonstwo, auf eine Steinplatte gebettet, gibt es bestimmt eine Hofdame aus der Ritterzeit, die ihr gleicht. Florette brummt mit verschlafener Stimme »Scheiße!« Sogar im Schlaf hat sie ein loses Mundwerk.

Die kleine Irène richtet sich hoch auf und schaut mich fragend an. Ich wage nicht, ihr meine Hoffnung zu verraten und frage sie: »Was ist da los?«

»Blocksperre.«

»Was heißt das?«

In ihren schwarzen, schlaftrunkenen Augen schimmert's wie Mitleid: »Stimmt, du kennst das noch nicht: Blockarrest, Ausgehverbot.«

»Warum?«

»Weil sie eine Selektion machen.«

Es gibt Worte, nach deren Erklärung man nicht fragt. Noch ehe ich es recht gehört hatte, begriff ich auch schon seine Bedeutung: die zum Tode Verurteilten auswählen.

»Dauert das lange?«

»Das hängt davon ab, wie groß der Transport ist, zwischen zwei und sechs Stunden.«

»Tun sie das immer nachts?«

»Nein, aber lieber. Sowas macht man besser im Dunkeln, da geht's schneller, spurloser. Die Leute sind dann abgestumpfter, weniger Geschrei, weniger Geschichten ... «

»Also Blocksperre bedeutet auch die Ankunft eines Zuges?«

»Meistens, aber das sind nicht die einzigen Selektionen, bei denen wir eingesperrt werden, Türen verriegelt, Ausgangsverbot.«

Ich muß schon besonders begriffsstutzig wirken, denn die kleine Irène erklärt mir weiter: »Das Lager Birkenau darf ungefähr 200000 Gefangene nicht überschreiten, und um diese Zahl zu halten wird selektiert. Das ändert aber nichts an den alltäglichen persönlichen Erniedrigungen, dafür werden wir nicht eingesperrt, die lasten weiter auf unserem Dasein. Es vergehen keine fünf Minuten, ohne daß eine Kranke, eine Jüdin, eine Muselmanin in der Zelle 25* eingesperrt wird.«

»Muselmanen? Warum ausgerechnet Araber?«

Irène wundert sich über mein Mißverständnis.

»Muselmanen ist der Deckname für die, die schon halbe Leichen sind.«

»Woher kommt der?«

»Das weiß niemand; der oder die, die ihn erfunden haben, werden schon ihren Grund dafür gehabt haben, aber da das schon so lange her ist, wird man ihn nie erfahren.«

Die Selektion bei der Ankunft habe ich ja erlebt, aber die andern, wie geht das vor sich? Ich möchte es gerne wissen, schweige aber feige. Doch Irène spricht, sie muß den Horror, der sie erstickt, loswerden. Bei wem könnte sie's? Man muß schon neu hier sein, um dem zuzuhören:

»Ich glaube, die Selektionen, die nichts mit Neuzugängen zu tun haben, sind noch abscheulicher. Weißt du, wenn man ankommt, weiß man ja nichts. Wenn man aber hier drin ist, kennt man's; es ist immer die gleiche Leier, Pfiffe. Die SS pfeift zu allem und jedem ... zum Essen, zum Trinken, zum Angst machen ... wenn Frauen von einem Block zum andern müssen oder draußen rumschleichen auf der Suche nach was Eß- oder Tauschbarem ... ein Pfiff ... und sie schwirren ab wie die Vögel, wenn's knallt! In zwei Minuten ist das Lager leer, eine Wüste. Die Lastwagen kommen an, halten vor den Blocks, und sie nehmen ihre Ladung Frauen in Empfang. Von draußen,

* In dieser Zelle wurden die Frauen eingesperrt, die vergast werden sollten; das Vorzimmer des Todes.

weitab, um die verpestete Luft nicht atmen zu müssen, zeigen SS-Offiziere auf die Magersten, die Zitterndsten, die Kranken und solche, die versuchen sich zu verstecken. Sie selektieren Mädchen, die nicht gefallen, egal wem, der Blockowa, dem Kapo, dem Küchenmädchen ... warum nicht? Dann jagt man sie heraus mit Gewehrkolbenschlägen, Knüppeln, Fußtritten und Fausthieben. Die von der SS aufgehetzten Blockowas sind die Übereifrigsten, sie hauen fester drauf als sonstwer. Es gibt Frauen, die schreien und zurückschlagen, ich habe eine gesehen, die sich mit ihren Nägeln aufs Gesicht eines SS-Mannes gestürzt hat, er hat sie zusammengeschlagen und alle mußten über ihren noch zuckenden Körper gehen, der schon aussah wie roter Brei.«

Wenn sie doch still wäre, ich möchte nichts mehr wissen ... Aber Irène macht weiter, ihr läuft das Herz über: »Und die Szenen, die ich im Quarantäneblock miterlebt habe, bevor ich hierherkam, diese Szenen, Fania ... Die einen gehen schon völlig amorph, die andern singen, lachen ... Alle klettern in den Lastwagen und wissen, wohin sie müssen. Alle nur vorstellbaren menschlichen Reaktionen auf so entsetzlich abscheuliche Grausamkeiten, wie man sie nie gekannt hatte, habe ich gesehen. Die SS benimmt sich zwischen all dem Elend völlig normal, zufrieden. Wenn sie die Lastwagen, die die Frauen zum Gas bringen, verschlossen haben, lachen sie, klopfen sich gegenseitig auf die Schulter wie nach einem guten Witz, einer gelungenen Masche. Diejenigen, die die Türen der Gaskammern schließen, und der, der das Zyklon B einfüllt, reagieren genauso. Danach gehen sie in ihren Bau, in ihr Kasino und trinken ein Glas, klimpern auf dem Klavier, bumsen ein Mädchen, eine der ihren – nie eine Jüdin, das ist verboten – oder kommen hierher, um Musik zu hören, Wiener Walzer, Peter Kreuder ... Siehst du, Fania, alle müssen was tun danach, jeder was anderes. Und das versteh ich nicht. Du?«

»Vielleicht wollen sie vergessen, nicht mehr mit sich allein sein? Vielleicht besaufen sie sich zum Abrunden, die Lust am Töten zu feiern. Was wissen denn wir von ihnen?«

»Im Musikblock erträgt man's noch am besten, weil man da am meisten isoliert ist, aber wenn man's gesehen hat, kann man nicht mehr vergessen ... «

Irgend jemand sagt nicht unfreundlich: »Haltet die Klappe! Schlaft!«

Schlafen, ich möchte ja; die Schornsteine der Krematorien fangen schon an zu rauchen. Morgen wird ein ekliger Geruch von verbrannten Menschenleibern unsere Kleider, unsere Haut durchdringen, und ich muß gleichgültig bleiben, mehr noch, ich muß ihn ignorieren ... An welchen Himmel soll man sich wenden, um diese Gnade zu erbitten?

Ich muß eingeschlafen sein, denn die Hast einer Läuferin läßt mich hochfahren. Außer Atem schreit sie:

»Achtung! Schneller! Schneller! Die Mandel ist schon auf dem Weg ...!«

Tschaikowska kommt aus ihrer Bude geschossen wie ein Teufel aus der Hölle. Almas Ordonnanz Regina läuft und klopft an ihre Tür. Irène schüttelt heftig Florette, bei der dieses brutale Wecken eine Aggression auslöst. Aus allen Ecken kommen Fragen und Zurufe. Die Anschnauzer der Blockowa übertönen den Radau, ihre blindlings verteilten Schläge treffen zum Glück die meisten nicht. Hatz und Hetze für ein paar Minuten wie im Mädchenpensionat oder auf der Kasernenstube. Es ist drei Uhr nachts, als die Mandel – in voller Uniform und Umhang – den Musiksaal betritt. Wir stehen alle im makellosen Stillgestanden an unseren Plätzen, sogar ich, den Blick ins Weite gerichtet und ohne mit der Wimper zu zucken, denn für ein Blinzeln kann man in Zelle 25 geschickt werden. Was kann sie von uns um diese Zeit wollen?

Ich weiß noch nicht viel übers Lager, vom Tun und Lassen der SS, aber ich weiß schon genug, um mich zu fragen: Woher kommt sie? Welche Aufgabe hat sie bei einer Selektion? Zeigt sie auf die Verurteilten, treibt sie die Kinder in die Krematorien? Spaziert sie lässig, höchst verächtlich zwischen den Frauen hin und her, die man rasiert, tätowiert, auf ihr Tierdasein vorbereitet? Bis zum Rande der Unterwürfigkeit besorgt fragt Alma: »Was wünschen Frau Lagerführerin zu hören?« und zittert, innerlich bibbernd, sie möge kein zu altes Stück verlangen, das ihre Musikerinnen schon vergessen haben könnten.

Maria Mandel ist das perfekte Symbol der jungen deutschen Frau, wie sie von der Propaganda dargestellt wird. Sie hat eine schöne Stimme, à la Marlene Dietrich, tief und rauchig. Ihr Finger zeigt auf mich. »Meine kleine Sängerin soll für mich ›Madame Butterfly‹ in deutsch singen.«

Alma gibt den Befehl an mich weiter.

Katastrophe! So, und woher soll ich jetzt die Stimme nehmen? Und, ich kann's nur in französisch. Gefährlich verdunkelt sich Almas Blick, langatmig erklärt sie der Mandel die bedauerliche Lage, worauf diese verärgert das Gerede mit einer einzigen Geste abbricht. Fast bissig befiehlt mir Alma: »Sing in französisch, ich habe aber gesagt, du würdest es auf deutsch lernen.«

Und russisch und tschechisch, wenn ihr Glück daran hängt.

Ich spüre, wie blockiert vom Schlaf meine Kehle und Lungen sind; wenn ich daran denke, daß es Sängerinnen gibt, die ihre Stimme mit einem rohen Ei lockern! Ich wage nicht einmal mich zu räuspern. – Das Orchester spielt die ersten Takte, und ich mache mich an die Lieblingsarie der Frau Lagerführerin.

Die Mandel sitzt, aus ihrem Umhang geschlüpft, auf einem Stuhl und sieht verträumt aus. Hält sie sich für eine sentimentale Geisha? Ich hasse mich bei dem Gedanken, sie glücklich zu machen.

Ist sie es? Zweifellos, aber ihr Gesicht zeigt keine Spur von Lächeln, ist kaum entspannt. Später erfahre ich, daß es bei der SS zum guten Ton gehört, uns zu lauschen – als ob wir ein Musikautomat wären . . . Und doch, sie muß wohl angetan sein, denn ich muß die Arie wiederholen. Mir scheint, als stille sie eine besondere Vorliebe für diese Oper, eine Leidenschaft, deren Grund ich sicher nie erfahren werde. Ein eigenartiger Geschmack! Aber ich darf nicht vergessen, daß mich Alma aufgrund dieser Sehnsucht von Frau Mandel, ihre geliebte ›Madame Butterfly‹ zu hören, holen ließ.

Die musikalische Einlage ist kurz, und Frau Lagerführerin verläßt uns sichtlich befriedigt. Die kleine Irène kommentiert den Besuch so: »Das war kein großer Transport, die Selektion hat nicht lange gedauert.«

»Woher weißt du das? Wir haben doch noch gar keine Pfiffe gehört!«

»Das wird schon noch kommen. Es ist oft so, daß ein SS-Boß vor dem Ende der Blocksperre kommt. Für sie ist die Arbeit erledigt, dann kommen sie zu uns, um sich davon zu erholen.«

Wie kann die Kleine das so ruhig sagen, mit eben noch einer Spitze Ironie? Sicher wäre es falsch zu revoltieren, und zweifellos werde auch ich bald verstehen, sehr bald sogar, daß es hier halt so sein muß.

Florette tobt: »Geweckt werden und diese abscheuliche Nazivisage sehen müssen!«

»Im übertragenen Sinn absolut richtig, aber in Wirklichkeit ist sie eher schön.«

»Bist du krank? Schön! Dieses Miststück!«

Ich bleibe dabei. »Als SS-Maid ist sie ein Biest, aber als Frau ist sie sehr schön!«

»O nein! Hört euch das an!« tobt Florette völlig außer sich, »diese Idiotin ist in die Mandel verliebt!«

Feindselig, fast böse, schauen mich die Mädchen an und halten lautstark zu Florette, bis ich, ziemlich überrascht, Claras besonnene Stimme höre: »Fania fühlt sich halt geschmeichelt, weil sie sie zu ihrer Sängerin auserkoren hat, das macht sie duldsam.«

»Duldsamkeit nennst du das! Für mich ist das Arschlekkerei!«

Ihre sinnlose Abgeschmacktheit wird mir zuviel, aber ihnen dagegenzuhalten, daß man den SS-Leuten nicht notwendigerweise ihr Geschäft ansieht, daß man sie auch schön finden kann, ohne ihnen damit gleich die Seele zu verkaufen, würde überhaupt nichts nützen. Also drehe ich mich um und klettere hinauf in meine oberste Koje. Da oben will ich die Augen zumachen, sie vergessen, einschlafen.

Das ist jetzt so ein verteufelter Moment, so einer, wo man alles loswerden möchte. Aber trotz aller klugen Vernunftsüberlegungen, die ich anstelle, bin ich voll Abscheu, möchte ich Galle spucken, weil ich diese SS-Angehörige nach der geschafften Selektion auf andere Gedanken gebracht habe.

Am nächsten Morgen dann habe ich einen bitteren Geschmack im Mund. Während ich mein Bett baue, seufze ich so vor mich hin:

»Ich weiß nicht, was ich alles drum gäbe, wenn ich eine Zahnbürste und Zahnpasta hätte.«

»Hör zu, da sind ein paar Mädchen, die teilen sich eine zu fünft, vielleicht nehmen sie dich als sechste!«

Florette schreit dazwischen: »Sie soll sich doch eine organisieren!«

Diesen Begriff, dessen Sinn mir vollkommen klar war, habe ich nicht vergessen: »Aber wie?«

»In unserem Birkenau-Lager gibt es zwei ›Canadas‹, das kleine ist gleich neben uns, das große ein bißchen weiter. Im kleinen gibt's Zahnbürsten, Zahnpasta, Seife, Parfüm, lauter so Zeug; im großen Nachthemden, Unterwäsche, Schuhe, Kleider, Konservendosen . . . halt alles strandet da . . . !«

Ich träume wohl? Wovon spricht sie? Geschäfte?

»Was nennst du ›Canada‹? Wofür steht der Name und woher kommt er?«

»Das weiß man nicht. Vielleicht weil Kanada ein reiches Land ist, ein ›gelobtes Land‹. In Wirklichkeit sind das die Bekleidungskammern.«

Florette mischt sich dazwischen: »Als wir hierher kamen, hat doch jede von uns ihr Bestes, Wärmstes, Neuestes mitgenommen. Die Reichen bringen ihr Vermögen im Koffer mit. Pelze, Schmuck, Diamanten, Gold, vollgestopfte Brieftaschen, einen Koffer voll Geld. Glaub ja nicht, ich übertreibe. Diese Tausende von Koffern, die seit Jahren jede Woche hier ankommen, sind doch ein sagenhafter Reichtum. Der Geldschrank der SS ist jüdisch! Alles, was nicht verderblich ist, wird sortiert, etikettiert, gezählt, in Versandkisten gepackt und regelmäßig nach Berlin geschickt. Aber was ich noch am abscheulichsten finde ist, daß sie uns unsere Päckchen klauen . . . «

Ich bin überrascht: »Päckchen? Kommen Päckchen an? Dann wissen also unsere Angehörigen, wo wir sind? Das ist doch nicht möglich. Kann man denn schreiben, korrespondieren?«

Florette kichert und Jenny lacht lauthals: »Sie wird noch bunte Postkarten von unserem Kurort mit einem Kreuz auf ihrer Baracke an ihre Familie schicken!«

Eva meint dazu: »Es kommt schon vor, daß sie die Angehörigen von unserem Aufenthalt in einem Arbeitslager informieren und das Schicken von Päckchen genehmigen. Wohlverstanden, die erreichen uns dann nie; zweifellos ist das für sie ein Mittel, an noch mehr Waren ranzukommen.«

Florette steigert sich immer mehr hinein: »Ja, ja, Päckchen kommen tagtäglich an, aus allen Ecken Europas, von denen ein paar Deutsche, ein paar Polacken was abkriegen, aber wir, die Juden, niemals. Zuerst mal, um überhaupt etwas kriegen zu können, muß man noch eine Familie haben, darf die noch nicht durch den Schornstein gejagt worden sein. Aber auch wenn wir noch eine Familie haben, geht der geschickte Proviant an die SS-Kantine, an die Funktionshäftlinge, die schwarzen Dreiecke, die Huren, die Stehlratten, die Kriminellen, halt an die ›Crème‹! Und das Gemeinste ist, daß die Angehörigen unser Abkratzen gar nicht mitgeteilt bekommen, die sparen sich weiter alles vom Mund ab, damit's ja den Toten an nichts mangelt: ein Stück Butter vom schwarzen Markt, ein Glas Marmelade von der Oma, aus ihrer Zuckerration, eine Wurst, ein bißchen Hasenpastete – da wird sich das Kind freuen! – oder Zwieback, damit das Goldstück auch seine Diät einhält. Die Eltern schicken und schicken ... und die *boches* scheißen drauf, zum bloßen Vergnügen ... «

Sie weint und schluchzt und zittert vor Zorn. Die kleine Irène legt ihr die Hand auf die Schulter: »Beruhige dich, du wirst dir noch was holen.« Dafür schenkt ihr Florette einen unerwarteten Dankesblick und wird still, ist ganz plötzlich versöhnt.

Anny betont: »Weißt du, an dem Abend, an dem du gekommen bist, bekam ich ein Paket, das erste seit Juli 43. Und ich hab' Schwein gehabt, daß sie mir noch was übrig ließen, denn zuerst nehmen die sich, was sie wollen, stimmt's?«

Jenny lästert: »Brauchst nicht meinen, daß der Briefträger – ab die Post – sich auf die Socken macht und dir, ohne mal Luft zu schnappen, dein Päckchen bringt; eher galoppiert der Inhalt, der nicht in Konserven ist, allein davon. Wenn die Maden deine Adressen hätten, würden sie es dir direkt liefern!«

»Und wann kann man ins ›Canada‹?« Meine Frage wird zum echten Erfolg, besonders bei Jenny. »Bist du noch nicht fertig mit deinen urkomischen Fragen? Hältst wohl das ›Canada‹ für die Galerie Lafayette, für Samaritaine de luxe oder Potin? Du darfst da gar nicht rein, das ist verboten, und wie! Wenn dich Frau Schmidt in ihrem Wunderstall rumspazieren sähe, würde sie dich in Rauch auflösen lassen! Das dürfen nur die Fettaugen und die Kohlköpfe vom Lager. Aber mach dir nichts draus, wir haben Komplizen dort, hauptsächlich Ingrid, die Schwester von Marta, unauffällig aber wirkungsvoll; keine Französinnen, nicht daß ich wüßte. Dieser Unterschlupf, der tollste vom ganzen Lager, ist für *bochesses*, Tschechen, Polacken, Slowaken und andere reserviert. Die wissen ja, daß ihr neu seid hier, dann wird schon eine kommen.«

Das ist aufregend. Ich kann zwar auf alles verzichten, aber nicht auf eine Zahnbürste. In diesem Augenblick war mir's wenigstens so.

»Und wenn sie's nicht gemerkt haben, wenn sie nicht kommen? Wer soll's ihnen denn gesagt haben?«

Eva lächelt: »Sei ganz beruhigt. Im Lager spricht sich alles rum. Die Bekleidungskammern sind gleichzeitig die großen Informationszentren. Jeden Tag sprechen die Mädchen im ›Canada‹ mit den SS-Leuten, die dort ihre Waren abholen und aussuchen, was ihnen gefällt. Auch die Blockowas und die Kapos dürfen da rein. Jeder erzählt was, und schon machen die Neuigkeiten die Runde. Vergiß nicht, wir dürfen auch raus, und wenn's nur bis zu den Toiletten ist, man begegnet schon anderen Frauen. Außerdem machen die Läuferinnen gern mal eine Besorgung und sprechen nicht darüber. Auf jeden Fall kannst du sicher sein, irgendeine wird kommen, mich wundert sowieso, daß sich noch keine sehen ließ.

»Und sie bringen das, worum man sie bittet?«

Jenny präzisiert: »Lieferung frei Haus, das Vornehmste!«

Ich weiß es noch nicht genau genug: »Und wenn sie erwischt werden?«

Florette macht eine fatale Geste: »Wenn sie einen schnappen und es ist nur ein Kinkerlitzchen: kahl rasieren; für ein tolleres Ding: Arbeitskommando; noch schwerwiegenderes, Schmuck beispielsweise: Zelle 25.«

»Riskant also!«

Jenny zieht ihre schmalen Schultern hoch: »Was soll's. Du läufst das gleiche Risiko, nur die, die futtern Ölsardinen wie die Prinzessinnen.«

»Kann man sich was zu essen beschaffen?« fragt Clara.

»Das ist nicht gerade das leichteste.«

»Und wie zahlt man?«

»Mit Brot, Brot ist hier Währung.«

»Aber ich hab' doch keins!« jammert Clara ungehalten und sieht schon ihre Felle wegschwimmen.

»Spar von deiner Ration.«

Claras Tonfall wird weinerlich: »Das ist doch unmöglich! Ich habe so schon so wenig, wie soll ich denn . . .?«

Florette regt sich aufs neue auf: »Und wir, meinst du, wir haben zu viel? Nur so geht's, und sogar Prinzessinnen wie du müssen das!«

»Du brauchst dir nur einen Mann suchen; hier gibt's Wurst statt Blumen«, rät ihr Jenny.

Clara kann so simpel wie ein Kind Schlußfolgerungen ziehen: »Und wie kann man im ›Canada‹ aufgenommen werden?«

»Man muß Frau Schmidt gefallen, ihr empfohlen werden, ein Sonderhäftling sein, nicht zimperlich und die Quarantäne überstanden haben. Kannst ja schauen, ob nicht vielleicht an der Tür eine kleine Suchanzeige hängt!« spottet Florette.

Dieses Gehänsel kommt bei Clara gar nicht an, in deren Kopf ich das unstete Weiterdrehen der kleinen Rädchen sehe wie das Werk einer Uhr ohne Gehäuse. Sie macht mir Sorgen, ganz unverkennbar macht sie der Fettmangel heißhungrig, genau die richtige Krankheit für hier.

Wir sind gerade dabei, uns für die Arbeit fertigzumachen, da stößt eine Läuferin mit rotgefrorenen Ohren, wie ein Ausrufer von früher, die Tür auf und verkündet von der Schwelle her: »Jede kann sich im ›Canada‹ ein Paket von der Frau Lagerführerin Mandel abholen.«

Unser freudiges Durcheinander lockt Alma heraus, die sich schon darauf vorbereitete, uns schuften zu lassen. Als sie das hört, zeigt sie sich erfreut. Ihr ziemlich platter Busen schwillt an: »Frau Mandel hat unser kleines Zwischenspiel heute nacht sehr gut gefallen.«

Zwischenspiel, ein hübsches Wort! Almas Genugtuung liebkost mich flüchtig mit einem Lächeln. Ich lese darin: ›Du hast gut gesungen, Mandel war zufrieden, sie wird wiederkommen. Ich bin gut angeschrieben.‹ Großmütig erlaubt uns unsere Kapo, im »Canada« – dem kleinen, das an unsern Block grenzt – das großzügige Geschenk abzuholen. Wir überschlagen uns vor Freude.

»Nicht mehr als vier!« donnert Tschaikowska.

Mir erscheint das zu wenig, um siebenundvierzig Päckchen zu tragen. Anny, die große Irène und Jenny winken mir mitzukommen, da verbessert sich Tschaikowska:

»Nur drei, Marila geht noch mit euch.«

Jenny grinst: »Es gibt bessere Spione. Sie ist zwar kein Kirchenlicht, aber doch so blöd, daß sie sich als Negerlein im Spiegel sieht, wenn du sie schwarz anmalst.«

»Fania, geh du an meiner Stelle,« bietet mir Anny an.

Ich gehe mit. Dieses »Canada« kann man nicht mit den andern vergleichen; das große, zu dem es gehört, ist so etwas wie das Hauptgeschäft, über das Frau Schmidt regiert. Das hier ist eher ein kleiner Laden, ungefähr wie der Tante-Emma-Laden um die Ecke im Vergleich zum Kaufhaus. Wenn wir »die Damen vom Orchester« sind und zu den Aristokraten im Lager gehören, dann sind die Mädchen vom »Canada« die Milliardäre mit allen äußeren Zeichen des Wohlstands, gut gekleidet, gut genährt!

Sie sind eifrig beschäftigt, sortieren und verstauen die unglaublichsten Waren, die haufenweise auf Tisch und Boden liegen, ordentlich in Regalen – das geht vom abgenutzten Ersatzseifenstückchen bis zur nagelneuen Kernseife, die ich mir wohl und eifersüchtig behütet, vertrocknet im obersten Schrankfach gut vorstellen kann. Kölnisch Wasser, Parfums, vom Luxusflakon bis zur bescheidensten Arzneiflasche, stehen neben einer Fülle von Büstenhaltern. Ein Stoß Taschentücher türmt sich neben einer Fuhre Pantoffeln, die sich halb über Kämme, Haar- und Zahnbürsten ausbreitet. Soll ich eine davon stehlen, irgend- eine, sogar die kleine dort mit den vergilbten, plattgedrückten und schon fehlenden Borsten? Hatte die, die sie mitbrachte, kein Geld für eine neue? Oder störte es sie nicht?

An die Frau, die sie mitbrachte ... denken, sie sich vorstellen, bedeutet schon, sich der Angst dieser Frau zu nähern, der Angst, von der sie gepackt wurde an jenem Morgen oder in jener Nacht, als sie in die Gaskammer mit den an der Decke reihenweise angebrachten Duschköpfen kam, wie sie ihr Hand- tuch, ihre Seife, vielleicht eine von diesen hier, in der Hand hatte ... Wenn man in solche Gedanken abrutscht, wird man für alles verwundbar, sowohl für die anderen als auch für sich selbst; es bedeutet vergebens seine Kraft verschwenden, die Kraft, die man zum Durchhalten braucht, zum Durchhalten bis zum Ende, nicht zu unserm – zu ihrem!

Die Mädchen vom »Canada« sehen fabelhaft aus, satt, selbstsi- cher, sich ihrer Macht bewußt. Die langen Haare frisch frisiert, gut gekleidet, geschminkt, lachen und rauchen sie. Wenn im Lager Brot Wechselgeld ist, dann sind Zigaretten Goldstücke; sie gestatten einem alles, fast alles.

Die kleine Irène wendet sich an die Blockowa, eine Slowakin, die uns ohne verschwenderische Anmut ansieht: »Panie Maria, wir möchten die Pakete für den Musikblock abholen.«

Im Ton von »Schafft mir das Dreckzeug vom Hals!« herrscht sie uns an: »Nehmt all das mit!« »All das«, das sind siebenund- vierzig Päckchen mit dem Umfang von je zwei großen Streich- holzschachteln, in zerknittertes Papier gewickelt. Und ich hatte mir schon vorgestellt, wie wir alle Arme voll, sogar einen Schubkarren für unsere Schätze brauchten.

Ein Schatz! Das ist genau die Wirkung, die unsere Päckchen hervorzuzaubern, als wir sie auf den Tisch legen. Die Mädchen kommen angelaufen, umzingeln uns und drängeln. »Drückt nicht so, es reicht für alle!« lacht Jenny. Voller Erregung fragt sich jede, was ist da drin?

Tschaikowska brüllt: »Räumt alles in eure Kartons, schnell, schnell!«

Regina, das sanfte Stubenmädchen von Alma, löst sie ab: »Schnell, schnell! Frau Alma kommt gleich in den Musiksaal.«

Ihr den leeren Musiksaal zum Auftakt bieten, wäre kriminell und würde sofort bestraft. In Windeseile sitzen wir mit Herzklopfen und allen Gedanken beim Päckchen auf unseren Plätzen.

Abends beginnt der Sturm auf die Kartons. Jede holt ihr kleines, kostbares Ding, manche schnuppern daran, bevor sie es aufmachen, wie Florette, die feststellt: »Das stinkt! Schon wieder Mülleimerreste!«

»Wißt ihr, was da drin ist? – Zucker!« freut sich Anny.

»O ihr Goldkinder, Wurst, echte Wurst aus Frankreich! Jetzt fehlt nur noch der Camembert und der Rotwein!« ist Jenny außer sich mit Tränen in den Augen.

Clara bemerkt bereits mit Kennerblick den winzigen Fettfleck aus ranziger Butter auf dem Papier des »Päckchens«. »Aber das ist doch Butter! Aufs Brot, das gibt ja … Sie findet nicht das richtige Wort dafür, sie denkt nur noch an ihren Magen und schwelgt im Hochgenuß. Jede begutachtet still oder laut, was sie hat, schaut nur kurz zur allernächsten Nachbarin um zu sehen, ob die was anderes hat. Neben mir probiert unsere griechische Akkordeonspielerin vorsichtig wie eine Katze mit ihrer Zunge den Klacks Marmelade, die neben den vier Zuckerstückchen, der ausschwitzenden Wurstscheibe, der ranzigen Butter, den sechs Keksen und dem Brotendchen liegt. Für mich ist dieses Stück Brot ein wahres Vermögen, es bedeutet die Zahnbürste, für die ich bis jetzt noch nichts zum Bezahlen hatte. Wunderbares, allerliebstes Päckchen! Freud und Seligkeit! Wir lachen richtig. Das Leben ist herrlich, wir essen! Mitten in diese ausgelassene Stimmung hinein kommt Ingrid: sehr hübsch, kühl und distanziert. Sie sieht unsere freudigen Gesichter, manche sind schon dabei, Butter auf ihr Brot zu schmieren und obendrauf noch Marmelade. Die drei Dinge gleichzeitig zu essen ist wahrer Luxus, eine Verrücktheit, die ihr nicht entgeht: »Wie ich sehe, fehlt euch nichts!«

»Doch, doch, die zwei Neuen brauchen dich.«

Ihr dunkler, abwesender Blick ist so gefühllos, daß ich mich frage, ob sie mich überhaupt sieht. Ich bestelle eine Zahnbürste bei ihr, sie bietet mir Seife und Zahnpasta an. Unsicher, ob ich mir solche Ausgaben leisten kann, frage ich sie besorgt: »Was würde mich das kosten?«

Ingrid läßt sich Zeit, kalkuliert überlegt. Ganz sicher habe ich nicht genug, um alles zu bezahlen; ich könnte die Zahnpasta weglassen, mit Seife kann man sich auch die Zähne putzen.

»Hör zu, weil du noch nicht lange da bist, werde ich dir einen Preis machen.«

Diese Geschäftssprache erstaunt mich überhaupt nicht, im Gegenteil, sie normalisiert unseren Handel. Endlich nennt sie ihre Summe: »Eine Ration Brot und zwei Rationen Margarine. Durch die Kälte ist Fett gefragter.«

Nichts hätte mir mehr Freude machen können. Verärgert schaut mir Clara zu, wie ich unseren Karton schröpfe und meine zwei Würfelchen Margarine heraushole. Ich habe wirklich den Eindruck, daß ich sie ihr vom Mund abzwacke.

Ingrid erklärt mir die Kursschwankungen: »Man kann den Tarif nie konstant halten, er verändert sich dauernd. Das hängt vom Angebot, vom Zustand, vom Anbaugebiet ab; was aus Frankreich kommt, ist sehr gefragt. Die SS bevorzugt das und kauft alles auf, das treibt die Preise hoch. Die Nachfrage beeinflußt nun mal den Wert. Verstehst du?«

Und wie! Das erinnert an den schwarzen Markt. Das gibt's doch nicht! Wir spielen ja Kaufladen, gleich wird sie noch fragen: ›Darf es sonst noch was sein, Madame? Ist das alles?‹ Aber sie sagt:

»Willst du sonst nichts? Vom heutigen Transport haben wir wunderbares Parfum.«

Ganz ernsthaft erwidere ich: »Nein, ich bin pleite.«

Schon reagiere ich anders als noch vor ein paar Tagen, bereits nach ein paar Sekunden ist mir die widersinnige Scheußlichkeit unseres Dialogs bewußt geworden.

Im Rausgehen bleibt Ingrid noch ein paarmal stehen, um andere Bestellungen aufzunehmen.

So sitzen die Mädchen mit aufgestützten Armen am Tisch und essen ganz langsam, um dieses genußreiche Vergnügen in die Länge zu ziehen. Manche stöbern in ihren Kartons, schneiden sich noch ein Zipfelchen Wurst ab, lutschen die winzigste Spur Marmelade vom kleinen Finger und lachen dabei, lachen wie die Verrückten, und ich lache mit und empfinde zutiefst die ganze Verfahrenheit dieser Szene.

Man muß das verstehen: Tod, Leben, Tränen, Gelächter, alles ist vervielfacht, alles ist maßlos, übersteigt das Glaubhafte. Alles ist Wahnsinn.

Verträumt meint die kleine Irène: »Ich habe mich schon so oft gefragt, warum wir kein anderes Brot – nur das ihre – bekommen, nicht mal organisieren kann man sich's. Die vielen Menschen haben doch sicher Brot dabei.«

Das läßt einige aufhorchen: »Du hast recht«, bestätigt Anny,

»keine Kümmelstangen, keine Schneckchen, keine Hörnchen, was Vater und Mutter doch ganz bestimmt eingepackt haben.«

Still und beweglich sitzen die Mädchen da und hören zu – die Erinnerung schnürt ihnen die Kehle.

Brot.

»Brötchen von daheim, Stangenbrot, feiertags schön hell und golden, alltags dunkler und knusprig.«

»Und Grießbällchen, die wie Kuchen schmecken ... «, schwelgt Clara.

»Ich hab' Matzen zum Frühstück gegessen, oder Roggen- oder Mohnbrötchen«, träumt Elsa, eine meiner Schreiberinnen, eine deutsche Jüdin.

»Jeder hat sein eigenes Brot«, stöhnt die kleine Irène, »Brot ist echt ein Stück Heimat, von dem man abbeißen kann ... Bevor ich in den Musikblock kam, hat eine von uns, das weiß ich noch gut, ein klitzekleines, rundherum goldgelb gebackenes Stückchen gefunden – das ging von Hand zu Hand, die Mädchen weinten und küßten es, keine konnte es essen ..., es tröstete ihr Herz ... «

Heute morgen kommt Frau Aufseherin mit großen, wütenden
Schritten rein, ihre Stiefelabsätze klappern auf unserm Zementboden wie auf dem Trottoir. Tschaikowska steht weiß und steif
wie Quarkpudding in ihrem Stillgestanden, ihr dicker Busen
wabbelt. Jetzt niesen! – unsere Blockowa würde uns in Zelle 25
schicken. Hier hat jeder das Recht über Leben und Tod.

Die Aufseherin steht mit erhobenem Kinn und einem Ausdruck, als hätte sie der Führer persönlich erleuchtet, aufge-
pflanzt mitten in unserm Musiksaal: »Juden nach rechts! Arier
nach links!«

Mechanisch und passiv will ich gehorchen, da packt mich
Clara am Arm und zieht mich in die Mitte der beiden Gruppen,
die sich gebildet haben. Mit unseren gelben Sternen auf der
Brust müssen wir wie zwei pfiffige, anstößige, ausgesonderte
Pflänzchen aussehen.

Tschaikowskas Faust ballt sich so, daß die Knöchel ganz weiß
werden.

»Was habt ihr da zu suchen!« speit Frau SS.

»Wir sind Halbjuden, Frau Aufseherin.«

»Was ist das?«

Die überraschte Alma übersetzt ihr diese erstaunliche Behauptung: »Mischlinge.« Ich frage mich, was aus dieser Farce
werden soll, anders kann ich das Ganze nicht empfinden. Außerdem wäre ich überrascht, wenn für einen Fall wie den unseren nicht sowieso schon vorgesorgt wäre. Später erfahre ich,
daß Halbjuden viel seltener deportiert wurden, besonders dann,
wenn die Mutter arisch war wie bei uns.

Die kleinen grauen Augen der Aufseherin – so lebendig und
weich wie eine Betonwand – fixieren uns ungläubig, und wiederholt murmelt sie vor sich hin: »Mischlinge.« In ihrem Kopf
müssen die verschiedenen Vorschriften nur so rattern, die wohl
in unleserlicher alter gotischer Schrift gedruckt sind. Es scheint,
als hätten ihre Chefs dazu bisher noch nichts gesagt, denn sie
sagt banausisch, breitbeinig und die Hände auf den Hüften –
nicht unbedingt vorschriftsmäßig, diese Haltung –: »Ach so, ihr
seid Halbjuden, so so, ja da müssen wir sehen … Ich laß' euch
in die Hauptaufnahmestelle nach Auschwitz bringen, die

durchleuchten eure Geschichten! Die werden schon dahinter-
kommen!«

Dann geht sie, mit dem gleichen strafverheißenden Schritt.

Alma zieht sichtlich teilnahmslos ihre Schultern hoch und
geht in ihr Zimmer zurück; unser Gebaren kann ihren gewohn-
heitsmäßigen Trott nicht aus der Bahn werfen. Die arischen
Polinnen schauen uns breit grinsend an, Tschaikowska und Panie Founia gestikulieren wild in unsere Richtung, und ich muß
lachen, kann mir's nicht verkneifen, obwohl mich Clara zusam-
menstaucht: »Sei still, hör doch endlich auf, du machst mich
rasend, das sieht ja aus, als hätt' ich unrecht!«

Wieder ernsthafter antworte ich ihr: »Und wenn sie uns jetzt
deshalb nur die halbe Ration geben?«

»Du bist total verrückt, du kannst auch nichts ernst nehmen«,
regt sich Clara auf.

Sauer protestiert die durch und durch dunkelhäutige Rachela
in halb polnischem, halb jüdischem Kauderwelsch, das uns
Eva zusammenfassend so übersetzt: »Rachela meint auch, ihr
seid im Unrecht, es reiche schon aus, wenn der Urgroßvater
Jude sei, um als solcher angesehen zu werden. Ihr könntet
höchstens damit erreichen, ein bißchen früher dranzu-
kommen.«

»Das glaube ich nicht«, behauptet die kleine Irène. »Warum
nicht probieren? Schließlich ist es doch so; sie werden ja sehen,
ob das was ändert.«

Anny träumt vor sich hin: »Sie dürfen raus hier, stell dir das
vor, die Stadt sehen, die Schaufenster!«

Rachela, die französisch zwar versteht, sich aber nur mühsam
darin ausdrücken kann, sagt abwehrend: »Nein, nein! . . . nix!
. . . « und macht dabei die wohlbekannte Handbewegung am
Hals.

»Sie behauptet, daß ihr gar nichts erzählen könnt, daß sie
euch gar nicht nach Auschwitz bringen werden, sondern direkt
in die Gaskammer!«

Florette lacht ironisch: »Vielleicht haben sie das Glück, nur
halb vergast zu werden!«

Eva schlußfolgert: »Ich finde, ihr habt ganz recht. Gut so,
man muß ihnen die Nase, wie ihr in Frankreich sagt, in die
Sinnlosigkeit ihrer Rassenlehre stecken. Und wer weiß, vielleicht schieben sie euch zu den Ariern?«

Die Diskussion dauert nicht lange, denn schon bietet sich ein
neues interessantes Objekt; eine Läuferin meldet uns die An-

kunft eines Musikers vom Männerorchester. Ein bedeutendes Ereignis. Im Hereinkommen hält ihn erst einmal das wütende Geschimpfe der Tschaikowska, die uns verbietet, aus der Nähe mit ihm zu sprechen, an der Tür zurück. Wir starren ihn mit einer unersättlichen Neugier an, er ist groß, hat eine Art Käppi auf seinem geschorenen Schädel, mager wie ein Storch, aber korrekt gekleidet mit seiner sauberen, gestreiften Uniform. Er macht einen verschüchterten Eindruck und wendet sich an Alma, doch die Tschaikowska stürzt zu ihm hin und führt ihn in den Musiksaal. Durch die offene Tür verfolgen wir jede seiner Bewegungen und kommentieren sie:

»Seht ihr's, er nimmt die Baßgeige.«

»Das ist sicher ein Musiker.«

»Das ist der Lehrer für Yvette.«

Alma läßt sie holen und verbietet uns, den Musiksaal zu betreten. Ein Mann ist in unserm Block, wir rotieren! Der Zugang zu ihnen wurde uns strengstens untersagt, und hier kommt sowieso nur selten einer vorbei. Manchmal begegnen wir einem Elektriker, einem Installateur oder einem Schreiner, die für Reparaturen kommen.

Jenny spitzt ihre Luchsöhrchen und stellt fest: »Das ist ja echter Unterricht, eine Einzelstunde. Wenn ich dich wäre, ließe ich meinen Augapfel nicht allein. Ihr Maestro hat vielleicht noch genug Saft in den Knochen, um deine Rose zu entblättern.«

Mit grimmig rollendem Rrrr meint Lili dazu: »Bei uns in Grrriechenland haben die Frrrauen noch Ehrrre in der Brrrust.«

»Halt die Luft an! Die Französinnen sind keine größeren Nutten als du. Mein Schatz hat mein Rös'chen gekriegt. Ihr könnt ruhig lachen darüber, das ist halt so!«

Wir lachen mit der unverkennbaren Absicht, daß »er« uns höre, daß »er« sich umdrehe und uns bemerke, daß wir für ihn auch noch existieren. Allein seine Gegenwart hat bewirkt, daß wir weiß Gott was alles tun. Papageienweibchen schwatzen und putzen sich, um ein Männchen unter ihre glänzenden Federn zu locken. Armer Kerl, ich beobachte ihn, wie er Yvette ihre Stunde am Kontrabaß gibt, verschwindend klein neben dem mächtigen Instrument. Er hat die präzisen Bewegungen des Berufsmusikers. Eva meint ihn erkannt zu haben, er sei ein ausgezeichneter polnischer Konzertmusiker. Er ist noch jung und hat weiche, liebkosende Hände für dieses Instrument, wie er sie wohl auch für eine Frau gebrauchen würde. Unter dem strengen

Blick von Alma setzt er Yvettes Finger auf die Saiten, hält ihr Handgelenk fest, das der zu schwere Bogen nach unten zieht ...

Wir sind ganz still geworden. Wir schauen nur dieser Männerhand, dieser Schulter zu, die gebeugt und auf der gleichen Höhe wie Yvettes dunkler Kopf ist, und träumen ...

Am nächsten Morgen kommt ein Wehrmachtssoldat in unsern Block. Er kommt wegen Clara und mir. Die Mädchen sagen, das sei ein gutes Zeichen, er sei ja kein SS-Mann. Jung, kaum siebzehn, das Gewehr geschultert, befiehlt er uns durch Zeichen mitzukommen. Alle schweigen. Und wenn er uns jetzt doch zum Gas führte? Tschaikowska zwingt uns, über unsern Mantel noch so einen gestreiften Plunder anzuziehen, so was wie eine Staubjacke, es gibt keine Bezeichnung dafür! Die Mädchen aus unserer Clique, Eva, die beiden Irènes, Anny, Florette und Jenny lächeln uns zu, wagen aber nicht, uns zu küssen. Die Polinnen kichern, und ich frage mich, was schlimmer ist bei ihnen, ihre Dummheit oder ihre Bosheit.

Wir gehen zu Fuß. Gut beschuht, warm angezogen gehen wir aus dem Lager hinaus wie Prinzessinnen, schick und schmissig, so ist jedenfalls unser eigener Eindruck. Es tut gut, an einem Straßenrand zu gehen. Unter der Schneeschicht entdecke ich ein bißchen verdorrtes Gras: »Schau Clara, Gras! Das gibt's noch.«

Beinahe wäre ich stehengeblieben, aber der Blick unseres Wachsoldaten ließ es nicht zu. Er ist noch so jung, er kann eigentlich noch nicht so verhärtet sein, es sei denn, er wäre um so fanatischer. Seine hübschen, hellen warmen Augen werden eiskalt, wenn er uns anschaut, leer wie die der andern, aller andern.

Das Wundervollste an allem ist, daß wir Birkenau weiter hinter uns lassen. Der eklige Gestank von verbranntem Fleisch, der die Schleimhäute reizt und unsere Nasen verstopft, verfliegt und macht den Düften des Lebens Platz. Leichtfüßig schaffen wir die drei Kilometer, die uns von Auschwitz trennen, das ich als kleine, sehr ruhige Stadt vor mir liegen sehe. Die polnischen, ziemlich flachen schneebedeckten Dächer heben sich scharf ab vor dem glasklaren, eisigen Winterhimmel.

»Fania! Die Häuser, die Schornsteine, sie qualmen!«

Stimmt ja. Der Rauch kommt von Menschen, die leben, sich wärmen, Essen kochen; er ist leicht bläulich, so ganz anders, nicht schwarz und schwer wie Pech und Schwefel, wie der aus unseren Krematorien.

Ungestört gehen die Menschen ihrer Arbeit nach, die Kaufläden haben Schaufenster, allerdings fast leer. Wir begegnen nur
ein paar Personen, Frauen, schlurfenden kleinen alten Mütter-
chen und betagten Männern, überhaupt keinen Jugendlichen,
weder Mädchen noch Jungens. Wo sind sie? Im Krieg? Ein
stilles Städtchen, der Schnee, über den wir gehen, verschluckt
unsere Schritte, jeden Laut. Wo wir auch gehen, niemand dreht
sich nach uns um, keiner würdigt uns eines Blickes, weder Neugier noch Feindseligkeit, uns gibt es nicht. Wann wird das aufhören – ein Nichts zu sein?

Diese Menschen hier, die kommen und gehen, ganz alltägliche Dinge tun, die in ihre Häuser hineingehen und aus ihnen
herauskommen, diese Frauen, die Einkäufe machen, ihr kleines
Kind an der Hand führen, rotbackig wie ein reifer Apfel, wissen
sie, daß sie glücklich sind? Wissen sie auch, daß es wunderbar
ist, sie anzuschauen, daß sie für uns das Leben darstellen? Warum verweigern sie uns den Blick? Sie können doch weder unsere Existenz, noch von wo wir kommen, ignorieren. Die gestreiften Kleider, die Kopftücher, unter denen wir unsere kahl-
rasierten Schädel verstecken, und unsere Magerheit zeigen doch
deutlich unsere Herkunft. Ihnen ist nicht verboten, auf einem
Spaziergang nach Birkenau an unserm Lager vorbeizukommen,
dessen finsteres Aussehen seine Funktion nicht verniedlicht.
Meinen sie, diese Schornsteine mit den ekelerregenden Rauch-
schwaden gehören zur Zentralheizung? – Was will ich denn
genau? Daß dieses Städtchen mit seinen fünf- oder sechstausend
Einwohnern revoltiert, daß sich seine germanischen Bewohner,
die seit dem deutschen Siegeszug hier fest verwurzelt sind, losreißen und kommen, um unser Lager zu befreien? Warum sollten sie sich für uns verantwortlich fühlen? Leidenschaft, die
mich plötzlich überfällt, jagt mir das Blut in den Kopf – verantwortlich: alle sind es. Alle Menschen sind es, die Gleichgültigkeit jedes einzelnen ist unsere Todeszelle.

Ich schaue sie mir gut an, ich will ihre Rattengesichter nicht
vergessen. Sie sehen uns nicht. Wie einfach! Sie wollen unser
Gestreiftes genausowenig sehen wie die »Muselmankomman-
dos«, die scheu und verstört, umrahmt von SS-Bewachern und
ihren Hunden, das so ruhige Städtchen durchqueren müssen.
Später, nach dem Krieg, werden diese Leute sagen, davon bin
ich überzeugt, sie hätten nichts gewußt – und man wird ihnen
glauben.

Clara faßt mich am Arm: »Du machst ein Gesicht. Genieße

unsern Spaziergang, uns geht's doch gut so, unser kleiner Deutscher da ist nicht übel, er läßt uns in Ruhe; auf jeden Fall besser so, als im Block eingesperrt.«

Sie hat recht. Ich sollte den Augenblick nützen, mit voller Lust auskosten.

»Warum haben sie uns nicht im Lager verhört?«

»Ich vermute, die sind nicht zuständig für unsern Fall, der gehört in die Zivilverwaltung.«

Vor einer Holzbaracke, die wohl eine Zweigstelle der Hauptverwaltung in Auschwitz ist, halten wir an. Wir gehen drei Stufen hoch, und unser Wachsoldat tritt zur Seite, um uns vorbeizulassen. Diese Höflichkeit wirkt sehr unerwartet auf mich. Überhaupt nicht überraschend dagegen ist für mich, daß wir jetzt einem riesengroßen Hitlerbild gegenübersitzen.

In diesem Raum, der wie ein Büro möbliert ist, sitzt hinter dem Schreibtisch ein SS-Mann. Ungemein beruhigend, es gibt sie also noch! Er ist sehr alt, sehr dick, sehr mies. Daneben ein französischer Kriegsgefangener mit einem großen, roten »F« auf seinem alten Uniformrock. Das läßt unsere Herzen höher schlagen, er ist schließlich ganz was Besonderes für uns, wir finden ihn wunderbar. Man bedeutet uns hinzusitzen, weit weg vom Tisch, und das Verhör beginnt:

»Name der Mutter?«

»Bernier, Marie.«

»Nationalität?«

»Französisch, arisch.«

»Religion?«

»Katholisch.«

»Name des Vaters?«

»Goldstein, französisch, jüdisch.«

»Nein«, knurrt der SS-Mann. Ich darf zu jeder Frage nur eine Antwort geben. Wir fangen nochmal an, eins nach dem andern.

»Beruf?«

»Ingenieur.«

»Wo?«

»Er ist schon lange tot.«

Er hebt den Kopf; einer, der ihnen entwischt ist, das wird ihn ärgern.

»Hast du Schwestern?«

»Nein.«

»Brüder?«

Ich habe zwei Brüder, die ich anbete. Der ältere ist in Amerika, der jüngere beim Widerstand. Klar und deutlich lüge ich: »Ich bin Einzelkind.«

Jetzt kommt die übrige Familie dran, der reinste Abstieg in die Vorzeit. Nachdem ich das Kap meiner Eltern umsegelt habe, steuere ich mühsamer das der Großeltern und Urgroßeltern an und gestehe: »Ich weiß nichts über sie, auch nichts von der Abstammung meiner Ur-ur-urgroßeltern.«

Meine Ungeniertheit erstaunt den Kriegsgefangenen. Er übersetzt meine Antworten langsam dem dicken SS-Engerling, der so fest mit der Feder aufs Papier drückt, daß es kratzt, und der sie so umständlich in deutsch aufschreibt, daß ich Clara mit dem Ellbogen stupse. Ich frage mich, ob er überhaupt schreiben kann; was kann man von so einem Schreiberling schon erwarten?

Clara kennt ihren Stammbaum in- und auswendig mit leicht großtuerischer Betonung auf dem katholischen Zweig, was aber unsern Dolmetscher und den geschäftigen Federfuchser ungerührt läßt. Während der SS-Schmierfink weiter mit seinem Gesudel und seinem Papierkram beschäftigt ist, fragt mich der Franzose: »Sagen Sie mir, wofür sind Sie denn hierher gekommen?«

»Um festzuhalten, daß wir Halbjuden sind.«

»Aber das kann Ihnen doch egal sein, was wollen Sie damit erreichen?«

»Ganz einfach: Die Auflösung in der kleinen Fabrik verhindern!«

»Was verhindern?«

»Ja doch, die kleine Fabrik, aus der man als Rauch aufsteigt.«

»Himmel, seien Sie doch still! Ja wissen Sie denn immer noch nicht, daß Sie das alles ignorieren müssen? Keiner von uns darf das wissen. Sprechen Sie bloß nie davon. So etwas existiert nicht!«

»Aha, die Leichen in den Verbrennungsöfen sind also eines natürlichen Todes gestorben, verhungert zum Beispiel. Man bringt keinen um, nicht wahr? Sie halten uns wirklich für Blinde, für Idioten.«

Er verliert fast den Kopf, traut sich aber nicht, lauter zu sprechen: »Ruhig! Halten Sie den Mund! Ich will doch nicht für Sie bezahlen müssen!«

Seine Angst läßt mich kalt, und ich lächle höhnisch zwischen den Zähnen: »Der Waschlappen da versteht uns doch nicht.«

»Woher wollen Sie das wissen?«

»Schauen Sie ihn doch an, er kann ja kaum schreiben, es wäre doch verwunderlich, wenn er französisch könnte.«

»Sie kennen die nicht. Vielleicht horcht einer hinter der Tür. Der Wachsoldat versteht uns vielleicht. Ich will meine Frau und meine Jungens wiedersehen, ich!«

»Und wir am Leben bleiben!«

Mit seinen dicken, gespreizten Fingern recht der SSler die ausgefüllten Formularblätter zusammen, heftet sie mit einer Klammer aneinander, zieht seine müden Augenlider höher und schmettert dem Dolmetscher ein paar Worte hin, die dieser uns übersetzt:

»Sie können die eine Hälfte Ihres Sterns entfernen, behalten Sie nur die mit dem F.«

Clara kann diese Genehmigung nicht schnell genug wahrmachen, während ich noch an ihrem vollen Salzgeschmack schlucke. Von einem so abgerissenen Davidstern bleibt uns nur noch das gelbe Dreieck mit dem »F« übrig, dann sind wir wirklich halbe Juden. Bei der Verwaltung ist für alles vorgesorgt!

Nach getaner Arbeit befiehlt uns der SS-Beamte, ohne uns eines Blickes zu würdigen: »Raus!«

Der Rückweg ist ziemlich mühsam, wir kommen nur langsam voran. Es hat wieder geschneit, und ich meine bei jedem Schritt, ich würde bis zum Kopf (weil ich so klein bin) in dieser weißen Pracht versinken. Wir sind keinen langen Weg mehr gewöhnt, und die drei Monate Unterernährung lassen uns ziemlich erschöpft in unserem Block ankommen.

Ein eigenartiger Empfang ist das! Wie der erste Auftritt in einem Theaterstück. Die Mädchen wechseln ihre Plätze und bilden kleine Gruppen. Kommen wir vors Gericht? Florette, Anny, die beiden Irènes, Eva, Jenny, die kleinen Griechinnen, Yvette und Lili fragen uns neugierig und wohlgesinnt: »Na, wie war's? Wie ist Auschwitz und die Leute dort? Gibt's da Kinder auf der Straße, Sachen in den Kaufläden? Wohin mußtet ihr? Was hat man euch alles gefragt?«

»O schaut euch das an! Ihr seid ja nur noch halbe Portionen!« schreit Jenny auf und weist mit ihrem ausgestreckten Zeigefinger auf unsere Busen.

Diese Handbewegung macht auch die andern auf uns aufmerksam. Die arischen Polinnen grinsen, Founia klopft sich auf die Schenkel, wir bieten ihr immerhin einen netten Augenblick. Tschaikowska mimt mit den Fingern ihrer rechten Hand eine Schere, schneidet damit den linken Zeigefinger in der Mitte durch, dann rutscht die imaginäre Schere ab und das Ganze wird obszön.

Umgeben von den zwei Scheusalen Irena, deren Mund bis zu den vergilbten und schwarzen Zahnstummeln aufgerissen ist, und Kaja, die mit ihren Massen die schmächtige Marisha schier erdrückt, steht Wisha, einen Arm um Zochas Schultern, den andern um Marilas Taille, und lacht geistreich – ein hübsches Bild! Nur Halinas Gesicht verrät nichts. Aber auslachen allein reicht den Polinnen nicht, sie geifern uns giftig an. Danka fuchtelt mit ihren Riesenhänden, die ein ausgewachsenes Kalb umlegen könnten, und versucht in spottschlechtem Französisch die Meinung ihrer Clique zum Ausdruck zu bringen: »Ihr, Sauschlampen, großes Schämen haben weil Juden! Trotzdem ihr bleiben Jude! Niemals ihr Arier, ihr Angst, so ihr leugnet die Eltern. Judas!«

Diesen letzten Fluch scheinen seltsamerweise die polnischen Juden Rachela und Masha besonders gern zu mögen, sogar die kleine Tschechin Margot, ein gescheites und gebildetes Mädchen. Rachela hängt uns an: »Ihr habt euch wie Goi-Schlampen benommen! Ihr brauchtet nicht zu sagen, daß ihr keine Juden seid, ihr entehrt die Juden in euren Familien. Durch meinen Mund spucken sie euch an, verfluchen euch!«

Clara und ich stehen jetzt noch isolierter da als heute morgen zwischen den zwei Gruppen, den Neutralen und den andern . . . Zwei Angeklagte vor einer kreischenden Masse. Wie sollte man ihnen dafür böse sein? Der ganze Haß gegen ihre Unterdrücker, der sich Monat für Monat angestaut hat aus Tagen, Stunden und Minuten, in denen sie stillschweigend die schlimmsten Erniedrigungen erdulden mußten, bricht aus ihnen hervor und ergießt sich über uns, wir sind der Vorwand, bei uns können sie sich offen und tugendhaft austoben. Mit langen Hälsen, rachsüchtig wie eine Herde schnatternder Gänse, greifen uns zwölf deutsche Jüdinnen an: Helga vom Schlagzeug, brutal und vulgär; Karla, Flötistin, ganz annehmbar; Sylvia, die mit ihren fünfzehn Jahren halt auf die anderen hört; Lotte die Gitarristin, die weniger aggressiv wäre, wenn sie hübscher aussähe; Lotte die Sängerin, deren Dummheit alles entschuldigt; Frau Kröner, deren Überzeugung nach jeder Windrichtung dreht; die bissige Ruth, wahrscheinlich die Schlimmste von allen. Sogar die Netten, die Sanften und Passiven machen mit: Elsa die Geigerin, die ins Ledergeschäft wollte; Regina, Almas »Stubenmädchen«; Julie, von der ich noch nie ein Wort hörte. Als Sturmspitze voraus Rachela und die zionistische Hilde, deren schöne schwarze Augen uns glühend und erregt verachten, die uns anschreien: »Ihr habt den Davidstern in zwei Teile schneiden lassen! Nicht ihr verleugnet uns, sondern wir stoßen euch aus ...!«

Sie sucht nach Worten, bringt deutsch und französisch kunterbunt durcheinander, erreicht biblische Ausmaße und stellt unsere Nachkommenschaft bis ins siebte Glied in Frage. Ich kann diese Schmährede einfach nicht ernst nehmen.

Lächerlich kommt mir das alles vor, maßlos übertrieben, so unwichtig; ein kindisches, gestikulierendes Kasperletheater auf der Nebenbühne, während die Hauptbühne durch ein Trauerspiel besetzt ist. Die langweilen mich, ich möchte mich umdrehen und gehen, tue es auch, bis ich Claras aufgebrachte, selbstsichere Stimme höre: »Das hätt' ich nicht erwartet, daß wir so empfangen werden. Ihr seid nur eifersüchtig. Es gibt überhaupt keinen Grund, die Wahrheit zu verschweigen. Ich seh' nicht ein, was euch daran so stört ... Wenn wir so dem Gas entkommen können, wären wir ja blöd, wenn wir's nicht probieren würden!«

Ihre Stimme steigert sich wie beim Crescendo, die andern widersprechen und beschimpfen sie schmählich. Ich muß ihr helfen, alle sind gegen uns. Nur die Russen halten sich wie gewöhnlich aus der Debatte heraus. Die Gemäßigsten, die griechischen Juden Julie und Lili – Yvette macht gezwungenermaßen auch mit –, schelten uns »arme Idioten«. Die anderen beenden ihre Tirade mit »Lügnerinnen«.

Was hat doch die Wahrheit hier angestellt! Haben wir kein Recht, uns so gut wie möglich von den »Auserwählten« abzusetzen und der »Herrenrasse« anzunähern? Danach – wenn wir dieses *Danach* erleben – heißt es kämpfen, unser jüdisches Bürgerrecht zurückfordern! Weshalb, im Namen welcher Moral, hätten wir diese Chance liegen lassen sollen, da sie sich bot?

Ich schweige und »spule es auf meinen kleinen Finger«, wie man in Rußland sagt, und werde es nicht vergessen.

Ganz plötzlich, wie Milch steigt und wieder in sich zusammenfällt, wenn man sie vom Feuer nimmt, flaut auch der Ton ab, beruhigt sich. Alma ist hereingekommen – unser Toben hat sie neugierig gemacht – und schaut uns kühl an: »Seid ihr wieder da?«

Zweifelte sie daran?

»Seid ihr jetzt zufrieden?«

Ihr ironischer Blick bleibt auf unser gewohntes Dreieck gerichtet. Wortlos dreht sie sich um und geht in ihr Zimmer zurück. Ich glaube, ich bin rot geworden, und das scheint mir noch sinnloser als alles übrige!

Hinter mir höre ich, wie sich die Diskussion – sie hocken jetzt um den Ofen, einen schwarzen, gedrungenen Kanonenofen, herum – in die Länge zieht.

»Das ist doch lächerlich, uns zu beschuldigen, wir hätten die Juden verraten. Wenn wir nun mal halb die einen und halb die andern sind, hätten wir ja genauso die Katholiken verraten!« versucht Clara logisch zu beweisen.

»Das gemischte Blut ist das ganze Problem«, erklärt die kleine Irène feierlich.

Ich halte das für übertrieben bei diesem schäbigen Ereignis, eine Stufe zu hoch angesetzt. Meine Entscheidung ist gefallen; ich nähe stillschweigend das zweite Dreieck wieder auf meine Sachen.

»Warum tust du das?« fragt Clara unruhig.

»Ich weiß nicht, ich tu's halt.«

Ich weiß nicht – irgend etwas in mir hat mich dazu gedrängt, und ich glaube fast, dieses Etwas ist das Gefühl, das mich auch bei der Polizei meine wahre Identität offenbaren hieß und ich lieber mit dem Namen meines Vaters als mit einem geborgten Namen sterben wollte.

Ein bißchen später vervollständigt auch Clara ihren Davidstern wieder, allerdings nicht ohne mich dabei bissig anzuknurren: »Dein unsinniges Verhalten zwingt mich, es auch zu tun – wie würde ich denn dastehen, so ganz allein!«

Seltsamer Stern, dessen magische Kraft ihm den Namen »Schild Davids« eingebracht hat!

Der Ofen knistert. Ein beruhigendes Gefühl, so ein Ofen; man kann sich um ihn herumsetzen, klönen, wenn Tschaikowska und Alma schon schlafen oder ausgegangen sind. Panie Tschaikowska besucht andere liebenswürdige Panies, auch so zartfühlende Geschöpfe wie sie, lauter Kinnladen mit Spatzenhirn. Alma wird bei ihrer Busenfreundin Frau Schmidt auf mondän machen. Ich weiß nicht, was diese beiden Frauen außer dem Hölzernen in ihrer Haltung noch Gemeinsames haben können. Wohltuend schläfrig von der Ofenwärme höre ich der großen Irène zu.

Nachdenklich hat sie ihre Hände mit den langen, molligen Fingern, die an Kinderhändchen erinnern, auf den Knien verschränkt. Nach vorne gebeugt, die Füße auf einem Stuhl und die Beine bis zum Kinn hochgezogen, sieht sie noch so jung aus, daß ich sie nach ihrem Alter frage. Fast wie bei der Beichte gesteht sie mir:

»Ich bin erst sechzehn, aber ich weiß, daß man mich leicht drei oder vier Jahre älter schätzt« – sie lächelt mir zu –, »das kommt daher, weil mein Liebhaber schon zweiundzwanzig war!«

Mein Erstaunen entgeht ihren tiefblauen Augen nicht, so daß sie zufrieden fortfährt: »Das war schön – ich ein Kind, er ein Mann –, es war Liebe auf den ersten Blick.«

Ich respektiere ihre Schweigeminute, in der ihr die Erinnerung die Augen mit Tränen füllt.

»Mhm, diese Wonne und diese Wärme, die mich durchdrungen haben, wenn ich ihn sah, das war Liebe – obwohl ich zuhause auch sehr glücklich war. Mir fehlte nichts bei den Meinen. Ich muß nicht mal die Augen zumachen, um meine Eltern zu sehen, sie sind da. Papa beugt sich, die Brille auf die Stirn geschoben, über seinen Tisch und schneidet mit der großen Schere den Stoff, manchmal blinzelt er ein bißchen, um ganz genau dem Kreidestrich entlangzuschneiden. Papa ist ein sehr guter Schneider, bekannt in Brüssel. Mama ist in der Küche und kocht einen koscheren Karpfen, Papa ruft sie, und Mama wischt sich die Hände an der Schürze ab, geht würdevoll und ruhig und sagt zu mir: ›Das mußt du dir merken, wenn dich dein Verlobter ruft, dann mußt du rennen; wenn du mit ihm verheiratet bist, dann gehst du langsam, denn er darf nicht vergessen, daß das seine Frau ist, die da kommt, die Mutter seiner Kinder.‹ In Wirklichkeit ist Mama bloß ein bißchen dick, ihre Beine können nicht mehr so schnell. Alle beide kamen Hand in Hand in Brüssel an. Sie sagt, sie habe Angst gehabt, sie könnten einander verlieren in der großen Stadt mit all den Autos und den Straßenbahnen. Sie kamen aus Krakau, flohen vor den Pogromen. Papa hat eine sehr schöne Stimme, er singt in der Synagoge in der Rue Lenglantier, und weil er Musik über alles liebt, wollte er, daß ich Musikerin werde, Violinistin. Diesem seinem Herzenswunsch und ihm selber natürlich habe ich es zu verdanken, daß ich gerettet worden bin. Gerettet! Alle Götter, an die ich nicht glaube, sollen es hören! – Bis ich fünfzehn wurde, war mein Leben leicht und einfach, dann begegnete ich meinem Märchenprinzen.«

Sie streckt ihre Hände aus, und ich wäre wirklich nicht überrascht, wenn sie sie auf ihr Herz legte, ganz einfach, weil sie liebt, weil sie an ihre Liebe glaubt, an das Schönste auf der Welt. Mit fünfzehn! Während sie so fließend und kindlich farbig erzählt, sehe ich sie vor mir, vom Glanz dieser Begegnung mit ihrem »Mann«, einem zweiundzwanzigjährigen Burschen, betört; sie schwärmt von ihm mit dem ganzen Wortschatz aus dem Reich der Märchen: mein Märchenprinz, meine große schöne Liebe, mein Bester . . . Worte, die auf der Zunge schmelzen, für sie sind sie noch voll Glückseligkeit und Wahrheit.

Dann aber wird sie trauriger, die Hände wieder brav auf den Knien gekreuzt macht sie geknickt weiter:

»Später hat sich die Lage verschlechtert, die Schikanen gegen die Israeliten haben angefangen. Hauptsächlich ärgerte ich mich wegen meiner Eltern, die unentwegt von den Judenverfolgungen sprachen, die schon vor dem Auszug aus Ägypten angefangen haben; Papa ist sehr religiös. Zu der Zeit habe ich Jean-Louis kennengelernt. Schon gleich, nachdem wir uns zum zweiten Mal gesehen hatten, hat er mir gesagt, daß er mich heiraten möchte: ›Irène, nie werde ich eine andere Frau lieben außer dir. Du bist die Frau meines Lebens.‹«

Diese einmaligen Worte, diese ganz außergewöhnlichen Worte kann sie auswendig, sie entwischen ihr, ihre Banalität ist funkelnder Diamant für sie. Neben diesem Kind fühle ich mich mütterlich und möchte sie in die Arme nehmen und wiegen wie ein kleines Mädchen.

Sie erzählt weiter: »Die Familie meines Mannes gehört zu

denen, die in Belgien was zu sagen haben. Sehr reiche Leute. Der Unterschied in unserer Abstammung und unser kleines Vermögen hat meine Eltern beunruhigt. ›Und dann‹, sagte mein Vater, ›hat er auch nicht unsere Religion. Ihr seid nicht in der gleichen Art erzogen worden. Er ist sehr reich . . . ‹ ›Du bist noch so jung‹, klagte meine Mutter, ›kannst du überhaupt schon kochen für ihn?‹« Sie lächelt zärtlich: »Für Mama ist das das Allheilmittel in der Ehe! Jean-Louis hatte beide sehr schnell überzeugt mit dem Argument: ›Durch die Heirat mit mir ist Irène beschützt und entgeht den Razzien.‹ Wir meinten das alle. Meine Eltern haben ja gesagt, seine nein. Seine Mutter wollte keine jüdische Schwiegertochter. Mein Bester hat Strafpredigten und Drohungen in allen Tonarten über sich ergehen lassen müssen. Sie haben ihn enterbt, verflucht, vor die Tür gesetzt. ›Sollen sie mir gestohlen bleiben, *Dich* liebe ich, nicht das Geld!‹ Er ist von daheim ausgezogen, und drei Monate später haben wir geheiratet. Seine Eltern sind nicht zur Hochzeit gekommen, meine Schwiegermutter war außer sich, hat sich fast aufgelöst vor Entsetzen über mich, ich habe keine einzige Schulfreundin gekannt, deren Mutter mit der von Jean-Louis befreundet gewesen wäre. Das war mir ganz egal. Ich war verrückt nach ihm, aus Freude, aus Liebe, Gott war das schön!«

Warum sollte man nicht daran glauben, hier in diesem Schlafsaal, wo die Mädchen schnarchen, stöhnen, schreien und furzen im Schlaf? In diesem trostlosen Zwielicht, das nur manchmal ein Scheinwerfer aufhellt, läßt Irène die Liebe lebendig werden, wie man sie sich mit fünfzehn Jahren erträumt.

»Ein Jahr Glücklichsein ist kurz! Das hat aufgehört, als wir merkten, daß die Hochzeit mit einem Arier meine jüdische Herkunft nicht ausradiert hat, ich also nicht wirklich beschützt war dadurch. Wir zogen von Brüssel weg, in ein kleines Städtchen, wo mein Mann Arbeit gefunden hatte, und nahmen meinen kleinen Bruder mit, den mir meine Eltern anvertrauten, weil sie meinten, bei mir sei er sicherer, schließlich habe ich einen belgischen Namen, den einer wohlbekannten Familie, und ich sehe nicht so jüdisch aus, wie die Deutschen die Juden darstellen: klein, fett, dunkelhaarig, krausgelockt, gebogene Nase, wulstige Lippen, tiefschwarze Augen, olivgrüner Teint. Ich bin ziemlich groß, schlank, haselbraun, fast blond, mit hellem Teint, habe eine ganz alltägliche, eher kurzgeratene Nase und blaue Augen. Ich spreche ohne Akzent, bin in Belgien geboren, dort in die Schule gegangen, habe die gleichen Andenken gesammelt wie alle kleinen belgischen Mädchen, und ihr Nationalfeiertag ist auch meiner. An nichts merkte man, daß ich Jüdin bin. Nur eine Denunziation ... aber das, das konnte ich mir gar nicht vorstellen. Fania, an den Tag erinnere ich mich, als sei es gestern gewesen; an der Haustür sagt mir mein Liebster wie jeden Morgen, daß ich süß aussehe mit meinen Vergißmeinnicht-Augen und meinem Kußmäulchen, daß er mich so fest mag. Oh, er liebt mich! Und ich sage ihm Auf Wiedersehen, küsse ihn, schiebe ihn zur Tür hin, ›du kommst noch zu spät!‹ Er geht, geht immer weiter weg und verschwindet ... Seither habe ich ihn nie mehr gesehen. Eine halbe Stunde später, ich habe schon mein Einkaufsnetz in der Hand, rufe ich gerade meinen Bruder, da klingelt's, ich mache die Tür auf und sehe zwei belgische Polizisten. Sie nehmen uns beide mit, ein Donnerstag, der Kleine ist nicht in der Schule. Die Polizisten sind ein bißchen verschüchtert, was ich aber gar nicht kapiere, ich bin nicht besonders unruhig, ich hab' mir nichts vorzuwerfen.«

Sie empört sich zwar gegen diese Willkür, aber ihr Aufmucken bleibt brav, wohlerzogen. »Versteh doch, Fania, ich hatte nichts getan, weder den Besatzern noch sonst jemand. Nicht wie die kleine Irène, die sie verhaftet haben, weil sie zur Résistance gehört hat, heut' noch bewundre ich sie, weil sie's gewagt hat, das war fabelhaft. Aber wir zwei, mein Bruder, ein zehnjähriger Bengel, was hatten wir denn getan? Warum hat man mich von meinem Mann weggerissen?«

Sie hebt den Kopf und weint fast: »Nein, nein, ich kann das nicht begreifen. – Die Polizisten haben Mitleid gehabt mit uns, einer von ihnen hat zu mir gesagt: ›Besser du erfährst die Wahrheit, dann weißt du, was du tun mußt, wenn du zurückkommst. Deine Schwiegermutter hat dich denunziert.‹«

Verzweifelt wiederholt sie nur »meine Schwiegermutter«, ohne Beleidigung, ohne Aufschrei. Ich kann mir gut vorstellen, wie diese Mitteilung sie umgeschmissen hat, wie sie die Polizisten mit dem gleichen unschuldigen, verständnislosen Blick anschaute wie jetzt. Und diesmal habe ich feuchte Augen. Eines wagt sie doch noch zu sagen, während wir von dieser Denunziation sprechen, es gleicht fast einem Urteil: »Ich weiß, daß ich nicht sehr gescheit bin, das haben mir meine Eltern oft genug gesagt, aber wie kann man so was tun und jeden Sonntag in die Messe gehen? Läßt ihr Jesus das zu?«

Zweifellos erlaubt Er das nicht, aber viele, viele Seiner Gläubigen scheint das nicht zu kümmern.

»Ich bin ganz sicher, daß mein Goldschatz seine Mutter verfluchen würde, wenn er das wüßte. Er liebt mich so innig. Entsetzlich, daß ich ihn nicht warnen kann, sehen, küssen. – Im Lager hat man mich von meinem kleinen Bruder getrennt, er ist auf einen Lastwagen gestiegen, dann hab' ich ihn nicht mehr gesehen.«

Mit bebender Stimme, alptraumartig, fragt sie: »Was soll ich bloß meinen Eltern sagen, wenn ich heimkomme? Sie werden mir nie verzeihen, daß ich ihren Sohn nicht gerettet habe.«

Armes Kind. Wird es je ein Folterwerkzeug geben, das ausgeklügelt genug ist, um den Nazis all das heimzuzahlen, diese Denunziation, den Tod des kleinen Kerlchens?

Irène steckt wieder voll in ihrem Liebesleid. »Ich habe keine Angst vor dem Lager, ich will weiterleben für Jean-Louis, er wartet auf mich. Meine einzige Angst ist seine Mutter, daß sie ihn zurückholt, daß er wieder unter ihre Fuchtel gerät, das muß ich befürchten. Es ist ja so einfach, sich seiner Frau zu entledigen, wenn sie Jüdin ist, keine Formalitäten, die Heirat ist augenblicklich annulliert, als hätte sie nie stattgefunden. Aber ich hab' Vertrauen, ich weiß, daß mein Liebster auf mich wartet, daß uns nichts trennen kann.«

Der Ofen knistert weiter, sie auch, mit netten, zärtlichen Worten, einen ganzen Liebesrosenkranz, den sie, schon halb eingeschlafen, unermüdlich weiterbetet.

Bei ihrer Rückkehr mußte Irène erfahren, daß ihr Mann eine andere geheiratet hatte, ihre Schwiegermutter verhätschelte zwei Enkelkinder. Ihr Bester, ihre große Liebe, hatte nicht einmal zwei Monate gewartet. Glückselige Unwissenheit! Wenn sie das gewußt hätte, davon bin ich überzeugt, dann hätte unsere große Irène nicht den Mut aufgebracht, weiterzuleben – sie hätte sich fallen lassen, zum Sterben bereit –, was so einfach war.

Noch auf meinem Strohsack geht mir Irènes Liebesgeständnis durch den Kopf. Hier, in meiner obersten Koje, fühle ich mich fast allein, links von mir Clara, rechts von mir nichts, ein Stück Wand, eine Ecke, das ist erholsam. Was mich so sticht ist die Tatsache, daß man nie allein ist, keinerlei Freiheit in seinen intimsten Handhabungen hat, man muß sich vor allen anderen kratzen oder man kratzt sich gar nicht. Dauernd ist man dem Blick der anderen ausgesetzt. Manchmal ist mir, als seien die Gedanken nicht frei!

Heute abend hat dieses junge Ding mit seiner so sauberen Leidenschaft die mannigfaltigsten verflossenen Szenen in mir erweckt und wieder mit Leben erfüllt; nie vergessene, aber doch stets zurückgedrängte Bilder, die weder meiner gesundheitlichen noch ausbalancierenden geistigen Verfassung besonders guttun. Die Liebe, ohnehin unerreichbar jetzt, gehört hier zum Verbotenen, und doch hat mich dieses verblendete Kindchen so verwirrt, daß ich mich in meinen Erinnerungen verzehre.

In der Zeit, als ich gerade sechzehn wurde, komme ich eines Abends kurz vor dem Essen vom Konservatorium nach Hause zurück. Mama, die zauberhaft aussieht und die ich oft um ihre langen Beine beneide, stöhnt so zum Schein vor sich hin: »Hoffentlich bringt dein Vater nicht wieder irgend jemand mit.« Dieser Satz, den sie schon ganz automatisch vor sich hinplappert, ist bereits Gewohnheit geworden. Papa ist die Großzügigkeit selbst, sein Herz läßt sich von jeder Notlage in Rührung versetzen, sei es ein Freund, den seine Frau verlassen hat, oder ein Unbekannter, der Hunger hat, sich einsam fühlt – alle werden unsere Gäste für einen Abend oder auch länger.

Warum also sollte dieses Abendessen anders werden als die andern? Zu spät wie immer kommt Papa mit einem großen, schlanken, völlig ergrauten Mann mit den Worten: »Liebling, ich habe einen Freund mitgebracht.« Seit wieviel Stunden ist dieser Boris, den er uns vorstellt, sein Freund? Während des Essens erfahren Mama und ich, daß er Russe, Ingenieur wie Papa, emigriert und natürlich ohne Arbeit ist. Schon nach einem einzigen Abend hat Boris Mutter und Tochter für sich eingenommen. Er ist so elegant, so charmant, so liebenswürdig, die Verführung in Person. Ich träume nur noch. Mama weiß nicht, wie ihr geschieht, und ich verstehe nicht einmal mehr die fundamentalsten Dinge des Lebens! Ich verwechsle alles – ich möchte lachen und weinen zugleich. Ich bin verliebt! Und wie er meinen fünfzehn Lenzen gefällt, dieser siebenunddreißigjährige Mann mit seinen blaugrünen Augen, seinem tiefen, kristallklaren Blick, der dahinschmilzt, wenn er mich ansieht.

Boris kommt jeden Abend. Papa hat in der Fabrik, in der er Direktor ist, Arbeit für ihn gefunden, Hilfsarbeit, und wenn ich mir seine schmalen Hände, die empfindsamen schlanken Finger, seine Klavierhände, die so gekonnt eine Blume halten, vorstelle, wie sie mit einem Besenstiel bewaffnet die Arbeitsräume und den Fabrikhof fegen, dann schmilzt mein Herz, und ich bin hoch erfreut, daß mein Prinz, denn er ist wirklich einer, heiter und herablassend kehrt. Am Zahltag gibt er zwei Drittel des Lohns für Mamas Blumen aus. Seine sorgfältig ausgebesserte, daheim selbstgestopfte Kleidung trägt er mit vollendeter Eleganz. Papa sagt nichts dazu, er lächelt lieb und abwesend. Ich weiß nicht genau, ob er ihn auch so gern hat wie wir. Aber ich weiß alles über Boris; als er in Rußland von den Bolschewiken zum Tode verurteilt wurde, sind seine Haare über Nacht weiß geworden – ist das nicht wunderbar romantisch! Er ist geflohen und hat Frau und Sohn zurückgelassen, von denen er seither nichts mehr weiß. Das macht mich ganz weich, und ich möchte weinen mit ihm, am liebsten in seinen Armen, insgeheim still und glücklich, weil seine Familie so endlos weit weg ist, besonders seine Frau. Denn Boris nimmt mich in die Arme und küßt mich. Jeden Tag laufe ich, wenn ich aus dem Konservatorium komme, so schnell ich kann zu ihm, um ihn heimlich in seinem Hotel zu treffen. Ich fliege die vier Etagen hoch, klopfe an seine Tür und stürme hinein.

Sein Zimmer ist winzig. Auf dem Nachttischchen ersetzt eine Petroleumlampe den Samowar. In der Ecke neben der Tür hängt oben an der Decke eine Ikone, die so dunkel ist, daß das Gesicht der Jungfrau wie ein Ektoplasma wirkt, wenn es dämmert. Sein Zimmer ist völlig verqualmt, und ich mag den süßen orientalischen Tabaksduft, er unterstreicht das Poetische. Boris erwartet mich im langen, seidenen Hausrock, einem Überbleibsel seiner Glanzzeit. Schamlos – aber was soll ich machen? – ziehe ich mich aus und schlüpfe in sein Bett. Meistens bleibt Boris in seinem Sessel sitzen, raucht, trinkt Tee, erzählt mir Geschichten, sagt »Fanuschka«, »kleines Vergißmeinnicht« zu mir. Manchmal kommt er her, setzt sich aufs Bett, küßt und herzt mich, geht aber nie weiter, während ich vor Verlangen zittere. Er erklärt mir, er wolle sowohl meinen Eltern als auch mir gegenüber loyal bleiben, er sei verheiratet und könne sich nicht scheiden lassen. Das macht mir gar nichts aus. Meiner reichhaltigen, vielfältigen und zufälligen Lektüre habe ich unumstößlich entnommen, daß ein Mann nie der widerstehen könne, die sich ihm hingebe, daß Leidenschaft ansteckend sei. Und so reize ich ihn, geradezu mit der Geduld und Ausdauer einer Katze, weiter. Armer Boris! Inzwischen ist mir klar geworden, welche Folterqualen ich ihm damit auflud. Wenn er es satt hatte, setzte er mich fast grob vor die Tür: »Geh!«, wofür ich ihn wirklich einmal »du bist kein Mann, du bist ein Waschlappen!« beschimpfte, weil mir mein Michanbieten zuviel wurde und ich ihn mit aller Kraft wollte. Welches Märtyrium muß ich ihm auferlegt haben!

Und erst das Drama beim Wettbewerb um den Preis am Konservatorium, wie unendlich traurig war ich an diesem Tag. Boris war nicht im Saal, obwohl er mir fest versprochen hatte zu kommen. Ich weinte so, daß ich kaum mehr atmen konnte. Aus bloßer Verzweiflung spielte ich eine Chopin-Ballade. Als ich von der Bühne ging, o Wunder, war Boris da! Er war im Flur geblieben, um mich nicht zu verschüchtern. Dieser Blödmann, wo mir doch gerade sein Fehlen so weh tat. Beim Umarmen und Küssen beglückwünschte er mich. So erfuhr ich, daß ich den ersten Preis für Klavier bekommen hatte.

Aber die süße Belohnung, die ich von ihm erwartet hatte, gab er mir nicht, statt dessen spitzte sich das Drama immer weiter zu. Ein paar Wochen später erwischte mich Mama heiß und innig küssend in Boris' Armen, verließ wortlos das Zimmer und drohte nach einer Stunde, sie werde aus dem Fenster springen: »Lieber will ich sterben, als meine Tochter bei einem Alten sehen!« Am nächsten Tag und auch später noch vermied sie ostentativ jede Begegnung, jedes Gespräch mit ihm. Papa spielte weiterhin den Zerstreuten, ich fühlte, daß er unserer Liebe nicht gewogen war, aber mein zweiundzwanzig Jahre älterer Boris liebte mich echt, wollte sich scheiden lassen und mich heiraten. Am übernächsten Tag kam Boris nicht. Papa machte sich keine Sorgen deswegen. Wir sahen uns nie wieder. Wohin hat er sich verzweifelt verkrochen, weil er die Gastfreundschaft meiner Eltern mißbraucht hatte? Ich wußte es nicht und weinte nachts in meinem Bett.

Mittlerweile fing ich wieder an auszugehen, ich war sehr frei, Papa wollte das so. Wenn ich zurückkam und Mama schon schlief, war Papa immer noch da, um mich mit einem »Hast du dich gut amüsiert?« so zärtlich zu empfangen, daß mir warm ums Herz wurde und ich ihm alles anvertraut hätte, wenn's nur was von Bedeutung gegeben hätte. Eines Abends zog er mich auf seine Knie und sagte: »Weißt du, mein Kleines, wenn dir irgend etwas zustoßen sollte, dann mach keine Dummheiten, sondern komm und sag es mir. Für dein Kind ist mein Name auch nicht schlechter als der des Kerls, der dir ein Baby macht.«

Um meiner Melancholie ein Ende zu setzen, schlug mir mein Vater unter dem Vorwand einer Geschäftsreise vor, mich nach Spanien mitzunehmen. Ich reiste mit, meinen Kummer hegte ich wie ein Kleinod, in meinen Augen machte mich das zur Frau.

Die Luft im Schlafwagen war zum Ersticken. Papa schlief tief. Ich machte sachte die Tür auf und schlüpfte auf den Gang. Da stand ein hübscher, charmanter junger Mann, wir plauderten und lachten zusammen, und schon bald – wie mir schien – ließ der dämmernde Morgen hinter den Scheiben die vorbeifliegende Landschaft erkennen.

»Kennen Sie Carcassonne?«

»Nein.«

»Sollen wir da aussteigen?«

Kaum ist der Zug in den Bahnhof eingefahren, finde ich diese Idee wunderbar. Langsam hebt sich die Stadt von der Nacht ab, die ersten Sonnenstrahlen vergolden sie mit warmem Glanz, sie kommt mir märchenhaft und wundervoll vor, und wir verbringen den ganzen Tag dort wie Schulschwänzer. Erst abends fahren wir mit dem Zug weiter und müssen an der Grenze raus. Ich habe weder Geld noch Papiere. All das ist doch so einfach und harmlos. Ich weiß den Namen unseres Hotels in Barcelona und telefoniere mit Papa. Erst dabei fällt mir ein, er hätte sich ja Sorgen machen können. »Nein«, antwortete er mir, »man hat dich in Carcassonne aussteigen sehen, ich wußte, daß du nicht aus dem Wagen gefallen bist. Ich meinte, du hast dich verspätet und den Zug verpaßt.« Das ist alles, keine Fragen, keine Spur von Vorwurf, o Papa! So sage ich meinem Reisebegleiter Lebewohl; zwischen ihm und mir gibt es nichts außer einem einzigartigen, gemeinsam verbrachten Tag, den ich nie vergessen werde.

Nach ein paar Stunden Wartezeit, die ich mit Bummeln verbringe, kommt Papa und löst seine Tochter aus. Er entsteigt einer Limousine und wird von einem jungen Mann begleitet, einem Spanier mit rabenschwarzen Haaren, andalusischem Blick und abschätzendem Mund, dem Direktor der Firma, mit der Papa in Geschäftsbeziehung steht. Sein Chauffeur fährt uns. Mir läuft das Herz über vor Liebe zu meinem Vater, aber die Gegenwart dieses hochmütigen Flegels irritiert mich.

Papa, der doch beunruhigter war, als er zeigen wollte, hat ihm in seiner gewohnten Unkompliziertheit diese Geschichte erzählt. Der Spanier hält sich für besonders geistreich und sagt in beißendem Ton zu mir: »Steigen alle französischen Mädchen mit irgendwelchen Männern aus dem Zug?«

»Ja, wenn sie einen gescheiten Vater haben. Und außerdem

war das nicht irgendwer, ich habe ihn mir schließlich selber ausgesucht.«

»Darüber denken wir in Spanien anders. Ich bin seit sieben Jahren verlobt und war noch keine fünf Minuten allein mit meiner Braut.«

»An Ihrer Stelle wäre ich geschlagen von diesem Mangel an Vertrauen!«

In seiner Geringschätzung für mich schwingt schon ein gewisses Interesse mit, was mir Spaß macht, sonst gefällt er mir überhaupt nicht.

Monate später, ich hatte ihn bereits vergessen, meldet dieses Jüngelchen meinem Vater seine Ankunft in Paris; überrascht lädt ihn dieser zum Essen ein. Er kommt – hochgestochen, mit einem Riesenstrauß Blumen in der elegant behandschuhten Hand, spricht allein mit Papa und hält in aller Form um meine Hand an. Was haben wir gelacht!

All das war nichts als Flirt und Freude eines jungen Mädchens, das sich neben einer so schönen Mutter so klein vorkam; war nur ein entzückendes Sich-selbst-beweisen-wollen, daß es auch gefallen konnte.

In dieser Umgebung hier wirken die Erinnerungen aus der anderen Zeit eher fremd. Ich kann mich ohne Furcht vom Gedanken an meine Eltern rühren lassen, sie haben vom Leben nichts mehr zu befürchten. Beide sind gestorben, bevor sie wie besudeltes, verschüchtertes Wild gejagt wurden. »Judenjäger« macht sich doch weniger gut auf Visitenkarten als »Großwildjäger«!

Die Liebe, die ich so irrsinnig suchte, fand ich – ich weiß sogar das Datum noch – an einem 6. September. Einer meiner Liebhaber (ich hatte eine ganze Sammlung davon) verabredete sich mit mir in La Coupole. Ohnehin schon etwas verspätet, sause ich wie ein Wirbelwind in die Eingangsdrehtür, die ganz abrupt anhält; auf der anderen Seite der Glasscheibe steht fest und gelassen ein Teufelskerl mit hübschen Augen, großer Nase und dem Arm in der Schlinge. Ich drücke die Tür weiter, um reinzukommen, er lächelt, widersteht nicht, macht eine volle Drehung und erreicht mich im Innern des Cafés. Wir lachen beide so herzlich, daß sich unsere Zähne in ihrem Glanz, unsere Augen in ihrem Freudestrahlen widerspiegeln. Er nimmt mich am Arm, von weitem winkt mir mein Flirt aufgeregt »Komm schnell, ich bin da!« Meine Hand bedient sich derselben Sprache, winkt ihm »Auf Wiedersehen!« zu, und wir verschwinden

Arm in Arm. Dann gehen wir Hand in Hand durch den Bois de Boulogne und schmusen und küssen im Regen – es regnete an diesem Tag!

Sogar in der vom Schlaf der Frauen stickigen Luft hier erfrischt mich der imaginäre Duft der nassen Bäume. Auf meinem Gesicht perlten die Regentropfen und rannen mir wie Tränen über die Wangen, sein frischrasiertes Kinn rieb sich an dem meinen, es war wundervoll. Noch nie wurde ich so geküßt. Entscheidende Küsse! Ich beschloß, daß Sylvain mein Mann werde.

Zum ersten Mal ist Papa gegen mich, er erklärt, dieser Junge, ein hochtalentierter Karikaturist, sei kein Ehemann sondern ein Irrtum, ein verführerischer Irrtum zwar, aber doch ein unbestreitbarer Irrtum. Ich bin schön und bestrickend und heirate am 28. Oktober, um meinen Mann zwei Tage später zum Militärdienst abfahren zu sehen, während er mich jungfräulich zurückläßt. Ich habe Angst vor der Liebe, ich war zwar immer nahe dran, wußte aber nichts darüber und keiner weiß, warum dieser Casanova bei mir so schüchtern ist. Übers Wochenende fahre ich zu ihm, ohne Resultat, außer einem übergroßen Herzen voll Freude. Nach langen sechs Wochen, die mich zermürben und an mir zweifeln lassen, konsultiere ich zusammen mit Sylvain unsern Hausarzt, der mich schon als Dreikäsehoch kannte. Ich stelle ihm unsern Fall dar und bitte ihn flehentlich: »Wenn ich nicht normal bin, dann tun Sie was, wenn's sein muß sogar mit dem Skalpell!« Er lacht so hemmungslos, daß die Uhrenkette über seinem Bauch hüpft, und antwortet mir mit südfranzösischem Akzent, der das ganze noch mehr würzt: »Kleine, wenn dein Mann so blöd ist, stecke ich das Skalpell in meine Hose!« Er läßt meinen Mann reinkommen und spricht allein mit ihm. Ich habe nie erfahren, was er ihm sagte, aber es wirkte magisch. Ich glaube, wir hatten Angst voreinander, er traute sich nicht und ich verkrampfte mich.

Abends läßt mich Sylvain ein zauberhaftes Diner mit Champagner machen. Ich trinke und trinke, mir duselt's im Kopf, ich vergesse meine Sorgen, er auch, und endlich erfahre ich die Liebe! Diese Entdeckung, wie gut doch die Liebe tut! Mein Mann gibt gern und ganz, er ist kein Egoist! – Bald darauf, einen Monat später, er ist gerade auf Urlaub, kommt eine echt häßliche Freundin, eine Violinistin, zu uns zum Essen. Höflich bietet sich Sylvain an, sie zurückzubegleiten. Eine Stunde vergeht, zwei Stunden, drei Stunden, vier Stunden. Verzweifelt ziehe ich mich weinend an, meinem Mann kann nur ein Unfall zugestoßen sein, ich muß zur Polizei. Gedämpftes Schlüssel-klappern beruhigt mich. Lächelnd steht Sylvain vor mir und sagt treuherzig: »Oh, deine Freundinnen kleben an mir. Vor ihrem Haus macht sie mir den Vorschlag, ›kommen Sie noch auf einen Kaffee mit rauf‹. Ablehnen wäre unhöflich, also gehe ich mit. Nach dem letzten Schluck weggehen ist unmöglich, das wäre nicht korrekt, also bleibe ich – was soll ich tun, wenn sie doch nur darauf wartet. Oh, deine Freundinnen kleben an mir. Such dir das nächste Mal eine hübsche aus!«

Labiche oder Courteline? Ich bin viel zu schnell eine verhei-ratete Frau geworden.

Es hat mir sehr weh getan, ich habe geweint, und dann brauchte ich ihm nicht einmal mehr zu verzeihen. Er wurde mir sehr schnell gleichgültig. Soll er doch in alle Himmelsrichtun-gen säen!

Ein paar Monate später galt Sylvain bei Dünkirchen als ver-mißt, ich war Kriegerwitwe geworden. Manchmal meine ich, er sei vielleicht gar nicht tot, aber das macht mich nicht froher, als wenn es sich um einen entfernten Vetter handelte, den ich gern mochte. Ich sage nicht – einen Freund; freundschaftliche Bezie-hungen haben wir nie gehabt, das Miteinander durch dick und dünn. Das einzige, was ich mit ihm teilte, war der Körper. Wie einfach man das doch vergessen kann, wie leicht doch Freuden, die man sogar fast schmerzlich empfand, verblassen ...

Verwunderlicher Sylvain, von den Engländern aufgegabelt, in London gepflegt und geheilt, in Marokko in aller Ruhe eine Marokkanerin geheiratet, mit der er ein paar Kinder haben wird, ohne sich weiter um mich zu grämen – all das in drei Monaten. Er brauchte keine Mutter, die ihn zur Scheidung mit seiner Jüdin drängte. Er fand und ergriff diese Lösung ohne jeden Gewissensbiß, sogar ohne es für nötig zu halten, mich davon zu benachrichtigen – damals war ich noch nicht in Haft –, was mir immerhin erspart hätte, mich vier Jahre lang für eine Kriegerwitwe zu halten!

Aber an jenem Abend, als ich Irène zuhörte, konnte ich noch nicht wissen, daß unser Schicksal als Jungverheiratete, nur weil wir Juden waren, den gleichen Lauf nehmen sollte – verlassen zu werden.

Dieser Samstag fängt schon schlecht an, für die Mädchen noch schlechter. Draußen ist es eisig kalt, trotz Ofen sind unsere Fensterscheiben gefroren. Wir haben alle, oder fast alle, mehr oder weniger nur geruht, Alpträume und Ausweglosigkeit ließen uns nicht schlafen. Seit gestern arbeiten Häftlinge einen Steinwurf von unserem Block entfernt am Ausbau einer Eisenbahnlinie, die die Transporte direkt bis ins Lager hinein ermöglichen wird, mitten durchs Lager, dem der Männer und dem unsrigen. Der kleine Bahnhof in Auschwitz wird wieder ein Bahnhof wie alle anderen. Das erspart den aufwendigen, benzinfressenden Lastwagen-Pendelverkehr.

Florette schläft und tut mir leid, sie hat einen so lebhaften Kinderschlaf, wie sie mir sagte, voll zauberhafter Träume mit Feen und Prinzen wie im echten Märchen. Eine wundervolle Flucht! Jeder Morgen bringt den gleichen Kampf mit sich, sie klammert sich an ihr Refugium im Schlaf. Ich schüttle sie, aber sie quengelt nicht einmal, sie übergeht mich ganz einfach. Von gegenüber bestärkt mich Eva: »Weck sie auf, Tschaikowska ist imstande, sie zu schlagen.«

Zu spät – mit stimmbänderzerfetzendem Gebrüll »Aufstehen!« und einem etwas freundlicheren »Alles raus! Alles raus!« hat Panie Tschaikowska ihren allmorgendlichen Auftritt, begleitet von der unvermeidlichen Panie Founia, die in ihrem grandiosen Ritual die Augen zuoberst hat – Florette haust da oben – und ihr ganzes Repertoire an polnischen Flüchen losläßt. Das Geschrei verpufft. Florette schläft. Sie schläft auf dem Bauch, den Kopf in den Armen vergraben, die ihr in weiser Voraussicht die Ohren verstopfen. Founia geht – mit der Prophezeiung, die SS-Oberen würden diese Schandtat schon selber regeln! Ich habe keine Zeit mehr raufzuklettern, um die Schlafsüchtige ein letztes Mal wachzurütteln.

»Achtung! Zum Appell! Fünf zu fünf!«

Von Irma Grese, unserm SS-Engelsgesicht, begleitet kommt schon Frau Drexler, und ihr mächtiger Dragonerschritt ist heute morgen besonders martialisch. Ihr erster Blick gilt den leeren, säuberlich zum makellosen Rechteck gebauten Betten. Vor Florette stockt ihr fast das Blut in den Adern, ihr ohnehin schon schmaler Querstrich von Mund wird noch enger, sie greift mit der lederbehandschuhten Hand nach der Decke und zieht. Kindlich unschuldig kommt ein nackter Fuß zum Vorschein, sie packt ihn und – haltlos wie eine Marionette mit herabbaumelnden Gliedern – verrenkt sich Florettes Körper; mir ist, als sähe ich schon ihren Kopf in tausend Scherben zersprungen auf dem Zementboden liegen. Das Herz schlägt mir bis zum Hals, und ich möchte »Genug! Genug! Sie haben ihr den Kopf zertrümmert!« schreien. Florette bleibt der Länge nach auf dem Boden liegen, ihr hochgerutschtes Hemd läßt den Körper unbedeckt: magere Schenkel, einen erbarmungswürdigen kleinen Popo. Sie bewegt sich, richtet sich auf, blutet ein bißchen aus einer Platzwunde, steht auf und bleibt so, was streng verboten ist, unbeweglich mit abwesendem Blick in einem ungefähren Stillgestanden stehen.

Diese äußerste, angeekelte Verachtung, mit der die Drexler das Unglückswürmchen anschaut, das da vor ihr zappelt, bringt mich zur Weißglut. Neben ihr lächelt die Grese mit ihren flachsblonden Zöpfen nur vage. Die Augen voll des reinen Unschuldsblicks beobachtet sie fast unmerklich neugierig Florette, während ihre dünne, schwarze Reitpeitsche gegen die Stiefel trommelt. Wie alt mag sie sein? Höchstens zwanzig. Über sie sind unzählige Gerüchte im Umlauf, sie soll besonders blutrünstig sein. Die Frauen haben bereits gelernt, ihrem Interesse, das schon beim geringsten Anzeichen einen Peitschenhieb auf die Brustspitze bedeutet, aus dem Wege zu gehen. Man sagt ihr nach, sie sei empfindsam für weibliche Reize, und Florette, so was wie ein Naturkind mit erstaunlich grünen Augen, ist sehr schön. Das hätte uns gerade noch gefehlt! Aber meine Phantasie geht mit mir durch – die Aufseherinnen gönnen dem armen Kind nicht einmal mehr ihr Geschimpfe. Die Damen gehen, sie haben es eilig, andere Appelle warten auf sie.

Nach ihrem Abgang geht Alma auf Florette zu und ohrfeigt sie eiskalt rechts und links. Das macht mich rasend, und die mir selbst auferzwungene Ruhe verdeutlicht nur meine Ohnmacht. Als Strafe verlangt Alma ungehalten von Florette, den Musiksaal zu säubern. Kaum hat uns Alma den Rücken zugekehrt, da platzt Florette auch schon und verflucht sie wutentbrannt, dem ich diesmal zustimme. Dann klappt sie zusammen und schluchzt völlig gebrochen am Fußende ihrer Pritsche laut und verzweifelt: »Papa, Mama – Mama.« Ich gehe zu ihr hin und nehme sie in meine Arme. »Komm, Kleines, beruhige dich. Du weißt doch, daß du aufstehen mußt, du setzt dich doch selber ins Unrecht, und diese Miststücke nützen das aus. Beruhige dich doch, morgen schmeiß' ich dich raus und mache dir dein Bett.«

Zornig heult sie: »Nein, du machst mein Bett nicht, und ich mach' es auch nicht – die kotzen mich an!«

Die wohlwollende, aber autoritäre Stimme der kleinen Irène bezwingt ihren Zorn: »Hör auf mit deinem Blödsinn, zieh dich an, mach dein Bett, gleich hast du nicht mal mehr Zeit, deinen Kaffee zu trinken. Der Saal muß vor der Probe geputzt sein. Ich begreif' nicht, was du für einen Spaß dran haben kannst, wenn du dir selber unentwegt Streitereien einbrockst!«

Wundersam beruhigt und verlegen gibt Florette zu: »Ja, ja, du hast ja recht, ich laß' mich nicht mehr gehen.«

Einzig und allein die kleine Irène erreicht das bei ihr. Minuten später putzt Florette auf den Knien, die Schrubberbürste in der Hand, flink den Boden unseres Musiksaals und knurrt: »Diese Kühe, diese Rindviecher . . .«

»Hörst du's, sie ist unverbesserlich«, deutet mir die kleine Irène an.

»Das stimmt, sie ist unerträglich! Mit ihren Zicken riskieren wir alle noch bestraft zu werden«, mischt sich Clara bissig ein.

Wie schnell sich die süße Clara mit ihrem Puppengesichtchen, das sie im Quarantäneblock an mich drückte, verändert hat. Diese Wölfe hier machen noch eine Hyäne aus ihr. Dann konzentriert sie sich ganz auf mich: »Fania . . .« Sie schaut mich an, ihre schwarzen Augen kullern ihr fast aus dem Kopf vor Staunen.

»Was ist?«

»Fania, deine Haare . . .«

»Was ist mit meinen Haaren?«

»Sie wachsen – weiß. Du bist ganz weiß!«

Draußen nimmt der Appell kein Ende. Ich denke an die Frauen, die vor Kälte umkommen. Wir sind zeitweise, wenn die Saiten springen und unsere steifgefrorenen Finger nicht spielen können, vom Ausmarsch befreit, aber die andern, die Arbeitskommandos, müssen raus. Diese armen Geschöpfe, hager, ausgemergelt, schmutzig, die sich dahinschleppen und sich mühsam mit dem Hauch Leben behelfen, der ihnen noch geblieben ist; diese Frauen, die schon zu ängstlichen kleinen Tieren geworden sind, gehetzt und außer Atem, mehr leblos als lebend. Für uns sind das »die andern«. Eine entsetzliche Bezeichnung. Ich muß an sie denken, ihre Existenz läßt mich nicht los, mir ist, als nähme sie auch mir das Recht auf Wärme, Sauberkeit, einigermaßen anständige Kleidung. Mit ihnen teile ich nur den Hunger, und immer noch habe ich keine »Muselmanin« im Musikblock gesehen, sogar unsere Lebenschancen scheinen ein bißchen weniger hypothetisch.

Ich bin noch kaum zehn Tage hier und habe schon das Gefühl, endlos lange da zu sein, ein Jahr, eine Stunde? Zweifellos habe ich noch überhaupt nichts gesehen. Meine Erfahrung reicht nicht aus, um mir auf die Fragen, die ich mir unentwegt stelle, antworten zu können. Unsere Beziehungen zu den »andern« sind mir unklar, beunruhigen mich. Die kleine Irène hat mir anvertraut, sie habe Kontakte zum Widerstand im Lager gesucht, aber nicht gefunden; Frauen und Männer verbinden mit uns, »den Damen vom Orchester«, falsche Vorstellungen, sie hüten sich vor uns. Beziehungen zwischen ihnen und uns sind sehr selten, episodisch. Nur manchmal kommt eine dieser Frauen für einen Augenblick zu uns. Sie riskieren schon eine Bestrafung, wenn sie sich nur auf einen Stuhl setzen bei uns am Ofen – und den Tod, warum auch nicht? Dabei können wir nur durch sie ihr Lagerdasein kennenlernen:

»Die SS läßt uns Häuser bauen, wir müssen Steine aufeinanderstapeln, einen nach dem andern, alle sind vereist und zerschneiden uns die Hände. Wenn ihnen unser Aufbau nicht gefällt, müssen wir auf die Mauer steigen und die großen Steine, die wir so mühsam aufeinandergeschichtet haben, wieder runterschmeißen, dahin, wo unsere Kameradinnen ihre Steinbruchbrocken schleppen. Weil wir uns nicht von der Stelle rühren dürfen, versuchen wir natürlich schon, die Steine so weit wie möglich zu werfen, aber einige von uns können sie ja kaum hochheben, und so kommt es vor, wie gestern, daß drei von uns einen auf den Kopf kriegten und gestorben sind. Der Scharführer hat nur gelacht und geschrien: ›Ach diese Jüdinnen, die taugen doch nicht zur praktischen Arbeit, das sind ja solche Linkshänder, daß sie sogar ihre eigenen Leute umbringen . . .‹ Da soll man Steine auf eine Mauer schleppen und sie dann auch noch wegschleudern.«

Sie streckte uns ihre Arme hin, Knochen unter verkratzter, aufgerissener, viel zu schlaffer Haut.

So blieb sie sitzen, reglos, leierte welt- und lebensfremd vor sich hin: »Morgen geht's wieder los . . .« Und wir, wir waren im

Warmen, unter Dach und Fach. Wie sollten sie uns auch mögen? Ich grüble weiter.

Die allgemeine Stimmung wird durch die eben gepfiffene Blocksperre noch mieser.

»Hat jemand was von Marta gehört?«

Dieser Satz, der eigentlich belanglos erscheint, bleibt doch einen Augenblick lang in der Luft hängen. Eva greift ihn auf:

»Alma müßte.«

Ich wünsche mir sehnlichst die Rückkehr dieser Marta, unserer einzigen Cellistin, die ich noch gar nicht kenne. Mit ihr könnten wir bessere Musik machen, wären geschützter vor den Launen unserer Gebieter, wie mir scheint. Wer weiß, ob Alma sich um sie gekümmert hat? Hat sie die Mandel für den Verbleib ihrer Musikerin interessiert? Wer könnte es wagen, Alma das zu fragen?

Florette antwortet Eva: »Wenn wir auf sie setzen, können wir alle krepieren!«

Ihre Gehässigkeit wird mir zuviel, ich fahre dazwischen:

»Du täuschst dich, bei jedem neuen Arrangement, das Alma von mir verlangt, muß ich einen Auszug fürs Cello machen, als ob sie genau wüßte, daß Marta jeden Augenblick wiederkommen kann.«

Florette verrennt sich dickköpfig:

»Davon halte ich nicht viel. Ihre Schwester Ingrid kommt auch nicht mehr zu uns, das ist kein gutes Zeichen. Das Revier ist kein Sanatorium, sondern eher das Vorzimmer zu Zelle 25!«

»Du bist aber heil davongekommen.«

»Ich hab' Schwein gehabt, aber ich hätte es keine zwei Tage länger ausgehalten! Die dem entkommen, sind rar. Als die Ärztin mir sagte, ›du hast ein Phlegmon, ich behalte dich hier‹, hat mir die Tschaikowska hämisch grinsend ein Adieu zugehaucht. Sie war sicher, mich nie wieder zu sehen. Sechs Wochen hat's gedauert. Das ist ein so schrecklicher Schuppen, daß ich lieber krepieren möchte, als noch einmal dahin, keine Medikamente, keine Pflege, keine Lebensmittel. Das Revier ist das Silo für die Selektionen, jeden Tag holen SS-Leute welche raus. Der Tod heilt alles!«

Jenny mischt sich auch in unsere Unterhaltung: »Trotzdem hinkt das Orchester ohne Marta, und wenn im Lager was hinkt, dann ist das nicht gerade dazu angetan, lebend davonzukommen!«

Eva dämpft: »Sie ist jetzt drei Wochen weg, und die Baßgeige hier zeigt deutlich genug, daß wir auf sie warten dürfen.«

»Baßgeiger werden in fünf Stunden! Das ist doch alles, was Yvette gehabt hat, dabei hat sie noch nie in ihrem Leben eine Saite gezupft! Pasdeloup-Konzerte sind noch weit!« grinst Jenny.

Wenn uns auch die kindischen Spötteleien von Jenny oft zum Lachen bringen, so sind ihre boshaften Spitzen doch zum Weinen. Bei dem Wort »Baßgeige« hat die ältere Schwester von Yvette aufgehorcht: »Findest du vielleicht, daß meine Schwester nicht gut spielt?«

Ich greife ein: »Jenny ist ungerecht. Ein guter Baßgeiger braucht Jahre. Yvette macht das gar nicht so schlecht. Keiner verlangt mehr von ihr als sie bringt, Begleittöne.«

Streitsüchtig geht Jenny auf mich los: »Du kommst dir wohl sehr gescheit vor! Erst mal, was weißt denn du? Wenn deiner Busenfreundin, dieser scheißdeutschen Mandel, deine großartigen ›Begleittöne‹ nicht gefallen, schickt sie uns alle zum Duschen unter die Gasbrausen!«

Mißfallen ist die Angst aller vom Ensemble. Alle schauen Yvette an. Beschützend baut sich Lili, klein und gedrungen, die Hände auf die noch rundlichen Hüften gestemmt, vor ihrer Schwester auf und verteidigt sie verzweifelt, so daß ihr Gesicht vor lauter beleidigenden Querschlägen rund und weiß wird wie der Mond. Mit rollenden, rhythmischen Trommler-RRRs verkündet sie: »Du wirrst Yvette nicht verrantworrtlich machen, vorr deinen giftigen Eiferrsuchtssprritzerrn bewahrre ich meine kleine Schwesterr!«

»Hör auf!« schneidet ihr Jenny das Wort ab, »du faselst, du willst sie zur Größten machen, aber du verblödest sie ja mit deinem blödsinnigen: ›Tu dies nicht! Tu das nicht!‹ Du bringst sie doch zum Kotzen und uns auch! Dir zuliebe wird Petrus die Kleine noch mit der Lilie der Jungfrau und der Palme der Märtyrer bekränzen, wenn sie in den Himmel kommt!«

Sie erstickt fast vor Empörung, läßt aber nicht ab von ihrem guten Recht auf die Rolle der »mater familiae« und erklärt uns, als ehemalige Musiklehrerin könne sie die Fähigkeiten ihrer Schwester allein beurteilen, und es wäre ein großes Unglück, wenn Yvette wegen unser aller Dummheit in die schändliche Gaskammer müßte, denn, betont sie in einem Anflug von Edelmut, »unsere Familie verlöre ihren Sonnenschein!«

»Hab dich nicht so, mit dir hätte sie ja noch den Mond!« weiß Jenny darauf. Wir kugeln uns vor Lachen. Pensionatsgelächter im Todeslager.

Vier Uhr morgens, eine der übelsten Zeiten, wo man überhaupt nicht aufwachen mag. Das Karussell beginnt sich zu drehen, der Weltschmerz hat zwei Groschen für den Budenzauber bezahlt, und der Reigen der destruktiven Gedanken dreht sich immer weiter. Unser abgekühlter Ofen, von der Asche erstickt, strahlt gar nichts Freundschaftliches mehr aus. Ich döse so vor mich hin, als plötzlich ein leises Miauen und danach wie ein schweres Schnarchen durch unseren dunklen Schlafraum zieht. Aufgewühlt von Jennys Hohn und den Vorwürfen ihrer Schwester spielt Yvette den Kontrabaß. Ich habe nicht einmal Zeit genug, um von meinem Strohsack runterzusteigen und dem Gewimmer ein Ende zu machen, als auch schon ein entsetztes »Ohhh!« in unserm Schlafstall laut wird. Ich beeile mich, um zu Yvette zu kommen, und finde sie laut weinend vor ihrem Baßgeigenkasten: »Mein Gott, wer hat mir das angetan?«

In dem dickbauchigen, riesigen Kasten stecken eine ganze Menge gebrauchter Hygienebinden; wir stehen davor und schütteln uns vor Lachen, weil uns das Ganze so absurd vorkommt, während Panie Founia auf schief-trief-schnief macht, verständnislos hinstarrt, und Tschaikowska ihre traditionellen Flüche trompetet. Skandalgeschwängert von der Frechheit, hier Krach zu machen, stürzt Alma aus ihrem Zimmer. Das wird noch schlimmer, wenn sie die höchst unerfreuliche Ursache dieses Durcheinanders sieht.

»Ach! Schwein! Schweine! ... Woher ist die Schweinerei? Wer hat die da reingestopft?«

Furios bezweifelt sie unsern Geisteszustand, beschuldigt uns, keinerlei Ehrgefühl zu haben, noch ein bißchen, und sie hält uns für unwürdig, in dieser Herberge Unterkunft zu finden!

»Sie schmeißen das weg!« schleudert sie in die Richtung der Tschaikowska, die mit Adleraugen nach dem Opfer sucht, dem sie diesen Befehl weitergeben kann. Es trifft Yvette: »Du hast das gefunden, du räumst es auch weg!«

Diese Art von Gerechtigkeit besänftigt Alma. Würdevoll zieht sie sich in ihr Zimmer zurück, Tschaikowska und Founia tun dasselbe.

Dieser triviale Vorfall hat ein unerwartetes Nachspiel, er weckt unsere Ängste wieder, Jenny packt sie an: »Jetzt aber,

sag, die hier noch ihre Periode hat, die kann von Schwein sprechen.«

Nur ich allein lächle über diese Doppeldeutigkeit.

»Diese Binden hat sie organisieren müssen, ich frage mich,
wer von uns seine Regel hat?« stellt Florette fest.

Alle Blicke fliegen zu Lili, die, weil sie das Duschen scheut,
ständig vorgibt, »ich kann nicht duschen, ich habe meine Periode«, was die Polinnen spotten läßt: »Die ist schmuddelig,
klar, die ist so eine Saujüdin.« Die kleine Irène zieht die Schultern hoch: »Das kann ich mir nicht vorstellen, nicht nur, daß
Lili ihrer Schwester einen so häßlichen Streich spielen würde,
ganz offensichtlich lügt sie auch, sie hat bestimmt genausowenig ihre Regel wie wir auch. Sie mag einfach kein Wasser, na
und?«

Das Hauptinteresse hat sich verlagert, die Suche nach der
Schuldigen ist belanglos geworden, eher beneiden sie alle. Es
kann nur eine Russin oder eine Polin sein, nur unter ihnen gibt
es noch Frauen, die ihre Menstruation haben. Sie allein können
der Blutarmut widerstehen.

Florette und Jenny behaupten zwar, man rühre uns sicher
irgendeine hinterhältige Sauerei in die Suppe, worin sie sich
aber täuschen müssen, denn das erlittene Trauma und der phy-
siologische Elendszustand reichen schon aus, um einen Still-
stand zu bewirken. Glücklicherweise ist das so, denn für die,
die am Anfang noch ihre Regel haben, ist die Lage hier entsetzlich bitter, nichts zum Vorlegen, nichts zum Waschen. Wie
Hündinnen tropft ihnen das Blut zwischen den Beinen und
fließt die Schenkel runter. Um ihre Sauberkeit bemüht, schlagen
die Blockowas einfach zu, zwingen sie, ihre Spuren zu säubern.
Noch eine Demütigung, ein Elend mehr! Und doch beneiden
alle in diesem Augenblick die unsaubere Unbekannte, und Margot, die Tschechin, faßt das Allgemeinempfinden so zusammen:
»Ich wollt', ich wär' an ihrer Stelle!«, während Hilde gedankenverloren hinzufügt: »Es tut weh, diese unreinen Tage nicht
mehr zu haben, man fühlt sich nicht mehr als Frau, man gehört
schon zu den Alten!«

Ganz zaghaft, sorgenvoll, fragt die große Irène: »Und wenn
sie *danach* nicht wiederkommt?«

Ihre Worte lösen eine Schrecksekunde aus, wir sind wie vom
Blitz getroffen. Diejenigen, die schlecht französisch verstehen,
lassen sich den Satz übersetzen. Die Katholiken bekreuzigen
sich, die Jüdinnen beten den Schema, alle versuchen, diesen

Fluch loszuwerden, den ihnen die Deutschen auferlegen: die Unfruchtbarkeit.

Wie soll man danach schlafen? Das Gelächter wurde von der Gefahr, die über diesem geheiligten Privileg, dem fruchtbaren Schoß, schwebt, verjagt. Werden die Überlebenden das Unglück, hier gewesen zu sein, mitnehmen, mit dieser verborgenen Verstümmelung bezahlen müssen, keine Frau mehr zu sein? Keine von uns weiß medizinisch genug darüber, um das vernünftig beurteilen zu können. So bleiben wir also wach mit dieser Angst, die in uns nagt.

Im Dunkel ruft eine Frauenstimme »Mama!« Dieser Schrei tut weh, und diejenige, die sich am meisten verletzt fühlt, beklagt sich weinerlich: »Nein, das nicht, nur das nicht . . .!«

Heute werden mir drei neue Schreiberinnen zugeteilt. Eine deutsche Jüdin, Elsa, die eher wie ein kleines, liebes Mädchen aussieht, deren rotblonde Härchen, fleckiges Schnütchen, schwarze Kulleraugen etwas Rührendes an sich haben. Zwei Russinnen, Alla, zweiundzwanzig, goldbraune Augen, die dem Blick ausweichen – Scheu, Mißtrauen? Sie spricht nur mit ihren Landsleuten – und Sonia, der Sonderhäftling, der Titel ist keine Referenz, eine Ukrainerin, ein hübsches Mädchen, gut gebaut, was für ihre Beliebtheit auch nicht gerade von Vorteil ist, aber sie ist gutmütig und bescheiden und, was für mich wichtig ist, eine sehr gute Musikerin. Alla und Sonia waren unsere Pianistinnen, sie haben kein Instrument mehr. Schon kurz nach meiner Ankunft holten Soldaten unseren herrlichen Bechstein-Konzertflügel, der wahrscheinlich bei einem Juden beschlagnahmt worden war, und brachten ihn in die Messe dieser glorreichen Herren Lageroffiziere. Mir war's schwer ums Herz, ich hatte nicht lange darauf gespielt! Aber die wenigen Male, da ich meine Hände auf seine Tasten bringen durfte, dachte ich an die, die vor mir darauf spielten, vielleicht ein Konzertpianist, ein Wunderkind, der verwöhnte Bengel reicher Leute, oder ein alter Mann? –

Alma kommt lächelnd auf mich zu: »Bist du zufrieden? Du wirst uns neue Arrangements machen können.«

Ohne mein Gutheißen abzuwarten, dreht sie sich zum Ensemble um: »Morgen haben wir Konzert, vergeßt das nicht! Ich will, daß das ma-kel-los wird! Ich habe ›Die schöne blaue Donau‹ ins Programm genommen, und die proben wir jetzt.«

Die falschen Töne, die mir um den Kopf fliegen, tun weh.

Alma brüllt wütend: *Blöde Gans! Blöde Kuh! Scheißkopf!«* Ihr Schimpfrepertoire geht fließend. Da ist Rhythmus drin.

»Fania, komm her zu mir. Wo kommen diese falschen Töne her? Spielt das noch einmal!«

Die Mädchen wiederholen. Ich lese hinter der Dirigentin die Partitur mit, wie sie gelesen werden muß, was Alma nicht kann. Man muß sie vertikal, von oben nach unten lesen, mit einem Blick alle Instrumente umfassen. Dann berichtige ich jeden einzelnen Auszug. Der größte Teil meiner Schreiberinnen schreibt schlecht, sie kennen die Musik nicht und malen halt schätzungsweise nach, was sie für einen Punkt auf oder zwischen den Linien halten, ohne irgendwas davon zu verstehen.

Ich korrigiere, ich erkläre, setze mich wieder hin, konzentriere mich und mache Bekanntschaft mit Peter Kreuder, von dem ich anhand eines Klavierauszugs die Neuorchestrierung seiner ›Zwölf Minuten‹, einem zauberhaften Potpourri von ganz besonderer melodischer Leichtigkeit, machen muß. Das ist ziemlich dringend, denn wir sollen es in einem der nächsten Konzerte singen, Eva, Lotte, Clara und ich. Immer wenn in meinem Kopf die Melodie gerade wieder fließt, fängt alles von vorne an. Alma ruft mich, regt sich auf oder brüllt: »Ihr habt's doch schon gespielt, ihr müßtet das doch wissen!« Und wieder hagelt's die lange Latte der schnöden Schimpfworte, Schweine, Kühe, zum Schluß noch die Scheißköpfe, selbst ein Roßknecht könnte von ihr dazulernen. Taktstockschläge knallen auf die Finger der Schuldigen und Jenny fängt die Ohrfeige, die Alma schon lange in der Hand brennt. Wie zur Zeit der Prügelstrafe in ihrem vielgeliebten Reich verliert auch Alma schnell ihr gutbürgerliches Benehmen. Ich gewöhne mich nur sehr schwer an diese Form der Bestrafung der Musiker, das bringt mich auf die Barrikaden, vor allem hier, im Lager.

Nun wird's wieder ruhiger, und ich vertiefe mich aufs neue in meine ›Zwölf Minuten‹, in diesen Zauber, ins Reich der Musik. In meinem Innern vertont sich jeder Satz locker und leicht, Takt reiht sich an Takt, meine Hand schreibt fließend und federleicht. Das läßt mich alles vergessen, ich bin glücklich, ich liebe diese unbeschwerte Musik, diese Musik für Abende zum Feiern! . . .

Draußen gellen wieder Pfiffe, sie zeigen das Ende der Selektion an. Die Blocksperre ist aufgehoben.

Eine Läuferin stößt die Tür auf: »Achtung! Mädchen, schnell! Herr Kommandant Kramer kommt!«

Alma erblaßt, bleibt wie angewurzelt stehen. Es ist nicht zu glauben, er ist noch nicht da und sie steht schon still! Die Panies Tschaikowska und Founia Schiefmaul sind mit Anschnauzen beschäftigt. Sind wir würdig für die Anwesenheit des Herrn? Kann ihn auch kein Funke in unserem Blick beleidigen? Ist der Saal blitzsauber? Und wir? Ich warte nur noch drauf, meine Hände vorzeigen zu müssen und zu hören »Geh dich waschen!«

Josef Kramer ist unser Kommandant, der Lagerkommandant von Birkenau. Ich weiß noch nicht viel über ihn, die Mädchen haben mir nur wenig erzählt. Seine Miene, die er ihnen zeigt, wenn er kommt, um das Orchester zu hören, ist sicher nicht dieselbe, die andere Frauen und Männer kennen. Nur Eva hat ihn mir ein bißchen näher geschildert. »Er liebt Musik, und er und die Mandel lassen uns leben. Wir sind seinen Launen ausgeliefert. Hier habe ich ihn nur sehr korrekt erlebt, aber eine polnische Freundin, die im Revier arbeitet, hat mir gesagt, er entkomme nicht nur dieser kollektiven Hysterie nicht, die die SS-Leute packt, wenn sie die Lastwagen für die Krematorien ›füllen‹, sondern er sei sogar ein Beispiel vom Hemmungslosesten und zögere nicht, einer Frau den Kopf mit seinem Knüppel einzuschlagen.«

Diese Bestie – ich kann nicht »dieser Mensch« oder »dieser Mann« denken – wird jetzt also hereinkommen. Ich bin neugierig auf ihn. Ich möchte mit ihm sprechen können und verstehen. Verstehen, das ist eine Krankheit bei mir, der Kern meines Charakters. Ich glaube immer noch, daß es etwas zu verstehen gibt, daß diese Vernichtung von Ursachen motiviert wird, die mir entgehen. Man organisiert doch nicht den Tod um des Todes willen, es muß doch ein anderer Grund dahinter stecken, aber welcher? Diese Männer, die unter Mißachtung aller Menschenrechte gehorchen, die die Ausführenden eines monströsen Völkermords sind, hinter was finden sie Zuflucht, um sich nicht selbst auszuspucken? Ja ich weiß wohl, daß man ihnen eingeimpft hat, wir Juden seien eine minderwertige Rasse, daß sie uns sittlich und geistig »einem von wilden Leidenschaften, unendlichem Zerstörungstrieb und roher Gemeinheit beseelten Tier« gleichstellen und sich das Verhalten der SS uns gegenüber nach diesem entsetzlichen Satz richtet: »Wehe dem, der vergißt, daß nicht jeder, der wie ein Mensch aussieht, ein Mensch ist.«

Aber für mich waren diese Richtlinien bis zu meiner Ankunft hier, trotz der Verhaftungen in Paris, nur Theorie und hatten überhaupt nichts mit der Wirklichkeit zu tun. Jetzt stelle ich mir die Frage, wie können Männer, Frauen sie so erbarmungslos ausführen?

Eingefroren in ein eindrucksvolles Stillgestanden erwarten wir Kramer. Er tritt ein, begleitet von zwei SS-Offizieren. Dieser Mann ist ein vitaler Koloß. Aus ihm strömt eine beängstigende Kraft, ein Meter achtzig, Stiernacken, so kurz, so massiv, daß sein Kopf mit den großen Ohren direkt auf die Schultern eines Schmieds gestemmt zu sein scheint. Der Stoff seiner Uniform ist über der breiten, gewölbten Brust gespannt wie ein Panzer. Ich habe den Eindruck, ein Raubtier herannahen zu sehen, er hat diesen schweren und doch geschmeidigen Gang. Sein Hiersein ist niederschmetternd.

Er geht auf die für diesen Zweck aufgestellten Stühle zu, setzt sich, nimmt seine Schirmmütze ab und legt sie neben sich hin. Der sehr kurze Schnitt seiner kastanienfarbenen Haare betont die geometrisch abgesteckte, quadratische Form seines Kopfes. Zufrieden heitert sich sein Gesicht auf, er wendet sich an uns: »Ihr könnt jetzt rühren. Wir wollen Musik hören.«

Immer noch im Stillgestanden, wie es sich gehört, wenn man mit einem Offizier spricht, fragt Alma ängstlich: »Was möchte der Herr Lagerführer hören?«

»Die ›Träumerei‹ von Schumann.« Und sehr gefühlvoll fügt er hinzu: »Das ist ein bewundernswertes Stück, das geht ans Herz.«

Eva, die mir halblaut übersetzt, fügt hinzu: »Weil er eins hat?«

Die Violinen übernehmen die Melodie, sie entsteht ganz sachte wie von weit her, dann wird sie voller und entfaltet ihre undefinierbare Melancholie. Der Herr Kommandant hat die Augen geschlossen, er läßt sich von der Musik durchdringen. Von dem Tisch aus, an dem ich sitze, kann ich ihn in aller Ruhe beobachten. Welche Freude, ihn sich so entspannen, von seiner abstoßenden Arbeit Abstand nehmen zu sehen ... Die große Irène legt ihre eingefallene, aber noch sacht geschwungene Wange auf ihre Geige und übernimmt gekonnt das Solo. Das ist der Höhepunkt der Darbietung, so gefühlvoll von ihr gespielt – sie legt wohl ihre ganze Liebe zu ihrem Märchenprinzen hinein –, daß die Melancholie einen bittersüßen Schmelz bekommt, der Kramers Herz aufwühlt. Ein paar Takte, bevor die Musik verklingt, öffnet der Herr Kommandant langsam, wie bedauernd, seine gebräunten Augenlider wieder, und ich erkenne höchst erstaunt, daß sein Froschaugenblick feucht ist. Er gibt sich seiner zarten Ergriffenheit hin und läßt erleichtert Tränen, kostbar wie Perlen, über seine sorgsam rasierten Wangen rollen. Was würden die Kameradinnen der Frau mit dem zertrümmerten Kopf davon halten?

Er ist befriedigt, er hat sich nach seiner Selektion mit Musik befreit wie andere mit Masturbation. Entspannt hebt der Lagerführer seinen Kopf und teilt Alma sein Vergnügen mit: »Wie schön, wie erregend!«

Dann wechselt sein Ausdruck, seine Pupillen weiten sich, er sieht uns. Wird ihm unsere Existenz bewußt? Nein, Wanzen haben keine Existenz, sie sind zum Ausrotten da.

Mit dem Finger zeigt er auf mich: »Die da, was macht die hier?«

Alma erklärt ihm, daß ich singe.

»Was?«

»›Madame Butterfly‹.«

Ich denke, wenn ich da wieder raus komme, werde ich keinen einzigen Takt von Puccinis Werk mehr hören können!

Er winkt mit dem Kopf: »Sie soll es singen.«

Ich werde singen, das ist eine einfache, gewohnte Handlung. Sie ist so einfach und gewohnt, daß ich schon mit einem Blick mein ganzes Auditorium erfasse. Ich sehe Kramer, und mein Herz fängt an zu rasen, ich, die ich immer pulvertrockene Hände habe, fühle jetzt, wie feucht sie sind. Das ist kein Lampenfieber, warum sollte ich? Der Einsatz ist auch nicht höher als sonst, wenn meine Haltung einer Aufseherin mißfällt, denn das ist genauso gefährlich, wie wenn ich die große Arie der ›Madame Butterfly‹ vor dem Kommandanten singe. Und doch ist es nicht dasselbe. Für mich ist Singen eine freie Handlung, ich bin aber nicht frei; es ist vor allem eine Art, Freude zu schenken, Liebe, und ich habe ein unbändige Lust, diese drei SS-Schergen wie abgestochene Schweine vor mir liegen zu sehen. Da, vor meinen Füßen ...

Stehend, vor mir diese Männer, deren Hintern über ihre Stühle quellen, hinter mir diesen Abklatsch von Orchester, fühle ich mich in einem Alptraum, in dem man losschreien möchte. Dieser Schrei muß einem das Leben retten, muß den Horror brechen, der einen überfällt und in dessen aufgerissenem Schlund man versinkt, ohne daß auch nur ein Retter naht. Was hat diese Küchenlampe hier, die am Ende einer Schnur baumelt, mit dem Rampenlicht zu tun, mit dem warmen Licht eines Spots? Und diese grauen Wände mit den schlecht zusammenstoßenden Brettern bringen das weiche Halbdunkel, in dem man Gold und Samt nur ahnt, auch nicht. Dieser Vision drängen sich noch andere auf, die der Nachtlokale, in denen ich sang. Sicher, die waren vollgestopft mit Deutschen, eine graugrüne Masse mit Schwarz gespickt, aber ich war freiwillig da, ich sang für sie, was sie wollten; singen war eine Tarnung, ich war nur da, um sie besser täuschen zu können, sie zu besiegen.

Blitzschnell sehe ich das »Melody's« vor mir, den Leutnant Danbman, ein großer, dunkler, hübscher Kerl, besser bekannt unter dem Namen Dr. Friederich. Jeden Freitag sprach er über Radio Paris zu den Franzosen gegen uns, die Juden, mit einem leicht südwestlichen Akzent, dieser Ehemalige der fünften Kolonne, denn er hatte sich in den Armen einer Maitresse aus Bordeaux in unserer Sprache geübt. In der Bar war er unter dem Namen »Freddy mit den großen Füßen« besser bekannt. Danbman war gewaltig verliebt in eine Animierdame, Susanne, die mir als Verbindungsagent diente, eine kleine Jüdin, die einen sagenhaften Schneid hatte.

Jeden Abend floß Champagner in Hülle und Fülle, sobald Danbman da war. Sein Lieblingsthema: die Juden. Mit einem Arm Susanne liebkosend, prahlte er mit lächerlicher Wichtigtuerei. Hinterlistig hatte ich ihn gefragt: »Wie erkennen Sie die Juden?« – »Ich? Ach ihr Hübschen, ha, ha! ... mir macht man nichts vor ... mein Näs'chen ... die schnuppere ich schon von weitem.« – Wir lachten aus vollem Herzen mit ihm, er hatte zwei Jüdinnen neben sich! Zwei, denen kein einziges seiner Worte entging, man sagt ja viel mehr, wenn man besoffen ist!

Dieser Anflug von Erinnerung hat mit dem Jetzt nichts zu tun. Unser Orchester beginnt, mein Gehör folgt seinen Takten, erkennt sie schon so nebenbei, so was wie ein innerer Countdown setzt ein, drei ... zwei ... eins ... Die Bühnenroutine ist stärker als meine Angst, ich singe befreit und besiegt.

Wer wird je meinen Kampf verstehen, den ich in diesen wenigen Minuten kämpfte. Kramer, den ich weder weinen noch lächeln sehe, ganz bestimmt nicht. Er sagt, zu Alma hingewandt, nur: »Ja, gut.« Dann zeigt er mit der gleichen Feinfühligkeit, wie er sie auch für mich aufbrachte, auf Clara: »Und die da?«

»Das ist auch eine Sängerin, Herr Kommandant.«

Erleichtert, verschwitzt, setze ich mich wieder an meinen

Platz hinter den Tisch, während Clara nach vorne geht, deren ganze Haltung ihren Stolz hinausschreit, ihre Freude, vor dem Kommandanten singen zu dürfen. Soll man sie beneiden oder bedauern? Sie bringt mit einem gewissen Kunstsinn ›Die Nachtigall‹ von Alabieff in italienisch, ein Musikstück, das ausgezeichnet zu ihrer Stimme paßt.

Kramer zeigt, nachdem er mit Alma gesprochen hat, die ganz zufrieden scheint, auf Flora, unsere holländische Akkordeonistin, ein großes, plumpes Mädchen, die ihr mittlerweile verschwundenes Fett als zitternde Hautfalten mitschleppt. Das Urteil über sie, das mir Florette zwischen den Zähnen übersetzt, macht mich blaß: »Sie ist keine allzugute Musikerin, sie gehört nicht hierher.«

Da wir ohnehin dauernd mit der Angst im Nacken leben müssen, meinen wir schon, wir müßten uns auf eine Antwort in der Richtung gefaßt machen. Irrtum – dieser Schock läßt uns vollends verblassen.

»Sie soll zu uns kommen, sie kann meiner Frau helfen, wir brauchen ein Kindermädchen für unsere kleine Tochter.«

Dann erhebt er sich und kommt mit Schritten, die mich an einen aufziehbaren Spielbär erinnern, auf meinen Tisch zu, der ganze Saal ist wie zu Eis erstarrt. Alma und die Mädchen stehen, Tschaikowska, Marila, Panie Founia warten im Stillgestanden an der Tür, und ich sitze vor meinen Partituren und warte, ich stehe nicht auf, ich die Jüdin. Bis zum letzten genieße ich das Recht, das unserm Tisch zugestanden wird. Allen hat es den Atem verschlagen. Kramer prüft neben mir meine Arbeiten, noch ein bißchen, und sein Schenkel hätte meinen Arm berührt, ich spüre schon die Wärme. Er kommt mir riesig vor, die ganze Brutalität, die ganze Bestialität in einer Männerhaut. Er beugt sich herunter, so daß seine Fülle aus Fleisch und Knochen mich fast erdrückt, ich möchte ihn am liebsten auseinandernehmen, um atmen zu können. Seine starke, volltönende Stimme fragt sonor: »Was fehlt euch?«

Ich habe zwar verstanden, aber ich antworte nicht. Er wiederholt: »Was fehlt euch?«

Eva übersetzt mir: »Er fragt dich, was dir fehle.«

»Ja, Herr Kommandant, das da.« Und ich halte ihm einen Bleistift hin, nicht irgendeinen, sondern den, auf dem »Made in England« steht; dann gibt es wenigstens was, wofür er mich kaputtmachen kann. Er nimmt ihn, schaut ihn an, sein glasiger Blick ist ausdruckslos. Dann gibt er ihn mir zurück und dreht sich um, während mir Eva seine Antwort übersetzt: »Er sagt, du würdest Bleistifte bekommen.«

Er spricht noch einen Augenblick mit Alma, die ihn anlächelt. Ich kann die Unterwürfigkeit dieser Frau vor diesem SS-Chef, einem der scheußlichsten, nicht mehr ertragen. Ich möchte platzen, aber ich bin still. Wem nützte es, sich selbst umzubringen? Wie einen hohen Gast begleitet Alma ihn zur Tür. Endlich geht er, gefolgt von seinen zwei Offizieren, die den Mund nicht aufmachten, zwei Automaten.

Erlöst atmen alle wieder auf. Wie ein Heuschreckenschwarm überfallen sie mich: »Welchen Bleistift hast du ihm gegeben?«

Florette nimmt ihn und schreit mich an: »Du bist wohl meschugge!«

Nach dem üblichen Geschimpfe, Blödian, Idiot, Flasche! . . . überkommt sie die Neugier, und der Bleistift geht von Hand zu Hand.

»Nein, schau doch mal, was da draufsteht!«

»Das ist eine Provokation!« tönt Clara.

Eine der Polinnen erwischt das skandalöse Objekt und zeigt es den andern: »Da, da seht ihr, was die gewagt hat, dem Kommandanten zu geben!«

Florette donnert los: »Du bist vollkommen verblödet! Ist dir das klar – der läßt uns doch vergasen . . .!«

Das steigert sich bis zur Hysterie, Haß blitzt aus ihren Augen: »Du hast kein Recht, unser Leben aufs Spiel zu setzen!«

Sie gehen mir auf die Nerven, und aus mir platzt es heraus: »Jetzt reicht's mir aber! Da müssen wir sowieso durch, so haben wir ihnen wenigstens eins ausgewischt! Ich finde es sehr spaßig, ihm ›Made in England‹ unter die Nase gehalten zu haben. Vergast hin, vergast her – so haben wir wenigstens vorher noch gelacht . . .!«

Nur Eva freut sich und sagt ruhig zu mir: »Er hat – zum Glück für dich! – nicht genug Sinn dafür, um das zu verstehen.«

»Heut' ist Sonntag, unser Fron-Konzert-Dienst, da heißt es das Schönste anziehen«, erklärt mir Jenny. »Nicht mal an diesem Tag können sie uns in Ruhe lassen. Als ich noch ein liebes, kleines Mädchen war, in der Rue des Envierges, wo wir wohnten, hat die Alte von meinem Pa, meine Großmutter also, einen Schweinebraten im Backofen gemacht, manchmal auch Hähnchen. Du hättest sie vor ihrem kleinen schwarzen Herd sitzen sehen müssen, der so geschwungene Füße hatte wie ein Louis-XV-Stuhl. Sie hat ihr Geflügel so liebevoll begossen, und dabei sah ihre große Schürze aus wie eine Wiege zwischen den Knien. Manchmal hielt unsere Katze, die genauso schwarz war wie die Schürze, sie für eine Hängematte, die Alte bewegte sich ja nicht. Grade, daß sie sich zwischen zweimal Soße drübergießen das linke Auge abgewischt hat, das dauernd tränte. Aber sonst hätte man ihren Festbraten vom Boden essen können ... Ich bin in die Messe gegangen, weil mit dem Pfarrer in unserem Viertel nicht gut Kirschen essen war, keine Messe, kein Erbarmen. Er hat immer gesagt, der Sonntag sei der Tag des Herrn, da werde erst gedankt, dann getanzt.«

Alle hegen und pflegen im Herzen noch den Sonntag aus ihrer Kinderzeit, und sie bekommen feuchtglänzende Augen.

In Evas sanfter Stimme steckt ein bißchen Ironie: »Und am siebten Tage ruhte Gott. Als er sah, daß sein Werk gut war, segnete er den siebten Tag ...«

»Und wir, wir sollen den Hanswurst für die SS machen. – Hier ist das eher der Tag der Herren!« posaunt Florette.

Meine Strümpfe sind zerrissen. Der ganze Finger paßt durch das Loch mitten auf der Wade, das macht mir Sorgen. Wie soll ich's stopfen? Nadel, Faden, Wolle? Alles muß man kaufen, und ich habe kein Brot. Wen darum bitten? Man leiht sich gegenseitig eine Nadel mit einem Faden, aber man muß warten, bis man an der Reihe ist, Schlangestehen neben der, die sie gerade hat. Ich habe mich noch nicht einmal genug bei Anny bedankt, die mir aus einer anderen Panne geholfen hat. Die Wäsche von gestern – drei Tage mußte ich warten, bis ich an unsere kleine Waschschüssel kam – ist auch noch nicht trocken. Aber da bin ich nicht allein, ein gutes Dutzend ist in der gleichen Lage, wir resignieren. »Spielen wir halt nackt unter unsern Kleidern«, beschließt die kleine Irène. Glücklicherweise findet das Konzert nicht im Freien statt.

Unsere Schuhe sind verdreckt, die waschen und bürsten wir so gut wir können mit einem Papier- oder Stoffetzen. Manche von uns gehen soweit und stehlen vom Notenpapier, trotz meines Geschreis. Um glänzende Schuhe zu haben, nehmen sie haufenweise mehr oder weniger große Übel auf sich. Das erste, was Alma bei uns mustert, ist weder Gesicht noch Kleidung, sondern unsere Füße. »Schuhe putzen!« ist ein Befehl, der knallt. Formell gilt die Bestimmung, jeden Tag müssen die Schuhe gereinigt und gekremt werden. Womit? Für unsere Herren ist das Wichtigste an unserer Kleidung der Zustand der Schuhe. Ich weiß nicht, ob diese offenkundige Sorge zur Nazi-

Ideologie gehört; auf jeden Fall nimmt sie in deren Leben einen großen Platz ein. Sie selber haben übrigens immer glänzende und stinkende Schuhe und Stiefel an, den Geruch des deutschen Leders werde ich nie vergessen. Aber auch wenn es schlecht riecht, hätte ich liebend gerne ein bißchen von ihrer Schuhcreme oder von andern, die Leute bringen doch sicher welche mit, das ist kostbar. Außerdem gibt es genausowenig Bügeleisen, und doch sollten sich welche in den Koffern finden lassen. Sind sie vielleicht in Berlin Mangelware? Wir plätten im Augenblick unsere Kleider mit der flachen Hand, ziehen und zupfen unsere Röcke in Form, glätten mit dem Fingernagel die Falten. So verstreicht ein Teil dieses Sonntags, um sauber und präsentabel zu sein, wir dürfen diese Herren nicht schockieren, wir müssen ihnen einen eher angenehmen, vor allem korrekten Anblick bieten. Das ist ein Wort, das sie lieben. In Paris empfahl uns die Propaganda ihre *Korrection*.

Diese kleinen Handlangerdienste sind elendig und stechen, weil es an allem fehlt. Wenn Alma wollte, bräuchte sie nur ein Wort zur Mandel sagen und wir hätten es in diesen Dingen leichter, aber sie sagt nichts. Warum?

Kürzlich kam sie abends, sie, die äußerst selten in unsern Schlafraum kommt, und sah mich Claras Nacken massieren. Sie rief mir zu: »Kannst du massieren?«

»Nein, nicht richtig, aber ich kann die Kopfschmerzen lindern.«

Romantisch strich sie sich mit der Hand, mit den langen, empfindsamen Fingern über die Stirn. »Ich habe auch so entsetzliche Kopfschmerzen, wie heißt das noch ... auf französisch?«

»Migräne, Madame.«

Und schon interessiert sie meine Antwort nicht mehr: »Gefällt es euch hier, dir und deiner Freundin Clara?«

Ich fand diese Frage sehr erstaunlich, um so mehr, als sie sie ausgerechnet mir stellte. Gab es je was anderes in ihrem Leben als Musik und deutsche Disziplin? Die Rechtsansprüche des Chefs, den Respekt, den ihm zustehenden Gehorsam? Merkt sie, daß wir auch noch etwas anderes sein könnten als eine Art Fußvolk der Musik, zum Ohrfeigen und zum Dienern als Dank?

Kurz vor vier Uhr nachmittags erscheinen wir, Alma voraus, in der »Sauna«, wo im Winter und an Regentagen unsere Konzerte stattfinden. Meine Rolle als Sängerin erlaubt mir, mich zeitweise als Zuschauerin zu fühlen.

Eine seltsame und ungefällige Umgebung, das Innere dieses Riesengebäudes, das sich Sauna nennt und von dem man nicht recht weiß, wozu es dienen soll: Duschen, Desinfektion, Depot an überfüllten Tagen? Zementboden, Betonwände, grob und grau verschmiert, so einladend und liebenswürdig wie ein Bunker! Die elektrischen Birnen baumeln nackt an ihren Schnüren und geben schlechtes Licht. Keine Fenster, nur längliche, lautlose Luken, die im Schatten der Konstruktion untergehen. Auf unserem Podium hier oben meine ich die Dinge anders zu sehen, besitzender, von höherer Warte aus; unser Platz im Verhältnis zu unseren Zuhörern ist gewissermaßen das Spiegelbild der tatsächlichen Situation. Ein eigenartiges, fremdartiges Schauspiel. Ich hatte mich tot und in unserm Musiksaal ins Paradies gekommen geglaubt, hier komme ich mir vor wie im Vorraum der Hölle. Es ist farblos, grau in grau, finster.

Ich schließe die Augen und lausche; Füße scharren, Instrumente werden gestimmt, Worte geflüstert, verhaltenes Lachen, leises Hüsteln, sachtes Naseputzen. Das sind die mir vertrauten Geräusche eines Konzertsaals, der sichere Boden, ein versöhnender Halt für ein paar Sekunden. Ich öffne die Augen wieder und sehe unser Publikum. Man könnte sich fast in den Konzertsaal der Berliner Philharmonie oder in die Pariser Oper heutzutage versetzt fühlen. Da sitzen sie, in den schnurgerade ausgerichteten Stuhlreihen, die Herren Offiziere der Waffen-SS, tief verkrochen in ihre schweren Uniformmäntel, von denen einige mit schmucken Pelzkragen versehen sind. Der militärisch lange Ledermantel der schönen Frau Lagerführerin Mandel fällt über ihren seidenbezogenen Beinen anmutig auseinander.

Es ist klirrend kalt, wir haben Gänsehaut so nackt unter unseren Kleidern. Eine Garnitur Unterwäsche ist ja wirklich nichts Besonderes, aber weiß Gott, uns fehlt sie!

Weiter hinten sitzen auf Stufenbänken die Aristokraten des Lagers. Mit dem schwarzen Dreieck der Asozialen gekennzeichnet tragen diese ausgesuchten Kreaturen lange Haare und fühlen sich wohl in ihrer bequemen Kleidung. Sie schwatzen und munkeln und tun tausenderlei Nettes. Zwischen ihnen und uns gibt es einen meßbaren Unterschied: Sie werden als noch brauchbar erklärt und nur bestraft, nicht vernichtet.

Abseits davon eine andere Gruppe, Krankenschwestern, Ärzte. Sie haben einige ihrer Patienten bei sich, deren viel zu große

Augen in den ausgemergelten Gesichtern fassungslos umherirren. Einer der Offiziere sieht sich um, streift mit dem Blick dieses Häuflein vom Revier, spricht mit seinem Nachbarn, der nun auf seine Art die Feststellung begutachtet, beide nicken und sind sichtlich einverstanden. Es ist in der Tat beruhigend, daß an diesen Sonntagskonzerten auch Kranke teilnehmen. Wem wollen sie was vorgaukeln? Sich selbst? Morgen werden sie mit der gleichen rigorosen Logik diese Wracks zu unnützen Mäulern stempeln und vergasen.

Hinten steht isoliert und wohlgeordnet – in Anwesenheit von Mitgliedern der SS ist Stillgestanden vorgeschrieben – der graue Haufen der Häftlinge im Halbdunkel, wovon ich nur noch die in den vordersten Reihen erkennen kann.

Sehr lebhaft, mitreißend, voll freudigem Singsang erschallt der Marsch von Souza, den Alma behend und sehr gewissenhaft dirigiert. Wie auch immer die künstlerische Qualität eines Stükkes sein mag, muß man es nicht immer sauber und gewissenhaft spielen?

Für mich sind die Frauen dahinten, die mit weichen Knien dastehen, das wahre Publikum. Heute morgen hat ihre Blockowa die Tür aufgerissen und geschrien: »Achtung! Hundert Frauen zum Konzert!« Manche von ihnen haben sich freiwillig gemeldet, sie können sich noch daran erinnern, daß sie vor langer Zeit Freude empfunden haben durch Musik. Die andern wurden abkommandiert.

Lotte singt. Clara begutachtet offensichtlich jeden Ton eifersüchtig und unruhig. Die Deutschen stehen auf und gehen. Lotte merkt das, zerknüllt den nassen Knäuel von Taschentuch immer noch mehr in ihrer verschwitzten Hand und setzt sich schließlich wütend und voller Angst wieder hin. Die unvermeidliche ›Schöne blaue Donau‹ plätschert romantisch dahin. Die Schwarzen Dreiecke benehmen sich daneben, sie schunkeln ein bißchen. Wie angenehm leicht diese Musik doch ist, sie muntert jeden auf, man hätte Lust, Walzer zu tanzen . . .

Was spielt sich da bloß ab? In den Reihen der Häftlinge summen Frauen mit, zweifellos deutsche Jüdinnen. Das ist so unwahrscheinlich, daß sogar einige Mädchen vom Orchester ihre Hälse strecken. Ein paar Offiziere drehen sich mit verbissenem Gesicht um, sicher sind sie geschockt, weil sich die Häftlinge erlauben mitzusingen.

Irrtum! Sie wollen gar nicht schimpfen und strafen, sondern den Eifer belohnen! Ihre Blicke suchen in der grauen Masse die,

die mitzusingen wagen. Da sie sie nicht finden, bezeugen sie ihre Zufriedenheit allen. Anerkennend lächeln SS-Leute den Häftlingen zu.

Welch' treffende Bemerkung doch die kleine Irène macht: »Siehst du, wie zufrieden sie sind, endlich widerfährt ihnen Gerechtigkeit, sie haben denen was geboten, und die wissen es zu schätzen!«

»Sie ist fertig, ihre verdammte Eisenbahnlinie!«

Die Mädchen gehen zu den Fenstern, an die Tür. Sie gehen zaghaft und zaudernd, bedauernd und bedrückt, aber sie gehen hin und schauen sie sich an, ich auch.

Langgestreckt glänzen die neuen Schienen auf dem aufgeschütteten Schotter über dem nassen, schlammigen Boden. Es ist März, die restlichen Schnee- und Eisplatten schmelzen langsam während des Tages – um nachts wieder zuzufrieren.

»Das ändert auch nichts mehr! So werden wir verwöhnt«, spottet Jenny, »wir haben sogar Logenplätze für die Neuzugänge. Wir werden Szenen erleben!«

»Die bringen mich zum Kotzen! . . . Kotzen . . . Kotzen. Ich will das nicht sehen . . . nein . . . ich kann nicht mehr!« schreit Florette.

»Dann schau nicht hin!« rät ihr Eva.

Wie eine Tigerkatze dreht sich Florette um und faucht sie an: »Dich berührt das wohl nicht, du kannst das vielleicht, du Allerweltsdame, du bist wohl hier mit Kutsche und Lakaien vorgefahren, ja? . . . Wir aber, wir Juden? . . . Dich geht das ja nichts an, du wirst ja nicht vergast. Ich kann es nicht vergessen!«

Ihre Hand greift gierig nach einer Beute und erwischt mich: »Komm mit . . . schau dir diesen Rauch an. Der stinkt nach verbrannten Leichen. Weißt du, daß das auch mir bevorsteht?«

Die Mädchen haben sich wieder abgewandt – aus Überdruß? Aus Indifferenz?

»Ich kam hier an, mit meinem Vater, meiner Mutter, meinem Verlobten, meiner ganzen Verwandtschaft, einundzwanzig Personen. Sie haben uns alle zusammen bei einer Razzia mitgeschleppt. Ich hatte keine Ahnung wohin . . . Als ich sie dann hier in die Lastwagen steigen sah, habe ich immer noch nichts begriffen. Sowie ich im Quarantäneblock war, fragte ich nach meinen Eltern, ich traute mich! Da packte mich die Blockowa so am Arm und zerrte mich zur Tür. Dann sagte sie in ihrem abscheulichen deutschen Dialekt und zeigte dabei noch mit ihrem Drecksfinger auf die Schornsteine: ›Siehst du den Rauch dort aus dem rechten Kamin, das ist dein Vater ... und links, das ist deine Mutter!‹ Ich winselte, verstehst du, gewinselt habe ich wie ein Hund ... und bin zusammengebrochen.«

Allmählich fängt sie sich wieder; ihre bewundernswert grünen Augen sind voller Tränen, sie senkt demütig den Kopf.

»Ich glaube, deshalb muß ich mich dauernd wehren, gegen alles aufbegehren ... und deshalb werde ich mein Leben lang verrückt sein ...«

Nur so halb am Tischende bei den Schreiberinnen sitzt die kleine Irène und malt, mit der Nase fast auf dem Papier, wie ein kleines, eifriges Schulmädchen. Ihre goldbraunen Haare sind nachgewachsen, sie ist gut und gern seit drei Monaten nicht nachgeschoren worden. An sich müßte das regelmäßig geschehen. Es erleichtert das Lausen, was wir uns von Panie Founia, Schiefmaul, gefallen lassen müssen. Sie grast mit ihren dicken Fingern unsere Köpfe ab und verkratzt uns dabei mit ihren inständig schwarzen Nägeln den ganzen Schädel – auf der Suche nach einer Laus!

Die Herren hier sind sehr empfindlich. Ungeziefer jagt ihnen Schrecken ein! Alle Frauen, die mit ihnen in Berührung kommen können, die Mädchen vom »Canada«, die Dolmetscherinnen, die Helferinnen vom Sanitätsdienst und wir vom Orchester, müssen alles tun, damit sie bloß nicht die schändliche Gefahr laufen, eine Laus zu fangen.

Der viel zu schmale, unterernährte Kindernacken der kleinen Irène rührt mich. Ich beuge mich über sie und sehe, daß sie das Deckblatt fürs Sonntags-Programm entwirft. Als Violinistin taugt sie noch weniger als Florette. Deshalb kam sie auf die glorreiche Idee – um ihren Platz bei uns zu behalten –, den Damen und Herren der SS Programme anzubieten, was Alma ungemein zu schätzen weiß. Sie malt nett und erntete auch schon ihre »Ach gut! Wie schön!«, alles nur, um unseren Herren und Meistern, unseren Henkern, zu gefallen, um einen Tag, eine Woche, einen Monat länger zu leben!

Auf ihrem Blatt Papier blühen Blumen auf, grünen Zweige voller kleiner Blättchen mit Nestchen und Vögelchen ... lauter Seligkeiten, die uns hier fehlen. Mit liebevoller Ausdauer läßt sie eine Fliederblüte werden.

»Siehst du, Fania, der Frühling beflügelt mich.«

»Woher weißt du? Draußen gibts weder einen Grashalm noch eine Knospe.«

»Aber die Tage werden wieder länger, wir gehen dem 21. März entgegen, irgendwo blüht wieder der Flieder ...«

Diese Worte inspirieren Jenny zu einem Traum frei nach der putzmunteren Mimi Pinson.

»Ich kann nicht anders, ich muß an Paris denken, von der Porte des Lilas schwärmen, wie herrlich bunt muß es da jetzt blühen.«

»Davon wird auch nicht mehr viel übrig geblieben sein«, stutzt ihr Florette die Flügel.

»Was weißt denn du, das ist doch nicht deine Ecke. Mein Großvater hat dort, auf der ehemaligen Stadtmauer zu Pré-Saint-Gervais hin, ein Stückchen Garten. Seine Salatköpfe hättest du sehen sollen, die haben dicke, feste Herzchen! Und erst seine Fliederbüsche. Zwei hat er, einen blauen, mhhmm der duftet, Kinder, der heißt Solférino, und einen gefüllten weißen. Die erste Blütendolde schenkt mein Opa immer mir. Dann geht's meinem Mann genauso wie mir, den wirft das auch um und macht ihn ganz närrisch.«

»Dann steckt er sich seine Feuerwehrrekorde wohl an den Hut!«

Die große Irène lacht herzerfrischend, und Jenny ruft ihr ausgelassen zu: »Das wär' was für so ein kleines braves Mädchen wie du!«

»Ruhe! Ruhe!« fährt Alma dazwischen.

Schade. Wenn sie vergnügt sind und lachen, dann denken sie nicht an den Hunger. Heute nacht wachte die große Irène auf und schoß hoch auf ihrer Pritsche. Ich schlief nicht und hörte sie jämmerlich weinen, »Oh Mama, Mama, ich hab' so Hunger.« Das ist um so schwerer, als wir es wirklich ein bißchen leichter haben könnten. Schon öfters hat die Mandel vor uns allen zu Alma gesagt, »Wenn ihr was braucht, dann fragt mich.« Gut! Wir brauchen was zu essen! Das ist zwar profaner als musizieren, aber auch notwendiger!

Obwohl Alma ihr »Ruhe!« genauso herrisch gebietet wie sonst auch, erscheint sie mir heute doch zugänglicher. Sie ist gut gelaunt – man gab ihr neue Noten, die direkt aus Berlin kamen.

»Da ist Arbeit für dich, ›Die leichte Kavallerie‹ und noch zwei andere Ouvertüren von Suppé. Die SS schätzt diesen Komponisten hoch ein.«

Ich nicht, ich erfülle hier mein Soll an Suppé fürs ganze Leben, und wenn's bis hundert dauern sollte!

»Ich dachte auch daran, wir sollten das Duett von Butterfly

und Susuki ins Repertoire aufnehmen, du kannst das doch mit Lotte zusammen singen. Das ist die Seite von Puccini, die ich so gerne mag, das erinnert mich sehr an Ravel.«

Puccini mit Ravel vergleichen, das ist wohl stärker, als ich erwartet habe. Armer Ravel! Und ich soll neben Lotte singen, das wird wirken wie eine Witzblattfigur von Dubout, worauf ich mich jetzt schon freue! Mein Kopf wird unter Lottes Busen verschwinden. Wenn die Deutschen keinen Sinn fürs Lächerliche haben, ich hab' ihn! Obwohl mir's zum Lachen ist, lobpreise ich Almas großartige Idee, was mir auch prompt ein zustimmendes Lächeln der andern einbringt; die Probe wird ohne viel Donnerwetter gerettet sein! Also nehme ich mein Herz in die Hand, vertraue auf die gute Laune unserer Chefin und wage sie zu fragen: »Alma, könnten Sie nicht unsere Lagerführerin, Frau Mandel, um eine Zuschußverpflegung bitten, ein Paket für die Mädchen? Sie haben Hunger!«

Mit verbissenem Gesicht und zusammengekniffenen Lippen zischt sie mich an:

»Nein! Ich gehe nicht hin und bitte um was, sie haben mir letzten Sonntag mein Konzert vermasselt, ich würde mich schämen!«

Alma dreht sich um und geht. Ich pfeif' auf ihre Partituren, auf ihre Musik. Wütende und empörte Wortfetzen jagen mir durchs Hirn und vollführen einen Höllenspektakel. Innerlich tobe ich, »Ich würde mich schämen!« Wovor, du blöder, eitler Affe? Weil du damit die Mädchen über Wasser halten könntest, damit sie nicht ganz eingehen? Du hast immerhin noch die Möglichkeit dazu, hier in diesem Höllenloch. Du nutzt das nicht einmal aus. Wer bist du eigentlich, du kleine, deutsche Jüdin? Ein Monstrum? Der Gipfel der Gewissenlosigkeit? Du bist doch kein Hornochse, du bist doch ein gebildeter, kultivierter Mensch, und du tust, als gehe dich das alles überhaupt nichts an, als merktest du gar nicht, wo du bist. Macht dich der Rauch von den verkohlten Leibern nicht denken? Fehlen dir weder Blumen noch Bäume noch Vogelgezwitscher? Hältst du dein Publikum aus Halbtoten, Henkern in Uniform und großkotzigen Furien für normal? Verwechselst du's mit dem der Londoner Albert Hall? Siehst du die Mädchen denn, über die du regierst? Existieren wir für dich? Hast du eine Ahnung von den Dramen, die sich hier in unserem Block, in diesem Heringsfaß, abspielen? Oder denkst du nur an deinen Onkel, den großen Komponisten Gustav Mahler, an deinen Vater, oder an die

Männer, die du geliebt hast? Hast du je geliebt? Träumst du? Ist Danebenspielen, ein falscher Ton, dein einziger, allesbeherrschender Alptraum?

Ich bin unfähig, auch nur eine Note zu schreiben, das wird ein endlos langer, unerträglicher Tag werden, das befürchte und beklage ich schon jetzt.

Ich verabscheue diese Alma, die so überlegen von ihrem Podium aus alles beherrscht. Ist sie wirklich so? Ihr »Ich würde mich schämen«, ist das ein Eingeständnis von Dummheit und Stolz? Das will mir nicht aus dem Sinn, ich weiß nicht warum, ich meine halt, das sei einer der Schlüssel zu ihrem Wesen, ich müßte sie damit verstehen können, die Tür aufstoßen zur anderen Alma, zu der, die ihre Geige aus dem Kasten holt. Auffordernd, aber sanft stößt sie ihr Kinn in die Flanke ihres Instruments, die Wange sucht so schmeichelnd und schmiegsam ihren Platz wie eine Wange die weiche Mulde einer Schulter, einer Taille, einer Hüfte sucht, den warmen, wohligen Platz, wo sie zum Bauch hin abfällt, zur Lyra wird. Wonniglich schwelgerisch, voll Zärtlichkeit und Vertrauen schmiegt sich diese Wange an, zieht sich diese Schulter hoch, um die Violine festzuhalten. Die quicklebendigen Finger gleiten liebevoll und besitzergreifend an ihrem Hals entlang, das Handgelenk knickt weich und locker ab. Alma spielt völlig verklärt. Sie ist unvergleichlich schön. Außergewöhnliche Sinnlichkeit strahlt sie aus, ihr Mund entspannt sich, wird weicher und öffnet sich ein wenig, ihre Augen sind verhangen, ihr Körper vibriert. Alma gibt sich völlig hin. Stillschweigend hören wir ihr zu und vergessen. Wenn sie noch voll vibrierend ausklingen läßt und ihr Bogen langsam sinkt, kommt es vor, daß wir unwiderstehlich applaudieren. Nur: So ein Musikstück ist kurz, verflixt kurz, und Alma wird äußerst schnell wieder unmenschlich, brüllt, ohrfeigt und bestraft.

Ihre Stimme holt mich in die Wirklichkeit zurück.

»Fania, wir wollen mit dir ›Ein paar Tränen‹ proben, und ich hoffe nur, daß du dieses Mal besser bist als das letzte Mal, daß du inzwischen gelernt hast, wie man ›lächeln‹ richtig ausspricht!«

Ich fürchte, nein. Florette ließ mich dieses Wort mehr als zwanzigmal aufsagen, hat mich ausgescholten: »Du mußt das können, du bist wie geschaffen für Sprachen, begabt wie sonst keine, du fängst ja schon an, deutsch zu sprechen. Also los, das ist doch unmöglich, du machst das absichtlich.« Zuletzt verteidige ich mich: »Hör zu, ich kann doch nichts dafür, ich schaffe einfach das deutsche *ch* nicht.«

Alma hebt ihren Taktstock, ich singe und stocke wieder, wie das letzte Mal, bei »lächeln«. Alma regt sich auf, ich auch: »Hören Sie, Alma, lassen Sie mich singen, was Sie wollen, ›schmunzeln‹, ›lachen‹, ›lustig sein‹, egal was, aber nicht ›lächeln‹, das kommt nicht.«

Sie verbohrt sich: »Du kannst das. Du mußt das können. Mit ein bißchen Anstrengung und gutem Willen.«

»Genau das, ich will nicht!«

Das ist ein Affront! Sie überragt mich um mehr als Kopfeshöhe, ihre braunen Augen beobachten mich böse, ihr Wutanfall läßt sie gefährlich blitzen, der Taktstock zuckt in ihrer Hand.

»Weißt du, was du da gesagt hast?«

Um uns herum wird es mäuschenstill.

»Ja, aber ich kann nicht ›lächeln‹ sagen vor den SS-Bonzen, und ich werde es auch nicht sagen, für mich wäre das unanständig.«

Ich bin auf alles gefaßt, auf reihenweise *Scheißköpfe*, auf eine Ohrfeige oder gar ihren Taktstock um die Ohren. Unerwartet passiert nichts dergleichen, sie wendet sich nur ab von mir, zieht ihre Schultern hoch und erklärt ihren Musikerinnen, an dieser Stelle sollten sie so laut spielen, daß sie meine Stimme übertönen und mein »lächeln«, das in mir ein Trauma auslöst, überspielen.

Lotte brüstet sich: »Ach diese Franzosen! Kein Pflichtbewußtsein!« Nun, sie ist nicht der Typ, dem man so etwas vorwerfen könnte. Clara kneift ihr Porzellanpuppen-Mündchen zusammen. Ich weiß, was sie denkt, das habe ich schon oft zu hören bekommen, ›Sie bringt mich noch um meinen Platz, der ihre reicht ihr nicht. Viele von uns sind sich sowieso einig darüber, daß gleich nach Alma sie hier regiert! Dabei weiß sie ganz genau, daß ich nichts kann als singen, aber das kümmert sie einen Dreck, Hauptsache, ihr geht es gut!‹

Soweit sind wir schon. Clara hat sich schnell verändert, sehr schnell. Bereits einen Monat nach unserer Ankunft im Musikblock sagte sie eines Abends zu mir, »Ich habe mir einen Karton organisiert und meine Sachen aus unserm rausgenommen, ich werde mit keinem mehr teilen.« Anderntags, zur Essenszeit, habe ich mich vertan, aus Versehen habe ich ihren Karton aufgemacht und ein Glas Marmelade gesehen. Clara stürzte sich auf mich: »Laß das! Ich hab' dir doch verboten, da dranzufassen. Das gehört mir, mir allein, verstehst du!«

»Entschuldige bitte, ich habe nicht besonders darauf geachtet, unsere Kartons gleichen sich ja so. Ich lasse meine Finger ganz bestimmt von dieser Marmelade, die du dir so wohl verdient hast!«

Tränen in ihren Augen. Ist es Wut, ein letzter Höhenflug ihrer ehemaligen Moral, oder noch ein Restchen Würde? Der Spender ist wahrscheinlich ein Kapo aus dem Männerlager. Nur Kapos, Blockowas, so Gestalten wie Tschaikowska, Marila und die Founias, alle Polen, Slowaken oder Deutsche, können zu uns kommen.

War sie noch Jungfrau? Möglich, aber das hätte sie auch nicht abhalten können. Außerdem besteht für Inhaftierte das Risiko, schwanger zu werden, ohnehin nicht, die Menstruation läßt im Lager schon bald nach.

Mir tut es weh für Clara, wenn ich sie mit ihrem dicken Hintern, fast so provozierend wie Lotte und doch so anders, schwänzeln sehe. Lotte war verheiratet, sie hat schon immer einen Mann gebraucht, ohne das wird sie hysterisch. Aber bei Clara war alles anders. Sie war ein braves junges Ding, die ihren Verlobten liebte und deren Träume noch kindlich waren. Sie wuchs in einem wohlbehüteten Milieu auf, war ein Unschuldslamm wie die allerliebste, naive große Irène, die es auch geblieben ist, während sich Clara so schnell veränderte, ich erkenne sie nicht wieder. Sie entwickelt sich immer mehr zum entsetzlichen Egoisten. Um sich was zu essen zu beschaffen, würde sie alles und jedes tun. Unter all den viel zu mageren Mädchen hier wirkt ihre dralle Fülle Wunder, sie gefällt den Männern, die ihr mit Zucker und Butter den Hof machen. Der Auserwählte bezahlt der Tschaikowska oder einer anderen Blockowa mit zwanzig Zigaretten, einem Traumpreis, die Zimmermiete für ein Viertelstündchen.

Die ganze Atmosphäre hier, die Angst, der Hunger, haben ihr Zerstörungswerk vollbracht. Mir ist, als würden wir hier im Lager wie durch eine Art Lepra verstümmelt, Teile vom eigenen Ich verfaulen und fallen ab, ohne daß man auch nur merkt, daß man sie verliert. Bei Clara ist es die Würde der Frau, was wird es bei mir sein?

PA-PA-PA-PAM ... Das ist nicht London. Das ist unser Orchester, das den ersten Satz der Fünften Symphonie von Beethoven probt, den ich ganz aus dem Gedächtnis aufschrieb. Dieses PA-PA-PA – PAM hat mich mit Freude erfüllt. Normalerweise spielen das die Bläser – Fagott und Klarinette – und Streicher. Bei unserm Orchester aber mußte ich mir so behelfen, die Gitarren übernehmen das Thema, die Mandolinen unterstützen sie mit ihrem Vibrato, und die Violinen sichern die Betonung auf der vierten Note.

Alma wünschte sich sehnlichst Beethoven. Ich gab vor, mich nur an den ersten Satz seiner Fünften zu erinnern und suggerierte ihr geradezu, ihn in ihr Programm aufzunehmen. Eine seltene Freude für mich! Sie bemerkte die Schadenfreude dahinter nicht, und die SS-Obrigkeit noch weniger. In keiner Weise brachten sie das mit dem Indikativ des Senders »Freies Frankreich« bei der BBC in Verbindung. Für die Deutschen ist das Beethoven, ein Gott, ein Monument deutscher Musik, der sie respektvoll, mit bewunderndem Ausdruck zuhören. Noch ein Quentchen mehr, und ihre Schwerblütigkeit rührt mich! Welch grandioser Jubel ist es doch, wenn unser Orchester diesen Satz spielt. Einer meiner genußvollsten Augenblicke!

Heute müssen die Mädchen schon fast im Zustand der Gnade sein, denn die Symphonie erklingt, obwohl sie von unserem unvorstellbaren Orchester mit seinen Mandolinen und Gitarren, seinen Blockflöten, Frau Kröners Querflöte und Almas Violinen gespielt wird, so majestätisch, daß sie uns fortträgt – und das ist wundervoll. Wir stehen alle, wir an unserm Tisch, Tschaikowska, Founia und Marila in der offenen Tür. Die Mädchen sehen völlig verwandelt aus, sie begreifen, was sie spielen, und ich, ich meine mit geschlossenen Augen den Berliner Symphonikern zuzuhören.

Immer häufiger bittet mich Alma, ihr den Nacken und die Schläfen zu massieren, sie gibt vor, das lindere ihre Neuralgie. Das glaube ich schon, meine aber eher, diese zur Einzelgängerin Gezwungene ist glücklich, wenn sie unermüdlich über sich selbst sprechen kann, so wie sich eine Königin ihrer Hofdame anvertraut. Zwischen uns kann es keine echte Vertrautheit geben. Ihrer Meinung nach liegt mein einziger Wert darin, eine gute Musikerin zu sein, wirklich und wahrhaftig, bescheinigt mit Siegel und Diplom auf der Urkunde des Pariser Konservatoriums als handfeste Referenz! Ich weiß zwar schon eine ganze Menge über Alma, und doch komme ich nicht weiter auf meiner Suche nach ihrem wahren Charakter, sie bleibt mir unzugänglich, unnahbar, vielleicht weil ich ihr gegenüber noch nicht den mitfühlenden Tonfall gefunden habe, der die Herzen weit macht und uns dem andern näherbringt.

Heute abend erzählt sie mir fast methodisch von sich. Da spult alles ab wie am Fädchen: Kindheit, Jugend, Beruf. Mir ist, als hätte sie schon im voraus ihr Programm dafür aufgestellt, als singe sie mir ein Rezitativ über sich selbst, ein Solo in ihrem Zimmer vor. Diese kahle Klosterzellenatmosphäre, deren Strenge und Nacktheit sie mit nichts zu dämpfen versucht, paßt so gut zu ihr. Nichts klebt an den Wänden. Alles ist militärisch genau ausgerichtet, sauber, klar, frostig. Es ist das Zimmer der Schwester Alma, nicht etwa das, in dem man Auschwitz, sondern in dem man die Welt vergißt.

Während ich ihr sachte Nacken und Schläfen massiere, betrachtet sie nachdenklich ihre Hände – eine wohl angeborene Geste –, schöne und empfindsame Hände, die fast bewegungslos auf ihren Knien ruhen, bis sie plötzlich wieder weiterspricht, ihre Stimme wird weicher, samtiger, klingt weniger metallen:

»Meine Mutter sagte immer zu mir, sie habe, während sie mich erwartete, Tag und Nacht Musik gehört und gespielt, damit ihr Kind davon voll durchdrungen werde. Sie wollte einen Jungen und hatte auch schon alles für ihn vorbereitet, das Zimmer und alles, was dazugehört. Sogar seine erste kleine Geige wartete wohlbehütet in ihrem roten Samtbettchen im Etui auf ihn. Für die Familie stand fest: Das wird ein Musiker. Ein Onkel hatte es so prophezeit, und kein Mensch zweifelte daran. Im Haus meiner Eltern schwand die Hoffnung darauf von Jahr zu Jahr. Ich bin erst sehr spät gekommen und war ein Mädchen! Meine Mutter sah mich aufwachsen und fand, ich sei nicht einmal hübsch. Ich verstand alles, was um mich herum gesprochen wurde, die Enttäuschung und Mißachtung machten mich so unglücklich, daß ich mich fast schuldig und verantwortlich fühlte, als hätte ich ihnen einen bösen Streich gespielt. Ich war nun einmal nicht das Genie, das sie erwartet hatten, ich war nur ein sehr begabtes und entsetzlich schüchternes kleines Mädchen, das sich aber geschworen hatte, ihr Stolz zu werden. Ungeschickt und unbeholfen wie ich war, verzweifelte ich fast an meinen endlos langen Beinen und versteckte meine genauso langen Hände. (Sie schaut sie sich an und überlegt weiter.) Später hat sich meine Meinung geändert, ich sagte mir, das ist vielleicht das Beste an mir! Ich war meistens allein und benahm mich nicht wie andere Kinder, deshalb hatte ich auch keine Freundinnen. Womit sich die kleinen Mädchen in meinem Alter die Zeit vertrieben, was ihnen Spaß machte, das interessierte mich nicht. Worüber sollten wir also sprechen? Ich musizierte den ganzen Tag. Stundenlang saß meine Mutter neben mir vor dem Metronom und hörte mir nur zu. Ein Tag glich dem andern, die Jahre genauso, mit einer einzigen Ausnahme: meiner Aufnahme ins Konservatorium. Dann holte ich mir einen Preis, aber kein Mensch dachte daran, mich zu beglückwünschen, das war ganz normal. Das Gegenteil wäre allerdings ein Skandal gewesen, woran weder ich noch meine Familie denken wollten. Nach diesem denkwürdigen Tag der Preisverleihung beanspruchten die Konzertreisen meine ganze restliche Zeit. Erst in meinem Hotel in Karlsruhe wurde mir eines Morgens, als ich mich in dem weißen Zimmer mit Blumenkränzchen auf der Tapete vor dem ovalen Frisierspiegel kämmte, klar, daß schon mehr als zwanzig Jahre meines Lebens hinter mir lagen, eigentlich da, neben mir, im Bauch meiner Violine und deren schwarzem Kasten verschlossen. Ich war zwar ein junges Mädchen, aber ohne verliebten Freund, denn ich empfand mich ja so anders als die andern Backfische und wagte gar nicht erst, die Jungens anzuschauen. An diesem Morgen weinte ich um all das, um die mir unbekannten Dinge, um Zärtlichkeit, Freundschaft, Liebe … Aber dann begriff ich, daß das nur ein Anflug von Romantik war, daß ich keinen Grund hatte zu weinen, denn schließlich gab mir die Musik alles. Um nur ihr allein zu gehören, durfte mein Leben in kein anderes Fahrwasser geraten. Ich gab mehr und mehr Konzerte im Ausland. Ich war ganz darauf versessen, Paris kennenzulernen, und lernte französisch, was mir leicht fiel, Musiker sind ja sprachbegabt. Dann hat mir der Krieg dieses Vorhaben zerschlagen.«

Ihr Leben, das mir Alma so sachlich, so leidenschaftslos, aber doch mit einem bitteren Unterton schildert, plätschert monoton dahin. Ich liebe die Musik auch, aber bei mir ist das so ganz anders! Es perlt, es schäumt, es schäumt über … Sie ist ein duftender Blumenstrauß, ein sprühendes Feuerwerk, lodernde Johannisfeuer … Leidenschaft, Liebe! Musik trägt mein Leben, betört es, verklärt es, und hat mir noch kein einziges Opfer abverlangt. Die Sühneopfer, die ich ihr darbringe, sind die Erstlingsopfer meiner neuen Leidenschaften und meiner vergangenen Lieben, damit sie verherrlicht werde! Diese Jungmädchenzeit ohne Zuneigung und Zärtlichkeit kommt mir ziemlich beklagenswert vor und kann mich doch nicht bewegen. Warum wohl?

Durch die Zimmertür dringen nur vage Laute von weit her. Wir könnten in einem Spital oder einem Kloster sein. –

Ganz unerwartet und fast verschämt, lacht Alma ein bißchen, was mich ihr augenblicklich näherbringt.

»Ich habe doch noch geheiratet. Eines Abends, als ich von einer Konzertreise nach Hause kam, begegnete ich bei meinen Eltern einem Schüler meines Vaters, einem schon bekannten, ausgezeichneten Geiger. Tagelang sprachen wir nur über Musik, bis wir eines Nachmittags zum Tee im ›Kranzler‹ waren und er mit mir über die Liebe sprach.«

Sie schweigt wieder und ihr Gesicht verrät nichts.

»Waren Sie überrascht, glücklich?«

»Überrascht, ja, das kam so unerwartet.«

»War er gut?«

»Ich weiß nicht.«

»Ich meine äußerlich.«

»Jetzt glaube ich fast, ich habe ihn nie richtig angeschaut, er ist mir so schnell unausstehlich geworden. Wenn er spielte, hatte er Stil, war er Klasse. Er hatte dunkle, ein wenig zu lange Haare – was ich nicht mag, ich bin für klare Linien! – und einen sehr ausgeprägten Adamsapfel über dem Hemdkragen.«

»Seine Augen? Sein Mund? Seine Hände?«

»Seine Augen? Grau, sein Blick auch. Sein Mund? Oh, das weiß ich wirklich nicht mehr. Seine Hände? Fabelhaft, für seine Violine . . .«

Das gibt's doch nicht, daß sie nichts gesehen, nichts empfunden hat, ich bohre also weiter: »Hat er Ihnen gefallen?«

»Gefallen? . . . Ich weiß nicht.«

»Haben Sie ihn geliebt?«

»Ich glaube nicht.«

»Und er?«

Ganz offensichtlich gehen ihr meine Fragen auf die Nerven und verstimmen sie. So etwas erwartet sie nicht von mir. Aber was erwartet sie? Will sie überhaupt etwas anderes als einen Zuhörer?

»Wie sollte ich das wissen? Er war arm und wußte, daß ich eine Chance für ihn war. Wenn er mich heiratete, öffneten sich für ihn aufgrund der privilegierten Position meines Vaters tausend Türen. Kann man da nein sagen? Ich ließ mich halt darauf ein. Bei uns haben die Mädchen schon immer gehorcht, das ist uralt und Gewohnheit – und löblich, meine ich. Diese Heirat kam meiner Familie gelegen. Meine Mutter fand, ich hätte Glück – ich war nicht hübsch, nicht mehr blutjung – und so dachte ich, sie hat recht.«

So viel Passivität, auf die sie auch noch stolz ist, kann ich nicht ertragen und werde wieder kühler. Was konnte sie schon von dieser Vernunftehe erwarten?

»Und Sie? Wirkte er anziehend auf Sie?«

»In mir hat er kein weltbewegendes Gefühl ausgelöst, weder himmelhochjauchzend noch zu Tode betrübt. Da blieb alles brav neutral. Dieses Liebeserwachen hat mich weder verstrickt noch abgestoßen.«

Nachdenklich überlegt sie: »Ich habe wohl Dankbarkeit für meinen Mann empfunden, denn für mich war es nicht selbstverständlich, daß er mich wollte, und deshalb zeigte ich mich erkenntlich, demütig.«

Demütig, dieser Ausbund an Stolz!

»Neben ihm kam ich mir so klein vor, so dumm und naiv, ich wußte so wenig. Ich las fast nie, Politik interessierte mich auch nicht, die hielt ich für Männersache. Ich hatte den Eindruck, ihm ein Klotz am Bein zu sein. Wir unterhielten uns selten, sprachen meist nur übers Alltägliche, das Wetter, die Proben, Höflichkeitsfloskeln für Brot und Salz, wie ›bitte schön, danke schön‹. Ich glaube, im Grunde hatten wir uns nichts zu sagen. Die Heirat hat für mich gar nichts verändert, wir wohnten weiter bei meinen Eltern. Der einzige Unterschied bestand darin, ich ging nicht mehr allein auf Konzertreise. Genau das bekam unseren gegenseitigen Beziehungen nicht besonders gut. Er muß allein die erste Geige spielen, ich auch. Mein Mann ist nichts anderes als ein Rivale.«

Ihre Nasenflügel weiten sich und beben. Alma zittert sogar noch im Nachhinein vor Empörung und Wut. Das ist ihr wahrer Charakter, der Wesenszug in ihr, den nur die Musik hervorlocken kann.

»Stell dir doch vor, dieser musikalische Emporkömmling will mich überspielen, mich, Alma Rosé. Wenn die Zeitungskritiken mehr über mich als über ihn bringen, zählt er die Zeilen und schreit bösartig: ›Wenn du nicht die Tochter von Rosé wärst, stünde da gar nichts. Wärst du nicht die Tochter des ersten Geigers vom Rosé-Quartett, die Nichte von Gustav Mahler, dann hättest du kein einziges Wort. Verdammte Familie! Ihr verbaut den jungen Musikern bloß den Weg!‹ Ist der Beifall für mich brausender, macht er mir schreckliche Szenen. Er behauptet, ich bezahle Leute zum Klatschen – wie sagt ihr?«

»Claque.«*

Dieser Ausdruck läßt sie aufhorchen.

»Das auch, das hat er mir auch einmal gegeben, und das kann ich schon gar nicht ertragen. Bei der Arbeit ist das was anderes, da ist das angebracht, gerecht – aber nicht so, so bestraft zu werden, das habe ich nicht verdient. Bei uns gab es Szenen, von Mal zu Mal schlimmer. Ach, mein Gott, mein Gott!«

Alma ringt ihre Hände, geht im Zimmer auf und ab, ihre Haare geraten in Unordnung und sie wird schön in ihrer verzweifelten Not:

»Stell dir ihn so vor: Er schreit, ist böse, sagt grausiges Zeug, daß ich kein Talent habe, mechanisch spiele, ohne Saft und Kraft, ohne Seele, ohne ... (sie sucht nach Worten und entschließt sich dann:) ... ohne Unterleib! Er hat gewagt zu sagen, ich gebe mich nicht genug hin beim Spielen!«

Ich könnte ihr versichern, o doch! – aber ich bin still. Solche Erinnerungen fallen ihr schwer, sie holt tief Luft und macht weiter:

»Er war so jähzornig, daß ich Angst bekam. Scheiden lassen war in meiner Familie unmöglich. Eines Morgens gab es auf der Rückfahrt nach Berlin im Zug einen Riesenkrach, schlimmer als alle andern vorher; er war entschlossen, mir das Spielen in der Öffentlichkeit zu verbieten! Er riß das Abteilfenster herunter, nahm meine Violine und schmiß sie hinaus. Ich war außer mir, rannte zum Fenster und schaute ..., ich habe gewagt hinzusehen. Der Kasten war aufgesprungen, und meine Geige lag zerschellt auf dem Bahndamm, in Stücke zerfetzt wie ein Körper nach einem Fliegerangriff ... meine arme Geige!«

Sie hat die Augen voller Tränen, von ihrem eigenen Kind hätte sie nicht anders sprechen können. Ihre Kiefer spannen und verkrampfen sich, ihre Hände zittern:

»Da sagte ich zu ihm: ›Es ist aus!‹. Er schrie und tobte – ich bin gegangen und habe ihn verlassen.«

Sie setzt sich, fängt sich wieder, überlegt und meint: »Das war ein äußerst schlechtes Experiment. Vielleicht hätte ich danach sogar geglaubt, daß zu mir einfach kein Mann paßt, wenn ich nicht Anfang des Krieges in Amsterdam einem reizenden, viel

---

* »Claque« bedeutet auch »Ohrfeige«.

älteren Mann begegnet wäre. Mit ihm war alles anders, da ging es mir so gut. Er liebte es, mir beim Spielen zuzuhören, und *wie* er mir zuhörte! Seine Liebe war wie ein weicher, warmer Mantel, der mich beschützte. In seinen Armen spürte ich felsenfeste Sicherheit. Erst bei ihm merkte ich, daß ich mit meinen sechsunddreißig Jahren noch dümmer als eine primitive Wilde war. Für ihn empfand ich – ich weiß nicht, ob es Liebe war – eine sehr große Zärtlichkeit. Ich glaube, daraus wäre mit der Zeit Liebe geworden, wenn ich mich hätte scheiden lassen können und ihn heiraten. Ich weinte, als wir auseinander waren ...«

War Almas Stolz nur verstecktes Leid? Hätte sich ihr Herz den andern geöffnet, wenn sie sich der Liebe hingegeben hätte?

»Aber warum haben Sie sich getrennt?«

»Ich wurde verhaftet, als Jüdin – ganz sicher denunziert. Von wem? Es gibt ja so viel Eifersucht in unserem Beruf. Als Jude verhaftet, das hat mich besonders überrascht.«

Sie hat ihre viel zu mageren, aber immer noch sehr schönen langen Beine übereinander geschlagen, die Hände ums Knie gelegt und läßt sich ein bißchen nach hinten fallen:

»Mir war kaum bewußt, daß wir Juden waren. Für mich war das nur eine Religion, nicht einmal Philosophie oder gar anders als bei den Deutschen. In meiner Familie, die schon immer deutsch war, wurde nie darüber gesprochen, man kam gar nicht auf die Idee. Wir dachten deutsch. Mein Vater hatte als Konzertmeister der Wiener Philharmoniker eine privilegierte Stellung, und die Machtergreifung Adolf Hitlers wirkte sich auf uns nicht nachteilig aus. (Sie lächelt schon ein bißchen bitter.) Wir gehörten zwar zu einer Minderheit, die aber die Nazis großzügig neben sich duldeten. Das Streichquartett meines Vaters war bekannt, geschätzt, es glänzte in ganz Europa. Die Geschichten von Verhaftungen und Deportationen spielten sich für mich in sagenhafter Ferne ab, waren weit, weit weg. Sie berührten mich nicht, interessierten mich auch nicht. Für mich zählte nur die Musik – ich hatte nie was anderes als sie! Meine plötzliche Verhaftung riß mich von ihr los. So verlor ich sie, damit habe ich alles verloren ...«

Dieser Augenblick, den sie jetzt noch einmal erlebt, läßt sie schaudern. So eingesperrt in ihrem Zimmer kommt sie mir vor wie ein gefangenes Vollblut, das sich wehrt und aufbäumt. Nie mehr wird es blindlings und besessen, angetrieben vom erregenden Geruch der Menge, dem Sieg entgegenstreben.

Léon hat mir geschrieben, mein verliebter Léon aus Drancy, nur ein paar Worte auf ein elendes, zerknülltes, zerrissenes Fetzchen Papier, das er mit der flachen Hand glattstreichen mußte, bevor er es beschreiben konnte.

Seit dem Wecken heute morgen zieht Panie Founia ihr Schiefmaul noch schiefer und vollführt ein fürchterliches Geschrei. Ihre Matratze ist naß! Wer hat das gewagt? Sie spuckt Schelte und Selbstgespräche, holt Tschaikowska und ihre Sklavin Marila als Zeugen.

Wir würden gern darüber lachen, zeigen es aber nicht die Spur, denn, wie sagt Jenny: »Dann wird es Prügel hageln, gegen die überhaupt kein Kraut gewachsen ist!«

Was als simple Farce angefangen hat, kann in Windeseile zur Tragödie umschlagen. Founia erklärt, sie werde sich, wenn sich die Drecksau, die das getan hat, nicht sofort melde, nicht etwa bei Alma, sondern viel weiter oben beschweren.

»Fünf zu fünf angetreten!« brüllen die zwei Ekel. Wie ein General schreitet Founia die Front ab, bleibt stehen und schreit uns in so unverständlichem Polnisch an, daß es selbst diejenigen, die polnisch sprechen, nicht verstehen. Ich zittere schon um Florette, die meistens herhalten muß – da packt Halina die Founia am Arm und zeigt zur Decke. Schwerfällig bewegt sie ihre schwabbelnden Massen zu ihrem Bett hin, schaut nach oben und fängt wieder an zu fluchen. Diesmal gilt das aber nicht uns, sondern dem Dach, das sich untersteht, auf ihr Bettchen regnen zu lassen.

Wir haben soeben das letzte Krümelchen verschluckt, da kommt auch schon eine Läuferin und meldet einen Handwerker. Er ist ein langer, magerer Kerl mit Brille, was äußerst selten ist, denn Leute mit schlechten Augen läßt man nicht leben. Seine auffallende Dürre veranlaßt Jenny zu der Bemerkung: »Der da kann, ohne Angst durchzurutschen, auf dem Dach rumspazieren, den nimmt eher der erste Windhauch mit!«

Nachdenklich untersucht er das Dachgebälk, schüttelt den Kopf und guckt sich langsam und unsicher, wie ein Kurzsichtiger, um.

»Ich habe den Eindruck, der sucht jemand«, sagt die große Irène.

»Klar, so kurzsichtig wie der ist, ist er viel zu weit weg, um eine zu erkennen!«

Founia bewacht uns mit Adleraugen, denn den Häftlingen ist verboten, mit uns zu sprechen, also klettert er aufs Kojengestell und begutachtet von da oben aus das Gebälk.

Gleich haben wir Probe, noch herrscht das übliche geschäftige Kommen und Gehen, und in diesem Augenblick sagt Anny zu mir: »Der Kerl hat was für dich, versuch's, du mußt in seine Nähe kommen.«

Das Ganze dauert nicht länger als ein paar Sekunden. Unbemerkt stehle ich mich in seine Nähe, er läßt mir ein Zettelchen fallen und sagt: »Das ist von Léon. Und Antwort?«

Léon schreibt: »Fania, ich bin im Lager, es geht so, ich arbeite in der Fabrik, ich vergesse dich nicht. Wenn du mich brauchst, sag dir, daß ich da bin und du immer deinen Platz in meinem Herzen hast. Ich habe gehört, du seist beim Orchester. Dein Verliebter von Drancy, der dich küßt. Léon.«

Armer Tausendsassa, was könnte selbst er noch für mich tun? Ich sehe immer noch sein Pariser Spitzbubengesicht vor mir. Er war schon damals fast spindeldürr, jetzt muß er ja geradezu durchsichtig sein! Zweifellos hätte uns nichts je vereinen können, aber seine eher verrückte Tat, sich für unsern Transport fangen zu lassen, hatte mich doch sehr überrascht. Er hatte wohl gehofft, wir könnten zusammen reisen, zusammen schlafen, zu zweit sein, eng aneinandergedrückt, ein Bubentraum im Hirn eines Mannes. Ein Wunschtraum aus anderen Welten, mit Prinzessinnen, tapferen Schneiderlein, heldenhaften Abenteurern – man kann sich lieben zu jeder Stund'! Mir wird ganz warm ums Herz, in aller Hast schreibe ich ihm, daß es mir gut gehe, erträglich sei, daß mich sein Briefchen mit Freude erfülle, daß ich viel für ihn empfinde, ihn gern habe und zärtlich umarme. In diesem Augenblick würde ich liebend gern liebevoll mit ihm sprechen können!

Sein Kamerad hat einen vertrauten, warmen Mittelmeerakzent.

»Als er erfahren hat, daß Sie hier sind, ist er so weiß geworden, der Arme, daß ich schon geglaubt habe, er gibt seinen Geist auf. Aber danach hat er angefangen zu erzählen, endlos . . . Den Zettel hat er schon vor Wochen geschrieben, aber er hat keinen gefunden, der ihn zu Ihnen bringen konnte. Mir hat er mit seiner Geschichte den Kopf so vollgestopft, daß ich seinen Liebesbrief mitnahm, als ich erfuhr, daß ich hierher soll – und da bin ich.«

Ich schaue ihn an. Sein Nasenbein durchsticht fast die Haut, seine gestreifte Mütze läßt ihn wie einen Zuchthäusler aussehen. Er ist nicht schön und ist es wohl auch nie gewesen, aber er bringt mir alles, was mir fehlt, Männer, Liebe, meine Heimat. Ich möchte ihn küssen können und meine Augen werden naß, was er sicherlich anders auslegt, aber er wird es Léon erzählen, und Léon wird heute abend glücklich sein.

Liebe ist hier genauso selten wie alles andere. Man liebt hier nicht, man bumst. Clara, die schon ihr ganzes Schamgefühl verloren hat, ist zum Kapo-Liebchen geworden; Lotte, die nur mit Rock-hoch-Beine-auseinander ihren Sex feilbietet, widert uns alle an. Die Bettgeschichten von Wisha, Zocha und Marila untereinander stoßen mich ab. In dieser Umgebung sind die paar Zeilen von Léon nicht mit Gold aufzuwiegen und bedeuten für mich Kostbarkeiten. Ich möchte sie verwahren und behalten können, aber nicht um den hohen Preis, ihretwillen den Tod zu riskieren. Also mache ich das Ofentürchen auf und halte den Brief von Léon, dieses zerknüllte, von meiner ureigenen Wärme feucht gewordene Papierknäuel, noch einmal fest in meiner Hand. Dann werfe ich es hinein, es fängt fast augenblicklich Feuer und verwandelt sich, ich weiß nicht warum, in eine Schreckensvision. Die Krematorien sind so nah!

Almas Toben und Schreien reißt mich aus meinen Gedanken. Was ist passiert? Jähzornig hat Alma wieder einmal Florette geohrfeigt, die ihr stehend, weiß vor Wut, mit zusammengebissenen Zähnen trotzt. Wutentbrannt erklärt unsere Kapo, die Dummheit und Unfähigkeit von Florette bringe ihren Kopf zum Platzen, verläßt eiligst den Saal, geht in ihr Zimmer und schließt sich ein.

Auf Florettes rotgeschwollenem Gesicht sieht man noch Almas Hand. Sie weint, mitten in dieser runden frostigen Feindseligkeit wie ein kleines Kind, Rotz und Wasser. Der Tag fängt schlecht an, und alle fühlen sich verantwortlich dafür.

Alma läßt mich holen. Ihr Kopf scheint wirklich entsetzlich weh zu tun. Das muß ein starker Migräneanfall sein, denn sie liegt in ihrem Bett. Ich verspüre nicht das leiseste Bedürfnis, ihr zu helfen. Viel lieber möchte ich ihr die ungerechte, intolerante Ohrfeige zurückgeben. Und doch massiere ich ihr wieder sanft die Schläfen.

»Wer hat dir das beigebracht?«

»Mama litt an heftigen Kopfschmerzen, damit konnte ich sie allmählich lindern.«

Sie hat die Augen geschlossen, ihre Hände liegen ruhig und entspannt neben ihrem Körper. Aber das täuscht. Seit ein paar Tagen schon ist Alma besonders nervös und so seltsam – sie ist nicht bei der Sache, ihre Gedanken sind woanders. Länger als sonst läßt sie uns im Stillgestanden stehen, als ob sie uns gar nicht sehe. Wenn ich ihr eine neue Partitur aufs Pult lege, bemerkt sie das nicht, blättert sie automatisch durch. Die Mädchen können kaum noch den Einsatz ihres Taktstocks erkennen, so geringfügig benutzt sie ihn. Sie schreit nur dann und wann: »Ruhe! Aufhören! Noch einmal.« Das Ergebnis ist haarsträubend, es scheint fast, als höre sie die Töne zu spät, denn sie klopft dieses disharmonische Durcheinander erst nach mehreren Takten ab. Dann endlich nimmt sie es wahr, schreit, wütet, knallt einer den Stab an den Kopf, ohrfeigt die Schlechteste, beklagt sich über Kopfschmerzen und bricht die Probe ab. Was kann sie so beschäftigen?

»Ohne Disziplin kann man einfach nicht ordentlich spielen. Ich verstehe nicht, daß dieses Mädchen die wohlverdiente Ohrfeige nicht schweigend duldet.«

»Warum sollte es eine Ohrfeige von Ihnen dulden?«

Alma setzt sich überrascht auf: »Was sagst du? Aber das ist doch nur gerecht. Das ist doch mein gutes Recht. Ich bin da, um Musik zu machen, und nicht, um mich um Gefühle zu kümmern. Ihr Franzosen, ihr nehmt doch die Sache nicht ernst, ihr scheint gar nicht zu verstehen, daß jedes Ding seine Zeit hat, ihr amüsiert euch auch während der Arbeit, ihr schmeißt einfach alles durcheinander und setzt vor allem euer Gefühl da ein, wo es sowieso fehl am Platz ist. Es ist überhaupt nicht entwürdigend, wenn man von seinem Chef eine Ohrfeige oder mit dem Taktstock eins auf die Finger bekommt, eher dankbar könnte man dafür sein. Das ist doch keine Beleidigung, das ist doch eine Zurechtweisung im Unterricht. Ich habe in meiner Kindheit und Jugend für jeden falschen Ton eins draufgekriegt und es jedesmal für wohlverdient gehalten. Bei uns in Deutschland verlangt die Tradition, daß der Dirigent seine Musiker körperlich züchtigt. Der große Furtwängler schlug seine Spieler. Einmal war ich dabei, als es einen Riesenskandal gab. Der erste Geiger war erkrankt und wurde von einem Franzosen ersetzt. Zweimal hat ihn Furtwängler scharf angeschaut, aber das dritte Mal hat er ihn für den gleichen Fehler geohrfeigt. Der Franzose schlug zurück. Wie kann man so etwas durchgehen lassen? Weder ich noch die anderen Musiker haben das verstanden.« (Jetzt wiederholt sie, immer noch aufgebracht:) »Dreimal nacheinander den falschen Ton spielen, das schreit ja nach dem Taktstock, oder nicht? Der Franzose war anderer Auffassung, wie soll man das verstehen? Schließlich spielen doch wir am besten auf der ganzen Welt! Ohne Disziplin werden eure Orchester nie so spielen wie unsere. Ohne Gehorsam kann man keine gute Musik machen. Und genau das ist hier so schwierig mit diesen Idioten, diesen lieblosen Mädchen!«

Lieblos der Musik gegenüber, wohlverstanden! Weiß sie überhaupt, was sie sagt? Ihre Wut wächst, und ihre Hände werden immer nervöser:

»Wie dem auch sei, wir müssen unsere Arbeit ordentlich und gut machen, die Herren Offiziere müssen zufriedengestellt werden. Dafür sind wir schließlich da, nicht wahr?«

Nein, Alma! Wir sind da, um umgebracht zu werden, man läßt uns allen nur noch eine Galgenfrist, dem Orchester genauso. Ich hatte die Kraft, mich zusammenzunehmen, es nicht hinauszuschreien. Sie wird mir immer ungeheuerlicher. Ich beiße die Zähne zusammen und halte den Mund.

Alma springt hoch, geht nervös im Zimmer auf und ab und kommt auf mich zu. Unglaublich, wie erregt ihre Augen in dieser fast hoffnungslosen Verzweiflung funkeln: »Setz dich hin und hör mir zu. Glaubst du denn, ich sehe nichts? Dann täuschst du dich, ich will nichts sehen! Ich weigere mich!«

Sie kommt ganz nah, packt mich an den Schultern, läßt mich wieder los und steht vor mir. Wird sie sprechen oder schweigen? Sie spricht – und ihr sonst ausgezeichnetes Französisch fällt ihr schwer, einmal sprudelt es geradezu heraus, dann wieder muß sie nach Worten suchen: »Du verstehst das nicht! Ihr versteht das alle nicht! Ich darf nicht so sein wie ihr mit euern ewig weichen Herzen, ich muß hart bleiben. Ach! zum Teufel! Wenn ich meine Zeit damit verbringe, die Leute zu bedauern, die ins Gas müssen, wenn ich daran denke, daß ihr, ihr Mädchen von meinem Orchester, euch so (sie schnalzt mit dem Finger) in Rauch auflösen solltet, ja dann, dann sinke ich auf diesen Stuhl hier und weine. Dann wird mir schwarz vor den Augen und ich sehe nur noch den Tod. Mein Gott! Euer Hirn ist ja so klein, so blöd. Wenn ich dauernd Angst hätte vor den

Selektionen, dann wäre es aus mit mir, ich könnte einfach nicht mehr spielen oder dirigieren!«

Ihre mageren Hände verkrampfen sich so ineinander, daß die Knöchel ganz weiß werden. Was bringt sie so zur Verzweiflung, die Selektionen oder das Ende ihres Orchesters? Beides? Ich bin erstaunt, sie so zu sehen, wie sie weder ihre Gedanken noch ihre Worte beherrschen kann. Sie setzt sich auf die Bettkante, so nah vor mich hin, daß selbst unsere Knie zusammenstoßen.

»Die Eisenbahnlinie vor unserer Tür ist ein schreckliches Unding. Das hätten sie nie tun dürfen. Sie hätten unsern Block, die Musik, respektieren müssen! Diese Züge machen mich so nervös. Wenn ich wie ihr zuschauen würde, wie die Leute aus den Waggons steigen, wenn ich weinen würde beim Anblick der kleinen Kinder, dann könnte ich nie, nie mein Orchester leiten! Ich bin gestern morgen während der Blocksperre in meinem Zimmer geblieben. Aber ihr, ihr mußtet alle an die Fenster, dran kleben wie die Fliegen, aufgelöst ... ihr habt zugesehen!«

Jetzt wird es mir zu viel. »Ja, wir hatten den Mut, da zuzuschauen, und wir waren wie vor den Kopf gestoßen. Dreiviertel der Leute waren tot, mit Schaufeln hat man sie aus den Güterwagen gezogen, mit Holzschippen wie fürs Brot! Die kleinen Kinder rannten und schrien ›Mama! Oma!‹ ... Uns hat es das Herz zugeschnürt, und ich habe hingeschaut, zugeschaut, um zu sehen und nicht zu vergessen, was die Nazis tun! Um es in die Welt hinauszuschreien! Damit sie verdammt werden!«

Eiskalt erwidert sie mir: »Ich schaue bei der Ankunft der Transporte nur hin um zu sehen, ob gute Musikerinnen dabei sind. Du bist doch genauso stupide wie die andern! Wenn ich mich auf eure Art und Weise gehen ließe, dann könnte ich euch nicht mehr zügeln, und über kurz oder lang würden wir schlecht, noch schlechter spielen. Dann würden der Kommandant Kramer und Frau Mandel das Orchester abschaffen. Und jetzt will ich dir noch was sagen, die Antwort auf das, was du von den Deutschen hältst. Als ich im Lager ankam, da habe ich begriffen, daß der Nationalsozialismus nicht gut ist, ich meine diese Seite des Nationalsozialismus. Mein Land konnte die Unordnung nicht mehr ertragen, es brauchte einen Führer. Ich sagte dir schon einmal, daß ich von Politik keine Ahnung hatte, aber Hitlers Hochkommen habe ich begrüßt. Als sie allerdings anfingen, die Juden zu verfolgen, da machte ich mir Sorgen und fragte mich, warum sie uns vernichten wollen. Wir waren genauso Deutsche wie die andern. Mir tat es leid, daß ich nicht mehr von Politik verstand. Zu mir sagten die Nazis nichts, ich gab frei und ungehindert meine Konzerte, so konnte ich ja auch nach Holland. Und dort haben sie mich verhaftet, von dort aus wurde ich fast unverzüglich deportiert – ohne Deutschland nochmal zu sehen, ohne meinen Vater warnen zu können. Vielleicht spielt er immer noch?

Für mich war die Ankunft im Lager erschütternd! Ich kam nicht in den Quarantäneblock, mich brachte man in den Versuchsblock. Ich wußte nicht, was diese Bezeichnung bedeutete. Als ich in diesen sehr großen, peinlich sauberen, krankenhausähnlichen Saal kam und die Frauen in den Betten sah, da verstand ich die Welt nicht mehr. Ich war doch nicht krank! Man sagte mir, ich solle mich ausziehen, und zeigte mir mein Bett. Besonders beunruhigt hat mich das nicht. Warum auch, ich hatte nichts verbrochen. Nur eines störte mich, die Nummer auf meinem Arm, das fand ich schon, wie sagt man, infam. Ich war schüchtern und wagte nicht, eine der Frauen zu fragen. Ich sah ihnen an, an der Art, wie sie reagierten, daß ich ihnen nicht sympathisch war (sie schaut weg), das konnte ich noch nie, mich sympathisch geben. – Die Frau in dem Bett rechts von mir, eine kleine Dicke, erzählte mir, ohne daß ich sie gefragt hatte, ›jeden Morgen kommt ein SS-Mann mit der Liste in der Hand und verliest die fälligen Nummern. Die ausgerufenen Frauen stehen auf und gehen dort durch die Tür, siehst du, dahinten. Selten kommt eine zurück, ich habe es noch nie erlebt, aber es gibt schon welche, die dann erzählt haben. Anscheinend sterben die meisten während oder nach den Versuchen, das müssen schreckliche Operationen sein, unglaubliche chirurgische Eingriffe ohne Betäubung!‹ Was für Eingriffe, wußte sie nicht. Alle warteten und hatten Angst, sie kämen an die Reihe, ich auch. Allerdings konnte ich kaum daran glauben. Nach diesem Aufruf war man für den Tag gerettet, ich weiß nicht, wie oft ich das mitgemacht habe. Auf jeden Fall dauerte es lang, war es eine zermürbende Zeit, man mußte immer liegen, durfte nicht sprechen, die Frauen flüsterten, das war ein ewiges Gemurmel und so eintönig wie ein tropfender Wasserhahn. Meine Violine fehlte mir, ich hätte sie neben mir liegen haben wollen wie ein Kind. Endlich, eines Morgens erschien ein anderer SS-Mann und hielt nach jemand Ausschau, bis sein Blick auf mich fiel: ›Bist du Alma, die Geigerin?‹ – ›Jawohl,

Herr Offizier‹. – ›Komm mit!‹ Ich folgte ihm. Ich ließ diesen Saal, die ganze Umgebung, ohne einen einzigen Blick hinter mir. So kam ich also hinter dem SS-Offizier her in eine beheizte Holzbaracke und sah gutgekleidete Mädchen mit Musikinstrumenten in den Händen. Alle starrten mich an, wir betrachteten uns gegenseitig stillschweigend; es war so ungewöhnlich und unerwartet. Ich hatte keine Ahnung von diesem seltsamen Orchester. Eine massige, gedrungene Frau mit einer weißen Lyra auf der schwarzen Armbinde befahl mir in schlechtem Deutsch ›Komm her! Ich bin der Kapellmeister, ich bin Polin, Nachkomme des großen Tschaikowski!‹ Verdutzt fragte ich sie: ›Was sind Sie?‹ – ›Der Kapellmeister.‹ Nun, so überwältigend ist das doch nicht. Schließlich halten wir Deutsche viel von Musik, wir sind sehr musikalisch, warum also keine Kapelle? Der SS-Offizier kam mit einer wunderschönen Geige zurück und legte sie in meine Hände. Diese Berührung, Fania – ich weinte! Mir ging es wie dir an dem Tag, als du zu uns kamst und zum Flügel gingst.«

Daß sie das bemerkt hat und sich auch noch daran erinnert, wundert mich.

»Er befahl mir: ›Spiel!‹ – und ich spielte und spielte immer weiter, ohne zu merken, wo ich war. Glückseligkeit ergriff mein Herz, meinen Verstand, mich ganz und gar. Ich war nicht mehr bei den Barbaren, ich hatte eine Violine und man hieß mich spielen! Andere Offiziere und Frauen von der SS kamen herein und hörten mir zu. Diesem Publikum schien mein Spiel zu gefallen, das war gut. ›Sehr gut, sehr gut!‹ sagte der Kommandant. ›Du wirst die Leitung des Orchesters übernehmen. Du bist die Kapo. Tschaikowska wird Blockowa. Aber mit dir muß das Orchester mehr hergeben als nur Märsche, wir wollen Konzerte, für uns und für die Gefangenen. Wir wollen Musik!‹

Dirigent! Begreif doch meine Angst! Noch nie in meinem ganzen Leben hatte ich dirigiert, ich kann nicht einmal eine Partitur lesen, das habe ich nicht gelernt, was sollte aus mir werden? Die SS-Offiziere gingen, und Tschaikowska gab mir ihre Armbinde. Noch im Hemd stieg ich aufs Podium. Die Mädchen warteten, ich mußte was tun. Sie sind ja noch so jung! Ich sagte ihnen, sie sollen spielen, was sie können. Entsetzlich! Ganz entsetzlich! Oh, ich hatte Angst und fragte mich, was man mit diesen Mädchen anfangen soll. Die meisten konnten keine Noten lesen, konnten weniger als schlechte Hausmusikanten, und Berufsmusiker gab es ganze vier. Aus diesem Schlamassel von Unfähigkeit sollte ich ein Orchester aufstellen. Mein Leben und das ihre hing davon ab! Also entschloß ich mich, mit eiserner Disziplin durchzugreifen. Sie wollten ins Orchester, sie hatten es gewagt, sich als Musiker auszugeben, jetzt müssen sie es beweisen! Ich lasse nicht zu, daß sie die Musik mit Füßen treten!«

Ihre dunklen Augen glühen so feurig und fanatisch wie Judiths. Sie ist schön, grausam in ihrer Leidenschaft.

»Bei mir wird in der Musik nicht gefackelt! Das ertrage ich nicht und dulde ich nicht. Das wäre, als spuckte man mir ins Gesicht, als trampelte man mir auf der Seele herum. Ihr habe ich mein Leben geweiht, sie hat mich noch nie betrogen, mit ihr, durch sie habe ich das Glück kennengelernt! Sogar hier habe ich ihr schon Opfer gebracht. Glaubst du denn wirklich, daß ich so anders war als ihr, als ich hier ankam? Man hat mir dieses Zimmerchen zugewiesen und ich habe mir Regina genommen! Sie spielt sehr schlecht, soll sie mein Bett machen, meine Stiefel putzen, mir das Essen bringen. Hast du dich je gefragt, ob ich nicht auch lieber bei euch sitzen möchte, mit euch klönen, nicht mehr so alleine sein? Nur, wenn ich das getan hätte, dann hätte ich diese Disziplin nicht einsetzen können. Der ›Chef‹ muß außerhalb stehen, er ist dazu bestimmt, allein zu sein. Man muß ihn respektieren.«

»Und lieben, Alma.«

Erstaunt sieht sie mich mit einer hübschen Kopfbewegung an.

»Man kann einen Chef nicht lieben, wenn man ihn nicht zuerst respektiert. Und dann, ach weißt du, Liebe, hier … Schon in den ersten Tagen merkte ich, wie unglaublich sich die Frauen hier gegenseitig verabscheuen. Sobald ich ihnen den Rücken zuwende, meine Zimmertür schließe, streiten sie, schreien, stehlen, weinen, lachen, prügeln sich … Sie leben wie die Verrückten. Also schreie ich halt noch lauter als sie, befehle allen und alles – die Kleidung, die Arbeit, täglich siebzehn Stunden, die Proben müssen stimmen. Ein falscher Ton und ich bestrafe, ohrfeige sie, das ist ganz normal, das muß so sein, das habe ich dir schon erklärt. Ich arbeite mit ihnen, wie es mir zusteht. Natürlich sind mir die guten Spielerinnen lieber, das ist auch normal. Als sie mir Marta brachten, eine Deutsche, in Dresden geboren, und ich erkannt hatte, wie gut diese Kleine trotz ihrer siebzehn Jahre Cello spielt, da freute ich mich richtig. Sie ist ein gebildetes Mädchen und spricht sehr gut französisch. Erzogen wurde sie wie ich, ganz deutsch, sie ist diszipliniert, ein sehr gutes Vorbild, außerordentlich hilfreich für mich. Ich habe sie unter meinen Schutz genommen und auch ihrer Schwester Ingrid einen Platz im ›Canada‹ verschafft, denn um gut zu spielen, muß man unbelastet und frei denken können.«

Ich habe nicht einmal genug Zeit, um diesen menschlichen Akt nachzuvollziehen, so schnell schon stelle ich fest, daß das nur im Zusammenhang mit der Musik, im Bezug zu ihr gilt. Sie schweigt ganz in sich selbst versunken. Vielleicht sollte ich sie unauffällig wieder herauslocken? Vielleicht wartet sie darauf? Es gibt schon etwas, was mich an dieser leidenschaftlichen Frau fasziniert. Schon während ihrer Erzählung drängte sich mir diese Frage immer wieder auf: Ist sie mehr deutsch oder mehr jüdisch? Liegt darin ihr innerer Kampf?

»Siehst du, Fania, mehr noch als Kramer beschützt uns die Lagerführerin Mandel. Kramer kann man um nichts bitten. Maria Mandel schätzt das Orchester sehr, es schmeichelt ihrem Stolz noch mehr als dem des Kommandanten. Sie sagte mal zu mir, ›Birkenau ist das einzige Lager, das ein weibliches Orchester hat, das einzige in ganz Deutschland samt seinen besetzten Gebieten‹.«

Ich weiß nicht, ob wir das Aushängeschild der Eitelkeit der SS-Lagerführung oder der Alma Rosés sind. Sie jedenfalls plustert sich auf, brüstet sich und schmückt sich wie ein Pfau mit der Idee, »das einzige in ganz Deutschland« zu dirigieren. Ihr Stolz verleitet sie zum Irrtum! Während mir ihre Worte Alpträume aufladen, bringen sie ihr Erleichterung, lassen sie das Leben hier ertragen. In mir verbreiten sich die Lager wie ein großes Spinnennetz über einen weiten Teil der Landkarte von Europa. Der Gedanke an ihre Zahl schreckt und würgt mich bis zum Brechreiz. Es wäre geradezu erholsam, wenn man denken und sich sagen könnte, »Auschwitz ist die *einzige* Todesmaschinerie«.

Was für Gedankensprünge hat Alma inzwischen gemacht?

»Die schlechte Haltung all dieser Mädchen, ihr Ungehorsam, ihre Gewissenlosigkeit bringen mich zur Verzweiflung. Ob nun hier oder woanders, was man tut, muß man gut tun, und sei es auch nur aus Achtung vor sich selbst. Es kommt schon vor, daß Frau Mandel mich fragt, ob die Mädchen Hunger haben. Natürlich haben sie Hunger, natürlich könnte ich um Brot bitten. Aber wenn sie so schlecht spielen, ist es dann nicht meine Pflicht, den Mund zu halten?«

Sie fragt mich zwar, aber eine Antwort erwartet sie nicht, ihre

Pflichtauffassung bewahrt sie vor allen menschlichen Schwächen. Wozu also diese Heftigkeit mir gegenüber, muß sie sich rechtfertigen?

»Nichts, gar nichts bekommen sie dazu! Dann werden sie am Sonntag besser aufpassen! – Damit vertrete ich ihr ureigenes Interesse. Wir dürfen unsere Gebieter nicht verstimmen!«

Sie unterbricht die eingetretene Stille lange nicht. Ist es mein Schweigen, das sie beunruhigt? Sollte sie sich nicht mehr so selbstsicher fühlen?

»Nicht wahr, Fania, ich muß doch so handeln?«

»Nein, nein, nein, – das mach' ich nicht mehr mit! Ich spiele nicht mehr! Ich hasse die Musik! Man wird ja verrückt! Wahnsinnig wird man ja dabei!« tobt Florette weinend.

Die Kapelle kommt von ihrem allabendlichen Ausmarsch zurück. Was ist geschehen? Ist es einer der üblichen Ausbrüche von Florette? Ich schaue sie an und spüre in grauer Vorahnung, daß da noch etwas anderes sein muß. Im allgemeinen wickeln sich Ausmarsch und Rückkehr in genereller, routinemäßiger Gleichgültigkeit ab, sie gehen und kommen ohne viele Worte. Da es ja der letzte Diensteinsatz des Tages ist, bringt sein Ende meist eine gewisse Entspannung mit sich. Heute abend aber kamen sie schleppenden Schritts, vergrämt und verstört zurück. Alma ging ohne sich umzusehen durch unseren Musiksaal in ihr Zimmer und schloß sich ein. Blasser denn je legt Frau Kröner die Flöte an ihren Platz zurück, genauso abwesend, wie auch die anderen ihre Instrumente aufräumen. Die kleine Irène starrt weltverloren vor sich hin. Jenny ist so weiß, daß ihre Sommersprossen zu großen, braunen Flecken werden. Die große Irène, deren Nase noch schmaler und spitzer wirkt als sonst, schaut Florette besorgt an.

»Nein, nein – ich kann nicht mehr, ich gehe nicht mehr mit! Sollen sie mich umbringen, das ist mir doch egal. Das muß ja so enden! Wir kommen alle dran!«

Angst und Schrecken rieseln allen sichtlich über den Rücken. Die meisten Mädchen gehen zu Florette hin, die in ihrem entsetzten Zustand fast um sich schlägt.

»Ich will sie nicht mehr sehen, will ihre Augen nicht mehr sehen . . . Fania, die Hunde haben zwei von denen gefressen . . . zwei, die pinkeln mußten oder ein bißchen Eis zum Lutschen holen wollten . . . die SS hat die Hunde auf sie gehetzt . . . die haben sie zerfetzt, in Stücke gerissen . . . und diese Sauhunde von SS haben deren Kumpel gezwungen, alles zu sammeln und auf den Haufen zu den anderen Leichen zu werfen . . . und ich hab' das gesehen . . . hab' das gesehen . . . Stücke von Frauen . . . Hundefutter . . . Sie haben sie weggeschleppt, auf dem Rücken getragen, wie sie halt konnten . . . wir, wir haben gespielt, Bum! Bum! weitergespielt . . . das war so entsetzlich . . . Metzger mit

Fleischhälften auf den Schultern, gebeugt und geschunden unter dem Gewicht ... und wir haben gespielt und sie gezwungen, Schritt zu halten ... im gleichen Schritt und Tritt ... und der Haß in den Augen dieser Frauen ... ich will das nicht mehr sehen ... ich geh' da nicht mehr mit ...!«

Mitfühlend stützen sie Hilde und Helga unter den Schultern und bringen sie mit Hilfe der kleinen Irène raus: »Komm mit raus, das wird dir guttun.«

Wild und haßtriefend schwört ihr Hilde: »Die werden noch ihren eigenen Hunden zum Fraß vorgeworfen, sollen die sie zerreißen ... vor unseren Augen ... den Rest davon zerstampfen wir mit den Füßen ... das muß beglichen werden ... die werden noch zahlen!«

Während sie Florette, schlucksend vor Tränen und Ekel, hinausbringen, frage ich die kleine Irène: »Stimmt das, vergeht kein Tag, ohne daß sie ihre Hunde auf sie hetzen?«

»Ja – jeden Tag sterben eine oder zwei Frauen auf diese Weise. Das wußten wir schon, aber wir haben diesen Horror noch nie gesehen.«

Noch nie war ich so dankbar dafür, daß ich von diesem Dienst befreit bin. Die Perversion ihres Geisteszustands hat der SS immerhin noch nicht suggeriert, ihrem Pseudo-Fanfarenzug auch noch eine Sängerin mitzugeben!

Hier auf meiner Pritsche versuche ich nun verzweifelt, diesen gräßlichen Bericht wegzuschwemmen, ihn loszuwerden. Die Bilder, die ich zwar nicht sah, mir aber vorstellen kann, bleiben an meiner Netzhaut hängen. Heute nacht scheinen mir die Scheinwerfer von den Wachtürmen besonders nervös, sie fegen das Lager ab und durchleuchten unseren Schlafsaal in kürzeren Abständen. Florette schläft. Physisch und psychisch ausgelaugt, hat sie sich in ihre bevorzugte Schlafstellung geflüchtet. Unsere Nächte kommen mir von Mal zu Mal unruhiger vor, nur Panie Founias Schnarchen ist gleichbleibend monoton.

Schnee und Eis schmelzen langsam. April hier ist ständiger Regen, aufgeweichter Schlamm, peitschender Wind. Wir sind dauernd verspritzt und verdreckt und unablässig zum Putzen gezwungen, mit nichts! Eine bis zum Satthaben aufreizende Beschäftigung.

Das ganze Lager ist in Bewegung. Macht uns der Frühling so nervös wie kleine, unzufriedene Tiere? Man munkelt: »Für die Deutschen steht's schlecht, in Rußland, in Italien ... man spricht sogar von einer Landung in Frankreich.« Unser Block wird zu einer Art Drehscheibe. Dagegen bot uns der Winter in gewisser Sicht fast so was wie Windschatten, Winterschlaf, wir fühlten uns beschützter, nicht so mittendrin. Jetzt aber geht es wieder rund im Lager. Es ist ein unaufhörliches Kommen und Gehen; Besucher vom »Canada«, aus den Küchen, vom Revier, aus den Schreibstuben, Dolmetscherinnen und Schreiberinnen. Unser Block ist das reinste Durchgangslager, von draußen kommt alles wie reingeströmt, Gerüchte gehen um, es rumort an allen Ecken und Enden. Unentwegt passiert etwas, womit wir fertig werden müssen. Von unserem Musiksaal aus erleben wir mitfühlend das beklemmende Entladen der Züge. Der Rhythmus der Selektionen ist hektischer geworden, die Todesmaschinen laufen auf vollen Touren, fettiger Ruß verklebt uns Haut und Poren, Frauen sprechen davon, die Leichenberge neben den Blocks türmen sich. Die Öfen fassen sie nicht mehr. Vorrang haben die Neuangekommenen, sie leben noch, die Toten oder Halbtoten von hier können warten. Zwischen den Leichen soll ein Bein oder eine Hand zu sehen sein, die sich noch bewegen. Wir möchten uns die Ohren zustopfen, aber wir hören mit krankhafter Gier zu.

Noch nie haben wir so oft und so viel gespielt. Bis zu drei Konzerte geben wir jeden Sonntag. Täglich, auch nachts, kommen SS-Offiziere in unseren Block und verlangen ihr Pensum an Musik. Musik noch und noch und noch . . . Für uns wird sie zur Hölle! Und doch bin ich ihr so dankbar. Sie gewährt mir Strafaufschub und läßt mich vergessen, solange ich an den Partituren arbeite, Musikstücke umsetze. Sie gibt mir seelische Kraft und durchblutet mein Gehirn wie ein paar Stunden frische Gebirgsluft! Sie läßt mein Herz voll Freude höher schlagen, wenn es mir gelingt, mit einem Arrangement Erinnerungen wachzurufen, wie es bei ›Cavalleria Rusticana‹ gemacht habe, deren erste Takte unserem heißgeliebten ›J'attendrai‹ gleichen. Dieses Chanson, das für die Soldaten von 1939–40 geschrieben wurde, symbolisiert für uns die Heimkehr, die ihre und die unsrige. Innerlich jubeln wir, sooft wir es spielen und singen. Es tut gut, vor deren Nase ein Lied der Hoffnung zu singen. Betrügen ist schließlich die Revanche der Schwachen. Außerdem habe ich – noch so ein freudiger Geistesblitz – den berühmten Foxtrott ›Josef, Josef‹, die Komposition eines amerikanischen Juden, in einen Marsch verwandelt. So können nun die Frauen in den Arbeitskommandos, von denen manche die Melodie erkennen, mit meiner Hilfe im Rhythmus jüdischer Musik gehen. Kein einziger SS-Mann hat das je bemerkt. Sichtbar zufrieden hören sie ihn und schlagen den Takt dazu. Und mit unendlichem Vergnügen, noch viel genüßlicher, sehen wir sie dem e-Moll-Violinkonzert von Mendelssohn-Bartholdy zuhören; dieser Komponist war in Deutschland und seinen besetzten Gebieten verboten. An dem Tag, an dem ich dessen ersten Satz aus dem Gedächtnis orchestriert und Alma aufs Pult gelegt hatte, schaute sie mich groß an: »Glaubst du denn, daß man das darf?«

»Bestimmt, von denen ist doch keiner fähig, das zu erkennen.«

»Also gut! Aufs Programm schreibst du einfach: Konzert für Violine und Orchester.«

Bei jeder Aufführung lächeln wir uns verstohlen zu – obwohl wir wissen, welches Risiko wir wagen. Wir genießen voll und ganz ihre selig strahlenden Gesichter, wenn sie dieser verpönten Musik zuhören. Gute Augenblicke sind das, kurze, zu kurze ...

Jenny brüllt bei jeder Gelegenheit ›Musik vorwärts!‹ Dieser Befehl ist uns zur Nervensäge geworden. In Birkenau zählt Musik wirklich zum Besten und zum Schlechtesten. Das Beste: sie schluckt Zeit und schenkt Vergessen, wie eine Droge, hinterher ist man betäubt und ausgelaugt. Das Schlechteste: unser Publikum – zum einen die Mörder, zum andern die Opfer – und wir, werden wir zwischen den Fingern der Mörder auch zu Henkern?

Die Sonntagskonzerte finden nicht immer in der Sauna statt, wir müssen dahin, wohin man uns schickt. An einem der letzten Sonntage spielten wir im Block der Schwachsinnigen. Da sind Frauen hinter Gittern, die entweder zur Zeit ihrer Verhaftung geisteskrank waren oder es durch den Schock im Lager geworden sind, und solche, die durch die Versuche, bei denen sie die Versuchstiere waren, verrückt wurden. Ich weiß nicht, ob unser Konzert in diesem Block auch zu Versuchszwecken diente, ob dabei das Verhalten dieser Unglücklichen, ihre Reaktionen, ein Studienobjekt für die Ärzte von Birkenau und Auschwitz abgaben, auf jeden Fall waren viele davon da.

Wir spielen am Eingang des Blocks, auf der Hauptstraße. Die Frauen liegen und lümmeln auf die verschiedenste Art und Weise in und auf ihren Boxen. Manche hängen verkrampft und halbnackt, abgemagert und affenartig während des ganzen Konzerts an ihrem hölzernen Bettenaufbau. Sie starren uns an, strecken ihre Hände nach uns aus, als bettelten sie um ein Stück Brot, das wir nicht haben. Andere stieren so stumpfsinnig vor sich hin, als könnten sie uns weder hören noch sehen, so daß ich mich frage, ob sie womöglich taub gemacht wurden. Wieder andere strampeln, tanzen, heben schamlos ihre Kutte hoch und kreischen.

Alma hat Glück, sie steht mit dem Rücken dazu, aber wir müssen das sehen, und ich ganz besonders, denn ich habe nur zwei Arien zu singen. Am Ende eines Musikstücks klatschen welche. Um das zu wagen, muß man schon wirklich verrückt sein! Seit wir im Lager sind, hat uns außer ihnen nie jemand Applaus zugeklatscht. Alma muß diese Bravos vermissen – ich kann sie mir gut vorstellen, wie sie erhaben und überhöflich zugleich diesen Gruß erwiderte.

Eine dieser armen Frauen fällt besonders auf, sie schneidet unwiderstehliche Grimassen, imitiert grotesk Alma an ihrem Pult und Helga am Schlagzeug. Sie macht das so spaßig, daß ich mich frage, ob sie krank ist oder simuliert? Die Charge kommt so unerwartet, daß unsere Nerven streiken und wir laut loslachen . . . wie die Verrückten!

Ich kann mich zwar gut zügeln, aber unmöglich bändigen – unser Durchschnittsalter ist immerhin erst zwanzig – und sage mir, daß im Lager das Lachen das Antigift gegen den Horror ist. Das allein läßt uns gesund. Ich halte das für ungesund! Dieses Gelächter wirkt bei uns wie ein Betäubungsmittel, und ich befürchte, es begünstigt den zunehmenden Verfall unserer inneren Werte für ein humanes Leben. Er nagt ja schon an uns.

Vor einigen Wochen bat mich Alma, zu Mozarts A-Dur-Sonate für die große Irène, unsere Violinistin, eine Kadenz zu komponieren, was ich auch tat. Als Irène sie las, zog sie ein Schnütchen und rümpfte die Nase: »Puh, die ist zu schwierig, das kann ich nie spielen.«

»Beruhige dich, Alma hat sie noch nicht gesehen. Ich werde ihr sagen, ich hätte das nicht gekonnt.«

»Wenn das für die zu schwierig ist, ich kann's«, zwitschert Jenny dazwischen, und ihr freches Spatzengeschwätz wird immer lauter: »Was glaubt ihr denn, ihr zwei? Ich hab' doch schon lange vor dir Geige gespielt, im Kino, im ›Rialto‹, jeden Abend! Außerdem hatte ich mein festes Publikum, ein bißchen da und dort.«

Gegen jede Wette akzeptiert Alma Jennys Wunsch, die Kadenz zu spielen. Tagelang übt sie und spielt uns die Ohren voll damit. Sie kniet sich in ihr Stück hinein, stöhnt über meine Musik und ich darüber, daß ich sie auch noch hören muß.

Fürchterlich! Alma schreit und wütet, Jenny waltet und wiederholt: »Ich kann's und ich spiel's!«

Am Sonntagmorgen spitzt sie ihr Schnäbelchen und versichert mir, sie könne ihre Kadenz auswendig und es sei ein Kinderspiel für sie, man hätte ihr nur mehr Zeit zum Ausfeilen lassen sollen, aber heute nachmittag würden wir ja hören, was es da zu hören gebe. Soll sie doch, mich kümmert's nicht, ich nicke nicht einmal. Das einzige, was mich interessiert, ist, *wo* wir spielen werden. Ich befürchte ein weiteres Experiment à la Verrücktenblock und bin erst beruhigt, als wir erfahren, daß wir morgens für die Kranken im Revier und nachmittags für die SS in unserem Musiksaal spielen sollen.

Seit ich im Orchester bin – fast vier Monate –, ist es das erste Mal, daß wir in der Krankenstation ein Konzert geben. Ich bin ganz zufrieden, denn für die Kranken spielen rechtfertigt schließlich die Existenz unseres Orchesters. Meine Phantasie beflügelt meine ohnehin schon idyllische Vorstellung, und ich schwelge bereits in Klischees wie »den Kranken Entspannung, Mut und Kraft bringen ... sie ihr Elend für einen Augenblick vergessen lassen ... Musiktherapie ... und ... und ...«, bis mir auffällt, daß ich die einzige bin von uns allen, die das nett findet. Sogar Alma, die doch meist so munter ist vor einem Konzert, ist fürchterlich schlecht gelaunt. Alle, das ganze Ensemble außer Jenny, sind trübselig gestimmt.

»Ich wollt', es wär' heut' abend. Ich hasse Singen im Revier«, stöhnt Eva.

»Aber warum? Schließlich bringen wir den Patienten ein bißchen Freude und lassen sie vergessen ... «

Brutal schneidet mir Florette das Wort ab: »Morgens spielen wir, und nachmittags sind sie vergast!«

Mir bleibt die Spucke weg, ich kann kaum sprechen: » ... und wissen sie's?«

»Nein, aber Alma weiß es, und wir.«

Mir wäre lieber gewesen, sie hätten es mir nicht gesagt. Feigheit. Ich stellte mir ein großes, weißes Spital vor mit richtigen Betten, vielen und billigen Betten zwar, aber peinlich sauber. Dafür bin ich jetzt in einer stinkigen, unbeheizten Baracke, deren Boden für unser Kommen frisch geputzt wurde, mit ganzen Blocks von Kojen, die sich weiter hinten im Dunkel verlieren. Halbbekleidete, frierende, schemenhafte Frauen liegen ohne Laken, manche auch ohne Decken auf den bloßen Strohsäcken und schauen uns mit fieberglänzenden Augen an.

Wie befohlen stellen wir unsere Notenständer im Haupteingang neben der offengelassenen Tür auf, verteilen die Notenblätter, stimmen die Instrumente und teilen die Programmfolge ein. Ich habe dieses Mal nur ein Chanson zu singen und weiß nicht, was ich darum gäbe, wenn ich wenigstens ein Instrument als Angelpunkt in den Händen halten dürfte, um diese Frauen nicht anschauen zu müssen. Ein paar von ihnen stehen auf, die weniger kranken kommen sogar näher und schauen uns an. Was bringen wir ihnen? Welche wissen, daß sie schon verurteilt sind? Sind wir die letzte Zigarette, das letzte Glas Schnaps?

Alma gibt ihren Mädchen ein Zeichen, und das Orchester beginnt mit der ›Schönen, blauen Donau‹. Von den Kranken summen welche mit, andere stöhnen und brüllen wie Raubtiere vor Schmerzen, einige lachen, andere halten sich die Ohren zu und wieder andere schunkeln mit. Ich sehe auch solche, die ihre Hände falten und beten. Nur wenige kümmern sich um uns und hören dem Konzert zu. Weinen und Wehklagen disharmonieren unsere Musik. –

Die Mädchen spielen Operettenmelodien, Foxtrott, Walzer, spielen, als ob sie all das nichts anginge. Durch die offene Tür schauen und kommen Ärzte herein, ein Hauptscharführer, den ich noch nie gesehen hatte, erweckt meine Aufmerksamkeit. Er ist groß, schlank, hat einen flachen Hinterkopf und flachsblonde Haare. Seine glasartigen Augen sind ausdruckslos, liegen tief in ihren Höhlen, Totenkopfaugen. Er schaut uns prüfend an, mir wird ganz übel von seinem Grinsen ohne den Mund zu verziehen. Ich frage Eva, die neben mir sitzt: »Wer ist das?«

»Tauber, der Schlimmste von allen. Er mag Musik nicht.«

Das sieht man, sein Blick verfinstert sich, durchbohrt uns, wird grausam, während sein lippenloser Mund tiefsten Abscheu verrät.

»Was sucht er dann hier?«

»Abwechslung.«

Er fasziniert mich mit seinem abscheulichen Mund, meine Augen kommen nicht mehr los von ihm, obwohl ich weiß, daß man Angehörige der SS nicht anstarren darf. Nun gesellt sich ein Oberführer zu ihm, groß und so schlank, als sei er unter seiner Uniform geschnürt, außerordentlich elegant, mit grauen Schläfen und Monokel, eine Mischung aus Erich von Stroheim und Jan Kiepura in ›Walzertraum‹. Sein Stöckchen unter dem Arm, klopft er eine Zigarette mit Goldmundstück auf seinem goldenen Etui. Woher kommt er? Mag er Musik? Eva weiß es auch nicht. Offensichtlich sind neue SS-Leute angekommen, das ist zweifellos ein Neuer. Dieses Zwischenspiel hat mir ein bißchen den Druck vom Herzen genommen und meinen ausgetrockneten Hals wieder normaler werden lassen, zum Glück!, denn nun bin ich an der Reihe, ich singe die zweite Arie aus dem ›Land des Lächelns‹.

»Meine Liebe – Deine Liebe – die sind beide gleich . . . « Ich kann nichts dafür, man merkt es halt, wie schwer mir das fällt, hier vor diesen Frauen, ich zerbreche fast daran, die mir vertraute Stimmung des Liedes ist unhaltbar!

Noch bevor ich ausgesungen habe, geht dieser modisch verbrämte Offizier mit Tauber wieder. Von den Frauen hören mir welche zu, versuchen zu lächeln, eine versucht sogar, den Refrain mit gebrochener Stimme mitzusingen. Wahrscheinlich erinnert sie sich heimwehvoll daran, wie sie es vor noch nicht allzu langer Zeit selbst gesungen hat. Voller Mitleid, innerlich aufgewühlt singe ich weiter von Tee und Sympathie . . .

Nun ist Jenny dran. Sie schlabbert schon von Anfang an und spielt halt irgendwas vor sich hin. Sie hat alles vergessen, ist ganz rot im Gesicht, und der Schweiß steht ihr auf der Stirn, trotz der Kälte hier. Alma weigert sich, dieses Katzengejammer, das der gequälte Bogen bei jedem Strich von sich gibt, zu dirigieren, aber sie läßt keinen Blick von Jenny und schaut so ironisch zu, daß es auf Jenny wie eine Ohrfeige wirkt. Dann endlich winkt sie diese Marterqual mit ihrem Taktstock kurzerhand ab. Jenny weint vor Scham, während wir, Zeit und Umstand völlig vergessend, Tränen lachen und die Kranken von uns angesteckt mitlachen. Wir können uns einfach nicht beherrschen, obwohl wir wissen, daß Jennys völliges Versagen sie das Leben kosten kann.

Jetzt, da ich nicht mehr seine Beute bin, beunruhigt mich dieses unbändige, hysterische Gelächter ungemein, das uns durchschüttelte. Wir waren danach physisch völlig geschlagen und seelisch indifferent, man könnte fast sagen, es habe uns von unserer Umwelt gelöst und gefühllos gemacht.

Wir räumen Notenständer und Instrumente zusammen und verlassen das Revier wie Handwerker ihren Arbeitsplatz. Nach unserem Abgang werden hundert, zweihundert, vielleicht auch mehr Frauen ins Gas geschickt. Sind wir schon so gefühllos geworden? Wie läßt sich unsere Gleichgültigkeit erklären? Ich denke da an zwei Begebenheiten, die sich kürzlich zwar unabhängig voneinander, aber kurz nacheinander abgespielt haben;

einerseits Martas Rückkehr, andererseits Zochas Verschwendung.

Der Vormittag klingt aus mit dem gewohnten metallischen Kesselklappern, das die Suppe begleitet. Um unsere zwei Tische geschart, löffeln wir die schleimige Soße hinunter. Draußen regnet es unaufhörlich. Plötzlich erscheint ein völlig durchnäßtes Mädchen, dem das Wasser vom Kopf tropft, und bleibt in der offenen Tür stehen. Der Wind fegt durch unsere Baracke. Sie ist äußerst mager, schon an der Grenze zum »Muselman« – ich bin nicht sicher, ob sie noch fünfzig Pfund wiegt –, sehr groß und fast ohne Busen. Ich frage mich, ob das ein Junge oder ein Mädchen ist. Höchst überrascht schreien Jenny und Florette wie aus einem Mund »Marta!« Das ist sie also, diese Cellistin, auf die wir so sehnlichst warteten. Sie lächelt uns nicht zu, ihr vager Gruß ist farblos, sie kommt aus einer anderen Welt ... Die Mädchen erwidern ihn auch nicht gerade warm. Schwach auf den Beinen schwankt sie zu ihrem Schlafplatz und setzt sich auf den Rand ihrer Pritsche.

»Was hast du gehabt?« ruft ihr Jenny besorgt vom Tisch aus zu.

»Typhus.«

»Und du hast den überstanden? Mußt du zäh sein!«

Regina hat bereits Alma unterrichtet, sie kommt. Marta bleibt sitzen, richtet sich aber doch ein bißchen auf. Obwohl die beiden äußerlich ganz verschieden sind, sieht man, daß sie von der gleichen überlegen-herablassenden Art sind. Sie sprechen schnell, aber nur kurz deutsch miteinander. Soweit ich das beurteilen kann – inzwischen kann ich es schon ganz gut –, spricht Marta ein sehr schönes Deutsch. Ihre tief eingefallenen Augenhöhlen lassen die bewundernswert exotisch goldbraunen Augen noch größer und dunkler erscheinen, als sie ohnehin schon sind. Nachdem Alma gegangen ist, wirkt Marta nachdenklich und murmelt in ausgezeichnetem Französisch vor sich hin: »Alma möchte, daß ich beim Konzert mitspiele, aber alle meine Sachen sind schmutzig.«

Zum Glück ist unsere kleine Waschschüssel gerade frei, und ich kann auf dem Ofen Wasser wärmen, deshalb sage ich zu ihr: »Gib sie mir, ich wasch' sie dir.«

Sie scheint überrascht. Ich warte gar nicht erst ihre Antwort ab, sondern nehme die Wäsche einfach und wasche sie. Erschöpft läßt sich Marta auf ihren Strohsack zurückfallen, und ich hänge ihre Wäsche um den Ofen herum auf. »Ich hoffe, das wird in vier Stunden trocken sein!« Das hört sie nur halb, schaut mich verwundert an, lächelt mir aber nicht zu. Sie ist stolz, diese Marta, sehr stolz, sie braucht niemanden. Die Mädchen, die seltsamerweise gegen mich sind, legen mein Verhalten als etwas Unverständliches aus, während es für mich zur einfachsten, fundamentalsten Zusammengehörigkeit zählt. Clara, Jenny, Florette, Helga, Elsa und Anny sagen es mir offen ins Gesicht, und von weiter hinten beobachten der Rest der Deutschen und die Polinnen wachsam jede meiner Bewegungen, nur die Russen halten sich wie immer raus. Die beiden Irènes und Eva geben sich mit bloßem Zusehen zufrieden. Ich bin gerichtet und verurteilt.

»Jetzt spinnst du ganz! Wäschst das Zeug der andern, jetzt und hier!«

»Aber sie kommt doch gerade vom Revier und kann sich nicht einmal auf den Beinen halten. Ich seh' nicht ein, warum ich ihr nicht helfen soll«, verteidige ich mich.

»Das gilt doch hier nicht – meinetwegen überall, aber nicht hier. Unkameradschaftlich hin oder her, sie muß selber fertig werden damit«, erklärt Jenny unmißverständlich.

»Wenn du vielleicht meinst, wir würden dir das nachmachen, dann täuschst du dich gewaltig!« mischt sich Clara ein.

»Das erwarte ich gar nicht und dafür tue ich es auch nicht. Ich tu's nur, weil das einfach normal ist.«

Wie eine borniertе, sture Hammelherde stehen sie vorwurfsvoll und skeptisch vor mir und halten mich für übergeschnappt oder maßlos eingebildet.

Jenny fühlt sich zu ihrem Sprecher berufen und greift an: »Wofür hältst du dich eigentlich? Für einen *Führer*? Zurechtweisen lassen wir uns von keinem, und schon gar nicht von dir!«

Sie sind wirklich zu blöd, zu egoistisch, und ich platze: »Ach ihr armseligen kleinen Geister, wenn ihr so weitermacht, so weiterdenkt, euch weiter so benehmt, dann könnt ihr nie und nimmer ins normale Leben zurückfinden. Dann seid ihr verloren. Wenn man mit anderen zusammenleben muß, dann braucht man wenigstens ein Minimum an Rücksichtnahme und Zusammengehörigkeitsgefühl. Vielleicht kommt ihr hier noch einmal mit dem Leben davon, aber wenn ihr rauskommt, dann seid ihr innerlich ausgebrannter als irgendeine der unglücklichen Frauen hier, die man Tag für Tag verbrennt.«

Marta hat sich mit geschlossenen Augen in ihren Schwächezustand geflüchtet, ihr ist der Wirbel, den sie ausgelöst hat, fremd.

Die andern schauen mich grinsend an und sind sich der abschirmenden Widerstandskraft ihres Egoismus voll und ganz bewußt. Für sie bin ich die Engstirnige, blind und blöd drauflos Wütende, und ich spüre, daß gar nicht mehr viel dazu fehlt, um ihren Hohn in Haß zu verwandeln. Und warum kommen mir gerade die Polinnen – ob arisch, ob jüdisch – am fanatischsten, am gehässigsten vor? Bin ich denn auch schon soweit, daß ich nach Rassen richte? Rassenhaß hier? Was für ein ungeheuerlicher, entsetzlicher Gedanke!

Ich lasse sie stehen und gehe zum Fenster, drücke mir einen Augenblick lang die Nase am Fensterglas platt. – Der Regen hat aufgehört, es sieht sogar aus, als wolle ein bißchen Sonne die Ränder unserer dicken Rauchwolken durchdringen. Der Wind hat sich gedreht und drückt und treibt sie nicht mehr so auf uns zu. Ein paar Meter weiter, vor unserer Baracke, sehe ich die gewaltige, rundum guternährte Silhouette von Zocha, die mir beinahe die ganze Sicht versperrt. Noch bevor mein Hirn es überhaupt registrieren kann, sehe ich ihre Bewegung: Sie hebt den Arm hoch und läßt aus dem Napf, den sie in der Hand hält, etwas auf den nassen, schlammigen Boden fließen . . . Milch! Sie hat sich so vollgesoffen damit, sie kann nicht mehr, also gießt sie sie aus . . . von ganz oben, von ein Meter achtzig!

Ihre Eltern, nichtausgewiesene Polen, haben zwanzig Kilometer von Auschwitz entfernt einen Bauernhof. Jede Woche bringen sie ein Päckchen für ihre Tochter, was ihr zugestanden wird. Sie ist groß, dick und fett und bärenstark, sie ist ein Ungeheuer. Was ist an ihr noch menschlich? Was ist hier noch menschlich?

Zweifellos dachte Eva an diesem Tag das gleiche wie ich, denn noch am selben Abend sagt sie mit ihrem warmen, leicht verträumten Blick am Ofen zu mir: »Nach Paris . . . wird meine erste Reise gehen! Und du kommst nach Krakau. Ich schaffe es, daß auch du mein Land lieben lernst! (Fast entschuldigend huscht ein flüchtiges Lächeln über ihr Gesicht.) Du mußt ja eine schlechte Meinung von uns haben. Ich sah es auch, heute morgen, als Zocha ihre Milch weggeschüttet hat. Ich schäme mich, schäme mich wirklich über das Verhalten gewisser Schichten meiner polnischen Patrioten. Außerdem muß ich gestehen, daß ich von den Juden nicht besonders viel gehalten habe (entschuldigende Geste), aber hier, darf man hier so weiterhassen wie diese vernagelten Mädchen? Wie können sie nur für diese gequälten und mitleidlos in den Tod gejagten Wesen Haß empfinden? Für diese Frauen, Kinder und alten Menschen? Wer gibt uns das Recht, eine Rasse zu verachten, wenn es bei uns Zochas gibt, die ihre Milch wegschütten? Das hat mich umgeschmissen! Dieses einundzwanzigjährige Mädchen, das den ganzen Tag vor sich hinfuttert und nicht einmal denen, die viel schlechter dran sind als sie, von ihrem Überfluß etwas abgibt. Das ist ein Skandal! Und dieser Trampel von Danka, die ihre Zimbeln zusammenknallt, daß einem Hören und Sehen vergeht. Ich habe doch gesehen, wie grausam ihre Augen sprühen, wenn sie damit die geschundenen Frauen in den Arbeitskommandos erschrocken zusammenzucken läßt und zum Schritthalten zwingt. Irena ist genau so fürchterlich, boshaft, scheinheilig und hinterlistig. Kaja, die dich zu uns geholt hat, ist mit ihren einundzwanzig Jahren so schwerfällig und begriffsstutzig, wie es schlimmer kaum geht, vielleicht sogar die Schlimmste von allen; sie läßt ihr Brot auch verschimmeln. Und kann man sich etwas Entsetzlicheres vorstellen als die Tschaikowska, die ja alle zu uns gebracht hat und sie auch noch unter ihre Fittiche nimmt. Außerdem gaukelt sie einen Namen vor, den sie nie besaß. Sie kann ganz unversehens lachen, loben und ausgelassen sein, und im nächsten Moment schlägt sie drauflos, egal wie, mit der bloßen Hand oder auch mit den Fäusten. Sie greift alle an, die gegen sie machtlos sind. Die Juden verfolgt sie sogar bis unter die Dusche. Sie ist einfach strohdumm und hysterisch. In ihren Adern steckt Bosheit statt Blut. Das tut weh, wenn ich daran denke, daß solche Frauen meine eigenen Landsleute sind. Aber so sind nicht alle, das weiß ich. Nur hier dominieren sie!«

»Sag lieber, sie fallen mehr auf, weil sie Kapos und Blockowas sind.«

»Ja. Aber warum gerade sie?«

»Weil sie körperlich widerstandsfähiger sind. Um andere zu beherrschen und zu beugen, muß man draufhauen können. Die SS weiß das und bringt es ihnen schon bei. Von diesen Frauen sind einige seit 1942 in Birkenau. Wenn so ein Mädchen in diese grauenvolle Umgebung hineingestoßen wird, befiehlt ihm der Instinkt, entsprechend zu reagieren. Es lernt sehr schnell, daß es den Nazis gefallen muß, wenn es weiterleben will, daß es das tun muß, was sie wollen, damit sie nur ja zufriedengestellt werden, denn nur so gewinnt es ihr Vertrauen. Das ist die einzige Garantie fürs Überleben, die man hier erreichen kann. Und das gilt für alle Tschaikowskas, Panie Founias und Marilas. Letzten Endes denken sie sogar wie die SS, fühlen sich wie sie und zählen sich selbst zur höheren, überlegenen Rasse! In den Häftlingen soll jede Spur von Menschlichkeit ausgerottet, an ihre niedrigsten Instinkte appelliert werden, sie sollen gegeneinander aufgehetzt, zu Tieren erniedrigt, die Schwachen ausgemerzt und nur die hochgezüchtet werden, die genauso bestialisch sind wie sie selbst. Das sind die bei der SS angewandten Methoden, um eines der hohen Ziele des Nationalsozialismus zu erreichen: die Zerstörung der Menschenwürde. Bei gewissen frustrierten Wesen, die in ein elendes Sozialmilieu hineingeboren wurden und ohne jede Bildung aufgewachsen sind, ist der Boden dafür auch schon bestellt, so daß man sie nur abwechslungsweise auspeitschen und belohnen muß, und schon werden sie ebenso gewalttätige Folterknechte.«

Nachdenklich meint Eva: »Wahrscheinlich hast du recht. Aber für mich bleiben sie Polinnen, und ich frage mich, was aus ihnen werden soll, wenn sie hier rauskommen, denn ihre Überlebenschance ist doch bedeutend größer als die der andern. Wie werden sie sich wieder einfügen können? Werden sie so sein wie alle andern auch? Was macht die Gesellschaft mit all den Frauen, die hier lernten, über Leichen zu gehen? Werden sie Gefängniswärterinnen? Werden sie heiraten und Kinder großziehen? Werden sie wieder so ganz von innen heraus zu menschenwürdigen Wesen? Welchen Platz werden sie einnehmen in dem ganz anderen Polen, dem vom Naziterror befreiten Polen? Vielleicht ist es nicht allein ihre Schuld? Sind wir mitschuldig? Die Schuld der Privilegierten? Es ist nicht leicht, es tut weh, sich zum Teil für sie verantwortlich zu fühlen ... Dieses Gefühl war mir fremd, ich hätte nie so darüber sprechen können, bevor ich hierher kam. Was wußte ich schon von der Gesellschaft, von der Welt. Ich verkehrte doch nur in unseren Kreisen, in der polnischen Aristokratie. Auch das war eine Art Getto! Jetzt bin ich dreißig, habe einen Mann und einen Sohn, den neunjährigen Mirko, den ich anbete. Bin eine der beliebtesten, gefeiertsten Schauspielerinnen von Krakau und habe Giraudoux und Pirandello gespielt. Mein Leben verlief wie das aller andern Mädchen aus unseren Kreisen. Mein Vater ist Graf, mein Mann ebenfalls adlig. Ich wuchs im Schloß auf, hatte Französisch und Musik, genoß also – wenn man so will – eine humanistische Erziehung. Die brachte mich auch in den Widerstand. Ein Kind unseres Standes konnte gar nicht anders. Ich wäre nie auf eine andere

Idee gekommen. Die Eindringlinge waren da, und ich tat, was ich für mein Land tun mußte. Das brachte mich hierher. Ich bedaure nichts. Für mein Polen, mein ausgeblutetes Land ... An erster Stelle bin ich Polin, das ist stärker als mein Glaube an Gott, die Liebe zu meiner Mutter. Ich hasse die Deutschen – und ich hasse die Russen. Beide brachten uns immerzu nur Unglück und Aufstände!«

Bildschön ist sie so, Eva, unsere *grande dame,* wenn sie so aufgebracht ist, wenn ihre Nasenflügel beben und sie sich dem strahlenden Ritterzug anschließt, der die Helden dem ruhmreichen Tod entgegenführt. Hier allerdings kann sie nicht zu Ruhm und Ehre gelangen, hier gehört sie nur zum Gesindel.

Mit glühenden Wangen fährt sie fort: »Wenn ich hier Tag und Nacht diese Schornsteine qualmen sehe, dann muß ich wirklich sagen, ich bedaure nichts, was ich je getan habe. Ich würde es wieder tun, und wenn ich mit den Arbeitskommandos raus müßte, sie mich in Zelle 25 sperrten, ja mich in die Gaskammer brächten. Ich würde es wieder tun, denn ich bin ganz sicher, dieser Alptraum wird mit der Niederlage des Nazismus enden. Anders kann es gar nicht sein. Und was dann, was wird dann aus meinem Land? Diese Frage stelle ich mir unaufhörlich. Lebe ich so lange, erlebe ich es noch? Ich weiß es nicht, das ist auch unwichtig. Was bedeutet schon mein Leben, wenn mein Sohn die Befreiung Polens erleben, wenn er – in meinem Polen – frei leben kann!«

Fünf zu fünf angetreten, stillgestanden, Augen geradeaus, starren wir vor uns hin und sehen, wie die Rapportführerin Frau Drexler auf ein Bett in meiner Kojenreihe zugeht. Nun ist das nicht die erste Bettkontrolle, die ich mitmache, aber es sieht so aus, als werde sie gepfeffert. Mit sicherem Griff reißt das SS-Weib die Decke herunter. Tschaikowska und Founia warten nicht einmal den Befehl ab, dienstbeflissen durchstöbern sie Pritsche und Strohsack. Resultat: ein Handtuch, Unterwäsche, ein Stückchen Seife, ein Blechteller mit Löffel und Gabel, lauter Sachen, die schwierig zu organisieren waren. »Beschlagnahmt!« bellt die Drexler. Heilloses Durcheinander. Alle Strohsäcke werden umgedreht, das Bettzeug auf den Boden geschmissen, die Drexler kommentiert ihre Säuberungsaktion mit Kraftausdrücken wie »verfluchte Juden!«. Sie spricht die Worte nicht, sie speit sie aus. Diese Durchsuchung schafft die Mädchen, sie sind zerschlagen. Den Blick ins endlos Weite und Ungewisse gerichtet stehen sie da, ohne mit der Wimper zu zucken. Der Drexler auffallen kann den Tod bedeuten.

Sie ist begeistert von ihrer armseligen Beute, die für uns wochenlanges Verzichten bedeutete. Das muß sie doch wissen. Sie genießt es, die Stärkere zu sein. Ist sie auch, oder nicht? Dank ihres Führers, der wie Gottvater über groß und klein regiert, ist sie die Größte, während sie in ihrem Geburtsland Schwaben ein einfaches Dienstmädchen geblieben wäre. Wenn sie sogar der vielgeliebte Führer mit Hilfe der SS befördert hat, indem er sie in dieses Lager schickte, dann hat sie das doch ganz gewiß verdient. Jedenfalls kann man das an ihren Augen ablesen, an ihrem Verhalten erkennen. Das Bewußtsein dieser Gerechtigkeit, die ihr da widerfahren ist, verbietet ihr sogar aufzumucken; aufzumucken, weil es kalt ist, weil sie sich langweilt, weil ihr die Tage und Monate lang werden, weil es zu viele Juden auf der Welt gibt und sie es nie schaffen wird, alle zu vernichten! Außerdem hat sie Angst, sie könnte eine Laus fangen, wovon es überall wimmelt, nur bei uns nicht.

Genau wie die anderen weiblichen SS-Dienstgrade lebt auch sie im Zustand ständiger Gereiztheit. Wenn sie sich an uns entlädt, dann vielleicht, weil sie gestern oder heute morgen schon eine Bissigkeit oder Ungerechtigkeit von ihrem Chef einstecken mußte. Für die SS bedeutet die Versetzung nach Auschwitz nur selten eine angenehme Auszeichnung. Dieser Vertrauensbeweis, diese Ehre, die damit ihrem anerzogenen Pflichtbewußtsein und Gehorsam zuteil wird, bringt keine Erfüllung und wird ihnen auch nicht geschenkt. Nur die Kommandanten des Lagers, die Hauptverantwortlichen, die genialen Organisatoren des Todes, die Sklaven Himmlers können darauf hoffen, eine Beförderung in der Hitlerhierarchie zu erlangen.

Siegessicher durchstöbert die Drexler mit der Stiefelspitze unsere aufgehäuften Sachen; lauter verbotenes Zeug, Nachthemden, Handtücher, Büstenhalter. Rachsüchtig zerstampft sie mit dem Absatz kleine Brotreste, ein paar Zwiebacks, ein winziges Fläschchen Parfüm. Wer von uns wird die Spuren dieser Plünderung aufputzen müssen? Frau Drexler geht grinsend und zufrieden, Panie Founia und Marila folgen ihr auf dem Fuß und nehmen die Überbleibsel unseres Vermögens mit.

Kaum sind sie weg, lassen die Mädchen ihrer Wut und Verzweiflung freien Lauf. Mein wichtigster Besitz ist dieser Katastrophe entgangen: meine Zahnbürste und mein kostbares Notizbuch, das ich dauernd bei mir trage. Ich weiß nicht, woher dieses kleine Heftchen stammt. Wozu war es bestimmt? Für die Ausgaben einer Hausfrau? Für die Malversuche eines Kindes? Alles, was man sich hier beschaffen kann, hat eine Vergangenheit, die man besser übersieht. Schon jetzt hänge ich mehr an diesem Notizbuch als an allem anderen. Bereits nach ein paar Tagen ist es mir unentbehrlich geworden, freundschaftlich ans Herz gewachsen, meine Hand mag es, liebkost es wie das seidenweiche Fell eines tröstenden Kätzchens, wie eine warme, vertraute, geliebte Haut.

Jetzt im Nachhinein ist mir dieses Notizbuch, das ich retten konnte, äußerst wertvoll. Meine Aufzeichnungen helfen meinem Gedächtnis.

Lotte ist außer sich, die Drexler hat es »gewagt«, ihr die Taschentücher abzunehmen. Noch nie habe ich unsere Primadonna so gesehen (diese korpulente, sechsunddreißigjährige Frau, die an der Prager Oper sang und mit ihrem sehr schönen Mezzosopran viel Erfolg einheimste). Ihre mächtige Brust hebt und senkt sich, ihr Holterdipolter-Gefluche zerreißt uns fast das Trommelfell. Die Hände in den Hüften, die Beine gespreizt, den Körper zur Schau gestellt steht sie da, und ich weiß nicht genau, ob sie nun ihre Verwünschungen singen will oder einen vorbeikommenden Liebhaber angeln. Ob Lust, ob Leid – sie kennt nur diese eine Stellung. Man sagt ihr nach, sie sei wie geschaffen für begierigen Sex. Diese fadblonde, wallende Walküre mit dem ausdruckslosen deutschen Kuhgesicht und den grauen, ausgewaschenen, erstaunlich hellen Augen vollführt einen solchen Spektakel, daß ich dazwischenfahre:

»Also weißt du, hier zählt ein Taschentuch ja nicht gerade zum Allernötigsten.«

»Was? Was?« glotzen mich ihre großen, runden Augen an. Man übersetzt es ihr, und sie geht in die Luft. Jenny erläutert mir: »Hast du nicht bemerkt, wie sie an ihrem Taschentuch rumfummelt, wenn sie so aus vollem Halse schreit?«

»Den Tick haben alle Sängerinnen, aber wenn sie keins mehr hat, wird ihr das auch nicht gleich die Stimme verschlagen.«

»Weder sonst was«, lacht Jenny, »sie nennt ihre Taschentücher ›Liebesboten‹. Wahrscheinlich steckt sie eins rein, du weißt schon wohin, hält's vierundzwanzig Stunden lang warm und schickt es dann ihrem Gigolo, einem deutschen Kapo, der etwa so charmant ist wie ein Gorilla. Wenn das kein Liebestrank ist!«

Der Verlust ihrer Kostbarkeiten hat die Mädchen deprimiert und ratlos gemacht; wochenlang müssen sie nun wieder ihre Brotrationen sparen und noch qualvoller hungern, um etwas organisieren zu können.

Überlegen geht Marta an uns vorbei und trägt einen Eimer – sie muß durch Wind und Regen, denn wir holen unser Wasser in den Toiletten der gegenüberliegenden Baracken – und kommt ebenso kalt und unnahbar zurück. Der volle Eimer zieht mit seinem ganzen Gewicht an ihrem mageren Arm und verwandelt ihn in einen dürren Stecken aus Haut und Knochen.

Ganz automatisch sage ich: »Ach, *sie* muß heute den Saal putzen? Wer hat sie wohl dazu verdonnert? Und wofür?«

»Interessiert sie dich?« knurrt Florette.

»Ja, sieh doch, sie kann sich kaum aufrecht halten und doch schleppt sie den Eimer, als ob ihr das nichts ausmache.«

»Mach dir um sie keine Sorgen; mit dem, was ihre Schwester vom ›Canada‹ bringt, wird sie schnell wieder gepolstert sein.«

»Du magst sie scheint's nicht?«

»Eine Angeberin! Ihr gewähltes Hochdeutsch geht mir auf die Nerven, und mir tut's gut, daß sie jetzt auf dem Boden rumrutschen und putzen muß. So wie sie erzogen ist, die kleine Prinzessin, hat sie daheim nicht einmal ihren eigenen Staub wischen müssen. Die gehört doch zu denen, die Angst haben, sich die Fingerspitzen schmutzig zu machen.«

So auf den Knien kommt mir Marta auch ziemlich ungeschickt vor; ihr viel zu nasser, zu wenig ausgewrungener Aufnehmer trocknet das Wasser nicht auf und läßt ganze Pfützen stehen. Ich würde ihr ja gerne helfen, aber das lassen die andern nicht zu, und ich will nicht schon wieder eine neue polemische Streiterei über Nächstenliebe heraufbeschwören. Ihr hübsches, ausdrucksvolles Gesicht verrät nur echte Müdigkeit.

Eine Läuferin meldet die nächste Aufseherin – wie könnt's auch anders sein, heute morgen werden wir besonders verwöhnt –, und wir rücken und richten uns erneut ins Stillgestanden. Diese da habe ich noch nie gesehen, sie sieht aus wie eine Urdeutsche: markantes Kinn, feste Wangen und Backenknochen, tiefliegende graublaue Augen, hartgezogene Brauenbögen, ausgetrocknetes, blondes, aber nicht sonnenglänzendes Haar. Was will sie von uns? Ihr Blick bleibt auf Marta gerichtet, die immer noch zwischen ihren Wasserlachen kniet. Wie ein Falke beobachtet sie ihre Beute, wobei ein Hauch von Genugtuung über ihr Gesicht huscht. Sie überragt Marta. Stämmig und standfest pflanzt sie sich neben ihr auf, als wolle sie mit ihren Massen Martas Arbeit verdonnern. In ihrem Blick steckt so viel Verachtung, daß es uns allen kalt über den Rücken läuft. Wird sie gleich losbrüllen: »Aufstehen! Raus!« und sie in Zelle 25 bringen? Sie hat das Recht dazu. Marta kann nicht Boden putzen, ist unfähig, ihr Arbeitspensum zu erfüllen, sie sabotiert, das verdient den Tod. Diesem Naziemporkömmling ist es offensichtlich wichtiger, daß der Boden sauber geputzt wird, als daß man gut Cello spielt.

Sie wartet nicht lange, sondern befördert Marta mit einem heftigen Stiefeltritt in die andere Ecke des Musiksaals. Marta steht kaltblütig wieder auf.

»Dir werd' ich eine Lektion verpassen!« schnaubt die Deutsche.

Und nun beginnt ein erstaunliches Schauspiel: Das Mannweib zieht den Uniformrock hoch und kniet sich auf den Boden. Hochnäsig und überheblich nimmt sie den Aufnehmer in beide Hände, wringt ihn über dem Eimer aus und trocknet geschickt die Wasserlachen auf. Dann zeigt uns dieses SS-Weib schulmeisterlich, wie man das macht, und putzt den ganzen Boden unseres Musiksaals. Man muß zugeben, das kann die Kuh!

Alma verfolgt diese Darbietung, die unsere ganze, festgefügte Ordnung ins Gegenteil verkehrt, von ihrer Zimmertür aus; Tschaikowska mit Founia und Marila stehen stumpfsinnig daneben. Es herrscht absolute Stille, die nur vom gleichmäßigen Wischen des nassen Lappens auf dem Fußboden unterbrochen wird. Wie versteinert sehen wir dieser Frau zu, die über unser Leben und Tod verfügen kann, wie sie auf Knien putzt und Marta unbeschwert, aufrecht, aber nicht im Stillgestanden neben ihr steht. Ich entdecke keinen Funken Angst in ihr. Dieses Kind, sie ist knapp siebzehn, schaut mit unglaublich ironischer Frechheit der SS-Aufseherin zu, die da vor ihr auf den Knien den Boden putzt. Ihr Ausdruck fasziniert mich ganz einfach.

Die Aufseherin ist am Saalende angekommen, wäscht noch ein letztes Mal ihren Lappen aus, steht auf – unsere Angst steigt mit –, klopft ihren Rock aus, zieht ihn zurecht, mustert Marta mit verachtendem Blick und sagt mit erhobenem Kinn zu ihr: »So putzt man den Boden, jetzt weißt du's!«

»Ja, Frau Aufseherin!«

In dieser Antwort steckt so viel Anmaßung, daß ich Alma förmlich vor Angst vergehen sehen kann: Man legt sich nicht mit der SS an, man bietet ihr nicht die Stirn. Die Deutsche aber dreht sich ganz ruhig um und geht. Unser Musiksaal war noch nie so sauber.

Unser bislang unterdrücktes Lachen platzt nun um so lauter los, so befreit von der Angst. Noch wichtiger aber als das ungewöhnliche Ereignis, eine Aufseherin zu erleben, die vor uns auf den Knien unsern Boden putzte und stolz darauf war, diese Arbeit so phantastisch geschafft zu haben, ist die Tatsache, daß zwischen ihr und Marta irgend etwas vorgegangen sein muß. Aber was? Unnahbar und mit einem Hochmut, der eines preußischen Junkers würdig gewesen wäre, verkündet uns Marta: »Im Hause meines Vaters war diese Frau Dienstmädchen.« Dann nimmt sie gelassen das Cello in die Hand und setzt sich an ihren Platz.

Diese Neuigkeit ist umwerfend und wird wie üblich von Jenny kommentiert: »Dann frag' ich mich erst recht, warum ihr ehemaliges Dienstmädchen sie nicht am Gas schnuppern ließ?«

»Weil das ja nicht geht«, meint Florette achselzuckend, »aber das Biest wird sich schon noch rächen, die ist jetzt erst mal gegangen und läßt das gären, und dann ... «

»Mein Gott!« schneidet ihr Clara das Wort ab, »die schickt uns alle in Zelle 25. Alle! Nur wegen der dummen Ziege!«

»Du spinnst ja, die ist doch durch ihre Propaganda schon so vernagelt, daß sie sich einbildet, wir hätten sie grandios gefunden, wie sie so unnachahmlich unsern Boden wienerte.«

»Gib doch zu, daß du jetzt übertreibst. Hat sie vielleicht auch noch Martas Ironie für Bewunderung gehalten? Soll sie denn noch blöder sein, als sie sowieso schon ist?«

»Mich beeindruckt Martas Mut. Ausgerechnet diesem SS-Weib zu trotzen, von dem sie mehr zu befürchten hat als von sonst einer. Das nenn' ich tapfer!«

Diese Lobeshymne der kleinen Irène läßt in Florettes Augen so was wie eifersüchtiges Blitzen aufleuchten.

Der Vorfall beschäftigt uns weiter. Für uns stellt er immerhin so ein Ereignis dar, daß wir abends beim Essen darüber sprechen und ihn in Stückchen zerpflücken wie unsere Brotration. Jenny sieht das Geschehene inzwischen so kitschig wie die Glanzbildchen fürs Poesiealbum. Bei ihr ist Marta der triumphierende edle Ritter, der die Unterwürfigkeit seines besiegten Gegners aus dem Staub entgegennimmt. Die große Irène taucht uns in die nach Rosen duftende Romanwelt und beschreibt, wie segensreich die ehemalige Magd ihrer heimlich bewunderten Herrin zu Hilfe eilt. Lili macht eine Tragödie daraus, von der wir bis jetzt nur die ersten zwei Akte erlebten und deren dritter Akt Rache und Blutvergießen bringen wird.

Ich beobachte Marta, die mir gegenübersitzt und der diese bunten Beschreibungen sicherlich auf die Nerven gehen. Ohne ein Wort zu sagen, sitzt sie ruhig und gelassen dabei, in sich gekehrt und offensichtlich in Gedanken ganz woanders. Ich versuche, mir ihr behütetes Zuhause vorzustellen, sehe beschützende Mauern und frage mich, ob sie davon träumt oder aber sich in ihrer romantischen Einsamkeit wohlfühlt.

Marta mißtraut allem, was nicht in ihre Welt paßt, was die Beziehungen zu den anderen Mädchen natürlich sehr einschränkt. »Sie läßt sich nicht herab, mit uns zu sprechen«, sagt Florette von ihr und gerät außer sich über diese Haltung. Ich glaube eher, in ihrem Wesen steckt ein Stück Schüchternheit, sie fühlt sich in unserem zusammengewürfelten Dasein nicht wohl, so wie sie überhaupt alles beunruhigt, was außerhalb ihres gewohnten Milieus liegt. Sogar die langen Unterhaltungen mit ihrer um zwei Jahre älteren Schwester Ingrid werden zurückhaltender. Ich habe sie beobachtet, sie sehen aus wie »Zwei junge Damen der noblen Gesellschaft im Gespräch« auf dem Bild eines englischen Meisters. Ingrid ist auch sehr schön, aber in Marta scheint ein Feuer zu glühen, das jeden Augenblick in Flammen ausbrechen kann. Sie ist viel eher vom leidenschaftlichen Typ wie die Judith aus der Schrift oder Charlotte Corday.

Sie schaut mich an und ihr nachdenklicher Blick wird aufgeschlossener. Wird sie mir zulächeln? Man könnte es fast meinen. Dabei fällt mir auf, daß ich noch gar nicht weiß, wie sich ihr Gesicht beim Lächeln verändert. Ein seltsames, ungewöhnliches Mädchen, dessen verborgene Zartheit ich in diesem Augenblick flüchtig erkenne.

Ich bin wieder allein am Ofen. Wie schon so oft haben Eva und ich Gedichte rezitiert, Gedichte von Verlaine und Baudelaire. Wir tun das, um mit der anderen Welt verbunden zu bleiben. Florette, das Kinn auf den Knien, Anny und die große Irène haben uns dabei zugehört. Clara wiederholte für sich allein in einer Ecke, mit einem Spiegelchen in der Hand, ihre Lieder und übte die dazu passende Mimik. Dann »erzähle« ich ihnen noch ein Kapitel aus dem ›Bildnis des Dorian Gray‹; aus dem Gedächtnis »las« ich ihnen jeden Abend ein Kapitel vor, bevor sie schlafen gingen. In unserem »Schlafsaal« hier schläft alles schon, man hört nur noch Seufzen, Stöhnen und Schreien wie in einem bösen Kindertraum. Mich macht die Wärme des Ofens auch schläfrig, ich träume noch so vor mich hin, denn wenn ich seinen warmen Umkreis verlasse, wird es frostig kalt, und davor fürchte ich mich.

In mir braut sich eine Musik zusammen, eine Symphonie, die ich gerne aufschreiben möchte. Wie kann man nur an so einem Ort Lust zu kreativem Schaffen verspüren? Ich weiß es nicht. Wie kann man hier überhaupt zu etwas Lust haben?

»Störe ich dich?«

Das ist Marta in ihrem langen Nachthemd, das ihr ihre Schwester gebracht hat und in dem sie aussieht, als sei sie aus einem Mädchenpensionat entlaufen. Gott, ist sie dünn! Man kann ihren winzigen Busen nur ahnen, er wölbt den leichten Stoff kaum. Warum ist sie hergekommen?

Der Wind peitscht den Regen so heftig an die Scheiben, daß es prasselt.

»Wenn ich daran denke, daß Irène, die kleine, vor ein paar Tagen noch Flieder malte und wir vom Frühling träumten.«

Marta begeistert sich: »Sie malt sehr gut, nicht wahr? Ich bin eher musikbegabt, mir liegt der Bogen mehr.«

»Besser als der Aufnehmer!«

Sie lächelt kurz, fast verstohlen, und ich beteure ihr: »Du warst phantastisch! War das eine verdrehte Situation! Du die Königin, sie deine Sklavin.«

»Oh, bei uns zu Hause wurde sie aber nicht so gehalten. Eher gut, denke ich, sehr gut sogar. Wir hatten eine Köchin, ein Kindermädchen und ein Dienstmädchen. Ich hätte sie genausogut nicht wiedererkennen können, sie hat nicht serviert, sie machte nur die groben Arbeiten.«

Und wieder lächelt sie so heimlich: »Sie hat ja recht, es stimmt, ich verstehe nichts von der Hausarbeit, ich wurde ganz anders erzogen. Wie hätte mein Vater auch denken sollen, daß mir so was mal nützlich sein könnte? Ich lernte dafür anderes. Meine Zeit war mit Universität und Konservatorium völlig ausgefüllt. Fast den ganzen Tag beschäftigte ich mich mit Musik. Außerdem gaben meine Eltern viele Einladungen, mein Vater ist ein sehr bekannter und begehrter Anwalt. Wir fühlten uns beschützt, geborgen. Wir trugen den Stern, wurden aber nie belästigt. Vollkommen unerwartet wurden meine Schwester und ich auf der Straße bei einer Razzia verhaftet, und da wir Juden sind, haben sie uns deportiert.«

Ein Lächeln huscht über ihr Gesicht und läßt ihren kühlen Ausdruck etwas wärmer werden. Ich kann sie mir mit langen Haaren auf ihrem zarten, schmalen Nacken gut vorstellen. Ein paar Mädchen brummen: »Leiser ... man kann ja nicht schlafen ...«, und Founia Schiefmaul schnarcht und sägt unter ihrer Decke immer lauter.

»Marta, wir müssen auch schlafen, sonst ›fällt‹ die uns noch mit.«

Sie ist zwar nicht ganz einverstanden, stimmt mir aber zu, wünscht mir eine gute Nacht, und ich warte nur noch darauf, daß sie mir wie ein guterzogenes junges Mädchen die Hand gibt; dabei fällt mir auf, daß uns das vollkommen verlorengegangen ist. Das ist eine Geste für die zivilisierte Welt. – Noch auf meinem Strohsack denke ich über Marta nach, wer hätte heute abend in ihr die Heldin des Vormittags wiedererkennen können? Ich kann mir nicht erklären, warum, aber ich empfand sie als wirklichkeitsfremd, gedankenverloren, »weggetreten«, wie Jenny sagen würde.

Während meine Schreiberinnen am andern Morgen faul, schlapp und schmachtend – der Frühling ist im Land – ihre Noten schreiben, beobachte ich die kleine Irène. Sie sitzt verträumt vor sich hinschauend, mit dem Bleistift in der Hand, daneben. Das ist erstaunlich, denn dieses selbstbewußte Persönchen weiß, was es will. Sie sieht immer eine Aufgabe vor sich, die sie angeht und erfüllt, als ob sie zu ihrem eigenen genau und sorgsam aufgestellten Programm gehöre. In der Partei muß sie wohl den Ruf gehabt haben, durchgreifend zu sein. Aus ihren Zukunftsplänen macht sie kein Geheimnis. Sie ist sich selbst gegenüber und ihrem Urteil gegenüber so sicher, daß sie gar nicht anders als hervorragend sein können. Sie wird Paul heiraten. Von der Kommunistischen Jugend werden sie sich über die Ortsgruppe zum Landesverband hocharbeiten, ohne daß sich irgend etwas ändert. Sie wird ein Kind haben, das ist notwendig für eine Frau, aber nicht mehr, sie ist nicht zur kinderreichen Mutter bestimmt, und diesen Beschluß hat sie nicht erst heute gefaßt. In dem Punkt waren sich Paul und Irène immer einig, die Partei braucht sie, für sie müssen sie da sein. Sie wird malen, schreiben, vielleicht sogar ein paar Diplome in Deutsch, Volkswirtschaft und Politologie machen – sie ist ja so begabt. Ausgebildete, fähige und kompetente Leute werden nötig sein, um die neue Gesellschaft aufzubauen. Für die Zukunft sieht sie nicht schwarz, das steht außer Frage. Ihr Weg ist vorgezeichnet, sie wird ihn gehen und durch eine triumphale Rückkehr ihr Ziel erreichen. Keinen Augenblick lang zweifelt sie daran, Paul wiederzufinden, mit ihm zurückzukehren und als Helden gefeiert zu werden. Ich habe mich sogar schon gefragt, wenn ich sie so siegessicher ihre Gewißheiten aufzählen hörte, *wie* sie Paul liebt. Liebt sie ihn überhaupt? Für sie symbolisiert er vor allem den politischen Kämpfer, und sie ist würdig, sein Mitkämpfer zu sein; das scheint ihr zu genügen.

Mir, die ich immer von der Liebe lebte, erscheint diese Auffassung von der Ehe ziemlich spießbürgerlich. Sie ähnelt dem System der Vernunftehe, das die Familien der herrschenden Kreise stärkt. Bei der kleinen Irène aber wird sie die Zukunft des Kommunismus stärken. Daran besteht für sie nicht der leiseste Zweifel: »Als ich in Birkenau ankam, habe ich begriffen, daß man sich hier im Lager, noch mehr als im Leben draußen, nur auf sich selbst, auf seine Intelligenz und seine Autorität verlassen kann und sich vor allem durchsetzen können muß. Deshalb ging ich auch auf die Suche nach Kramer, als ich von der Existenz eines Orchesters erfuhr, und sagte ihm, ich spiele Geige, und wurde als Musikerin anerkannt.«

Wie hat sie es angestellt, zu Kramer zu kommen? Ich habe

keine Ahnung. Sie hat etwas an sich, das Wesentlichste so zu erzählen, daß damit alle Fragen aus der Welt geschafft werden. Ich weiß von ihr nur, daß ihr Vater Schneider war und ebenfalls deportiert wurde. Ganz ruhig sagte sie zu mit, »Er ist wahrscheinlich durch den Schornstein verschwunden.« In ihrer Stimme klang keine Spur Erregung mit, aber in ihren schwarzen Augen blitzte ein greller Schein auf, der mir sagte, Irène gehöre nicht zu denen, die vergessen, sondern zu denen, die Soll und Haben gegeneinander aufrechnen und sowohl von ihren Gläubigern als auch vom Leben die Begleichung der Schuld verlangen. Diesen Tod verbuchte sie gut, um seinen Preis von den Nazis und dieser SS zu fordern, bei der sie sich trotz ihres kleinen Wuchses durchsetzte: »Siehst du, Fania, sie verachten Kriecher und Feiglinge. Ich habe mich noch nie in meinem Leben verhöhnen lassen, von niemandem, weder von der SS noch von der Tschaikowska oder Alma. In Birkenau hat mich noch nie jemand schikaniert. Vielleicht merken sie, daß ich ganz sicher bin, hier wieder rauszukommen und nicht umzukommen. Vielleicht auch, weil ich mir von Anfang an geschworen habe, mich nicht gehen zu lassen und mich weder von der Grausamkeit noch vom Elend noch von allem anderen unterkriegen zu lassen. Für mich steht fest, die Nazis werden verlieren, und wir werden endlich eine von ihnen befreite, sozialistische Welt kennenlernen.«

Utopie? Sicher nicht. Wie Irène bin auch ich überzeugt davon, daß – wenn die Welt erst einmal weiß, was »sie« zu tun gewagt haben – die Menschheit sie bis zum letzten Mann vernichten und verjagen wird.

Gibt es in diesem so vorprogrammierten Wesen einen Platz für die Liebe? Hat sie begehrliche Sinne? Man merkt es nicht, der einzige Versuch, den sie gemacht hat, war bewußt und überlegt, für das »Berauschen der Sinne« war dort kein Platz. »Ich war im Fort von Romainville eingesperrt, als ich erfuhr, daß ich nicht erschossen – sicher verweigert man den Juden diese Ehre –, sondern deportiert werden sollte. Ich hatte noch nie mit Paul geschlafen, wir wollten kein Risiko eingehen, ein Kind hätte unsere Arbeit im Widerstand und unseren Kampf gegen den Nazismus behindert. Ich wußte aber nicht, was mich erwartete, und wollte nicht in ein Arbeits- oder Konzentrationslager, ohne mich vorher vor üblen Überraschungen bei Vergewaltigung geschützt zu haben. Von Romainville brachte man mich nach Drancy, dort konnte ich mein Vorhaben leicht verwirklichen. Du kennst mich ja und weißt, wie planmäßig ich vorgehe, ein Versehen kann immer passieren, aber ich konnte doch kein physisch und psychisch belastetes Kind zur Welt bringen; ich suchte mir also meinen Partner gut aus und wir schliefen miteinander. Dabei empfand ich gar nichts, es hat mir nichts gegeben, mich eher abgestoßen. War das Liebe? Ich glaube nicht. Ich warte weiter.«

»Buchhalterin des Todes«

Eine Läuferin kommt wie vom Sturmwind getrieben in unseren Musiksaal gestürzt, läßt sich völlig außer Atem auf die Bank fallen und winkt mit einem zerfetzten Etwas aus Einwickelpapier. Ein Päckchen! Das Mädchen kann kaum den Namen der großen Irène sagen. Ein umwerfend wichtiges Ereignis. Vom Originalpaket ist nur noch stinkendes, fleckiges, fettiges Papier übrig. Dem Umfang nach muß das Päckchen groß gewesen sein. Zögernd nimmt es die große Irène an sich, sieht die Schrift, ihr kommen die Tränen, sie liebkost und küßt es ... es ist von ihrem Jean-Louis.

Neugierig spitzt Jenny ihr Schnütchen: »Hör mal, dein Wrack da ist aber nichts Besonderes mehr! Schau doch mal nach, was die dir noch gelassen haben, das stinkt mächtig.«

Mit zitternden Händen versucht Irène die Schnur aufzuknoten.

»Laß mich das machen!« bietet ihr Anny mit stets freundschaftlicher Hilfsbereitschaft an und schlägt das Papier auseinander. Da liegt er, ein Hering, völlig verdorben, ranzig. Irène traut ihren Augen nicht und stammelt: »Ein Brief!« Höchst verwundert schauen wir ihr zurückhaltend zu, wie sie gierig nach dem Brief greift und weint: »Er ist von ihm, von meinem Besten ...«

Jenny foppt wie üblich: »Das Parfum deiner Liebesbriefe hat aber nichts Verführerisches an sich. Mein Mann benutzt ›Soir de Paris‹, das wirkt besser.«

Die Mädchen stehen um die große Irène herum und schauen neidisch auf dieses Wunder, diesen Brief! Sie zieht sich zum Fenster zurück und liest ihn mit entzücktem, kindlichem Ausdruck. Fasziniert bleiben wir auf Distanz, wagen uns nicht noch näher zu ihr hin; doch keine geht an ihren Platz zurück und nimmt die durch dieses Ereignis unterbrochene Arbeit wieder auf. Im Licht hebt sich Irènes Profil vor dem rauchigen, rußigen Himmel hell ab. Sie liest den Brief einmal, zweimal ... und bleibt verträumt, alles vergessend, sitzen, während ihr die Tränen über die Wangen kullern.

Jenny traut sich, unsere Neugier auszusprechen: »Na, ist sein Geturtel nett oder nicht?«

Irène schaut uns, voll von Liebe, an: »Es ist wunderbar! Er schreibt, er liebe mich, und bittet: ›Lebe für mich, ich warte auf dich.‹«* Ihr Kindergesichtchen wird entschlossen fest: »Für ihn werde ich durchhalten bis zum Schluß!«

Dann aber verändert sich ihr Ausdruck, wird angstvoll, traurig und fragend: »Ich komme doch wieder heim, oder?«

Ihr hoffnungs- und hilfesuchender Blick bittet wie der eines kleinen Kindes, das fragt: »Werde ich wieder gesund?«

Eva und ich antworten ihr: »Bestimmt.«

Sie seufzt: »Nachts, zum Einschlafen, stelle ich mir dieses Heimkommen vor! Zum Glück bin ich mir seiner so sicher, denn ein Monat nach dem andern verrinnt. Wißt ihr, sein Brief ist sechs Monate alt. In sechs Monaten kann so viel passieren! Meint ihr, ich bekomme noch einen?«

Jenny wirft ironisch ein: »Hei, du verwechselst wohl den Briefträger mit dem Weihnachtsmann!«

Gierig greifen Hände nach dem Brief: »Laß mich hinfassen ... das bringt Glück!« Die dazugehörigen Bemerkungen machen die Runde: »Woher hat er ihre Adresse? – Warum hat die SS, die doch sonst überall die Finger dazwischen hat, ihn durchgehen lassen? – Dürfen wir auch hoffen? – Ich bekomme vielleicht auch einen?« Jede träumt heißhungrig davon ...

Sogar die Läuferin wundert sich noch im Gehen. Sie durfte Bote einer so außergewöhnlichen Begebenheit sein. »Ehrlich, Päckchen mit Briefen habe ich noch in keinen Block gebracht, man könnte glauben, ihr werdet bevorzugt behandelt.«

Bevorzugt! Dieses schimpfschmückende Beiwort löst augenblicklich eine Kettenreaktion aus, die das durch den Brief geweckte Interesse vorübergehend versanden läßt. Wir wissen ja nicht einmal, wie viele Falschmeldungen über uns im Umlauf sind.

Jenny ist empört: »Bevorzugt! Was soll das heißen?«

»Es heißt, wir seien Kramers und Mandels Lieblinge«, antwortet ihr Lili bitter.

Florette wettert gegen die Mädchen vom »Canada«: »Diese Idioten haben erzählt, wir bekämen Päckchen! Anny hat eins bekommen, wenn wir schon davon sprechen, das erste, vor drei Monaten.«

Ruhig berichtet Marta von den Vermutungen im Revier:

---

* Diesen Brief, der Irène die Kraft zum Durchhalten gab, schrieb ihr Mann drei Wochen, bevor er seine Ehe annullieren ließ.

»Dort sagt man, die ›Damen vom Musikblock‹ bekämen jeden Tag eine Zulage.«

Annys Äußerung, bei den Arbeitskommandos gehe das Gerücht um, wir bekämen für jedes Konzert ein halbes Brot, macht die Mädchen sprachlos. Die Behauptung ist so phantastisch, daß wir keine Worte mehr finden. Stille vor dem Sturm macht sich breit und nährt kurz den unmöglichen, trügerischen Traum: ein halbes Brot!

Weinerlich wimmert Clara vor sich hin: »Wenn ich ein halbes Brot pro Tag hätte!«

Wieder öffnen sich die Schleusen und überschwemmen uns mit aufgebrachtem Geschrei und bitterem Gezeter. Jenny beschimpft Clara, die verlegen und rot wird: »Hör zu, du Dicke, wenn ich daran denke! Dann müßtest du nicht mehr mit den Kapos bumsen! Wahrscheinlich hängt man uns solchen Blödsinn an, weil sie deinen wohlgeformten Zuchtstutenhintern sehen. Dabei können die ›andern‹ sich nicht mehr vorstellen, was für einen Fraß wir fressen!«

Niemand hilft Clara aus der Patsche, die sich nun mit ihrem dicken Po in den Musiksaal flüchtet. Feindselig schauen ihr die Mädchen nach, während Eva sie abzulenken versucht: »Seien wir gerecht, wir haben schon gewisse Privilegien.«

Vorwurfsvolle Blicke treffen sie.

»Doch. Wir können jeden Tag annähernd warm duschen, während sich die ›andern‹ mit viel List und dem Risiko einer Tracht Prügel mit eiskaltem Wasser waschen müssen. Wir sind ordentlich angezogen und brauchen nicht zu frieren. Unser Block ist geheizt, wir haben ein Laken, eine Decke, während ›sie‹ unter ihren Fetzen frieren. Wir können raus zur Toilette, so oft wir wollen, aber die ›andern‹ . . . Erinnert euch mal an die Latrinen im Quarantäneblock!«

Ich will mich nicht erinnern . . .

»Wie könnt ihr bei diesen Vorteilen, von denen manche sicht- und greifbar sind, nicht wahrhaben wollen, daß die andern Frauen wirklich glauben, wir hätten auch noch besseres Essen? Dabei bekommen wir nicht nur dieselbe Suppe wie sie, sondern sind auch noch im Nachteil, denn *wir* kommen nicht aus dem Lager raus und können deshalb auch keine Rübe, Kartoffel oder sonst irgendein Gemüse stehlen. Wir haben nichts zum Tauschen, während sie doch wenigstens bei jedem Ausmarsch versuchen können, etwas mitzubringen.«

»Ich glaube, du hast recht«, stimmt ihr die kleine Irène zu.

»Ich bin sicher, diese Unterscheidung ist von der SS beabsichtigt. Bei denen heißt's nicht, ›teile und herrsche‹, sondern ›teile und erniedrige‹! Nur werden sich die Frauen diese Auslegung merken und sie uns noch böse nachtragen, wenn wir wieder zuhause sind ... «

Ich höre der kleinen Irène nicht mehr zu, die jetzt politisiert und uns zum x-ten Male ihre strahlende sozialistische Zukunft, ohne Faschismus und ohne Nazismus, auftischt. Mich beschäftigen innerlich vier Worte: »sie«, »die andern«, »wir«, »danach«. Wird der tiefe Graben, der zwischen ihnen und uns klafft, danach wieder zu begehbarem Land oder zum Abgrund? Vielleicht weder das eine noch das andere. Wird es vom Orchester genügend Überlebende geben, die sagen können, *wie* es war – oder wird man nur noch die hören, die mit entsetztem Blick auf uns schauten und, ehrlich zwar, aber doch nichts als ihre damalige subjektive Meinung wiedergeben: Neid, Eifersucht, Zorn, Verbitterung, Verblendung?*

Hier im Lager Birkenau gleichen keine fünf Minuten den nächsten. Man lebt in dieser umzäunten KZ-Welt unendlich viel intensiver als in irgendeiner freien, offenen Stadt der Welt. Alles, was von draußen zu uns dringt, nimmt die verschiedensten Formen an, auch Neuigkeiten wie: »Paris ist befreit! – Die Russen haben den Krieg gewonnen! – Moskau ist besetzt! – London ist zerstört« (wie Karthago natürlich)! Alles kann falsch sein, und doch stimmt es einen winzigen Augenblick lang. Gemeinsam haben diese wahren und falschen Nachrichten nur eins: Im Lager endet schließlich alles mit einer Selektion. Um so aufregender ist die Nachricht, die heute morgen, kurz nach dem Brief, zu uns drang: »Mädchen, für uns gibt's keine Selektion mehr!« Das klingt so phantastisch, daß wir für Sekunden überhaupt nicht reagieren.

»Was willst du damit sagen?«

»Sollen nur noch die Neuzugänge vergast werden, die aus den Transporten?«

»Wer hat das gesagt?«

»Dr. Mengele, ein Arzt.«

»Was ist das für einer, woher kommt er?«

* Diese Vermutung hat sich bewahrheitet; die Darstellungen des Orchesters in verschiedenen Veröffentlichungen sind insgesamt voreingenommen und falsch.

»Vom Lager Auschwitz.«

»Weiß man was über ihn?«

Wir wußten noch nichts, gar nichts, aber das änderte sich schnell!

Mißtrauisch wie ein schlauer Fuchs, der am womöglich vergifteten Köder erst schnuppert, untersuche ich diese Neuigkeit. Wohlverstanden, diese Behauptung bezieht sich nur auf die Selektionen, die die Lagerinsassen betreffen, genauer: auf die Kranken, das wurde uns klargemacht. Aber auch wenn das ein Arzt behauptet, ist das für mich noch keine absolute Gewähr. Gerade unter dem Deckmantel der Wissenschaft pflegen die Nazis an den deportierten Juden die abscheulichsten Versuche anzustellen. Als minderwertige Rasse sind wir, zusammen mit den Zigeunern, gut genug, um uns als menschliche Versuchstiere zu dienen. Aber unter den Deutschen gibt es ja nicht nur Unmenschen, und dieser da ist vielleicht doch mehr deutsch als Nazi. Wenn das wahr wäre?

Während mein Verstand diesen Gedanken noch vernunftsmäßig zu begründen versucht, um sich auch dieser Freude hingeben zu können, lassen sich die Mädchen schon ohne Rückhalt fallen; sie lachen und singen und möchten am liebsten tanzen.

An den darauffolgenden Tagen klingen die Neuigkeiten der Läuferinnen und die von Martas Schwester Ingrid außerordentlich gut. Sie lauten: Dr. Mengele läßt eine Baracke von Grund auf säubern, desinfizieren und frisch streichen, richtet sie mit echten Betten und Bettzeug ein, um die Kranken dahin verlegen zu lassen!

Ich hätte vielleicht noch daran gezweifelt, wenn mir nicht Marie dasselbe bestätigt hätte.

Marie, die ich erst vor kurzem kennengelernt habe, ist eine junge Ärztin, vielleicht sieben- oder achtundzwanzigjährig, Französin und Jüdin. Ich sah sie nach einem Konzert im Revier, bei uns beiden sprang der Funke augenblicklich über; sie ist klein, schmal, hat Haare wie glänzende Kastanien und wunderbare Augen wie Michèle Morgan. Ihre Kranken beten sie geradezu an.

Drei Tage lang dauerte dieses Freudenfest, drei Tage lang überschlugen sich die Informationen: Alle Kranken »werden – sind – wurden« ins neue Revier gebracht. Das muß man gesehen haben, sie liegen frischgewaschen und sauber in ihren klinisch weißen Betten! ... Man mußte wohl! Denn am Schluß dieser

Verlegung, am dritten Tag, ließ Mengele, dieser wunderbare Dr. Mengele, alle vergasen – ließ vierhundert Frauen mit einem Handstreich verschwinden!

Wir haben kaum Zeit, darüber erschüttert und bestürzt zu sein, denn schon meldet man uns Kramer mit seinem ganzen SS-Stab. Er wird begleitet von einem Obersturmführer, einem Untersturmführer, deren Namen wir nicht kennen, der Mandel und ihren beiden Helfershelferinnen Drexler und Irma Grese, dem sehr erstaunlichen Oberführer, den ich schon im Revier gesehen habe und dem ich sofort den Spitznamen »Graf Bobby« gebe, der mir einfällt, weil dieser geschniegelte und gestriegelte Geck die ganze Eleganz der Kaiserzeit karikiert. Neben diesem eleganten und versnobten Graf Bobby wirkt Kramer so vierschrötig und vollblütig wie ein Fleischer.

Außerdem gehört zu ihrer Begleitung, allerdings etwas abseits, ein großes, hübsches, schlankes, eher schon abgemagertes Mädchen. Ich halte sie für eine Jüdin: die Judith aus der Schrift mit dem zärtlichen Blick der Braut aus dem Hohelied. Sie ist sehr ordentlich gekleidet – ohne Dreieck oder Stern – und trägt eine Armbinde mit der Aufschrift »Chefdolmetscher«. Sehr blaß kommt sie mir vor. Vielleicht mußte sie vorher die Namen der vierhundert vergasten Frauen auf der Liste abhaken? Im Lager hat der Chefdolmetscher die Aufgaben des Buchhalters des Todes zu erfüllen ... Er ist mit dem Offizier bei der Selektion und streicht die Namen der Verurteilten aus.

Getreu ihrer Zersetzungspolitik zwingt die SS die Gefangenen, gegen ihre eigenen Kameraden zu handeln. Blockälteste, Blockowa, Blockschreiberin, Kapo, Lagerälteste, Lagerkapo, Stubendienst sind lauter Posten, die man nur behält, wenn man seine vorgeschriebene Pflicht äußerst gewissenhaft und lobenswert erfüllt, sonst wird man in seine Ausgangsposition zurückgestuft und kann vergast werden. Zu diesen unterschiedlichsten Funktionären gehören auch die Gefangenen, die in den Gaskammern arbeiten. Sie werden nicht offiziell dazu bestimmt, sie melden sich freiwillig, sind hauptsächlich Polen, eine Gruppe von ungefähr fünfzig Männern, und sind den Menschen beim Gang in die Gaskammer behilflich.

Ihre Anwesenheit wirkt beruhigend auf die Ankommenden, die sich denken, »das sind keine SS-Leute, das sind Gefangene wie wir, die uns jetzt zu den Duschen führen, ihnen können wir schon vertrauen«. Für sie sind die Hände derer, die ihnen die

Kleider abnehmen, ihren Kindern und alten Eltern beim Ausziehen helfen, ihnen Seife und Handtuch reichen, brüderlich vertraute Hände. In Wirklichkeit karren dieselben Leute nachher die Toten heraus und werfen sie in die Öfen. Häftlinge, die diese Arbeit verweigern, werden sofort vergast.

Um sie für diesen Dienst anzuwerben, verspricht man ihnen besseres, leichteres Lagerdasein. Ihre Baracke ist sauberer, ihre Verpflegung besser, reichhaltiger, ihre Kleidung ordentlicher. Ihnen ist jeglicher Kontakt mit den anderen, die sie im übrigen mißachten, verboten. Wenn es das Wetter erlaubt, kann man sie sonntags Fußball spielen sehen.

Eines Tages sah ein Pole, der zu diesem Sonderkommando gehörte, seine Frau, seine Tochter und seinen Sohn auf dem Weg in die Gaskammer. Wie ein Verrückter raste er zu Kramer, schaffte es, ihn zu sprechen! Man konnte folgende verblüffende Szene erleben: Kramer rannte mit dem Polen durchs Lager bis zur Gaskammer, stürzte mit ihm hinein und kam gerade noch rechtzeitig, um dessen Frau und Kinder herauszuholen. Warum wohl? Auch das gehört zu dem uns absolut unverständlichen Benehmen der SS – was sie jedoch nicht hinderte, den Polen, als seine Zeit abgelaufen war, zu vergasen. Denn wer diese Arbeit übernahm, um seine eigene Haut zu retten, war in Wirklichkeit schon zum Tode verurteilt, das wußte jeder von ihnen nur zu gut. Ihr Strafaufschub, ihre Galgenfrist dauerte nicht länger als zwei Monate.

Während ich das stolze, nicht duckmäuserische Verhalten dieser Dolmetscherin beobachte, frage ich mich, wie schwer wohl diese Bürde auf ihr lasten mag. Wie kann sie einem Tauber folgen und ihm assistieren? Kürzlich hörten wir von einer seiner letzten »Glanzleistungen«. Vor kaum zwei Monaten ließ er abends um sechs Uhr tausend Frauen splitternackt draußen in Schnee und Eis antreten. Dann ging er durch die Reihen und hielt mit seiner Reitpeitsche die Brust jeder Frau hoch. Schlaffte die Brust danach wieder ab, »nach links!«, was soviel bedeutete wie »ins Krematorium«, blieb der Busen fest, »nach rechts!« Diese Frauen hatten an dem Tag ihr Leben retten können, es sei denn, sie kamen vor Kälte um.

Als wir von dieser Handhabung einer Selektion erfuhren, verglichen wir alle unsere Busen. Außer der kleinen Irène, deren Brüstchen so entzückend und zart wie Rosenknospen sind, und Clara mit ihrer fülligen, aber festen Brust, sind wir alle durch Hunger und Entbehrung so flach wie die Hand geworden. Eine vergängliche Sicherheit also, denn Tauber kann diesen Mangel an weicher Weiblichkeit genausogut zum Makel erklären ...

Daran und an noch ganz andere Dinge muß ich denken, solange wir im Stillgestanden hinter Alma darauf warten, daß der SS-Stab sich setze und wir spielen sollen. Merken sie überhaupt, daß wir so still stehen? Kümmert man sich um eine Ehrengarde aus Affenweibchen mit präsentiertem Gewehr? So ungefähr wirken wir, und daran könnten höchstens Affen ihr Vergnügen haben!

Im Augenblick stehen sie – ganz gegen ihre Gewohnheit – ungezwungen herum und unterhalten sich. Man könnte meinen, sie warteten auf jemand. Die Mandel blickt streng auf ihr Orchester, überprüft schnell noch einmal alle ihre Musikerinnen, eine nach der andern. Uns wird's heiß und kalt vor Angst. Sind unsere Schuhe und Kleider auch sauber genug? Wer wird wohl kommen?

Kurz und bündig befiehlt die Mandel unserer Alma: »Ihr werdet gleich das Duett aus ›Madame Butterfly‹, die ›Träumerei‹ von Schumann, ›Matinata‹ und einen Auszug aus der ›Leichten Kavallerie‹ spielen. Oberarzt Dr. Mengele kommt, er möchte das Orchester hören.«

Sie hätte hinzufügen sollen, »nach getaner Arbeit bei der Selektion«. Für mich ist er nichts als ein Mörder – und was für ein Mörder!

Nach gerade der Wartezeit, die nötig ist, um einen wirksamen Auftritt zu inszenieren, erscheint dieser Dr. Mengele. Er ist hübsch. Gott, sieht er gut aus! So schön, daß sich die Mädchen wieder instinktiv wie früher benehmen. Sie bringen mit Spucke am Finger ihre Wimpern zum Glänzen, beißen sich auf die Lippen, um sie zu röten, blähen ihre Wangen rund, ziehen und zupfen Rock und Bluse zurecht ... werden wieder frisch und fraulich unter den Blicken dieses Mannes. Im Vergleich zu seiner Eleganz wirkt Graf Bobby stocksteif. Mengele trägt die Uniform so unvergleichlich selbstsicher, fühlt sich so wohl in ihr wie in einer zweiten Haut und gleicht fast Charles Boyer. Ein verirrtes Lächeln huscht über seinen Mund, macht ihn weich. Gelassen, seines Charmes bewußt, unterhält er sich lachend und ungezwungen scherzend. Er ist sogar so taktvoll, still zu sein und zuzuhören, als Lotte-Susuki und ich-Butterfly unser Duett beginnen, obwohl er über unser urkomisches Gespann – das aussieht, als sei es Dubouts Karikaturen entsprungen (sie ist doch so groß und ich so klein) – hätte lauthals lachen können. Aber das scheint hier keinen zu stören, vor allem nicht Irma Grese, die mich mit ihren himmelblauen Augen so verwundert anschaut, daß man meinen könnte, gleich spricht der Affe und sagt fassungslos: »Wie kann nur eine Jüdin eine so junge, hübsche Stimme haben?«

Der Herr Oberarzt mag wohl die ›Leichte Kavallerie‹ nicht, er geht schon nach den ersten Takten in Begleitung von Graf Bobby wieder. Alma wird leichenblaß. Hat sie nicht gefallen? Kramer steht auch auf, befiehlt kurzerhand: »Schluß!« und geht mit seinem ganzen Gefolge. Als letzte verläßt die Dolmetscherin den Musiksaal; mir scheint, dieses große, dunkelhaarige Mädchen zögert noch den Bruchteil einer Sekunde. Wer ist sie?

Alma kann jähzornig sein, uns beschimpfen, uns ihren Taktstock um die Ohren schlagen oder ihn mit Stumpf und Stiel in den Boden stampfen, wenn ihr das Spaß macht – wir scheren uns nicht darum. Nun macht beim ganzen Orchester nur noch ein Name die Runde, der Name der Dolmetscherin: Mala.

Sie ist mehr als ein Name, sie ist schon Legende, sogar für mich, und ich weiß noch nicht viel über sie.

Die kleine Irène erzählt mir ihre Geschichte: »Mala ist unser aller Hoffnung! Sie ist belgische Widerstandskämpferin und kam mit einem der allerersten Transporte aus Brüssel hier an. Gleich bei ihrer Ankunft wurde sie mit fünf anderen Kameradinnen bei der Selektion ›nach links – zum Gas!‹ kommandiert. An diesem Abend verweigerte das Krematorium die Toten. Schon seit Tagen schoben die Männer mit ihren langen Backstuben-Holzschippen die Leichen in die Öfen, aber die angehäuften Berge schienen nicht kleiner zu werden. Mala wurde mit ihren Freundinnen in Zelle 25 gesperrt. Noch nie war jemand von da wieder rausgekommen. Die Internierten, die in der Nähe der Zelle 25 in ihren Baracken hausen, erzählen entsetzliche Dinge. Wenn man da hinschaut, sieht man, wie eine Frau, niemals dieselbe, mit verzweifeltem, irrem Blick verkrampft am Fenstergitter hängt. Es ist unerträglich! Splitternackt – warum sollte man sich noch für Kleidung in Unkosten stürzen, da sie ja doch sterben werden? – stößt man sie auf das stinkende Stroh auf dem Boden. Wenn die SS daran denkt, schmeißt man ihnen etwas zu essen hin; tagelang, wochenlang oder auch nur für ein paar Stunden bleiben sie dort eingesperrt. Weißt du, die Hölle ist nichts im Vergleich dazu. Für diesen Ort gibt es keine Bezeichnung. Wenn der Lastwagen davor hält und die Tür geöffnet wird, werden die noch Lebenden in die Gaskammer, die

Toten gleich ins Krematorium gebracht. Eines Abends gelang es Mala und den fünf Mädchen, in der Dämmerung durch ein Kellerfenster auszubrechen. Sie rannten so schnell sie konnten zum Lagereingang, dahin, was wir *vorne* nennen – zu den Häusern der SS, die nicht innerhalb des Lagers sind. Die SS-Leute machten es sich vor ihrer Tür bequem, rauchten, lachten, einer spielte sogar Mundharmonika – ein gemütlicher, angenehm kühler Abend. Auch Kommandant Höß stand da bei seinen Offizieren, als plötzlich die nackten Mädchen auftauchten. Die Männer waren so überrascht, daß sie nur noch laut loslachen konnten. Höß fragte sie: ›Woher kommt denn ihr? Wer seid ihr?‹ Mala antwortete ihm so selbstverständlich und ungezwungen, als sei sie voll angezogen: ›Aus Zelle 25, Herr Kommandant!‹ Die schauten sich wie vor den Kopf gestoßen an. Dieser Mut beeindruckte sie. Das Verhör begann:

›Wie heißt du?‹

›Mala.‹

›Woher bist du?‹

›Aus Belgien.‹

›Was kannst du?‹

›Französisch, deutsch und polnisch.‹

›Wie alt bist du?‹

›Neunzehn.‹

Schweigen. Der Kommandant überlegt und befiehlt dann, sie einzukleiden. ›Gebt ihnen irgendeine Arbeit. Diese da ... (er deutet mit der Reitpeitsche auf Mala) ... wird Dolmetscherin.‹ Mala hätte nichts Besseres passieren können. Sofort erkennt sie die Möglichkeit, an diesem Platz den anderen Mitgefangenen zu helfen. Sie gewinnt sehr schnell an Bedeutung und wird Chefdolmetscherin im Lager. Niemand weiß, warum ihr die SS-Offiziere vertrauten, ohne die vorherigen üblichen Sicherheiten wie Denunziation oder besonderen Eifer bei den Selektionen zu haben. Vielleicht weil sie mutig, still, ruhig und tüchtig ist. Sie setzt tatsächlich, ohne daß sie es merken, ihren Willen durch. Die Internierten schätzen und lieben sie. Wir vertrauen ihr alle blindlings. Jeder weiß, so oft es die Umstände bei einer Selektion zulassen, vergißt Mala einen Namen auf der Liste. Wenn die Häftlinge Schwierigkeiten und Probleme haben, gehen sie zu ihr. Sogar die Arierinnen respektieren sie, obwohl sie Jüdin ist, und wagen nicht, sich über sie lustig zu machen oder sie zu beschimpfen. Und das ist noch nicht alles. Mala hat einen Freund, der sie liebt: Edek, ein hübscher junger Mann vom polnischen Widerstand. Sie können sich treffen, wenn im Lager Ausgangsverbot ist, denn sie haben beide einen Posten, der ihnen das gestattet, da er auf der Schreibstube Dienst tut. Mehr weiß ich nicht über sie, aber diejenigen, die sie schon zusammen gesehen haben, sagen, man sehe auf den ersten Blick, daß sich die beiden lieben.«

Draußen regnet es immer stärker, schon fast wie Hagelschauer trommelt der Regen aufs Dach und gegen die Fenster. Unser schwarzer Ofen ist rotglühend, der starke Wind hat das Feuer so angefacht, daß aus dem verschlafenen Knistern ein loderndes Brausen geworden ist. Die meisten Mädchen, Polinnen, Deutsche und Russinnen, haben sich schlafen gelegt. Nur unsere kleine Gruppe um den Ofen herum zieht den Abend noch in die Länge.

Die kleine Irène beschließt ihre Erzählung: »Ich habe noch nie mit ihr gesprochen. Ich kenne sie nur vom Sehen, wie sie mit hocherhobenem Kopf und kühlem Blick durchs Lager geht, aber ich spürte jedesmal, daß in ihrem Innern etwas schwelt. Und heute ist sie hierher gekommen ... Vielleicht kommt sie wieder?«

Ich möchte sie unbedingt sehen, sprechen. Mir kommt sie wie die personifizierte Heldengestalt vor.

Ganz ruhig meint Anny: »Das kann man nie wissen! Und außerdem, was kann sie denn schon für uns tun?«

An den darauffolgenden Tagen kommt Mala zu uns. Sie kommt nicht aus Liebe zur Musik, in ihrem Leben haben nur zwei Arten von Liebe Platz: die Liebe zur Freiheit und die Liebe zu Edek. Manchmal treffen sich die beiden in unserm Block, das ist jedesmal ein einmaliger Augenblick. Sie kommt. Kurz danach kommt er. Sie schauen sich an, gehen bis auf ein paar Schritte aufeinander zu. Dieser Abstand scheint sie zu vereinen. Sie berühren sich nicht, sagen kein Wort . . . es knistert und zündet . . . wenn sie sich anschauen. Ihre Liebe bringt für Sekunden die ganze Schönheit der Welt wieder.

Heute abend finden wir, Mala sieht nach einer langen Blocksperre besonders mitgenommen aus. In ihrem blassen Gesicht wirken die Schatten unter ihren bewundernswerten Augen noch dunkler, sind tiefliegender und erinnern an die Maske der Tragödie. Die kleine Irène und Eva fragen: »Was hast du? Bist du krank?«

»Ja – immer nach einer Selektion. Krank aus Abscheu, Widerwillen und Wut, krank vom Aufzählen der Nummern unserer Kameradinnen, die in die Gaskammern geschickt werden . . . Das muß aufhören! Ich kann nicht mehr. Irgend etwas muß geschehen, die Welt muß es erfahren, damit diesem Grauen ein Ende gemacht wird!«

Besorgt frage ich sie: »Aber wie? Was willst du denn tun?«

»Das weiß ich noch nicht. Edek wird schon einen Ausweg finden!«

In ihren Augen leuchtet ein so starker Glaube, daß auch ich daran glaube. Wenn das jemand schaffen kann, dann sie, sie beide.

»Wir werden es hinausschreien, der ganzen Menschheit die Wahrheit sagen. Uns wird man glauben!«

Wir stehen alle da, schauen sie an, unsere Herzen fiebern. Dieser Lichtblick! Wenn die Welt erst weiß, was hier geschieht, wird sie es verhindern. Das ist so selbstverständlich für uns, daß wir ihr beipflichten. »Ja, dir wird man's glauben! Wie könnte man nicht?« Hoffnungsvoll reißt uns unsere Phantasie mit, und wir bestärken: »Wenn es immer noch KZs gibt, dann nur, weil noch keiner rauskam und die Wahrheit in die Welt hinausschreien konnte!« Ich weiß nicht, wer von uns sogar sagte: »Wenn der Papst von unserem Dasein wüßte, würde die ganze Christenheit zu einem Kreuzzug aufbrechen, wie ihn die Geschichte noch nicht gekannt hat!« Wir sind so felsenfest davon überzeugt und sicher, daß wir Mala nur noch fragen: »Wie willst du das anstellen?«

»Ich weiß nicht, aber ich werde es tun!«

Diese Antwort genügt uns. Für uns wird sie zur Gewißheit.

Eines Morgens sickerte die Nachricht von einer Landung der Alliierten durch. Sie soll in Frankreich stattgefunden haben. Jenny und Florette tun sie mit Achselzucken ab: »Noch so ein Schwindel!«

»Nein, diesmal kommt's von Mala.«

Wir können es kaum erwarten, fiebern ihrem Kommen entgegen, denn sie »füttert« uns mit Neuigkeiten. Dank ihrer Verdienste als Dolmetscherin darf sie nicht nur frei im Lager herumgehen, sondern kann auch, da sie dauernd in der Nähe der SS-Offiziere ist, alle möglichen Informationen aufschnappen. Wir wagen noch nicht, uns unbändig darüber zu freuen, aber jede von uns belauert die Deutschen. Ist es nur eine vage Meinung, oder sind sie wirklich nervöser, angespannter als sonst?

Tage später bestätigt uns Mala die Meldung. Unsere kleine Gruppe durchwacht und singt halblaut fast die ganze Nacht. Morgens suchen wir den Himmel ab, schauen in Richtung Karpaten. Wenn der Wind an manchen Tagen den Rauch der Krematorien vertreibt, sehen wir diesen Gebirgszug, in dem die polnischen Partisanen Unterschlupf gefunden haben. Wir sind überzeugt und sicher, sie werden uns die Freiheit bringen.

Aber die Tage vergehen, und unsere Ungeduld weicht einer deprimierenden Resignation. Es dauert so lange ...

Eines Morgens nimmt der Appell kein Ende. Seit einer Stunde schon wartet die Kapelle auf ihren Ausmarsch, die Pfiffe dazu ertönen immer noch nicht. SS-Leute zählen und zählen die Frauen, Sirenen heulen, Soldaten stürmen durchs Lager. Was ist passiert? Kommen unsere Befreier? Nein. Ein Ausbruch. Wer? Die Zeit verrinnt, das Gerücht verbreitet sich: Mala ist ausgerissen, wahrscheinlich mit Edek, denn auch die Häftlinge im Männerlager stehen schon seit Stunden.

Als endlich der Appell abgepfiffen wird, ist die Erregung unerträglich, die Nerven sind zum Zerreißen gespannt, die Neuigkeiten überschlagen sich. Jeder weiß was anderes, jeder will es noch besser wissen. Eines ist sicher: Mala und Edek sind geflüchtet.

Wie wohl? Am Abend stückeln wir alles zusammen, was wir aufgreifen konnten, und stellen uns einen Hergang vor, der sich später auch als richtig herausstellt. Dank der Zusammenarbeit der deutschen SS mit den Rumänen, die Edek mit Gold bestochen hat – gestohlenes, organisiertes Gold gibt's in allen Lagern – konnte er Männerkleidung für Mala, eine SS-Uniform für sich selbst und falsche Papiere für beide beschaffen. Mala zog über die lange Hose und den Pulli einen blauen Arbeitsanzug, trug auf dem Kopf ein Waschbecken wie ein Installateur und ging, von Edek als SS-Mann in Uniform mit Pistole am Koppel bewacht, zum Tor hinaus. Er gab vor, diesen Arbeiter in ein anderes Lager zu begleiten. Sein Ausweis war offensichtlich in Ordnung, die Namen ausgetauscht. Sie gingen, wie sie sich geschworen hatten, zusammen der Freiheit entgegen.

Wir sind außer uns vor Freude. Selbst den Oberflächlichsten dürfte unsere Begründung aus der Fassung bringen: »Sie sind draußen, nun werden wir erlöst!« Wir sind im Höhenflug und wachsam zugleich. Der zügellose Zorn der SS kann ihre Brutalität verzehnfachen. Wer sollte sie daran hindern, das ganze Lager, alle Männer und Frauen, zu vergasen, wenn ihnen der Sinn danach steht?

Heimlich und still, im innersten Winkel unseres Herzens, sagen wir uns: wir leben noch, und wecken unsere Hoffnung wieder. Das ganze Lager wacht. Niemand schläft. In jeder Baracke, auf jedem Strohsack wird gewartet – auf das Wunder gewartet. Die Tage schleichen dahin, vier, fünf, vielleicht weniger, vielleicht auch mehr. Manchmal horchen wir auf, meinen wir, Kanonendonner, Schußwaffen zu hören. Stimmt's, stimmt's nicht? Die Phantasie geht mit uns durch, wie im Fiebertraum sehen wir Mala und Edek an der Spitze von Millionen Soldaten ins Lager zurückkommen, der SS die Augen ausstechen und die Bäuche aufschlitzen, ein wahrer Blutrausch überfällt uns. Zum ersten Mal seit unserer Internierung atmen wir freier, leben wir ... erfrischt durch die Hoffnung. Noch nie sangen und spielten wir leichteren Herzens. Wir singen und spielen übrigens nur noch für uns, diese »Damen und Herren« kommen nicht mehr, sie haben andere Sorgen. Morgens und abends, beim Ausmarsch und bei der Rückkehr der Arbeitskommandos, zwinkern die Frauen verstohlen den Musikantinnen zu, die unbeschwert und fröhlich ›Josef! Josef!‹ spielen.

Über dem Lager weht ein anderer Wind, obwohl die Krematorien weiter ihren Rauch ausspucken und uns für den herannahenden Sommer rußschwarz kostümieren – das kümmert uns nicht mehr. In unseren Herzen jubelt und singt der Sommer mit seinen siegreichen Ernten!

Gerüchte kreisen, das Lager werde gnadenlos bis in den hintersten Winkel durchsucht, im Hauptgebäude der SS finden Verhöre statt, man sucht nach Helfershelfern. Keiner weiß was, und das ist wahr. Wenn man einen Fluchtversuch vorbereitet, vertraut man sich keinem an, nicht mal der eigenen Mutter. Der kalte, durchdringende Blick der SS kommt Inquisitoren gleich, sie beobachten unerbittlich alles und jeden; sollten sich in ihren eigenen Reihen ein, zwei, drei Verräter verstecken?

Dann verbreitet sich eines Morgens beim Wecken die Nachricht wie ein Lauffeuer: »Mala ist zurück!«

Mit Gebrüll, schrillen Pfiffen und Schlägen treiben entfesselte SS-Leute, Kapos und Blockowas alle Frauen aus ihren Barakken, sogar uns. Tausende von Häftlingen stehen auf dem großen Appellplatz, den Lagerstraßen, bewegungslos da und halten den Atem an. In der Mitte des Platzes, allein, halbnackt und blutüberströmt, steht Mala. Wie wir erfahren, wurde sie erfolglos gefoltert. Ungebrochen, stolz, mit erhobenem Haupt, schaut sie uns an und lächelt. Uns schießen die Tränen in die Augen, Tränen der Liebe und der Anerkennung. Sie hat all das, was wir haben möchten: Stolz und Mut!

Ein SS-Offizier schreit sie so überlegen und laut an, daß ich jedes Wort verstehe und kein einziges je wieder vergessen werde: »Siehst du, Mala, hier kommt keiner raus! Wir sind die Stärkeren, und du wirst büßen.«

Er zieht seine Pistole und sagt, während er sie entsichert: »Deine Heldentat soll belohnt werden, ich erschieße dich.«

»Non!« schreit Mala. »Ich will vergast werden wie meine Eltern, wie Tausende Unschuldiger, ich will sterben wie sie. Was wir nicht schafften, werden andere tun, ihnen wird es gelingen und ihr werdet büßen müssen ...! *Ihr* müßt büßen!«

Der SS-Offizier schlägt sie ins Gesicht. Ich stehe nur zehn Meter von Mala entfernt und sehe in ihrer Hand etwas aufblitzen, eine Rasierklinge, mit der sie sich die Schlagader öffnet.

SS-Leute kommen angelaufen, drehen sie um, treten sie mit den Füßen und legen ihr einen Druckverband an. Sie wollen sie lebend. Man bindet ihr die Hände auf den Rücken, schleppt sie weg, sie fällt, richtet sich wieder auf und ruft uns zu:

»Wehrt euch! Wehrt euch! Ihr seid Tausende. Greift sie an! Sie sind feige – selbst wenn ihr dabei umkommt, zählt das mehr, denn ihr sterbt frei! Wehrt euch doch! . . .«

Die SS-Leute schlagen sie, sie fällt, ist über und über mit Blut bedeckt, ein zappelndes, rotes Etwas . . . aber ihren Blick . . . ihre Augen . . . werde ich nie vergessen. Man bringt sie weg. Lebt sie noch?

Die Stille im Lager ist beklemmend. Drüben, über dem Krematorium, ist der Himmel rot wie Malas Blut.

Auf der anderen Seite, im Männerlager, wurde ein Galgen aufgestellt. Es ist so weit entfernt, daß ich es nicht genau sehe. Wie bei uns sind auch dort alle Häftlinge stillschweigend versammelt. Edek Kalinski erscheint, die Hände auf dem Rücken gefesselt, unkenntlich. Er, der so hübsch war, scheint kein Gesicht mehr zu haben, sein Kopf ist nur noch eine blutende, verschwollene Masse. Wir sehen ihn auf eine kleine Bank steigen. Wortfetzen des Urteils, das zuerst in deutsch, dann in polnisch verlesen wird, dringen bis zu uns. Der Urteilsspruch ist noch nicht beendet, als Edek den Kopf in die über ihm hängende Schlinge steckt und die Bank umstößt. Jup, der Lagerkapo, läuft hin, stellt Edek wieder auf die Bank und zieht ihm den Kopf aus der Schlinge. Die Urteilsverkündung geht weiter, Edek wartet den Schluß nicht ab, schreit laut: »Polen ist noch nicht . . .«, die übrigen Worte werden wir nie erfahren. Mit einem Fußtritt stößt der Lagerkapo Jup, sein Freund, die Bank um. Ein polnischer Befehl ertönt, und unzählige Hände fliegen in die Höhe, reißen die Mütze vom Kopf. Letzter Gruß: im Männerlager entblößen alle Häftlinge vor Edek Kalinski, ihrer großen Hoffnung, das Haupt.

Was war passiert? Wie konnten sie wieder eingefangen werden? Stückchen um Stückchen, Flüsterparole um Flüsterparole erfahren wir mehr.

Fünf Kilometer weit hatte Mala dieses schwere, weiße Keramikbecken geschleppt, während ihr die Knie zitterten und die Beine schwach wurden vom Gewicht. Edek folgte ihr als Wächter. So erreichten sie Kozy, ein kleines Dorf in der Umgebung. Dort brachte sie ein polnischer Komplize zu einem Freund, bei dem sie die Nacht in einem Heuschober verbringen konnten.

Ich stelle mir die beiden Körper eng umschlungen vor, ein unsagbares Liebesverlangen muß sie in dieser Nacht vereint haben. Sie müssen ihre Angst vollkommen vergessen haben, zum ersten Mal so allein zusammen . . . Zweifellos war das ihre erste und einzige Nacht, denn sie mußten in der Stadt Kontakte aufnehmen. Mala zog ihren blauen Arbeitsanzug aus, war nun in Pulli und langer Hose. Aus Gründen, die uns dunkel bleiben werden, ging sie in ein Café, um auf Edek zu warten. Deutsche, die meisten in Uniform, gingen dort ein und aus. Ein Gestapo-Offizier saß in ihrer Nähe und fand sie hübsch oder auch nur fremd, oder vielleicht beides? Auf jeden Fall fixierte er sie, schaute sie durchdringend an. Das machte Mala, die ihr ruhiges Blut wirklich nicht so schnell verlor, unsicher. Sie beschloß zu gehen, stand auf; er war etwas schneller, packte sie am Arm, zog ihren Ärmel hoch, sah die tätowierte Nummer und hatte damit den Beweis. Große Aufregung im Café. Edek erschien in SS-Uniform. Aufgrund der Menschenansammlung vor der Tür konnte er sich denken, was vorgefallen war. Er hätte sich unter die anderen Uniformierten mischen und langsam wieder gehen können. Er ging auf Mala zu. Ohne sie gibt er auf, ohne sie kann er nicht leben, nicht einmal in Freiheit. Trotz Malas verzweifeltem Blick ging er zu ihr hin und ließ sich festnehmen.

Was dann folgte, haben wir selbst miterlebt.

Welche eigene Unvorsichtigkeit oder Nachlässigkeit der Freunde hat sie so tragisch enden lassen? Die Tage vergehen, im Lager rumort es gedämpfter, aber in uns gärt der Sauerteig der Hoffnung und treibt große Blasen.

»Sie waren immerhin so lange draußen, daß sie freundschaftliche Kontakte knüpfen, erzählen, deutlich sagen konnten, was wir hier durchmachen. Die Welt weiß es also, warum kommen sie uns nicht zu Hilfe?«

»Ich begreife nicht, auf was die Alliierten noch warten«, klagt die große Irène. Florette ist verbittert: »Das ist doch wirklich nicht schwer zu verstehen. Was sind wir schon für sie? Ein paar tausend Tote mehr oder weniger, das ist ihnen doch egal, sie wollen ihren Krieg gewinnen, ihre Weltherrschaft festigen. Das und nichts anderes interessiert sie, ist ihnen wichtiger als alles andere – sie wollen die Welt unter sich aufteilen!«

Ich mache eine Einschränkung: »So wie die andern können die Russen gar nicht denken. Ihr werdet schon sehen, ich bin ganz sicher, unser Heil kommt aus den Karparten . . .«

Mein Enthusiasmus überzeugt niemanden. Der Alltagstrott des Lagers hat sie wieder. Sie stecken voller Egoismus. Die Angst schafft ihre eigenen Gesetze. Die Monstren sind um uns, mächtiger und mörderischer als je zuvor. Der Gedanke an die Folgen dieser Flucht lastet schwer auf uns, und es fehlt nicht an

Kommentaren: »Wir müssen büßen, immer die, die übrigbleiben!« An allem gibt man Mala und Edek die Schuld. Man verurteilt ihre Gedankenlosigkeit, ihren Leichtsinn, manche nennen es sogar Dummheit. Sie werden als Utopisten, Egoisten, als Irre verschrien.

Eva, die kleine Irène und ich wiederholen immer wieder, sie täuschten sich, die beiden hätten uns ein wunderbares Beispiel vorgelebt. Leben heiße: nicht resignieren, kämpfen, und dazu müsse man sich gegenseitig helfen, zusammenstehen, einen Block bilden, bereit sein, alles auf sich zu nehmen ...

Wir reden und reden ... wer hört uns zu?

Und das Leben geht weiter.

Im Museum des Konzentrationslagers Auschwitz kann man zwei Locken sehen. Zwei Locken, die sich zu einer vereint haben – die Haare von Mala Zimellbaum und Edek Kalinski. Das ist alles, was von ihnen geblieben ist.

An der Rampe, auf dem geschlossenen Schlagbaum, sitzt Graf
Bobby, hält sein Stöckchen in der Hand, läßt ein Bein frei in der
Luft baumeln und stimmt sich so auf seine »Arbeit« ein. Die
Türen der Waggons sind geöffnet, Männer, Frauen und Kinder
fallen heraus ... die einen weinen, rufen, die andern hüpfen
über die Toten weg. Offensichtlich brauchen die Transporte
mehrere Tage für ihre Fahrt, bleiben immer wieder auf Abstell-
gleisen stehen und lassen Militärtransporten den Vorrang. Die
Deportierten sind zwölf Tage unterwegs. Zwölf Tage ohne frische Luft, ohne Brot, ohne Wasser.

Graf Bobby läßt sich sein Gesicht wohlgefällig von der Sonne
bescheinen. Man muß die guten Augenblicke im Leben genießen können. Er lächelt vor sich hin, mit sich und der Welt
zufrieden – und mit seiner Arbeit, warum nicht? Alle andern
haben einen harten, verbissenen Ausdruck, er nicht. Fällt sie
ihm leichter? Die Stiefelspitze seines übergeschlagenen Beins
glänzt und zieht die Sonnenstrahlen an wie ein Brennglas. SS-
Männer lassen die Überlebenden in Fünferreihen antreten, woraus Graf Bobby, seine lange Zigarettenspitze im Mund, lässig
und leichtblütig selektiert, wie es ihm gerade in den Sinn
kommt. Er schickt die einen in die Hölle des Lagerdaseins, die
andern durch den Schornstein ins Paradies. Ein edler Beruf, der
des SS-Offiziers!

Draußen vervielfachen sich die Pfiffe. Tschaikowska rennt,
brüllt ihr *verboten!* durch den Musiksaal und schließt die Tür
zu. Was hat diese Blocksperre wohl Besonderes an sich, wenn
nicht mal unsere Tür offen bleiben darf?

Wir proben heute das Quartett aus ›Rigoletto‹. Obwohl uns
die Rollenverteilung einigermaßen neu und ungereimt vorkommt, haben wir sie so gelöst: Lotte, Mezzosopran, Gesell-
schafterin der Gilda; Eva, Tenor, Liebhaber, Herzog von Man-
tua; Florette, Bariton, sein Hofnarr; ich, Sopran, Gilda! Diese
Szene gefällt der SS so gut, daß wir sie regelmäßig proben müssen. Wir haben den letzten Ton noch nicht ganz ausgehaucht,
da hören wir auch schon so lautes Gelächter, daß wir trotz
»verboten« zu Tür und Fenster laufen. Ein langer, magerer,
splitternackter junger Mann mit einer feinen Nase singt, springt

und tanzt vor einer offenen Waggontür. Er mimt den reinsten Marionettenzauber, seine Hände leuchten in der Sonne. Die SS-Leute haben ihren Spaß daran, alle, vom einfachsten Mann bis rauf zum Grafen Bobby.

Der Narr ruft freudig allen und jedem etwas zu, wovon wir nur »Hurra! Bravo! Bravissimo! Bonjour! Guten Tag!« verstehen können.

Langsam schiebt sich die Prozession der Todgeweihten, Greise, Frauen und Kinder, an ihm vorbei. Eine Mutter lockt ihre Küken: »Kommt, kommt, Kinderchen!« Einige wenige drehen sich nach dem Wahnsinnigen um und lachen. Dann, als alle über die Rampe zur Gaskammer gezogen sind, bleibt der Narr allein und verlassen bei den Toten aus den Waggons, bis andere Häftlinge in gestreiften Lumpen sie auf ihre Wagen laden und wegkarren. Nun lacht und mimt er weiter, klatscht in die Hände und springt grandios in die Höhe. Der leere Zug ruckelt und zuckelt langsam rückwärts, gesellt sich mit seinen irrationalen Stößen zur Mimik des Einfältigen. Weitere Waggons werden angeschleppt, der wahnsinnige Mime wiederholt seine Nummer, hampelt und strampelt. Die SSler freuen sich, klopfen sich vergnügt auf die Schultern, bis Graf Bobby, zweifellos satt des lustigen Zwischenspiels, ihn mit einem Wink seiner Zigarettenspitze – auf daß sein Stil gewahrt bleibe – zu den andern auf die Rampe schickt.

Das Spiel ist aus. Die Blocksperre dauert weiter. Sie zieht sich über unsere Essenszeit hinaus. In der seit Stunden geschlossenen Baracke, von der Sonne erbarmungslos aufgeheizt, steht die Luft zum Ersticken. Panie Founia und Marila holen in der Küche die Abendration und lassen die Tür offenstehen, so daß ein paar von uns rauskönnen und mechanisch zum »Bahnsteig« schauen. Hinter dem Stacheldrahtverhau schiebt sich monoton und hoffnungslos der Zug der Selektierten weiter. Woher wissen wir, daß es sich um einen belgischen Transport handelt? Eine Läuferin muß es uns gesagt haben, denn unsere Belgier, die große Irène, Anny und Lily halten intensiv Ausschau nach den Neuankommenden, als ob ihnen diese grenzenlose Traurigkeit einen Hauch Heimat mitgebracht habe.

Anny sagt: »Weißt, die sehen schon sehr belgisch aus . . .« und schreit hemmungslos laut, rückhaltlos: »Mama! . . . das ist Mama! Meine Schwestern!«

Sie rennt los. Drüben auf der Rampe schauen sich weder ihre Mutter noch ihre Schwestern um, sie haben nichts gehört. Florette holt Anny zurück und drückt ihr mit aller Gewalt den Mund zu. Eva, die kleine Irène und Lily ziehen sie herein, ich mache die Tür hinter ihnen zu. Anny tritt, schlägt, beißt, reißt Florettes Hand weg, schreit wie wahnsinnig: »Laßt mich los! Laßt mich gehen ... ich will sie sehen ... ich will zu ihnen ... mit ihnen sterben ... Mama! Mama!«

Mit einem gezielten Schlag schlägt Florette sie ohnmächtig. Wir können sie in ihr Bett bringen und wachen die ganze Nacht abwechselnd bei ihr. Sie weinte bis zum frühen Morgen, dann schlief sie ein.

Jetzt, bei Beginn der Probe, sitzt sie reglos, völlig abwesend auf ihrem Stuhl und schaut leer vor sich hin. Die große Irène drückt ihr sachte, fast zärtlich, die Mandoline in die Hand: »Spiel, wer weiß wie lange noch, also spiel!«

Seither ist Anny nicht mehr dieselbe. Sie war vorher schon still und zurückhaltend, nun hat sie sich völlig in sich selbst verkrochen, abgekapselt; sie beurteilt alles pauschal, ist unversöhnlicher, vor allem so viel teilnahmsloser.

Bereits eine Stunde später wird dieses tragische Ereignis in den Hintergrund gedrängt, später ganz abgeschrieben, denn eine andere Nachricht verbreitet sich mit Windeseile: Kramer und Mandel haben Birkenau verlassen! Wohin sind sie? Warum sind sie gegangen? Für immer? Kommen sie wieder? Das beschäftigt uns am meisten. Sie mochten unser Orchester, sie waren stolz auf uns und waren unsere treuesten Kunden, unsere Beschützer. Ohne sie wird unsere Zukunft noch unsicherer.

Ich ertappe Alma dabei, wie sie sich aufmerksam unsere Räumlichkeiten ansieht. Ihr besorgter Ausdruck sagt mir genug: Unser Block ist sauber, gut gehalten, ordentlich beheizt, ohne Ungeziefer, also können hier auch andere Diensträume eingerichtet werden, im Lager herrscht ständige Platznot, das Gewimmel der Massen von Häftlingen macht sich überall breit. Die SS könnte auf die Idee kommen, unsere Baracke anders zu verwenden, was dann? Gas oder Arbeitskommando?

Offiziell wurde Alma von der Abwesenheit unserer Beschützer nicht unterrichtet, also zieht sie es vor, das Ganze zu ignorieren. Wir proben wie eh und je. Vielleicht sind sie zum Sonntagskonzert wieder zurück, dann muß alles klappen.

Unser ganzes Repertoire spielen wir durch, Wiener Walzer wie am Schnürchen. Ein Potpourri von Dvořák, das sie so gerne hören, ohne zu wissen, daß das zur verbotenen Musik gehört. Den ›Ungarischen Tanz Nr. 5‹ von Brahms, das ›Drei-Mädel-

Haus‹ von Schubert, ›Tosca‹, Puccini, ›Im weißen Rössel am Wolfgangsee‹, ›Wolgalied‹, Lehar. Unsere SS ist sehr wählerisch! Tatsächlich, sie mögen Musik, verstehen aber nichts davon.

Die Proben lassen uns hoffen, wir proben gründlich und gut, vielleicht zu gut, zu viel – zweifellos hätten wir daran denken sollen, sie hätten uns vergessen sollen. Schon kommt eine Läuferin mit der Meldung, die Proben seien sofort einzustellen, die Konzerte würden gestrichen, nur die Kapelle für die Arbeitskommandos morgens und abends bleibe bestehen.

Entmutigt legt Alma ihren Taktstock aufs Pult, geht und schließt sich in ihr Zimmer ein, erscheint aber sofort wieder. Mit großen Schritten durchquert sie den Musiksaal und geht ganz. Wohin? Will sie versuchen zu vermitteln? Aber bei wem? Ich bin so müde und kraftlos vom Durchfall, der mich seit Tagen plagt, und lege mich hin – wir werden ja sehen!

Almas Rückkehr ist anders als gewohnt, eher überraschend. Sie kommt mit einer Läuferin, beide haben die Arme voll Wolle. Wollknäuel und Stricknadeln, die sie wie eine reiche Ernte als bunten Berg auf meinen Tisch schütten. Statt Musiknoten nun also Strickmaschen!

»Dir ist doch klar«, sagt Alma zu mir, »daß ich ihnen beweisen muß, daß wir außer Musik machen auch noch was anderes können. Wenn einer hier reinkommt und uns einfach mit den Händen im Schoß dasitzen sieht, kommt er auf die Idee, uns für unnütz zu erklären. Deshalb fragte ich Frau Schmidt, was wir tun könnten. Sie riet mir, in der Schneiderei nach Arbeit zu fragen, aber dort gibt es auch nicht viel zu tun, die müssen sehen, daß sie selber beschäftigt bleiben. Da sah ich diese Wolle und erbat sie mir. Nun werden wir stricken, egal was, nur viel!«

Eine Stunde später klappert das ganze Orchesterensemble – außer Alma, der kleinen Irène und mir, weil wir nicht stricken können – munter mit Stricknadeln. Hauptsächlich Ohrenschützer und Pullover entstehen, die sind offensichtlich am meisten gefragt. Die kann die SS mitnehmen, sie werden sich freuen. Meine entsetzlichen Darmkoliken schlauchen mich so sehr, daß ich im Bett bleiben muß und mir das Ganze von da oben aus ansehen kann. Soviel Sinn für Humor habe ich noch, um mich an diesem seltsamen Bild köstlich zu amüsieren. Meine Schreiberinnen sitzen um den großen Kopiertisch, die Musikerinnen auf ihren Orchesterstühlen, ... und stricken. Alma geht nervös und alle andern nervös machend wie eine Gefängnis-Chefaufseherin durch die Reihen und fällt den Mädchen auf die Nerven, weil sie ihnen nichts sagen kann, aufgrund ihrer totalen Unkenntnis vom Umgang mit Strickzeug. Florette strickt und strickt und sieht sich nicht um. Eva läßt sich Zeit, probiert, prüft, begutachtet. Die jüdischen Polinnen arbeiten, als hinge ihr Leben an diesem Faden – und wenn dem so wäre? Die schlechten gemeinsamen Umstände kommen dabei besonders banal zum Ausdruck. Die arischen Polinnen nadeln langsam vor sich hin. Clara zieht unentwegt alles wieder auf, was sie geleistet hat, während die Nadeln der Deutschen mit der Gleichmäßigkeit von Maschinen funktionieren.

Zwei, drei Tage spulen sich so, mit den rhythmischen Variationen der einzelnen Strickerinnen, ab. Jeden Augenblick befürchten wir den Besuch von Tauber, der sich während Kramers Abwesenheit um viel zu viel zu kümmern scheint, um mehr, als uns lieb ist! Ist er befugt dazu? Das wissen wir nicht, aber es ist ohnehin bedeutungslos, ob man mit oder ohne Fug und Recht tötet.

Den spindeldürren, trübsinnigen Tauber bedrückt seine einseitige Beschäftigung. Er langweilt sich. Er braucht phantasievolle Abwechslung, Neues, die ewige Routine – »Rechts-links« – bei den Selektionen macht ihn krank. Das Selektieren der Transporte interessiert ihn ohnehin nicht sehr, dabei kann man keine eigene Vorstellungskraft entfalten, die er doch hat! Er hält viel mehr von den Selektionen innerhalb des Lagers.

Im Augenblick scheint es so, als hätten wir von ihm nichts zu befürchten, er ist damit beschäftigt, seine neueste Errungenschaft zu verfeinern. Er läßt alle Frauen des Lagers – ausgenommen Arierinnen, die Mädchen vom »Canada«, von der Schneiderei und vom Orchester – draußen, im Freien, nackt in Reih' und Glied antreten. Dann geht er durch die Reihen, bestimmt fünfzig Frauen, bevorzugt die Schwächsten, denn sie brechen schneller zusammen. Diese Halbtoten müssen einen Graben ausheben. Das Wichtigste an dem Bauwerk ist nicht etwa die Tiefe, sondern die Breite; sie darf weder zu groß noch zu klein sein. Der Graben muß mit Mühe eben noch zu überspringen sein. Ist dieses Kunstwerk vollbracht, müssen die Frauen, die splitternackt im Stillgestanden gewartet haben, nach seinem Kommando über den Graben springen. Wer in den Graben fällt, ist reif für die Sonderbehandlung, also fürs Gas.

Es kommt vor, daß Tauber lust- und einfallslos ist. Dann läßt er tausend Frauen in Hundertschaften antreten, zählt die ersten drei, *eins! zwei! drei!*, die letzten Hundert: ab ins Gas! *Eins! zwei! drei!* ins Gas! Beim dritten Mal entscheidet der Zufall, entweder schickt Tauber sie weiter in den Tod, oder er läßt sie für diesmal am Leben – wie es ihm gerade beliebt. *Eins, zwei, drei!* ... bis zur letzten Frau. Welch ein Genuß, diese Gewalt!

Vielleicht sind wir morgen schon mit von der Partie, und er ist voller Phantasie. Auch damit müssen wir rechnen. Wir wissen, daß er die Mandel haßt, und bezweifeln nicht, ein Spritzer seines Verfolgungswahns könnte uns treffen, uns, die Überflüssigen. Proben und Konzerte hat er schon verboten. Was wird ihm noch einfallen?

Viele von uns finden Stricken eine angenehme Beschäftigung. Es erinnert sie an früher, als sie noch Jacken, bunte Schals und Mützen, dicke Socken für ihn und die Kinder strickten. Manche stricken sogar abends, wenn wir um den kalten Ofen sitzen, dessen bloßes Dasein uns ein Symbol geblieben ist.

Am Sonntag steigt die allgemeine Angst bereits um mehrere Oktaven. Kein Konzert! Dieser Ausfall wird den SS-Offizieren und Graf Bobby auffallen, sie werden darüber sprechen. Was für Befugnisse hat dieser Oberführer überhaupt, der eines Tages plötzlich da war? Und was dürfen wir von Dr. Mengele erwarten, der nun noch außer ihm der einzige Musikliebhaber in Birkenau ist? Zweifellos nichts. Warum sollte er eine Handvoll junger Drecksjüdinnen verschonen, denen es ohnehin schon lange genug gut ging. Er, der sie tagtäglich unter dem Deckmantel der Wissenschaft, im Namen der Reinerhaltung der Rasse, vertilgt!

Heute Abend wendet sich jede an ihren Gott, um Ihn um die Rückkehr von Kramer und Mandel zu bitten ... Keine einzige wundert sich über dieses erstaunliche Paradox, diese überaus seltsame Gesinnung, wenn das Opfer nach seinem Schlächter verlangt ...

In unserem Block enden Gebete, die öffentlich gesprochen werden, meist schlecht, mit Schimpf, Schande und Spott. Wenn sich ein arisches Mädchen auf den Strohsack kniet, bekreuzigt, eine andere zu ihr geht und mit ihr betet, beginnt schon, ehe sie ihr Gebet recht angefangen haben, das Geschrei: »Diese Idioten! Schaut sie euch an – zu wem beten sie? Es gibt keinen Gott, sonst wären sie nicht hier!« Die Mädchen stören sich nicht daran, beten weiter, der Ton wird zorniger: »Ich habe auch mal an Gott geglaubt, an unsern Herrn Jesus Christus! Aber er hat die KZs zugelassen, die Gaskammern, die Öfen. Er läßt diese

Unmenschen nicht vom Erdboden verschwinden. Er läßt Folter und Vernichtung zu! Ich spucke diesem Jesus Christus ins Gesicht! Es gibt keinen Gott!« Andere halten dagegen, bekräftigen: »Gott weiß, was er tut! Die Menschen brauchen Bestrafung!« Meist pflichten dem die praktizierenden Jüdinnen bei: »Das stimmt, man muß büßen, Gott schickt uns diese Strafen zu unserem Besten!« »Zu unserem Heil!« betonen die Katholiken. »Arme Irre!« entgegnen ihnen Florette und Jenny wie aus einem Mund. »Findet ihr das vielleicht gerecht, wenn Unschuldige als Rauch verschwinden?« »Die Erbsünde!« bestärken die Katholiken. »Die Väter haben saure Trauben gegessen, und den Kindern werden die Zähne stumpf«, zitieren die Israeliten. »Geht doch zum Teufel! Es gibt keinen Gott!« »Und eure Rabbis, ihr Armleuchter, waren das lauter Scheißkerle, daß man sie ins Feuer werfen muß? Meinst wohl, die brennen gut, besser noch als die andern, sie sind fett! Das gibt gute Seife! Euer Gott ist großartig, er läßt zu, daß seine Priester verbrannt werden. Nichts gibt es, hört ihr, nichts, nichts!« brüllt Florette.

Die Jüdinnen sind außer sich, verbeugen sich weiter, schlagen büßend an die Brust und beten ihren Kadisch: »Gelobt sei der Herr, unser Gott, der uns gerecht erschaffen hat, der uns in Gerechtigkeit auf Erden wandeln läßt ...« oder den Psalm 91:

> »... Unter seinen Fittichen bist du geborgen,
> Seine Treue ist dir ein schützender Schild.
> Du mußt nicht fürchten das nächtliche Grauen,
> Nicht am Tage den fliegenden Pfeil;
> Nicht die Pest, die umgeht im Dunkel;
> Nicht die Seuche, die hereinbricht am Mittag.
> Und fallen auch tausend an deiner Seite ... Brüder und
> Freunde ...«

Vielleicht ist das bewundernswert. Aber wenn die Mädchen diese Worte hören, werden die Nichtpraktizierenden rasend vor Wut, weil sie sie als Vertrauensbruch, als Betrug auslegen. Die praktizierenden Jüdinnen können jedoch große Tugenden an den Tag legen, was sehr anerkennenswert ist. Wenn man ein Stück Wurst unter dem Vorwand, es sei nicht koscher, ablehnt und vor Hunger fast umkommt, dann ist das heroisch. Ich sah, wie sie ihre letzte Ration Brot für ein Kippur-Kerzchen opferten. Wenn man in den Arbeitskommandos schuftet und dabei jüdische Religion ausübt, kommt das dem Selbstmord gleich. Ich fragte mich hundertmal: Wollte das Jehova?

Ansonsten aber, außerhalb dieser dem Gebet und Gott geweihten Stunden, leben alle im Namen ihrer Religion so intolerant, daß ich, wenn ich es nicht schon lange wäre, Atheist würde. Die Arierinnen zeigen keinerlei christliche Nächstenliebe, und die verstockten Jüdinnen lassen nur ihren israelitischen Glauben gelten. Für die Zionisten gibt es außerhalb Palästinas kein Heil. Ob es sich nun um Deutsche oder Polinnen handelt, bei allen dominieren die gleichen, felsenfesten Feststellungen: Die Juden sind das größte Volk der Erde ... da kann es keine Mörder geben, denn Juden vergießen kein Blut ... Da gibt es weder Dirnen noch Muttermörder noch Kindsmörder. Stets beschließen sie jede Diskussion mit dem erhabenen Satz: »Die Juden sind das Salz der Erde, sie sind das Auserwählte Volk!« Worauf auch prompt Florette jedesmal spottet: »Auserwählt fürs Gas!«

Was mich an diesen Fanatikern fast verzweifeln läßt, ist ihr Sektierertum. So weit ging ich nie, diesem Exzeß, einem ganzen Volk die Schandtaten einiger Fanatiker anzuhängen, verfiel ich nicht einmal in Birkenau, obwohl das äußerst verlockend gewesen wäre! Verlockend unter der Bedingung, die Existenz all dieser Internierten zu übersehen, all der Deutschen, Arier, Kommunisten, Widerstandskämpfer, der deutschen Gegner des Nazi-Regimes, die seit Hitlers Machtübernahme von KZ zu KZ gestoßen wurden. Wie kann man es wagen, vor diesen Todgeweihten zu sagen: »Alle Deutschen sind Mörder«?

Genausowenig kann man sagen: »Alle Polen sind vulgär und ordinär«, nur weil es ein paar Tschaikowskas und Zochas gibt. Ich gebe zu, nicht immer bin ich so gerecht, oft genug wünsche ich den Polinnen bitterböse Qualen und verstehe Florettes Reaktion nur zu gut, wenn sie wie heute morgen, als Tschaikowska sie gewalttätig aus dem Bett zerrte, patzig und trotzig schreit: »Und deine Danka dort hinten, die läßt du weiterschnarchen!«

Tschaikowska sagt gar nichts, zieht Florette die Decke weg, will sie mitsamt dem Strohsack aus dem Bett werfen, flucht vor sich hin, während gleich daneben Danka seelenruhig weiterschläft. Florette platzt vor Wut und Zorn und schreit wild drauflos: »Polnische Schlampen! Die dürfen tun und lassen, was sie wollen, denen sagt keiner was. Ganz Polen ist ein Sauladen! ...«

Noch bevor sie ganz ausgewütet hat, fängt sie von Eva eine Ohrfeige, daß es nur so knallt. Das kommt so überraschend, daß Florette wie angewurzelt stehenbleibt, Eva anstarrt, während sich alle anderen Polinnen über sie lustig machen. Alma wird von diesem Gekreisch angezogen, fragt, was es da gebe, und verlangt von Eva, sich bei der völlig verdutzten Florette zu entschuldigen.

Gewöhnlich enden solche Diskussionen, bei denen es um Nationalismus und Religion geht, ganz anders. Dann wird nämlich der Radau so groß, daß Tschaikowska nur noch auf die Juden eindrischt und behauptet, sie seien unmöglich und brächten die Ordnung des ganzen Blocks durcheinander.

Heute abend gibt es weder Hohn- noch Spottiraden. Die Gläubigen dürfen in aller Stille beten, welcher Religion auch immer sie angehören, es ist fast, als dächten wir: ›Und wenn es nun doch einen gibt, der uns erhört!‹ Nur die ohnehin stets hitzige Florette und Jenny erklären aggressiv, das bringe sie zum Kotzen, der ganze Stall hier sei sowieso schon beschissen genug, ohne auch noch diesen Mist hören zu müssen. Eine feinfühlige Sprache!

»Es kann ja sein, man muß das halt verstehen, daß ihnen ihr Glaube hilft und guttut«, meint die große Irène versöhnlich. »Man muß toleranter sein. Als mir mein Mann das Photo von seiner Erstkommunion zeigte, habe ich nicht gelacht, sondern ihn gebeten, mir von diesem Fest zu erzählen. Er geht zwar nicht dauernd in die Kirche wie meine Schwiegermutter, aber er ist gläubig, und ich bin ganz sicher, daß ihm das im Augenblick hilft, daß ihn sein Glaube auf meine Rückkehr hoffen und mein Fortsein leichter ertragen läßt.«

Da ich es für besser halte, diese strittigen Themen zu wechseln, greife ich Irènes Hinweis auf und erzähle ihnen von meinen mystischen Krisen in der Kindheit: »Obwohl meine Mutter katholisch war, erinnere ich mich überhaupt nicht mehr an meine Erstkommunion, nicht einmal mehr an mein Kleid! Aber schon zwei Jahre später, zwölfjährig, wollte ich ins Kloster ...«

Eva, die beiden Irènes, Florette, Anny und Jenny verkneifen den Mund, ziehen die Augenbrauen hoch. Für sie bin ich jüdisch. Allein der Gedanke an meine Erstkommunion und der Wunsch, ins Kloster zu gehen, schockiert sie, denn keine von ihnen ist praktizierend oder gläubig. Ihre Verblüffung macht mir Spaß, und ich fahre fort in meiner Erzählung:

»Zusammen mit meinen Eltern verbrachte ich jeden Sommer in unserem Haus in Chevreuse. Mama lud meist massenhaft Menschen ein, jeder, der Lust und Laune hatte, konnte kommen – und es kamen viele! Wir waren wirklich öfter zu fünfundzwanzig als zu zehnt! Ich aber hatte mit zwölf Jahren nichts anderes im Kopf als mein Klavier. Unser Pleyel-Flügel stand im Salon an der Tür zur Terrasse, ein himmlischer Platz, nur fielen sie mir alle auf die Nerven, denn jedesmal, wenn ich allein sein und spielen wollte, kamen sie an: ›Spiel uns doch das und das . . .‹ oder ›Du hast jetzt genug gespielt, komm lieber und hilf mir!‹ . . . das nahm und nahm kein Ende. Mein damaliger Klavierlehrer war ein älterer Herr, den ich sehr liebte und verehrte. Als überzeugter Katholik führte er mich ausgiebig in die Geheimnisse seiner Religion ein. Er war ein guter Mensch, sprach mit soviel Glauben und Reinheit von seinem lieben Gott, daß dieser für mich eine Art himmlischer Zauberer mit schneeweißem Bart wurde, dem eine strahlende gute Fee bei seinen Wundertaten half: die heilige Jungfrau. Er war so überwältigend gut, daß ich anfing, mit meiner ganzen kindlichen Kraft an ihn zu glauben. Bei jeder passenden und unpassenden Gelegenheit bekreuzigte ich mich, ging in die Messe, sang Choräle und ließ den Rosenkranz erklingen wie einen tugendhaften Brautschmuck. All das berührte meine Eltern ganz und gar nicht. So kam es, daß ich eines Tages, als ich mal wieder nicht vor meinen heißgeliebten Tasten sitzenbleiben durfte, auf und davon lief, fest entschlossen, ins Kloster zu gehen, wo ich spielen konnte, so lange ich wollte, von morgens bis abends Klostergesänge hören und völlig von der himmlischen, göttlichen Musik umgeben war. Um mich selbst für meine Flucht zu bestrafen, stapfte ich die zwölf Kilometer zum Kloster barfuß in der herbstlichen Kälte vor mich hin, um so mit meinem lieben Gott wieder in harmonischen Einklang zu kommen. Ich erreichte das Kloster frierend, zitternd und mit wunden, blutigen Füßen. Von den Schwestern wurde ich allerdings nicht so empfangen, wie ich es meiner Meinung nach verdient hatte, sie haben mir eher die Leviten gelesen und mich mit Wärmflaschen ins Bett gesteckt. Dann kam die Mutter Oberin und wollte mit sanfter Stimme wissen, woher ich komme? Wer ich sei? Erst zögerte ich und wollte nicht heraus mit der Sprache, gab dann aber schließlich nach und antwortete brav . . . Als ich endlich wieder warm, weich und selig schlummerte, kam Papa herein: ›Warum bist du weggelaufen, du kleiner Goldknopf?‹ Ich vertraute ihm meinen ganzen Kummer an, er nickte und meinte: ›Ich kann dich schon verstehen‹. Guter, bester, wundervollster Papa! Drei Tage später, als ich alle Freuden der Abgeschiedenheit und des Gebets genossen hatte, ging ich wieder heim. Da strahlte mir in meinem eigenen Zimmer ein wundervolles Klavier entgegen, und im Türschloß steckte ein Schlüssel zum Zuschließen. Ich spielte so viel, so oft, so lange ich Lust und Liebe hatte. Eine einzige Glückseligkeit! – Aus diesem Abenteuer, das ich für so grandios hielt, konnte der liebe, gute Gott seinen ganzen Nutzen ziehen, denn für mich stand fest, mein Klavier verdanke ich Seiner himmlischen Mithilfe. Einige Jahre lang glaubte ich auch fest und innig an Ihn. Als ich dann aber sah, was in Deutschland geschah, begriff ich, daß es keinen Gott geben kann, denn keiner hätte das durchgehen lassen können ohne einzugreifen, ohne die Schuldigen auszurotten. Keiner! Also wandte ich mich dem Marxismus zu, dem Kommunismus, der Faschismus und Krieg den Kampf angesagt hatte. Und was wir jetzt erleben, kann meine Meinung auch nicht ändern.«

Meine Zuhörerschaft schaut mich vorwurfsvoll an. Sie halten meine Geschichte ganz und gar nicht für drollig.

»Findet ihr meinen Eintritt ins Kloster nicht amüsant?«

Florette antwortet mir brutal und ohne mildernden Unterton: »Nein! Das war idiotisch! Du warst doch jüdisch, wozu brauchst du dann dieses ganze Affentheater?«

So weit sind sie schon, Fanatiker geworden auf ihre Art, und ich kann sie verstehen. Sie müssen in Birkenau büßen, damit andere mit Fug und Recht am hellichten Tag Juden sein können. Sie tolerieren es nicht, daß ich eben nicht mit Haut und Haar bedingungslos auf ihrer Seite stehe. Sie wollen mich so, wie sie sind. Besonders jetzt, heute abend, wo unsere Angst immer größer wird.

Anny läßt das Strickzeug in den Schoß fallen und schüttelt den Kopf: »Die SS kann uns gar nicht länger übersehen, die werden schon aufwachen, und dann . . .«

Anstelle der wohlklingenden Akkorde oder auch des Gefiedels der Bogen, des Gepiepses der Flöten, des Gezupfes der Saiten, des Tschingtaratata der Trommel hört man bei uns schon eine ganze Woche lang nur noch das geschäftige Geklapper der Stricknadeln mit seinen klassischen kleinen Pausen: »Verflixt, mir ist eine Masche gefallen«, oder »Ich hab' mich beim Abnehmen verzählt!« Von draußen dringt stets beängstigender Lärm in unsere Stille. Unumstößlich mag die augenblickliche SS-Führung Musik nicht, und was wird, wenn sie auch unser Gestricktes nicht mag? Wir sprechen kaum mehr, von Streitereien, Eifersuchtsszenen, Dramen und Liebesgeschichten kann keine Rede mehr sein. Wir werden so großzügig, daß wir die Frommen in Frieden beten lassen. Der ganze Block baut sich vorsichtig sein Mauseloch, in das er sich verkriechen kann. Wir wagen kaum zu atmen ... vor Angst.

Da kommt frisch und fröhlich ein fünfzehnjähriges kleines Mädchen fast außer Atem zu uns hereingelaufen: »Kinder, *sie* sind wieder da!«

Wir sind wie im Delirium, vollführen einen Freudentanz, umarmen und küssen uns, klatschen in die Hände, wir sind glücklich. *Glücklich!* Unsere vielgeliebte SS ist wieder da!

So weit sind wir schon, nur weil ein Kramer und eine Mandel wieder zurück sind. Wenn ich mir das vergegenwärtige, wirkt es beängstigend. Ich brauche solche Ereignisse, bis mir bewußt wird, daß meine Erkenntnis allmählich schwindet. Ich akzeptiere die nie nachlassenden Grausamkeiten, die Zerfahrenheit des Lagerdaseins, den Tod. Mein Aufbegehren wird geschwächt, es braucht Peitschenhiebe, um wieder aufzuflammen. In welchem Zustand werde ich hier wieder rauskommen? Vorausgesetzt, es dauert nicht mehr zu lange und ich lasse nicht zu viele Stückchen meines Seins an diesen Stacheldrahtzäunen hängen!

An der Befreiung zweifle ich nie, kein einziges Mal, nicht einmal in den schlimmsten Stunden!

Dann, als die Mandel zu ihrem Orchester kommt und das ganze Ensemble strickenderweise vorfindet, ist ihre Überraschung überdeutlich: »Was soll denn das?«

Alma erklärt es ihr. Die Lagerführerin wird laut: »Hört auf damit! Ich lasse den ganzen Kram abholen! Nehmt eure Instrumente und spielt! Ich will Musik hören, den ganzen lieben langen Tag ...«

Frau Mandel hat ihre frostige Art völlig verloren, leidenschaftlich spricht sie auf Alma ein. Es geht uns unter die Haut und noch viel, viel tiefer, als Alma uns nach ihrem Abgang sehr gut gelaunt berichtet: »Ihr Zorn war unvorstellbar, als ich ihr sagte, wir hätten Befehl erhalten, alle Proben einzustellen. Sie tobte und beteuerte, solange sie lebe, lasse sie nicht zu, daß einer ihre Schützlinge anfasse ...«

Alma, der unsere »frommen« Abende nicht entgangen sind und die nicht humorlos ist, fügt hinzu: »Ich glaube, wir sollten für sie beten!«

»Musik für den Reichsführer SS Heinrich Himmler!«

Der Sommer ist da. Seit Tagen haben wir wirklich gutes Wetter, die Hitze steht, der Rauch hängt drückend über den Krematorien. Wir bekommen kaum Luft, sehen aber dafür manchmal die Sonne. Im Lager jagt jeder jeden, fast wie in einem riesigen Ameisenhaufen, dem man einen Fußtritt versetzt. Die SS ist nervös, diesmal gilt das aber nicht uns, sondern den eigenen Reihen. Die Offiziere brüllen die Unteroffiziere an, diese geben den Anpfiff, wie sich's gehört, an die Soldaten weiter. Das Zivilpersonal, ob interniert oder nicht, geht auf dem Zahnfleisch. Vom gradniedrigsten Wachsoldaten bis rauf zum Kommandanten der Arbeitskommandos rennt jeder. Diese unverständliche Nervosität reicht bis ins Orchester hinein. Alma läßt uns, weil sie ohnehin dafür anfällig ist, proben wie die Sklaven. Man zupft, kratzt, pfeift, trommelt und macht mehr Lärm als Musik – ein Festival der falschen Töne. Mir platzt fast der Kopf, ich weiß nicht mehr, was ich schreibe, und wenn ich singe, tönt es hohl – gefühllos! Wenn wir dieser Galeere entkommen können, dann, um unsere »Einkäufe« zu machen.

Im Schutz einer Baracke gibt es fliegende Händler, fast einen Basar, der von den Mädchen vom »Canada« mit den gemopsten Waren der Neuankommenden und von Frauen der Arbeitskommandos, die draußen auf dem Feld eine Karotte oder Rübe ausrupfen und sie auch noch durch die Kontrolle am Eingang schmuggeln konnten, betrieben wird. Für sie und für uns sind das echte Schätze, das frische Gemüse ist sehr teuer, uns allen fehlen Vitamine. Diese Rohkost ist fast unentbehrlicher geworden als Fleisch. Die geschäftige, marktähnliche Atmosphäre, wo die einen auf dem Boden hocken, die andern in kleinen Grüppchen herumstehen, ist erstaunlich. Das Feilschen mit seinem endlosen Palaver zieht sich in die Länge, während der eigentliche Kauf, das Stückchen Brot, das erdige Möhrchen, blitzschnell von Hand zu Hand geht. Läuferinnen sind auf der Lauer, melden flugs den kleinsten Schimmer eines SS-Mannes, und schon fliegt der ganze Laden auf, die Frauen rennen nach allen Seiten davon. In Sekunden ist alles verschwunden, hauptsächlich die Ware, unter dem Rock, in der Bluse, im Busen. Zweifellos ahnt das die SS, unternimmt aber nichts dagegen, niemand weiß warum; solange diese Beweisstücke nicht gerade vor ihren Augen liegen, tun sie, als hätten sie nichts gesehen.

In den Küchen herrscht der gleiche Kuhhandel, da wird auch getauscht. Das gehört für uns so zum normalen täglichen Leben wie die Lastwagen mit ihren Ladungen aus Leichen und halbtoten, verurteilten Menschen. Der ganze Horror ist hier gewohnter Alltag, ist normal ... Anormal dabei ist die augenblickliche nervöse Spannung, die wir spüren, die von der ungewohnten Aktivität unserer Gebieter herrührt. Von Handwerkern, die nach den Kommandos ihrer Kapos durchs ganze Lager hasten, um Reparaturen auszuführen, wird man angerempelt und fast umgeschmissen. Baracken, die noch nie einen Tropfen Wasser sahen, werden blankgescheuert, Dächer von Gestalten in gestreifter Kleidung geflickt, verstopfte Rohre freigespült, elektrische Zäune ausgebessert und neu aufgerichtet. Diese ungewöhnliche Arbeitswut streut in weitem Bogen Angst und Erregung. Das Auftauchen unbekannter SS-Offiziere löst Kommentare aus: »Sie werden doch hoffentlich nicht ausgetauscht. Es kommt nie was Besseres nach, es kann nur noch schlimmer werden!« Mehr noch als die neuen SS-Leute beunruhigen uns die schwarzen Männer von der Gestapo, von der Sicherheitspolizei, die das Lager inspizieren.

Überall, im »Canada«, auf dem »Markt«, in den Waschräumen und Toiletten, macht sich ein Gerücht breit: »Ein hoher Funktionär, ein großer, wichtiger SS-Bonze kommt uns besuchen!« Ein »Super-Sauhund«, sagt Florette. Von diesen verwirrenden, beängstigenden Neuigkeiten sprechen wir, während wir unser Restchen Brot vor der Nachtprobe kauen. Vor drei Tagen schon fügte Alma unseren täglich siebzehn Stunden noch drei weitere hinzu, die Probe nach dem »Abendessen«.

»Jemand müßte doch was Genaueres wissen, Flora vielleicht?« sagt Irène.

»Ach, die haben wir doch schon eine halbe Ewigkeit nicht mehr gesehen. Seit sie bei Kramers Dienstmädchen ist, gibt sie ganz schön an«, sagt Jenny, und ihre kleinen schwarzen Mäuseäugelchen werden immer größer und runder. »Sieh dir das an, wenn man von der Sonne spricht ... Ja, laß dich mal anschauen! Unsere feine, fette Flora mit einem Häubchen! Wie ein richtiges englisches Kindermädchen. Sag mal, du siehst aber schick aus!«

Da sie französisch wie eine holländische Kuh spricht, entgehen ihr die Feinheiten, sie begreift nur Bewunderung, fühlt sich geschmeichelt und versichert uns, sie habe uns nicht vergessen, aber so wenig Zeit. Sie habe immer so viel Arbeit.

»Im Haus des Kommandanten muß alles vor Sauberkeit blitzen! Die Frau Kommandantin, die hat Zeit in Hülle und Fülle. Hier gibt es ja kaum Abwechslung, also macht sie wunderschöne Stickereien. Auf Kopfkissenbezüge hat sie mit Kreuzstichen ›Gute Nacht‹ gestickt, und an den Fenstern sind Gardinen aus Voile. Die Kinder sind sehr gut erzogen, die Kleine des Kommandanten ist wirklich ein hübscher Fratz! Ich gebe den Kindern Musikunterricht!«

Die Mädchen können das Lachen kaum verkneifen.

»Der Kommandant wird ja richtig verwöhnt, wenn seine Lausbuben spielen lernen wie du!«

Ohne sich über Jennys Bemerkung Gedanken zu machen, deren Sprache sie sowieso schlecht versteht, fährt Flora fort: »Vor dem Haus gibt's einen Blumengarten, was für die Kinder wichtig ist. Wir wohnen ja außerhalb des Lagers, das ist auch besser als hinter den hohen Stacheldrahtzäunen ...«

Die kleine Irène unterbricht sie: »Und vor dem Garten, unter den Fenstern des Hauses, führt eine Straße vorbei, nicht wahr, geradewegs zu den Krematorien?«

»Ja«, gibt Flora zurück, ohne auch nur einen Ton verstanden zu haben.

»Also siehst du doch dauernd die Leichenzüge vorbeikommen ...«

Flora ist außer sich: »Aber ich arbeite doch, ich habe keine Zeit zum Rausschauen!«

Fabelhafte, bewundernswerte Antwort! Wir hören ihr verwundert zu. Weiß sie überhaupt, was sie sagt? Sie berichtet uns noch weiter: »Jetzt sowieso, wir erwarten Besuch, einen äußerst wichtigen sogar. Der Kommandant hat viel Arbeit. In der Blockführerstube in Auschwitz findet ein Empfang statt, vielleicht auch bei uns. Madame ist sehr aufgeregt. Hier ist es nicht wie in Berlin, hier kann man nichts kaufen. Vielleicht geht ›er‹ auch nur zum Kommandanten Höß!«

»Aber *wer* soll denn kommen?«

»Das weiß ich nicht, den Namen haben sie nicht gesagt.«

Und sprudelnd plätschert die Lobeshymne auf ihren hochgeschätzten Brötchengeber weiter: »Wenn man ihn sieht, würde man nicht glauben, was für ein guter Vater und Ehemann der Kommandant Kramer ist, und so zuvorkommend!«

»Hör auf damit, da dreht sich einem ja der Magen um«, will

Jenny sie bremsen, aber Flora ist weder für beißenden Humor noch für bitteren Hohn empfänglich, sie schwärmt zufrieden weiter: »Zum Hochzeitstag ließ er für seine Frau eine sehr schöne, originelle Handtasche machen, mit einem eingravierten Bild, einer Rose! Ich sagte zu Frau Kramer: ›Das ist ein schönes Leder, was ist das?‹ Sie erklärte mir: ›Das ist Haut, menschliche Haut, mein Kind, mit dieser Tätowierung. Ein besonders seltenes Stück!‹«

Ekel und Abscheu würgen uns. Elsa schaut Flora entsetzt an. Ihre Eltern, die noch nach Belgien fliehen konnten, hatten eine Gerberei, sie selbst hatte den Beruf auch erlernt. Fassungslos fragt sie: »Wie konnte ein Gerber, hier im Lager, einen so abscheulichen Auftrag annehmen?«

Anny, deren Eltern ebenfalls in der Lederbranche tätig waren, bestätigt: »Das könnte ich nie!«

Gut, daß sie das wenigstens noch glauben, aber zweifellos würden sie es genauso machen. Gehorchen, gehorchen! Eine Tasche aus der Haut eines Kameraden machen ist doch harmlos, zumal Freiwillige die Opfer nach der Selektion in die Gaskammer führen. Wenn sogar Jup, der von seinem Freund Edek und von Mala eine Haarlocke hatte, ihm den Schemel unter den Füßen wegstößt, es auf sich nimmt, ihn zu erhängen, um diese Hoffnung weiterzuhegen: lebend rauszukommen! Was kann man anderes tun als gehorchen, um zu überleben?

Wir leiden an Leib und Seele. Wir haben Hunger. Der Suppeneintopf wird von Mal zu Mal dünner. Man sieht Papier, Karton, Schnürsenkel drin schwimmen. Das ist so ungenießbar, daß wir es nur mit Mühe bei uns behalten können. Schon der Geruch allein dreht einem den Magen um. Ohne große Begeisterung machen wir uns für die letzte Probe dieses Tages fertig. Der Tag wirkt wie eine Ewigkeit durch die langen Abende. Wir sehnen uns nach unsinnigen Dingen, die es in unserer Erinnerung noch gibt, und träumen vom strahlenden Sternenhimmel, von langen, erholsamen Spaziergängen auf Feldwegen mit Wiesenblumen, von unerreichbaren Dingen, die vielleicht manche von uns nie wieder sehen, nie wieder erleben werden.

»Ruhe!«

Alma reißt mich autoritär aus meinen Träumen, stößt mich in die Wirklichkeit zurück. Die Mädchen halten übermüdet ihre Instrumente in der Hand und schauen sie an.

»Ich bitte euch, mir mal aufmerksam zuzuhören. Ich habe euch etwas äußerst Wichtiges zu sagen.«

Man könnte einen Floh husten hören.

»Ein hoher SS-Offizier, eine Persönlichkeit in führender Position, kommt das Lager besichtigen. Ihr müßt sehr gewissenhaft spielen. Es ist einer der bedeutendsten Männer um Hitler in Deutschland. Er ist sehr gespannt auf uns, denn sogar in Berlin wissen sie von unserem Orchester! Alles muß klappen wie am Schnürchen – makellos! Ich werde nicht den kleinsten Fehler durchgehen lassen.«

Das Orchester, ihr Orchester! Versteckter Haß steckt im Blick der Mädchen, die vor Zwang und Proben nicht mehr können.

Jede fragt sich, wer dieses hohe Tier wohl sein kann. Doch nicht etwa Hitler persönlich?

Hitler, dieses gestikulierende Männchen, das ich eines Morgens ganz zufällig mit eigenen Augen sah. Kurz nach der Besetzung von Paris durch die Deutschen kam ich auf dem Weg ins Cabaret, zum Vorsingen um ein Engagement, aus der Metrostation Wagram und wurde von einer Woge feldgrauer und schwarzer Uniformen, grauer Sanitäter, grauer Mäuse in allen Schattierungen mitgerissen, die alle zum Étoile strömten. Schon am Abend vorher konnte man hören: »Hitler in Paris! Hitler am Triumphbogen!« Das mußte wohl wahr sein, den Massen von Deutschen nach zu urteilen, die sich auf den breiten Avenuen drängten. Von Haß und Neugier gepackt, wollte ich »das« nicht verpassen.

»Das« war ein akkurates Männchen in brauner Naziuniform hoch oben auf der Plattform des Triumphbogens. Von seinem riesigen, rotspiegelnden, stocksteif wie aufgestellte Modepuppen wirkenden Generalstab schien er als einziger lebendig zu sein. Die Julisonne ließ die vieltausend gekreuzten Balken, die auf allen Standarten, Fahnen, Fähnchen, Wimpeln und Armbinden ihr unheilvolles Hakenkreuz darstellten, ruhmreich aufleuchten. Es war so klar und hell, daß ich sogar Details gut erkennen konnte, den Haarschnitt, die Strähne in der Stirn, den kleinen, verächtlichen Mund, den schwarzen Schnurrbart, den ich nicht einmal lächerlich finden konnte; nur die Augen und den Blick sah ich leider nicht, das waren nur Schatten. Ich hätte gerne den ganzen Adolf Hitler in mir aufgenommen, um ihn »komplett« wieder ausspucken zu können, und damals wußte ich noch nichts von den Höllenqualen der Konzentrationslager.

In Paris war gerade die Operation »K« angelaufen, »K« wie »Korrektion, Kollaboration gleich Kolossale-Zukunft-Frankreichs«, aber ich hatte ›Mein Kampf‹ gelesen und kannte diesen kränkenden Satz: »Die germanische Rasse ist allen anderen überlegen, der Kampf gegen den Juden, den Slawen, gegen minderwertige Rassen ist ein heiliger Kampf.«

Plötzlich wächst diese wogende Masse, in die ich unglücklicherweise hineingeraten war, wird dieses Volk, das seine, immer größer. Ein Arm fliegt in die Höhe, und es ertönt der erste Schrei, den eine Frau ausstößt: »Sieg Heil!«

Dieser leidenschaftliche Schrei wurde zum Signal für Millionen, die ihn alle mit Inbrunst nachschrien. Das Blut in den Adern konnte gefrieren – an diesem schönen Sommertag.

Adolf Hitler stand stimmungsvoll da oben in seiner historischen Pose. Die Masse brüllte fanatisch endlos weiter, während ich mir mit dröhnendem Kopf meinen Weg durch den germanischen Urwald aus hochragenden Armen und weitaufgerissenen Mäulern freikämpfte. Ich fühlte mich mit meinen zwanzig Jahren, meinen eineinhalb Metern Größe als Gulliver, der von den Riesen erdrückt wird – und was für Riesen! Riesen des Bösen.

Nicht der Name Hitler ist aufgetaucht, sondern ein anderer, für uns noch schrecklicherer Name: Heinrich Himmler. Und Alma freut sich: »Begreift ihr, was das bedeutet? Himmler hier, ein Mann, der alles kann.«

Sie sagt das so, als hätten urplötzlich Göring, Goebbels und wie sie alle heißen, ihre Gewaltmacht abgegeben.

Heinrich Himmler, der Erzfeind, der Erfinder der Lager! Horror, Haß, ohnmächtiger Aufruhr packen mich, schütteln mich bis ins Innerste, erfassen jede Faser meines Seins. Der Organisator des Todes, unseres eigenen Todes, wird hierher kommen. Der Henker wird kommen und sich seiner Opfer freuen. Heute noch fehlen mir die richtigen Worte dafür. Man sollte so, wie wir für die Liebe ganz neue, eigene Worte prägen, auch für den Haß Worte erfinden, die noch unverbraucht, noch nicht abgegriffen sind, die noch keinem anderen Haß dienten!

Ich schaue meine Kameradinnen an, sie sind erschlagen. Sogar die Russinnen und ein großer Teil der Polinnen haben die Gesichtsfarbe gewechselt. Man muß so sinnlos ahnungslos sein wie Alma, um nicht zutiefst empört zu sein. Dann schleicht sich, je nachdem wie die Einzelnen diese heimtückische Neuigkeit schlucken und verdauen, subtile Angst ein. Wer ist dieser Himmler? Was wissen wir über ihn? Ein Fanatiker, der wie ein kleiner Funktionär aussieht. Ein puritanischer Sektierer. Ein Savonarola des Antisemitismus. Dieser Reichsführer SS, einer der höchsten Titel der Partei, ist der Schöpfer der SS, der Elite der nazistischen Bewegung. Er hat diese kolossale, monströse Organisation, deren Hauptziel die Ausrottung der jüdischen und einiger ebenfalls für minderwertig erklärter Rassen ist, verfaßt und verwirklicht. Im Lager Auschwitz erinnert man sich noch immer an seinen Besuch von 1942. Diese mündlich überlieferten Erinnerungen drangen von allen Seiten zu uns durch: Er hatte der Vernichtung eines eben eingetroffenen Judentransports beigewohnt, hatte Maßnahmen erteilt, die Selektion müsse noch wirkungsvoller werden, noch weniger »Abfall« hinterlassen; dieses Wort mußte man für die Vernichtung der Menschen hören. Es hieß, Töten sei wirtschaftlicher als Ernähren. Man erzählte sich, er habe während jeder Phase der Vergasung vom Versteck aus die daran beteiligten Offiziere und Unteroffiziere beobachtet; alle Anzeichen von Abneigung oder Widerwillen auf ihren Gesichtern und in ihrem Benehmen geprüft. Die SS-Leute, das Elitekorps, mußten skrupellos ihre Pflicht tun und ihre Gefühle für Führer, Volk und Vaterland verwahren. Waren sie denn nicht der Grundstock der Gesellschaft von morgen, gesäubert von jeglichem unreinen Blut? Kommandant Höß, der damalige Lagerführer des ganzen Auschwitz-Komplexes, hatte sich über die »Empfindsamkeit« einiger seiner Offiziere beklagt, worauf Himmler die Verstärkung und Versorgung mit unempfindlichen, für Mitleid unempfänglichen Hunden propagierte.

Er wollte auch an der körperlichen Züchtigung einer Internierten teilnehmen und befahl im Weggehen, die Geißelhiebe müßten auf die nackten Nieren der auf ein hölzernes Pferd gefesselten Frauen oder Männer gerichtet sein, damit die Bestrafung eminent erzieherisch wirke und intensiviert werde, so daß die zur Arbeit unfähigen Gefangenen die Sonderbehandlung über sich ergehen lassen müßten. Außerdem beklagte er das ungenügende Fassungsvermögen der Einrichtungen, die immerhin schon einen beachtlichen Grad an Perfektion erreicht hatten, und kritisierte sie, denn sie erlaubten nicht, mehr als sechstausend Personen täglich umzubringen! Diese niedrige Quote beschränkte beleidigend die Säuberung Europas. Dieser

Bürokrat der Vernichtung dachte an alles und bedachte alles im voraus.

Vor ihm sollen wir spielen.

Wir haben eine höllische Zeit, an manchen Tagen arbeiten wir zwanzig Stunden, verbessern bis zur Bewußtlosigkeit und verblöden dabei. Almas Taktstock hypnotisiert uns, unerbittlich zwingt sie uns ihren Takt auf, einen Takt, dem wir nicht mehr folgen können. Immerzu, immer und immer wieder das gleiche, das Programm: als Ouvertüre ein Potpourri aus ›Die lustige Witwe‹, wovon ich die Arie ›Lippen schweigen‹ besonders feinfühlig dafür gewählt finde! Danach Peter Kreuders ›Zwölf Minuten‹. Mein Hals ist vom ständigen Singen gereizt. Wenn ich doch völlig stimmlos werden könnte! Zum Schluß soll Lotte die ›Julischka aus Budapest‹ bringen. Wenn es dem Reichsführer gefällt, wenn er noch mehr hören möchte, wird Clara ›Die Nachtigall‹ von Alabieff singen, äußerst idyllisch, zeitnah! Einen Marsch von Suppé haben wir auch noch in Reserve. Das Programm hetzt Clara gegen Lotte auf. Sie wiederholt unentwegt, sie hätte dazu bestimmt werden sollen, aber die »Deutsche« bevorzuge die »Deutschen«! Diese Schikanen spitzen die Spannung dermaßen zu, daß jedes weitere Wort unsere Nerven zerreißen läßt.

Alma hat alles vergessen: KZ, Krematorien und Gaskammern. Ihr Konzert muß klappen, vollendet klappen. Sie ist Deutsche, Himmler ist einer der höchsten Chefs ihres Landes. Sie ist stolz, für ihn zu spielen.

Wir denken alle wie Florette: »Aber, Herrgott, was würde sie erst für Hitler tun!«

Nie war uns Alma fremder.

Endlich, der Tag X bricht an! Das Lager ist gefegt, die Straßen sind ausgebessert, da und dort wurde im letzten Augenblick mit Kiesschotter ausgeglichen, damit der ewige Schlamm, der nie vollständig trocknet, keine Zeit hat, die Steine zu verschlingen. Seit Sonnenaufgang scheuern wir uns bis auf die Knochen, wir schrubben uns, wie man das Deck eines Schiffs putzt für den glanzvollen Besuch des Admirals. Während wir noch Schuhe und Kleidung in Ordnung bringen, ruft uns Alma schon wieder zusammen.

»Gleich werdet ihr in Gegenwart des Reichsführers spielen. Ihr müßt unbedingt wissen, er versteht etwas von Musik und hält viel auf sie, er spielt selber Klavier. Ihr müßt vollendet gut sein, damit ihr sein Gehör nicht schockiert, ihm nicht unangenehm auffällt. Schaut ihn nicht an, sprecht nicht miteinander, haltet euch gerade; er schätzt korrekte Haltung ungemein. Und vor allem, spielt sauber!«

»Zum Kotzen, zum Kotzen!« zetert Florette. »Sie ist ja supererregt, weil wir vor diesem Monstrum spielen sollen!«

Die anderen können ihren Koller auch nur knapp zurückhalten: »Wenn sich Alma wenigstens geziemende Ernährung als Ziel gesteckt hätte, dann könnten wir das verstehen, aber das ist es ja gar nicht. Ihr geht es, zitternd vor Freude, doch nur um den Verdienst, um eine gute Zensur, ein Kompliment. Wie erbärmlich!«

In Begleitung von Founia Schiefmaul inspiziert uns Tschaikowska. Alma überprüft. Nun sind wir berechtigt, unsere Instrumente, Noten und Notenständer in die Hand zu nehmen und zu gehen. Unser abgestumpfter Zustand wirkt anästhesierend auf die innere Bereitschaft zur Revolte. Wir klettern auf unsere Tribüne und warten unter der brütenden Sonne. Alma bibbert, wir zittern auch und wissen nicht warum. Die Hunde hecheln und heulen. Die Luft vibriert vor Hitze. Unsere Achselhöhlen werden feucht, naß, hoffentlich sieht man es nicht, er ist doch so »korrekt«. Er darf die dunklen Flecken vom Transpirieren nicht sehen. Er kann uns für Geringeres ins Gas schicken!

Eine Stunde vergeht. Mein Hals ist ausgetrocknet, mein Speichel klebt zäh am Gaumen. Lotte ist knallrot, Clara patschnaß. Alma bleibt überlegen trocken; sie sollte nicht jüdisch sein, sie sollte total der höheren Rasse angehören, hier liegt ein Irrtum der Natur vor! Das Lager gähnt vor Leere, die Internierten sind in ihre Blocks gepfercht, von unserem Hochstand aus erscheint mir alles so sauber, daß ich es kaum wiedererkenne. Es wäre fast ein anderes Land, wenn nicht die Fabrikschlote der Krematorien qualmten. Endlos, Tag und Nacht. Das sind Hochöfen des Todes.

Ich weiß nicht, wie lange wir schon warten, als ich auf der Landstraße eine Gruppe Uniformierter sehe, wobei Schwarz und Schirmmützen mit Totenkopf dominieren. Inmitten der Offiziere kann ich Himmler schlecht erkennen, er scheint klein, eher schmächtig, leicht schief verwachsen zu sein. Blaß und dunkelhaarig veranschaulicht dieser zügellose Verteidiger der germanischen Rasse äußerst angenehm das Bild des großen, blonden, blauäugigen Ariers ... noch ein Irrtum der Natur! Einen Augenblick lang amüsiert es mich zwar, aber es fällt mir schwer, darüber zu lachen. Dieser erbarmungslose Führer, dieser maßlose Massenmörder erscheint mir im Kreis der andern wie ein kleiner, nichtssagender Wicht, ein kleiner Gernegroß, mit unsicherem Blick hinter den altmodischen Brillengläsern seines Funktionärszwickers auf der Nase.

Jetzt trennen uns ungefähr zwanzig Meter von ihm. Alma hat ihn kaum entdeckt, da steht sie auch schon stramm, um ein Haar hätten wir ihre Absätze knallen hören können! Ein Wink, und unser Orchester spielt den Auftakt, ›Die lustige Witwe‹; unter dieser Sonne, auf dieser Tribüne, neben den Wachttürmen, hinter den Stacheldrahtzäunen, vor diesen Männern in Uniform. Es dünkt mich unglaublich, lachhaft, grotesk ... Eva hat ostentativ ihren Kopf gedreht, sie sieht sich die Karpaten an, schaut in die Richtung ihrer polnischen Ritter ... Die kleine Irène hat sich vorgenommen, den Besuchern mit Verachtung in die Augen zu schauen, eine Frechheit, die Marta zu schaffen macht und Alma das kalte Grausen über den Rücken jagte, wenn sie es sähe! Aber sie sieht nichts, sie dirigiert ihr Orchester, das für den Reichsführer Heinrich Himmler spielt, dessen nichtssagende Visage sich in meinem Geist festsetzt: Sein Bart, der dem von Kamerad Hitler mit respektvoller Nuance im Schnitt nacheifert, steht über Lippen, die noch nicht einmal schmal, sondern eher voll sind, aber sein Blick ist furchterregend, stechend, inquisitorisch unerbittlich, bar jedes anderen Ausdrucks.

Die Offiziere bleiben vor uns stehen, Stühle wurden nicht aufgestellt, sie kamen nicht, ein Konzert zu hören, was Alma beunruhigen muß. Himmler macht einen gelangweilten Eindruck, er bleibt jedoch da, in der Sonne, zweifellos aus ... Korrektheit. Nicht weit von ihm entfernt steht die Mandel, schaut mich an, während ich meinen Teil der ›Zwölf Minuten‹ von Peter Kreuder singe. Soll sie, vorausgesetzt, sie will nicht ›Madame Butterfly‹ hören. Ich spüre, ich könnte kein Solo singen, und keinerlei Drohung könnte mich zwingen zu gehorchen. Kaum beendet, spricht Himmler kurz mit seinen Offizieren, deren Absätze knallen, dann gehen sie glücklicherweise alle wieder, während ein SS-Mann uns ein Zeichen gibt, Schluß zu machen. Das faßt Alma sehr schlecht auf. Sie läßt uns kaum Zeit für ein befreiendes Aufatmen, sondern platzt: »Ihr habt schlecht gespielt, einfach scheußlich, falsch! Ihr habt ihm nicht gefallen. Er wird uns alle vergasen lassen!«

Es fehlt nicht viel, und sie hätte wie ein zorniges Kind hinzugefügt: ›Und das wäre richtig so!‹

Mit gewissem Humor bemerkt Marta: »Ein Besuch, auf den wir hätten verzichten können!«

»*Ruhe!*« befiehlt uns Alma.

Ruhmlos überqueren wir die verlassenen Straßen und ziehen uns in unseren Block zurück. Kaum haben wir die Schwelle überschritten, geht die Schreierei von allen Seiten los. Lotte wettert, wenn man sie nicht singen ließ, habe das am Mißfallen der Mädchen gelegen; hätten sie besser gespielt, dann wäre Himmler nicht gegangen; schließlich sei sie ja Deutsche und hätte das Recht dazu gehabt. Clara quengelt, wenn sie in ähnlichen Situationen nicht auch singe, sei ihre Zugehörigkeit zum Orchester in Frage gestellt, und Gott wisse, was ihr dann geschehe. Die Mädchen beschimpfen sich gegenseitig und machen sich verantwortlich dafür, daß ihnen Himmler den Rücken kehrte. Aber was hatten sie sich denn vorgestellt, er klatsche ihnen Beifall, bitte um eine Zugabe? Erst stößt mich ihre Sinnlosigkeit vor den Kopf, dann packt mich die Wut.

»Ist euch denn immer noch nicht klar, daß er die Gaskammern erfunden hat? Er ist der Chef der ganzen SS, ihr Schöpfer, ihm gehorchen sie blindlings. Er hat Hitler beigebracht, sich der minderwertigen Rassen zu entledigen, er ist der Anstifter unseres Massakers, unseres, dem der Juden, und du, Clara, du arme Irre, du hättest auch noch freudig vor ihm gesungen, für ihn gesungen!«

Großartig antwortet sie mir: »Nicht für mich, nein, fürs Orchester! Wenn es ihm gefallen hätte, hätten wir vielleicht ein Paket bekommen!«

»Ein Paket! Fürs Essen tust du wohl alles. Schlaf mit wem und so oft du willst, was du verkaufst, ist sowieso wertlos, aber daß du dich als Jüdin vor diesem Dreckskerl mit Rattenfratze herabläßt, das kann und darf nicht angehen!«

»Warum sagst du das nicht zu Alma? Sie kotzt uns doch an, weil er sie nicht beglückwünscht hat!«

Meine Wut ist verflogen, was mir bleibt, ist Übermüdung und Überdruß. Es ist schon wahr, Alma träumte wirklich von einem Kompliment des Reichsführers der SS. Die Dummheit, diese kindische Dummheit, die sich mir da angesichts der Millionen Ermordeter zeigt, ist so offensichtlich, daß ich nur noch den einen Wunsch habe, allein zu sein, nichts mehr hören zu müssen, weinen zu dürfen ... weinen, wie man sich betrinkt ... ausweinen, um alles loszuwerden ...

Diesem Tag fehlt noch der Schluß. Alma liefert ihn uns. Sie

ruft uns. Unerwartet hell und freudig klingt ihre Stimme: »Ich möchte euch meine Zufriedenheit kundtun.«

Überrascht schauen wir uns an. Ist sie verrückt geworden? Jenny tippt sich diskret mit dem Finger an die Stirn.

»Außerdem möchte ich euch die ›Zigeunerweisen‹ von Sarasate vorspielen, das wird uns allen guttun . . .«

Wir verstehen gar nichts mehr. Etwas vorspielen heißt für sie soviel wie: uns danken. Sie greift nach ihrer Geige und sagt uns leichthin, die Wirkung inszenierend: »Man ließ mich soeben wissen, das Orchester habe gefallen. Himmler habe gelächelt!«

Am andern Morgen ist die Katastrophe da! Helga, unsere Schlagzeugerin, krümmt sich vor Schmerzen, als sie vom »Ausmarsch« zurückkommt. Sie ist krank und wird ins Revier gebracht. Tschaikowska, die sie begleitete, verkündet uns das Urteil: »Typhus!« Das bedeutet bestenfalls wochenlangen Ausfall des Schlagzeugs fürs Orchester, schlimmstenfalls die Abgabe des Instruments. Alma ist leichenblaß; das kann das Ende des Orchesters sein. Wie soll man ohne Trommel einen Marsch skandieren? Ouvertüren von Suppé, die ›Leichte Kavallerie‹, die die SS so gerne hört, werden unmöglich zu spielen sein.

Im Musiksaal erfahren wir diese Neuigkeit. Alma ist völlig entmutigt, sie läßt ihren Stab aufs Pult fallen.

»Was sollen wir jetzt tun? Ich gäbe drei Gitarren und das doppelte an Mandolinen für eine Trommel!«

Jetzt erblassen die Gitarristinnen und Mandolinenspielerinnen.

»Was sollen wir machen?«

›Was soll aus uns werden?‹ müßte sie eher sagen. Wir sind so niedergeschlagen, es hat uns die Sprache verschlagen. Die Meldung, Frau Mandel komme, steigert unsere Angst noch mehr.

»Die hat uns gerade noch gefehlt«, bemerkt Florette.

Die Lagerführerin findet uns in einem traurigen Stillgestanden. Unsere Niedergeschlagenheit erstaunt sie so sehr, daß sie sich bei Alma nach deren Grund erkundigt, ihren Ausführungen zuhört und dabei mit dem Kopf nickt. Offensichtlich versteht sie's und teilt unsere Unruhe. Sie sagt etwas, das so klingt, als wolle sie in keinem Fall, auch nicht im Traum, daran denken, das Orchester aufzulösen, aber diese Art von Versicherung beruhigt nicht einmal die, die deutsch verstehen.

Klar und deutlich bestätigt die SS-Lagerführerin: »Wir müssen jemand finden, der sie ersetzt.«

Da uns niemand »Rührt euch!« sagte, stehen wir immer noch starr da. Mit erhobenem Kopf und suchendem Blick – Frau Mandel kann das wie ein General – überfliegt sie das ganze Ensemble. Ohne mit der Wimper zu zucken, folgen ihr unsere Augen. Allen sitzt die Angst im Nacken, sogar den Polinnen, sogar Founia und Marila. Auch wir suchen alle – die leiseste Reaktion in Mandels Gesicht. Plötzlich erhellt sich ihr Blick, ihre Augen ruhen auf mir: »Meine kleine Sängerin, meine kleine Butterfly kann das Schlagzeug spielen!«

Diese bodenlose Maßlosigkeit schafft nur schwer ihren Weg durch meine Gehirnwindungen.

Schüchtern sagt Alma: »Aber, Frau Lagerführerin, sie hatte noch nie einen Schlegel in der Hand.«

»Na und, dann soll sie es lernen«, meint die Mandel trocken, »dann kann sie noch mehr, dann hat sie etwas dazugelernt, das kann nie schaden, nicht wahr?«

Alma, der die Lage vollkommen bewußt ist, antwortet mit einem wenig enthusiastischen »Jawohl«.

»Heute noch schicke ich einen, der ihr das beibringen wird«, und fügt ungeniert hinzu: »Schließlich kann das doch gar nicht so schwer sein, wenn man musikalisch ist, dieses Draufklopfen!«

Nur Alma und ich konnten das Ganze ermessen: Einerseits hatte ich wirklich noch nie etwas mit diesem Instrument, das eine außerordentliche Geschicklichkeit verlangt, im Sinn, andererseits schrieb ich noch nie einen Auszug für Helga, denn sie war professionelle Schlagzeugerin. Ich sollte also ohne Noten ein Instrument spielen, von dem ich keine Ahnung hatte . . .

Die Mädchen schauen mich halbverzweifelt an, nicht einmal mehr streiten wollen sie sich mit mir, sie sind von mir abhängig geworden. Das ist weniger beeindruckend als bedrückend! Abschätzend fragen sie sich, ob ich das wohl könne – ich bin doch so klein.

Florette freut sich schon: »Die werden uns noch so einen Kerl vom Männerlager schicken, Clara müßte an deiner Stelle sein!«

»Du spinnst wohl, so einen Dürren wie wir würde sie doch glatt zurückschicken! Sie braucht einen Mann, einen richtigen Mann, mit allem drum und dran. Wenn sie dann voller blauer Flecken ist, träumt sie immer noch vom immergrünen Männertreu . . .!« frotzelt Jenny und ruft Clara zu: »Sag mal, dein Kerl, dein Schlägertyp, mit wieviel Pötten Marmelade versorgt er dich . . .?«

Ich gewöhne mich schlecht an diese Foppereien, diesen Umgangston, der Clara aus der Fassung bringt und gleichzeitig »abkapselt«, denn sie kann sich nicht gut beliebt machen. Wer soll sie verteidigen? Ich? Mit Clara zusammen fuhr ich im Eisenbahnwaggon, mit ihr kam ich hier an, wir hatten uns ewige Freundschaft versprochen, uns als ahnungslose junge Mädchen geschworen: »Auf Gedeih und Verderb!« In mir reifte das zu etwas Unausrottbarem heran, ich war besorgt um sie und fragte mich: Trage ich eine gewisse Verantwortung für ihren Wechsel? Hätte ich wachsamer sein sollen? Aus dem kleinen, wohlerzogenen Mädchen, verliebt und verlobt mit einem netten jungen Mann, war jetzt ein Kapo-Liebchen geworden. Mit wiegenden Hüften unter ihren blassen Fettmassen spazierte sie auf den Meistbietenden zu und hatte nur zwei Kapitalgedanken im Sinn: essen und singen. Mit Macht hängte sie sich an mich, versuchte unsere alte Freundschaft wachzurufen, flattierte mir: »Fania, sorg du doch dafür, daß ich mehr zu singen bekomme, du erreichst alles bei Alma. Wenn ich nicht genug zu singen habe, heißt es, ich sei zu nichts nütze ... und dann ...« Ihre ganze Angst lag in der gesteigerten Spannung ihrer Stimme. Sie haßte Lotte, Eva und zweifellos auch mich, alle Sängerinnen schnappten ihr den Platz weg.

Sie übertrieb, wenn sie glauben machen wollte, sie werde aus dem Orchester verjagt, daran glaubte sie selbst nicht. Das war nur ein Mittel zum Zweck, den ersten Platz zu erreichen, das schien ihr vorzuschweben ... Abends, wenn die kleine Irène, Eva, Marta und ich um den Ofen herum auftauten und über Literatur, Poesie und Politik sprachen, wobei uns Florette so liebend gerne zuhörte, dann gehörte Clara nicht zu unserem Kreis. Sie saß in einer anderen Ecke und lernte neue Lieder, um die anderen zu übertreffen und ohne zu merken, daß ihr das schon gar nicht mehr möglich war, denn ihre Stimme, die wirklich schön klang, litt unter unserem Hungerregime, sie verlor an Kraft und kam nicht mehr so locker und leicht. Ihre Ambitionen, Opernsängerin zu werden, mußte sie aufgeben, was sehr bedauerlich war, denn sehr wahrscheinlich wäre es ihr gelungen, das Zeug dazu hatte sie, die Stimme und alles übrige; sie war sehr talentiert, sah sehr gut aus und hatte absolut genau den richtigen Egoismus, den man braucht, mit dem sie alles, was ihr auf dem Weg nach oben in die Quere gekommen wäre, beiseite geschoben hätte. Nur hätte all das im normalen Leben zum guten Ton gehört. Das Lager, das alle Wünsche und Sehnsüchte überreizte, wirkte wie Aufklärung. So viele Menschen, die normalerweise nett und angenehm waren, wurden im Lager zu Unmenschen.

Claras neuester Geliebter war ein brutaler, riesiger deutscher Schrank mit flacher, fliehender Stirn, der bei den Männern einen erschreckend schlechten Ruf hatte; man sagte ihm nach, die SS könne neidisch werden auf seinen Sadismus. Als er in unseren Block kam und ich seine kleinen, grauen, in zwei Hautfalten eingebetteten Augen und seine Pranken anstelle von Händen sah, wurde mir schlecht. Das war ein Mann zum Fürchten, zumal er freiwillig und beruflich seine Hände den exemplarischen Exekutionen im Lager zur Verfügung stellte.

Ich hatte Clara gewarnt: »Weißt du, wer dieser Mann ist? Weißt du, welchen Beruf er vor seiner Verhaftung ausübte? Er war Henker. Das ist ein Mörder, der hier nicht um Geld, sondern aus Lust tötet. Clara, tu das nicht, geh nicht mit ihm. Wenn du wieder heimkommst, kannst du dich selbst nicht mehr sehen, weder den andern, deinen Freunden, deiner Familie noch deinem Verlobten in die Augen schauen. Die Erinnerung an diesen brutalen Kerl wird dir dein ganzes Leben vergiften. Hör auf, laß die Finger davon, besser Hungers sterben als verkommen leben!«

Ihre Augen, ihr Blick wurden eiskalt:

»Ach, laß mich doch in Ruhe, er hat mir einen Büstenhalter geschenkt . . . du verstehst doch, was das heißt, einen Büstenhalter! Und außerdem, Henker braucht man allemal, ob nun er oder ein anderer!«

Sich über so ein Mitbringsel zu freuen, war ganz und gar nicht erstaunlich. Das war ein gefragtes, seltenes Ding, das man nicht besitzen durfte, und Clara erstand es sich teuer, hauptsächlich, seit sie gehört hatte, wie Tauber das letzte Mal selektierte. Sie schaute sich an diesem Tag ihre eigene Brust an, die zwar ein bißchen schwer, aber wohlgeformt geblieben war, und rief: »Ich befürchte nichts, dem hält sie noch stand!«

»Fehlgeraten, du Dreimalschlaue, mit den Hungerrationen hier fallen dir deine Äpfelchen ganz schnell bis zum Nabel; wie heißt doch das Sprichwort? ›Billig und schlecht . . . gegessen hält nicht recht‹.«

Zweifellos sehnte sich Clara nach dieser Bemerkung von Jenny um so mehr nach einem Büstenhalter, der auch schon viel mitmachte: Die arme kleine Yvette hatte einen entsetzlichen Durchfall. Sie organisierte sich einen Nachttopf, den sie diskret sehr früh morgens in den uns gegenüberliegenden Toiletten leerte. Sie schlief in derselben Koje wie Clara, allerdings oben im dritten Bett. Eines Morgens beim Wecken schrie Clara: »O diese Sau, wie eklig!« Nachts war der Topf auf den Büstenhalter gefallen. Diese Tragödie! Die Mädchen lachten, und Clara fluchte aus vollem Herzen. Ich sagte zu ihr: »Was macht's schon, wasch ihn.« Aber Jenny machte das Maß voll, sie schrie: »Unrecht Gut gedeihet nicht.«

Zwei Stunden, nachdem die Mandel gegangen war, kam auch schon ein Mann in der mit Litzen, Tressen und Silberkordeln besetzten Uniform des SS-Musikkorps und stellte sich bei Alma vor: »Ich bin der Ausbilder für das Schlagzeug.« Wahrhaftig, was sich hier alles abspielt, ist oft nicht zu fassen. Ein SS-Mann als Musiklehrer! Ich koste die ganze Würze, fange aber kein Feuer. Zunächst einmal hat er gar nichts von einem Siegfried. Er ist ein feldgraues, nichtssagendes Neutrum ohne jede Ausstrahlung. Seine wässerigen blauen Augen sind ausdruckslos, nur seine Hände beeindrucken und scheinen wie geschaffen für diesen technischen Teil des Lebens. Sie sind tatkräftig, zielbewußt, flink und fliegen nur so von der großen Trommel zur kleinen, von der kleinen zum Becken.

Ich weiß nicht, welche Instruktionen ihm erteilt wurden, aber während der sieben Tage meiner »Ausbildung« sagte er kein einziges Mal auch nur ein Wort, weder ja noch nein. Wenn ich ihn nicht mit Alma hätte sprechen hören, dann hätte ich glauben können, sie schickten mir einen Stummen. Er faßte meine Hände mit seinen Fingerspitzen an, berichtigte eine Stellung oder setzte sich an meinen Platz und machte es mir vor.

Die erste Bewegung ist ein Wechselschlag der beiden Schlegel, das ist einfach. Dann wird es komplizierter, nämlich zwei, eins, eins, zwei. Das ist auch leicht, solange der Fuß noch nicht seinen Teil dazu beitragen muß; aber mit Fuß und Händen zugleich, denselben Rhythmus, jedoch in verschiedenen Bewegungen, schlagen und treten, das ist ein ganzes Unterrichtsprogramm, wozu mir die Zeit fehlte. Es mußte schnell gehen, noch schneller. Die Mandel hätte es nie verstanden, wenn ihr kleines Wunder, das ich war, nicht auch noch Schlagzeug spielen gelernt hätte. Jeden Abend pünktlich um halb sieben kommt mein SS-Schlagzeuger und gibt mir meine Stunde, und ich schlage wie eine Verrückte, vor allem wie eine Taube, nur sind es die anderen nicht. Founia wird von dieser Furore angesteckt, wagt nichts zu sagen, das würgt sie. Den Mädchen gehen die Nerven durch, sie werden hysterisch und sprechen davon, mich umzubringen. Mein Kopf ist auch schon eine große Trommel, ich schlage und klopfe und trete automatisch drauf. Wenn ich vor allgemeiner Erschöpfung versuche, ein paar Stunden zu schlafen, hämmert es in meinem Hirn weiter, ich springe wieder hoch, rase zu meinen Trommeln und trommle aufs Neue . . . Ich verliere fast den Verstand, obwohl mir genau bewußt ist, daß ich, wenn ich das Prinzip der Wirbel verstanden habe, es einfach noch nicht in der Hand habe, und die Trommelwirbel sind das Wichtigste, sind die Basis beim Schlagzeug!

Am Sonntag dann haben wir alle dunkle Ringe unter den Augen bis tief in die Wangen hinein und einen irren Blick, man könnte meinen, der gesamte Musikblock habe sich dem liederlichen Leben hingegeben.

Die ›Leichte Kavallerie‹ steht auf dem Programm. Wir haben großartiges Wetter, das Konzert findet im Freien statt, auf einem Platz, einer Art Kreuzung aus breiten Gassen zwischen den Stacheldrahtzäunen der beiden Lager A und B. Stühle stehen rund um unsere Tribüne. Sonntägliches Treiben herscht das Bild, die SS sieht sauber aus, die Peitsche unter dem Arm, die Stiefel frisch gewichst. Platzkonzert mit Musikpavillon im Hof der Garnison, umgeben von elektrisch geladenen Stacheldrahtzäunen! Heute habe ich keine Zeit, mich umzusehen. Ich vollführe einen waschechten Tanz zwischen den großen und kleinen Trommeln, den Tambourinen und den Becken. Meine Hände und Füße wirbeln durch die Luft, so daß ich, obwohl ich sonst nie transpiriere, tropfnaß geschwitzt bin. Zum Glück habe ich den richtigen Rhythmus, der mich rettet, denn ich schlage halt irgendwo drauf. Ich lasse meine Instrumente auch stehen, stelle mich mitten zwischen die Sängerinnen, gehe zurück zu meinen Trommeln, schlage drauf, so gut ich kann, aber im Takt, bis dann das Duett der Butterfly – diese verrückte Idee, das an diesem Sonntag ins Programm zu nehmen – an der Reihe ist. Also gehe ich wieder singen. Meine Nummer muß einmalig wirken, ein wahrer Marathonlauf, ich flitze hin und her wie ein kleiner Teufel. Die Mädchen können kaum ernst bleiben dabei. Sogar die SS-Leute, von denen die einen sitzen, die anderen stehen, lächeln. Graf Bobby klopft fröhlich mit seiner Peitsche auf die Stiefel und rückt sein Monokel zurecht. Die Mandel strahlt, sie hat recht, ihre kleine Sängerin kann alles, sogar den Hanswurst spielen. Mengele kommt vorbei und bleibt stehen, ihm scheint das Spektakel auch zu gefallen. Kramer freut sich freiweg. Ein Applaus am Schluß würde mich nicht mehr überraschen ... Nur, hier im Lager kann man das Ende der Dinge nie voraussehen.

Alma spielt Violine – ein großes Konzert mit Solo –, so daß ich vor dem nächsten Stück ein bißchen Ruhe habe. Viel weibliche SS ist da, die Drexler, Grese, sogar Frau Schmidt, die wir sonst nur selten bei unseren Konzerten sehen, Sanitätshelferinnen und Sekretärinnen. Zweifellos hat sie das schöne Wetter, die Sommerluft, herausgelockt. Alma ist wirklich eine virtuose Spielerin, ich lasse mich treiben und höre ihr zu. Ein wunderschöner Augenblick ...

Hinter den Zäunen, in gebührendem Abstand, stehen ziemlich viele Deportierte. Sie erscheinen mir in diesem grellen Licht noch hagerer und elender, obwohl die Sommersonne doch gnädiger als Eis und Schnee für sie sein sollte. Ich weiß ja noch nicht, daß manche von ihnen Verbrennungen dritten Grades haben. Bis zum elektrischen Zaun ist es nicht weit, und ich sehe, wie eine Frau ihre Freundinnen verläßt, losläuft und in den Zaun springt ... Der Strom schüttelt sie durch und durch, ihr Körper verkrampft sich. Sie bleibt mit sich windenden Gliedern hängen und sieht im Gegenlicht aus wie eine riesengroße Spinne, die auf den Fäden ihres Netzes tanzt. Eine Kameradin stürzt zu ihr hin, will sie losreißen, wird vom Strom erfaßt und verdreht sich spasmisch von Kopf bis Fuß. Niemand rührt sich, die Musik spielt, die SS hört zu und unterhält sich. Ein Mädchen läuft hin mit einem Stuhl, versucht mit dessen Beinen, die beiden noch zuckenden Körper loszulösen. Niemand hilft ihr. Wir spielen weiter. Die SS steht da, schaut zu und lacht, manche geben sich einen Knuff in den Rücken. Graf Bobby schüttelt den Kopf und sieht sich die Frauen durchs Monokel an. Er scheint das mißbilligend mit ts, ts, ts ... zu kommentieren. Käme ich doch schneller wieder ans Schlagzeug, ich muß draufhauen, draufhauen ... Schwarz, vor dem hellen Hintergrund, sehen die Gliedmaßen der Frauen wie gerädert aus und zeichnen ein fratzenhaftes Hakenkreuz an den Zaun, bis das Mädchen sie endlich dem todbringenden Strom entreißen kann. Sie fallen steif und bewegungslos auf die Erde. Sind sie tot? Die SS-Leute drehen den Kopf noch einmal um, lachen ein letztes Mal, lassen die letzte Bemerkung fallen, dann ist der Spektakel vorüber. Der unsere wird auch bald vorbei sein. Ich schlage wie wild auf meine Trommeln ein. Die Frauen tragen ihre Gemarterten an Armen und Beinen weg. Man könnte meinen, Ameisen schleppen den Kadaver einer der ihren ... eine Beisetzung zu den Klängen der ›Lustigen Witwe‹.

Wie sagt Jenny? »So ein Ding schüttelt einen ganz schön durch!« Keine von uns allen ist schockiert über diese Betrachtungsweise, wir finden sie ganz normal. Aber was fände man hier nicht normal?

Mit gesenkten Köpfen gehen wir in unsere Baracke zurück. Founia Schiefmaul, deren breites Lächeln ihr Aussehen leider auch nicht mehr ausgleichen kann, reicht mir ... ein Ei! Eva übersetzt mir die dazugehörenden Worte. ›Dieses Geschenk sei nicht für mich allein, sondern für alle! Sie mache uns das, um uns für das schöne Konzert zu danken!‹

Ein Ei fürs ganze Orchester! Dazu kommt noch Jennys Bemerkung, während ich es aufschlage: »Auf daß der Sonntagsbraten drin sei!« Ich möchte darüber lachen, aber ich kann nicht.

Für mich sind die vergangenen zwei Stunden eine Art Synthese des grauenvollen Lagerdaseins. Das groteske Spektakel des Schlagzeugs, die Musik zwischen den Stacheldrahtzäunen vor den unmenschlichen Puppen in Uniform, der Selbstmord der Frau, die heroische Solidarität der andern ... und zum Schluß der Lohn ... von Panie Founia ... ein faules Ei.

Lachen, Gelächter bis zum Garaus, warum nicht?

Zum Glück kam Helga, die keinen Typhus hatte, nach ein paar Tagen zurück und nahm ihren Platz wieder ein. Ich überließ ihn ihr mit Erleichterung.

Hat der Himmlerbesuch diese Steigerung an Aktivität bewirkt? Die Blocksperren folgen einander im Rhythmus des Kettenrauchens, wobei eine Zigarette der nächsten zum Anzünden dient. Der Juli ist zum Ersticken, die reinste Backofenhitze. Aus Ungarn kommen unheimlich viele Transporte. Die Gaskammern und Krematorien sind überfüllt. Sie können die Unmengen Leiber, die ihnen geboten werden, nicht mehr fassen. Die Sonne ist verdeckt von dicken Rauchwolken, die uns mit ihrem abscheulich ekligen Geruch nach verbranntem Fleisch würgen. Wir können kaum atmen noch unsere Essensrationen schlucken. Um abends ein bißchen Luft zu schnappen, setzen wir uns auf die Stufen vor der Tür. Es ist noch nicht ganz dunkel, Florette schwärmt begeistert: »Ein herrlicher Sonnenuntergang!«

Sie täuscht sich, ich sage es ihr: »Das Rot dort kommt nicht von der Sonne, das muß etwas anderes sein, aber was?«

Obwohl es inzwischen Nacht geworden ist, spüren wir keinerlei Erfrischung, am Horizont ist der Himmel weiterhin rot, der Rauch drückt, deckelgleich.

Eva stöhnt: »Wir sitzen im Kochtopf des Teufels.«

Sehr spät, aber nicht früh genug für den Sonnenaufgang wird die Rotfärbung noch intensiver. Was ist los? Brennt das Lager? Woher diese Flammen kamen, erfuhren wir später: Ein großer Graben voller Leichen von vergasten Ungarn wurde reichlich mit Benzin übergossen und angezündet. Morgens glühte der Himmel immer noch.*

Züge kommen ohne Ende, immer neue Transporte. Sie halten fünfzig Meter vor unserer Tür. Nach und nach wird der ganze Bahndamm zur Rampe, die in die Gaskammern führt. Wir sehen die Selektierten gut, die darüberziehen, bis sie unserm Blick entschwinden. Es ist schwindelerregend! Wir sind nur durch die elektrischen Zäune von den Ankommenden getrennt und können jedes Detail erkennen, könnten mit ihnen sprechen ... Es ist grausam, diese Menschen zu sehen, wie sie vor Müdigkeit erschlagen ruhig dastehen, streng und rigoros der Reihe nach

---

* Während des Sommers 1944 wurden in Birkenau 250000 ungarische Juden ermordet.

aufgestellt, stehen und warten, ohne es zu wissen, auf ihren Tod warten. Florette kann den Blick nicht von den langen Reihen lassen, die Spur ungarisches Blut in ihr zwingt sie hinzusehen. Sie ist in einem kleinen Dorf in Ungarn geboren, das später rumänisch wurde.

Sie flüstert mir zu: »Meinst du nicht, wir sollten ihnen sagen, wohin sie gehen?«

»Wozu? Was würde das ändern? Noch wissen sie es nicht und sind glücklich dran.«

Dann schiebt eine Frau in aller Ruhe ihren Kinderwagen auf die Rampe, die in den Tod führt ... Wir möchten schreien vor Schmerz und weinen haltlos.

Diese Menschen aus Ungarn haben alles mögliche mitgebracht: Kleidung und Proviant. Die Mädchen vom »Canada« werden geradezu überschwemmt damit. Kleidungsstücke und andere Wertsachen häufen sich, werden schnell und oberflächlich sortiert, abgeschätzt. Stehlen stand noch nie so hoch im Kurs! Übersättigt von dieser Lawine lassen die Mädchen vom »Canada« auch ihre Freundinnen mitprofitieren und »geben« ungewohnt gern davon ab. Von Ingrid bekommen wir einen ganzen Stoß Nachthemden, wir fühlen uns heute abend wie im Mädchenpensionat. Vor ein paar Stunden schluchzten und weinten wir noch, jetzt schwärmen und drehen wir uns in rosaroten Nachthemden, in Satinschuhen mit Flaum-Pompons! Die große Irène fragt ganz richtig: »Was würde der denken, der jetzt vorbeikäme und uns durchs Fenster sähe?«

So zerfahren, so paradox ist die Situation, in der wir uns befinden, sie reicht vom verschwenderischen Luxus bis zum erbärmlichsten Elend ...

Seit dem Morgengrauen ist Blocksperre. Seit fünf Stunden sind alle Türen im Lager verriegelt, sogar bei uns. Nur die Tür des Musiksaals darf offen bleiben. Können die Menschen aus den Zügen unsere Musik hören? Wahrscheinlich hin und wieder Fetzen einer Melodie, sie schauen manchmal zu uns herüber. Vielleicht fühlen sie sich in humaner Umgebung, hier wird doch gesungen und gespielt. Wir zwingen uns, nicht zu ihnen hinüber zu schauen, bestärken uns gegenseitig und tun es doch. Wie soll man diesen inneren Zwang, hinschauen zu müssen, erklären? Krankhafte Neugier? Besorgte Unruhe? Es könnten Verwandte oder Freunde dabeisein.

Vor einer Stunde wurde die Sperre abgepfiffen. Graf Bobby

kommt ohne Voranmeldung. Er betritt einfach, wie schon so oft, durch die offene Tür unseren Musiksaal. Wir stehen mit einem Sprung.

»Nein, nein, setzt euch, ihr Kleinen, setzt euch!«

Er setzt sich auch, zeigt lässig mit seinem Stock »Weitermachen!« und wiederholt es dann in unserer Sprache. Er spricht ein fehlerloses, gewähltes Französisch und fragt Alma, ob wir nicht Mozart spielen könnten. Er möchte gern etwas von ihm hören, ›denn nur diese Musik könne ihm die nötige Entspannung für seine Arbeit bringen‹. Seine Arbeit: Links! Rechts! Leben! Tod! Harte Arbeit, wenn man sich an die Stelle des Schicksals setzt und für dieses entscheidet, tötet. Almas Antwort läßt ihn auf Mozart verzichten. Das mache nichts, wenn wir seinen göttlichen Wolfgang Amadeus noch nicht spielten, er werde unserem Orchester ein anderes Mal zuhören, heute könne er keine andere Musik ertragen. Zweifellos sind seine Nerven zu zart besaitet, zu zerbrechlich!

Gelassen steht er auf und kommt zu mir, beugt sich über meine Arbeit, nimmt meine Partitur in die Hand, überfliegt sie durch sein Monokel und meint: »Erstaunlich! Ausgezeichnet! Erfreulich!« Man sieht, er kann fließend Noten lesen, »sehr gut, was Sie da so schreiben, allerdings auch kurios!« und fängt an zu lachen. Alma verfolgt besorgt von ihrem Platz aus diese erstaunliche Szene. Was kann das Lachen eines SS-Oberführers bedeuten?

Er spricht weiter: »Mit so einem Orchester machen Sie solche Musik? Machen das Ihre Orchestrierungen möglich? Kompliment!«

Dann sieht er sich das Blatt der kleinen Irène an: »Eine hübsche Skizze, waren Sie . . . (ich warte nur noch auf »im Zivilleben«) . . . auf der Kunst-Akademie?«

Sieht er auch, wie sie ihn anschaut? Er bleibt in seiner hübschen, hoffähigen Maske und wendet sich wieder an mich: »Ist doch seltsam, bei diesem Transport heute, aus Ungarn, fragte ich nach Musikern, und niemand meldete sich. Ein Volk, das so talentiert ist . . . Das ist doch kurios, finden Sie nicht?«

Das hinter dem Monokel versteckte Auge kommt mir unsicher vor, sein anderes, das ohne Glas davor, sieht mich durchdringend an, provoziert mich. Er geht mir auf die Nerven, ich antworte ihm: »Wissen Sie, vielleicht glaubten die Leute, sie hätten sich getäuscht. Es kam ihnen unwahrscheinlich vor, bei der Ankunft in einem Arbeitslager nach Musikern gefragt zu werden. Das haben sie nicht verstanden. Sie begriffen gar nicht, was Sie von Ihnen wollten.«

»Möglich, trotzdem finde ich es erstaunlich. Die Juden sind doch so exzellente Musiker. Wir wissen das sehr gut ... warum also?«

Er klopft mechanisch mit dem Stöckchen auf seinen glänzenden Stiefelschaft.

»Vielleicht werden sie es in dem Lager, in das wir sie nun schicken, begriffen haben und ihr Glück dort versuchen.«

Ich darf nichts sagen. Ich darf nichts wissen, ich muß ignorieren, daß sie in die Gaskammern geschickt werden, aber ich kann vor diesem Zynismus meine Gefühle nicht ganz verborgen halten. »Vielleicht haben sie dann keine Angst mehr!«

Ich amüsiere ihn. Lässig dreht er mit seinem Stöckchen auf meinem Tisch meine Notenblätter um! »Sagen Sie mal, wenn Sie an unserer Stelle wären und wir an der Ihren, schickten Sie dann Ihre Feinde auch dahin, wohin wir sie schicken?«

Das ganze Ensemble hört zu. Die Mädchen, die in unserer Nähe sitzen, haben diese verfängliche Frage genau verstanden. Sie ist eine echte Provokation. Alle, die französisch sprechen oder verstehen, beobachten mich durchdringend, während ich ihm ganz ruhig erwidere: »Ganz sicher, Herr Oberführer, ich würde meine Feinde auch dahin schicken ...(ein Genuß, ihm das sagen zu können!) ... aber ganz bestimmt keine Frauen, Kinder und Greise. Diese dort sind nicht meine Feinde.«

Er schlägt auf den Tisch und antwortet mir lächelnd: »Kurios! Kuriose Antwort. Gut. Sie haben Esprit!« Geht und schwenkt sein Stöckchen ...

Kaum ist er draußen, da fallen die Mädchen über mich her: »Du verrückter, schwachsinniger, anmaßender Idiot! Ist dir klar, was du zu ihm gesagt hast? Es wird nicht lange dauern, dann hält der Lastwagen vor unserem Block und wir ... ab ins Gas!«

»Ruhe! Ruhe!« schreit Alma. Aber nicht Almas Befehl beendet so abrupt die Vorwürfe, sondern das Erscheinen eines entzückenden Mädchens.

Sie ist eine Schönheit. Zwanzig Jahre alt, schlank und rank, mit langen Beinen, vollendet schön! Ihre langgelockten Haare umspielen schmeichelnd die Schultern, ihre weißen Zähne strahlen beim Lächeln. Sie anzusehen ist eine Wonne! Das weiß sie auch.

»Wo kommt denn die her?« fragt Jenny nervös.

Das erfahren wir schnell. Sie ist aus Ungarn, heißt Ewa, hat eine sehr schöne Stimme, einen leichten, lockeren, glockenklaren Sopran, mit dem sie an der Oper Karriere machen könnte. Aber wie hat sie es geschafft, so ohne weiteres in den Musikblock zu kommen? Das werden wir wohl nie erfahren, denn Ewa, die Ungarin, meidet uns und spricht kaum.

Die Neue hat viel Charme. Mußte sie vielleicht deshalb nicht durch den Quarantäneblock? Sie konnte sogar ihre Mutter retten und mit zu uns bringen. Frau Mandel hatte entschieden, wir bräuchten noch jemanden für die Küche, die Mutter soll Panie Founia helfen. Wäre diese Ewa häßlich und schiele sie, dann würden ihre Knochen trotz der schönen Stimme bereits im Krematorium schmoren. Bravo, da sind immerhin zwei Menschen gerettet! Auf Zeit, wenigstens.

Nicht alle sehen das so wie ich. Gegen Mutter und Tochter bildet sich ein feindseliger Block. Ihr Dasein kann unser Dasein, unsere Sicherheit gefährden. Wir haben weder genug Platz noch genug Betten in unserem Block; wenn zu viele »Neue« dazukommen, muß man dann nicht »Alte« loswerden?

Lotte und Clara sind der schönen Ewa freiweg feindselig gesinnt. Sie haben Angst. Ewa ist jünger und singt besser. Lotte merkt schon, wie ihre Stimme nachläßt, sie vergewaltigt sie jetzt zu oft, so daß aus dem Singen mehr und mehr Kreischen wird. Clara weigert sich zuzugeben, auch ihre Stimme verliere an Schmelz. Beiden kann man die Eifersucht schon ansehen, und Clara ist mir böse, weil ich für ihre Rivalin aus meinem Gedächtnis Arien umschreibe. Arien aus dem ›Barbier von Sevilla‹, die sie – übrigens außerordentlich gut – in italienisch singt, um mit ihrer Stimme, ihrer Schönheit und ihrem Stolz der SS mit Erfolg zu gefallen.

Die Aufregung, die die Ankunft der beiden Frauen heraufbeschworen hat, ist schnell vergessen, regelrecht vor die Tür gefegt durch den Auftritt einer Läuferin, die mitten in unsere Probe platzt: »Ihr sollt euch für einen Spaziergang fertigmachen!«

Ich bin überzeugt, falsch verstanden zu haben, und ich bin nicht allein, denn Alma läßt sich diesen Satz wiederholen, den die Kleine auch brav, klar und deutlich noch einmal aufsagt: »Frau Mandel hat gesagt, ihr sollt einen Spaziergang machen, es sei so schön draußen. Gleich kommen ein paar und holen euch ab!«

Spazierengehen heißt rausgehen, das Lagertor durchschreiten. Der Gedanke allein verdreht uns schon. Wir bleiben einfach sitzen und wackeln wie die Chefin, wie die alten Weiblein, mit dem Kopf: »So was! So was! Nicht zu glauben!«

»Beeilt euch, zieht euch an, wie fürs Konzert, schneller!« ruft uns Alma zu.

In wenigen Sekunden ist der ganze Block in Aufruhr. Die blauen Röcke, die weißen Blusen werden unter den Matratzen – unser Bügelbrett – hervorgezogen, und wir rennen und hasten nach allen Seiten: »Gib mir mal deine Nadel! – Verflixt, da ist ein Riesenfleck!« Wie aufgescheuchte Hühner gackert's durcheinander. Unser Wachsoldat bleibt am Eingang stehen, ein blutjunger Blonder, der mit seiner geschulterten Waffe und dem Hund an der Leine einen harmlosen Eindruck macht.

»Hei! Da ist ja unser Kindermädchen!«

»Schau dir den Anstandswauwau mal ein bißchen näher an!« Draußen wartet sein Kamerad, der sieht genauso aus, man könnte sie für Zwillinge halten.

Alma ruft uns zurück: »Es ist verboten, mit den Wachen zu sprechen. Ihr dürft ihnen keine Fragen stellen und müßt in Reih' und Glied gehen.«

So ziehen wir also ab. Ohne Kapo, ohne Polinnen, warum? Was kümmert's uns, wir wollen es gar nicht wissen. Unsere Beine können den Gleichschritt nur schwer halten, sie zappeln vor Ungeduld. Ein Soldat voraus, der andere hinterher, so ziehen wir durchs Lager, begegnen Frau Drexler auf dem Fahrrad, die ihren Augen nicht traut und mit Erstaunen feststellt, daß unsere Gruppe nicht in Richtung Krematorium geht, was ganz normal gewesen wäre, sondern das Lager A durchquert und in Richtung Lagertor marschiert, davor hält, bis dieses geöffnet wird ...und hinausgeht. Die Häftlinge sind vor Erstaunen wie vor den Kopf gestoßen. Wir nicht weniger!

Gleich hinter dem Tor biegen wir nach links ab und auf einen schmaleren Weg. Niemand spricht ein Wort, keine kann glauben, daß wir das wirklich erleben! Vor uns sehen wir den blonden Schopf, den sauber ausrasierten Nacken unseres SS-Soldaten, der so große Ohren hat, als müßten sie sein Käppi halten, seinen feldgrauen Rücken, die Maschinenpistole und seinen Hund mit hängender Zunge. Hinter uns sein Ebenbild. Ohne die Polinnen sind wir weniger als dreißig Mädchen; wir gehen nicht mehr in Reih' und Glied und fragen uns immer wieder: »Kann das wahr sein? Träumen wir wirklich nicht? Zwick mich, damit ich's glauben kann!« Wir wagen nichts, weder zu lächeln noch zu lachen oder gar zu singen. Dann, als wir es endlich glauben, werden wir ernst. Glücklichsein ist etwas Gravierendes, besonders unter solchen Bedingungen. Das Wetter ist phantastisch und ... wir sehen Gras! Seit wieviel Monaten wieder?

»Gras!« jubelt Jenny, »Gras wie in Vincennes! Nein, eher wie auf dem alten Fort!«

»Das gibt's noch«, sagt die große Irène ganz leise, und ihre Augen strahlen so blau wie der Himmel.

Die Krematorien liegen weit hinter uns, wir atmen die frische, nicht rauchverschmutzte Luft so gierig, daß unsere Lungen mit Säubern nicht mehr nachkommen und wir kurzatmig werden.

»Das riecht, wie das duftet ...«, sagt Florette zaghaft.

»Atmet, atmet tief ein, das riecht so gut!« ruft Yvette von ganz vorne und bleibt stehen.

»Es riecht nach Gras, nach Heu ... der Duft geht in die Nase, genießt ihn!« ruft Anny begeistert.

»Das riecht nach einem Hauch Freiheit ...«

Marta war es, die das zu sagen wagte, uns kommen die Tränen ... Unsere SS-Wachen, die mit uns stehen blieben, gehen weiter. Wir laufen kunterbunt durcheinander, durch dieses wunderwirkende Gras mit den Wiesenblumen, den blauen Glockenblumen, den Gänseblümchen.

»Und ich glaubte schon, wir sähen sie nie wieder!«

»Ich schon, ich dachte nur, nicht vor meiner Rückkehr«, behauptet die kleine Irène.

Solche Worte treffen ins Herz und bleiben einen Augenblick lang wie Nadeln stecken. Aber heute wollen wir nichts versäumen, wir sind glücklich! Nach ungefähr drei Kilometern kommen wir an arbeitenden Frauen, einem Außenkommando, vorbei. Wir dürfen weder hinschauen noch hingehen und mit ihnen sprechen. Aber sie schauen uns an, stutzig zuerst, dann neidisch, nachdem sie uns an der Kleidung erkannt haben. Sie hegen uns gegenüber immer dieselben Gefühle: Eifersucht, Haß, Verständnislosigkeit, Begünstigung. Wie werden sie uns später verleumden, uns, die wir in ihren Augen all das haben, was sie sich wünschen? Was können sie von diesem Spaziergang erzählen, mit welchen Ressentiments, mit welchem Haß werden sie ihn belasten? Ganz nach dem Maß ihrer augenblicklichen Mühen und Qualen ...

Nach den Frauen treffen wir ein Außenkommando Männer. Ihre Blicke sind nicht milder. Haß wird durch Verachtung ersetzt. Einer von ihnen spuckt in unsere Richtung; ich wollte, wir hätten weder die einen noch die andern getroffen. Die Freude schmeckt in meinem Mund wie bitteres, hartes Gras, an dem ich zu beißen und zu schlucken habe, als würde ich wiederkäuen.

Nach einstündigem Marsch erreichen wir einen kleinen, spiegelklaren See, so blau wie ein Stückchen Himmel. Wasser, Wiesen, Bäume, mickerige zwar, aber doch Bäume ... ein Paradies! Wir setzen uns ins Gras, die beiden Soldaten bleiben weiter drüben im Schatten. Ihre Hunde sitzen, sie liegen nicht, sie sind im Dienst. Die offenen Hundeschnauzen sind wie bekränzt mit gesunden Zähnen, so elfenbeinfarben wie große, knackige Mandelkerne. Mir tun die Hunde leid, sie sind nicht verantwortlich für das, was ihre Herren aus ihnen machen. Sie sind nicht mehr die glücklichen, verspielten Hunde, die einen weggeschleuderten Zweig zurückholen und vor Freude mit dem Schwanz wedeln. Sie kennen die Wonne des weniger Gehorchens nicht, sie können nur auf Befehl der Beute nachjagen. Sie müssen wachsam sein, wenn sie lieber spielen oder schlafen möchten. Der Mensch hat sie zum Sklaven seiner Gesinnung gemacht, und trotzdem schenken sie diesen Unmenschen ihren warmen, treuen Hundeblick. Für sie gehören die Juden nicht zur menschlichen Rasse, zur beherrschenden Rasse, sondern zur Spezies Bastard, einer Gattung zwischen Mensch und Tier, die sie in Stükke reißen können.

Jenny schaut neidisch zu ihnen hinüber. »Sieh dir die Kläffer an, die können sich bei jeder Mahlzeit den Bauch mit gutem Futter vollschlagen, sonst hätten sie kein so glänzendes Fell.«

Zweifellos ist ihr Nachsatz eine Gedankenassoziation: »Als Zulage hätten sie uns ein Picknick mitgeben können.«

»Wir lassen dich ja gerne weiterträumen, aber uns reicht's auch, wie es ist«, antwortet ihr die kleine Irène.

Jenny läßt sich nach hinten fallen, ins Gras. »Ich hab's, Kinder, ich seh' die Blätter von unten.« Wir sind zu jedem Schabernack bereit und lachen, während Florette sehnsüchtig aufs Wasser schaut. »Ob man da baden kann?«

»Ich kann zwar nicht schwimmen, aber vielleicht ist es nicht tief«, muntert sie die große Irène auf.

»Gehen wir? Fragen wir ihn um Erlaubnis?« sagt Anny begeistert.

»Nein, nicht wir, besser ist, wenn eine Deutsche fragt.«

Marta steht auf und geht zu den Wachsoldaten. »Ja, ja!« sagt der eine.

»Ihr dürft baden«, verkündet Marta.

»Aber wie? Wir haben doch keinen Badeanzug.«

»Ohne. Findet euch ab damit.«

Mein brutaler Rat verwirrt sie. Sie schauen sich nach den Soldaten um und fragen sich: »Nackt vor denen da? Das sind doch auch Männer!« Also behalten sie wie kleine Mädchen das Höschen an, lassen sich ins Wasser fallen, schwimmen, spritzen und haben ihren Spaß. – Aber, wie ärmlich sehen doch unsere Körper im hellen Sonnenschein aus!

Ich bleibe allein. Ich weiß nicht warum, ich konnte mich nicht entschließen mitzumachen. Ich bin eher traurig, ihre Freude gefällt mir, streift mich, trifft mich aber nicht. Gleich danach kommt die kleine Irène zu mir her. Wir schauen uns schweigend an. Unsere Melancholie ist unerklärlich. Wir kennen den Grund nicht. Vielleicht ist das auch besser so . . .

Die Luft, die Sonne, das Bad, alles zusammen hat die jungen Mädchen vom Orchester berauscht. Sie springen, singen und machen Ringelreihen auf der Wiese wie freigelassene Pensionatsschülerinnen . . . unter den nichtssagenden Blicken der zwei SS-Soldaten.

»Dürfen wir Blumen pflücken?«

Marta fragt wieder den Soldaten, der mit seinen großen Ohren schlackert: *Ja! Ja!* und mit seinem Kameraden zum See geht, um die Hunde saufen zu lassen.

Blumen pflücken! Unglaublich, völlig vergessene Dinge kommen wieder zum Vorschein. Sie machen kleine Sträußchen und halten sie so fest in der Hand wie kleine Kinder beim Sonntagsspaziergang. Manche brechen einen Zweig vom Baum, einfach um etwas Grünes in der Hand zu haben.

»Groß-Ohr« und sein Kumpel stehen auf. Beide rücken mit der gleichen Schulterbewegung die Riemen ihrer Maschinenpistolen zurecht, und wir sind abmarschbereit. Wir Mädchen gehen Arm in Arm. Florette fängt an zu singen: »Ein Sträußchen am Hut, ein Lied auf den Lippen . . .« singen wir den Refrain mit. Unterwegs begegnen wir einem arbeitenden Bauern, er richtet sich auf, hält die Sichel in der Hand und sieht uns erstaunt an. Später wird er erzählen, »ganz so schlecht und unglücklich sahen sie nicht aus, ein bißchen mager schon, aber gut angezogen, singend und lachend gingen sie an mir vorbei!« Und das wird vielen Menschen ein gutes Gewissen geben. Die Zeugenaussagen sind entsprechend.

Es muß schon spät sein, wir begegnen auf dem Rückweg

keinem Außenkommando mehr, die Sonne steht tief, scheint golden. Vor uns am Horizont hängt eine schwere dunkle Wolke: Birkenau. Je näher wir kommen, um so schrecklicher wird der Geruch. Das Eingangstor passieren wir schweigend, durchqueren das Lager A in Reih' und Glied mit unseren Blumen in der Hand.

Die inhaftierten Kameradinnen, denen wir begegnen, schauen uns mit verächtlichen, fast verfluchenden Blicken nach. Warum lächelt mir eine von ihnen zu? Sie streckt ihren Arm aus, und ich gebe ihr mein Sträußchen. Ungläubig schaut sie die zitternden, blauen Glöckchen in ihrer Hand an, hält sie fest und läuft davon ... Wird dieses Bild für mich die Erinnerung an unseren Spaziergang bleiben?

Die Wachen überprüfen, wortlos wie immer, unsere Ankunft im Musikblock, drehen sich um und gehen mit ihren Hunden. Es war ein guter, wundervoller Tag!

Panie Founias Empfang ist lautstark, sie schnauzt uns an, wir kommen zu spät. Was können wir dafür? Wir haben unserer SS gehorcht! Außerdem kümmert's uns nicht. Müde fallen wir ins Bett und schlafen ein, schlafen unsern Tag aus, wie man einen schönen Rausch ausschläft. Die Stille tut gut, noch im Einschlafen sehe ich Blumen, Bäume, Wasser und Sonne ...

Im Musiksaal verlangt eine Läuferin nach Alma; sie solle sich sofort im Hauptbüro des Lagers melden.

»Probt alleine, bis ich wiederkomme«, befiehlt uns unsere Dirigentin.

Wir proben, haben aber den Kopf nicht bei der Musik. Die Order »Ins Stammlager« ist etwas, wovon unser Leben abhängt, was unser Dasein in Frage stellt, gefährdet. Gewöhnlich kümmern sich Kramer und besonders die Mandel um uns. Was sich auf höherer Ebene, außerhalb ihrer Zuständigkeit, selbst wenn sie dazu gehört werden, abspielt, scheint uns nichts Gutes anzuzeigen. Hängt das mit dem Himmlerbesuch zusammen? Folgt auf den Spaziergang der Ofen? Das paßt genau zu ihren Methoden. In unseren Köpfen arbeitet es, man kann die Gedanken an den Gesichtern ablesen. Wie immer sind die Sängerinnen am besorgtesten, denn sie wissen sich am wenigsten unersetzlich, am leichtesten austauschbar.

Die Zeit verstreicht. Alma kommt nicht zurück. Unsere Unruhe steigert sich mehr und mehr zur Angst, bis Alma plötzlich, glückstrahlend, völlig verwandelt, förmlich schwebend vor

Glück, wiederkommt. Sie geht nicht, sie schwimmt im Glück!
... Welche Neuigkeit wird sie uns eröffnen? Gar keine. Sie
schließt sich in ihr Zimmer ein. Ahnungslos bleiben wir sitzen
und starren fragend auf ihre Holztür, die wieder aufgeht ...
Alma ruft mich zu sich.

»Du sollst die Neuigkeit als erste erfahren ...« Sie atmet voller Freude tief ein. »... hör zu, ich komme weg von hier.«

Jetzt schnappe ich nach Luft.

»Ja, du hast recht gehört, sie haben mir soeben gesagt, ich soll
freigelassen werden.«

»Freigelassen ... ist das möglich? Aber warum?« wiederhole
ich völlig erschlagen.

Sie lacht kurz: »Ich werde nicht ganz frei sein und hingehen
können, wohin ich möchte ... nein, das nicht. Sie sagten zu mir:
›Es ist jammerschade, eine Musikerin wie Sie im Lager festzuhalten, wir werden Sie zur Wehrmacht schicken.‹ Ich komme
zur Truppe, Soldatenbetreuung an der Front. Ist dir klar, was
das heißt? Ich werde Geige spielen können ... wie ich will und
was ich will! Fania, ich komme hier raus!«

»Sie werden hier rauskommen, um für die Soldaten zu spielen, die gegen die kämpfen, die uns befreien sollen.«

Sie hört mir nicht zu.

»Alma, ich verstehe doch, daß Sie glücklich sind, aus dem
Lager rauszukommen. Aber auch dann sind Sie nicht frei. Sie
gehören ihnen immer noch, die verfügen über Sie wie über eine
Sklavin. Sie schicken Sie weg, um ihre Soldaten zu unterhalten.
Diese Männer sind Ihre Feinde. Wo immer sie auch sein mögen,
sie bringen Krieg, Elend und Tod. Sie sind das Werkzeug des
Nazismus, des Rassenhasses. Und Sie freuen sich, ihnen Unter-
haltung und Abwechslung zu bringen!«

Sie schaut mich verständnislos an, übersieht mich, die ich ihr
die Realität des Lagers verdeutliche. Sie sieht sich schon vor
erwartungsvoll gefüllten Sälen, sieht sich auf der Bühne, ihre
Wange liebkost bereits die Violine, wärmt das kostbare Holz.
In ihrer Vision läuft sie mir davon, sie hört mir nicht zu, sie hört
mich kaum.

»Die verfügen über Sie, können Sie weiterhin töten, wann
immer sie wollen, weil Sie Jüdin sind. Diesen Makel kann kein
Talent der Welt wegwaschen.«

Sie lächelt mich vage an: »Mach dir keine Sorgen, Sterben ist
unwichtig, Spielen ist wichtig, wirklich und frei musizieren ...«

»Aber Sie werden nicht frei sein!«

Almas Blick wird vorwurfsvoll: »Du verstehst mich nicht. Du freust dich nicht mit mir über das, was mir geschieht. Ich werde nicht mehr zwischen Gefängnismauern spielen müssen.«

Und plötzlich sehr heftig: »Ich bin Deutsche, das sind Soldaten der Wehrmacht. Glaubst du denn, das sind lauter Nazis?«

Es ist wahr, es gibt gute Deutsche, aber die findet man hauptsächlich hinter Schloß und Riegel in Gefängnissen und Lagern. Die andern, die reihenweise den Arm hochreißen, sind das nur Feiglinge? Kann man ein ganzes Volk verdammen, weil ein Teil davon verseucht ist? Heute denke ich so, aber in Birkenau konnte ich nur mit Hilfe meiner Vernunft, meines Verstandes, der objektiv sein wollte, so denken, weil alles in mir revoltierte, mich in den pauschalen Haß gegen die Deutschen stieß.

Alma spricht immer erregter: »Was so entwürdigt, ist, hier unter diesem Himmel für die SS zu spielen. Das wird bei Männern, die in den Tod gehen, nicht der Fall sein. Warum sollte ich mir mein Glück verbauen?«

Sie ist schon jetzt nicht mehr da, sie schwelgt bereits in einer anderen Welt, in einer Welt, in der sie Erfolg hat, in der man sich einlädt und feiert!

»Gleich als ich diese Neuigkeit Frau Schmidt erzählte, lud sie mich zum Essen ein, sie freut sich mit mir, sie ist eine Freundin.«

Eine Freundin! Frau Schmidt? Die Führerin vom »Canada«, die über die Schatzkammer der Mörder herrscht, über Leben und Tod ihrer Mädchen verfügt. Die autoritär, ohne ein Gegenargument gelten zu lassen, mit der Rücksichtslosigkeit einer Puffmutter, was sie auch war, wie erzählt wird, über sie bestimmt. Seit 1933 ist sie interniert. Sie soll diese ganze Einrichtung hier, von der sie nun die überragende Herrin zu sein scheint, organisiert haben. Eine Freundin, diese ellenlange Frau, deren ganze Eleganz in ihrer hölzernen, vertrockneten Art steckt. Dick und fett sähe sie vulgär aus, so mager macht es halt nur den Anschein. Ihre hellgrauen Augen sind so kalt wie die der Wasservögel, ihre weißen Haare, die im Nacken gepflegt zum gelblichen Knoten gedreht sind, lassen das vergangene Blond noch ahnen. Woher kommt sie? Warum wurde sie verhaftet? Das weiß niemand. Vermutet wird alles mögliche, von der Kommunistin über die Kriminelle bis zur Kupplerin, und alles kann passen. Liebt sie Alma? Fühlt sie sich, die sichtlich aus ordinärem Milieu kommt, nicht eher geschmeichelt, hier die einzige Freundin dieser virtuosen Geigerin zu sein? Manchmal kommt die Schmidt und hört uns zu, ihre Gegenwart ist mir reichlich unangenehm, die Mädchen können sie nicht ausstehen. Jenny sagt, »sie hat etwa den ehrlichen Blick einer Schlange vor dem tödlichen Biß.«

Die Gründe, die mir Alma nennt, überzeugen mich nicht.

»Doch, ich denke schon, Frau Schmidt ist wirklich eine Freundin. Weißt du, daß sie, seit sie hier ist, immer wieder den Lagerkommandanten Bittschreiben schickt, um ihre Entlassung zu bewirken? Sie hätten keinerlei Grund, sie hier festzuhalten, sagte sie mir. Außerdem, ist sie nicht die älteste Frau in Birkenau? Ihr antworten sie nicht einmal, und mich, mich lassen sie frei. Das könnte sie für ungerecht halten, mir böse sein, statt dessen lädt sie mich nett zum Essen ein.«

Ich weiß nicht warum, aber diese guten Eigenschaften der Chefin vom »Canada« bewegen mich nicht.

Abends dann, Alma kann kaum bei ihrer Freundin angekommen sein, wird auch schon Blocksperre gepfiffen.

»Was hat sie dir erzählt?«

»Nichts, nichts Besonderes, ihr Konzert hat gut gefallen.«

»Hüpfte sie deshalb wie ein Floh, die arme Irre?«

Warum habe ich auf die Fragen der Mädchen nicht geantwortet? Ich weiß es nicht. Ich wollte ihren Tratsch nicht auch noch mit dieser Neuigkeit füttern.

Die Blocksperre ist ausnehmend lang. Alma kommt erst spät von ihrem Diner zurück. Ich höre sie noch den Musiksaal durchqueren und ihre Türe schließen. Das war das letzte Geräusch, bevor ich einschlief.

Reginas Stimme weckt mich: »Fania, Fania, Alma verlangt nach dir!«

Blöde Kuh! Sie will mir sicher von ihrem prächtigen Diner erzählen. Hol's der Teufel!

Ich finde sie erschreckend blaß mit spitzer Nase und schweißbedeckter Stirn. Sie klagt über entsetzliche Kopfschmerzen, Übelkeit, Glieder- und Bauchschmerzen.

Ihre heiße Hand ist feucht, sie muß hohes Fieber haben. Ich massiere ihr die Schläfen, die mit kaltem, klebrigem Schweiß bedeckt sind. Schüttelfrost, Erbrechen und Druchfall lösen sich ab. Sie ist krank, schwer krank.

»Geh und weck Tschaikowska!«

Regina läuft und holt sie. Mit schlaftrunkenen, verschwollenen Augen, halb wach nur, steht die Blockowa in der Tür und erkennt mit einem Blick die Lage: »Ich gehe zu Frau Mandel.«

Eine endlos lange Viertelstunde verstreicht. Alma sieht mich zwischen zweimal Erbrechen mit angstvollen Kinderaugen, dem hilfeflehenden Blick eines Tieres an und stammelt mühsam: »Fania, komme ich hier nicht mehr raus?«

»Doch, doch, das ist nur eine blöde Übelkeit. Machen Sie sich keine Sorgen, beruhigen Sie sich, morgen wird's wieder vorbei sein. Die kommen gleich und helfen Ihnen . . .«

Ich höre den schnellen Schritt der Mandel. Sie kommt in das übelriechende kleine Zimmerchen in Begleitung eines SS-Arztes. Er beugt sich über Alma, nimmt ihren Arm, fühlt ihren Puls, untersucht sie ganz schnell, deckt sie wieder zu und sagt zur Mandel, man müsse sie sofort zur Magenspülung ins Revier bringen. Minuten später wird unsere Kapo auf eine Karre gelegt, auf so etwas wie für die Toten, denn hier im Lager läuft man, solange man noch lebt. Durch unseren Musiksaal wird sie zur Tür hinausgeschoben.

Die Mädchen scheinen nichts davon bemerkt zu haben, ich informiere sie morgens: »Alma ist krank, ihr werdet mit mir proben.«

»Und die Ausmärsche?«

»Die soll die große Irène dirigieren.«

Sie sagen nur »Aha, gut« und fragen nicht weiter. Almas Krankheit bedeutet für sie eine kleine Erholungspause, Proben ohne Almas Zwangsregie, ohne Geschrei, Taktstockschläge, Ohrfeigen. Ein Urlaubslüftchen weht in unserem Musikblock.

Am andern Tag aber schlägt der Wind um. Die kleine Irène wirft mir vor: »Du wußtest, daß Alma schwer krank ist, warum hast du nichts davon gesagt?«

»Ich dachte, es sei eine Unpäßlichkeit.«

Leicht schroff sagt Marta dazwischen: »Wofür man sie ins Revier, in einen gesonderten Raum bringt . . . Ingrid sagte mir, mehrere SS-Ärzte seien zu ihr gegangen und hätten nach ihr geschaut . . .«

Sie spricht leiser ». . . Sie tun alles, um sie zu retten!«

»Hat sie vielleicht Typhus?«

»Nein, sie wissen nicht, was sie hat.«

Ich habe große Mühe, die Mädchen zum Proben zu bringen. Sie haben den Kopf nicht bei der Sache, stehen auf, gehen weg, kommen wieder an ihren Platz zurück, irren von einem Raum in den andern, sind lustlos und unkonzentriert.

»Alma ist nicht zimperlich, das muß schon was Ernsteres sein«, meint Florette.

»Wenn sie abkratzt, was wird dann aus uns?« jammert Jenny.

Abends erfahren wir durch Ingrid, Alma sei heute morgen ohne Bewußtsein. Am anderen Morgen, noch vor dem Appell, ruft uns eine Läuferin von der Tür her zu: »Alle herhören, Alma ist tot!«

Noch nie zuvor erlebte ich in unserem Block so eine Stille. Danach beginnt das große Jammern: »Was wird jetzt aus uns? Was machen sie mit uns?« Im allgemeinen bleiben die Mädchen ziemlich gleichgültig dem Tod gegenüber, er kann sie nicht mehr rühren, er gehört zum Abgestumpftsein dieses Daseins, ist das Ende dieser Reise. Almas Tod aber können sie nicht verstehen.

Florette drückt das allgemeine Empfinden so aus: »Tot? Das kann ich nicht glauben, sie kam mir so unverwundbar vor. Das Orchester, das war sie!«

Das Gerücht, ihr Tod sei kein normaler Tod, die SS habe eine Autopsie angeordnet, verbreitet sich schnell: »Ob sie sie öffnen oder nicht, sie stecken sie wie jeden hier ins Krematorium, ohne wieder zuzunähen. Hier kann man nicht sagen, sie behandelten die Leichen behutsam!«

Irrtum. Am Nachmittag kommt Frau Mandel, um uns im Musiksaal die Nachricht offiziell mitzuteilen: »Eure Dirigentin, Alma Rosé, ist tot. Ihr könnt ins Revier gehen und ihr die letzte Ehre erweisen.«

Wir ziehen uns schweigend an. Sauber, sorgfältig geputzte Schuhe, so gehen wir alle zusammen, kein einziges Mädchen bleibt fern. Draußen scheint die Sonne.

Wir dachten, wir fänden Almas Körper auf einem Revierbett liegend. Aber uns erwartet eine echte Totenfeier. In einer kleinen Nische neben dem Versuchsraum hat die SS einen Katafalk aufgebaut, der mit weißen Blumen bedeckt ist. Ein wahres Blumenmeer, verschwenderisch viele weiße Lilien, die sehr stark riechen. Die SS muß dafür mit Autos in die Stadt gefahren sein, um dort im Geschäft Blumen zu kaufen, denn hier in Auschwitz gibt es weder Blumen noch Geschäfte. Es ist unfaßbar; wir stehen da, unbeweglich vor Erstaunen und Erregung. Mit dem ausgeprägten Sinn der Deutschen fürs Theatralische hat die Mandel uns Mädchen vom Orchester in zwei Gruppen aufgeteilt. Wir umrahmen diese Pracht: der Dirigent und seine Musiker. Wir bleiben eng zusammen eine neben der andern stehen und sind unfähig, einen Gedanken zu fassen. Wir spüren den würgenden Schmerz im Hals und schauen Alma an. Ihr Gesicht ist entspannt, ruhig, wirkt wie im Schlaf. Schön, sehr schön sind ihre schmalen, langen Hände über der Brust gekreuzt und halten eine Blume. Wer hat sie dahin gelegt? Mandel?

Ich weiß nicht, wer anfing, aber nach einem kurzen, tiefen Seufzer weinen wir alle. Die SS kommt herein, nimmt die Kopfbedeckung ab und defiliert am Fußende ihrer Bahre vorbei. Alle sehen sehr bewegt aus, viele weinen. Offiziere, die wir noch nie gesehen haben, sind dabei. Frau Mandel hat die Augen voller Tränen. Alma zu Ehren weinen wir mit ihr zusammen und sind in vollkommener Gemeinschaft! Eine unvergeßliche Szene.

Während dieses bewegenden Defilees kommen im Lager neue Transporte an, wird weiter vergast, verbrannt, vernichtet ... und hier verbeugen sich SS-Offiziere mit Tränen in den Augen vor der sterblichen Hülle einer Jüdin, die sie mit weißen Blumen bedeckten, und ich denke: ›Alma, du hast das Lager nicht mit der Violine in der Hand verlassen ... Hier kommt man nicht raus!‹

Deprimiert kehren wir in unseren Block zurück. Ohne Alma sind wir verloren.

»Was würde ich alles drum geben, wenn ich sie toben hören könnte!« sagt Florette weinend, obwohl sie Alma nie mochte.

Die große Irène sagt mit ihrer weichen Stimme: »Alma hat Glück gehabt, sie ist an einer Krankheit gestorben, wie im normalen Leben.«

»So normal nun auch wieder nicht, eine seltsame Krankheit war das schon.«

Woran ist sie gestorben? Diese Frage wird nie genau beantwortet werden können. Nach der Autopsie sollen die SS-Ärzte eine Vergiftung diagnostiziert haben. Mittags aß sie das gleiche wie wir. Abends aß sie allein mit Frau Schmidt. Also? Von ihr sollten wir nie mehr einen Ton hören. Am Tag nach Almas Tod war Frau Schmidt nicht mehr im »Canada«, und man sah sie dort auch nie wieder. Sie war von der Birkenauer Bildfläche verschwunden. Befreit? Aber wie? Für mich ist sie die Verantwortliche. Obwohl die verschiedensten Versionen im Umlauf sind, haben alle einen gemeinsamen Punkt: Alma ist an einer Vergiftung gestorben. Die einen sagen, die Drexler habe die Schmidt bestochen, Alma einzuladen und zu vergiften; sie habe sogar das Gift besorgt. Aus welchem Grund? Mandel habe intrigiert, um Almas Befreiung zu verwirklichen. Das wäre etwas, wenn es wahr wäre, was gegen sie verwandt werden könnte, denn man befreit nicht ungestraft eine Jüdin. Damit hätte die

Drexler der Mandel geholfen. An diese machiavellistische Hypothese glaube ich nicht: Mandel hätte nie etwas unternommen, was Almas Ausscheiden aus dem Orchester, auf das sie so stolz war, bewirkt hätte. Alma war unersetzlich, zumal das Männerorchester in Auschwitz ein echtes Symphonieorchester mit ausgezeichneten, virtuosen Berufsspielern war, während wir nur Alma als alleinige Berufsspielerin hatten. Also war es unwahrscheinlich, daß sich Frau Mandel von ihrer ureigensten Idee trennte. Sollte dagegen die Drexler in diese Affäre verwickelt sein, sollte sie das Gift besorgt haben, würde mich nichts wundern. Diese Rapportführerin ist ein unmenschlicher Drachen.

Die Frauen der Arbeitskommandos denken, Alma sei durch eine schlechte Konserve vergiftet worden. Das erscheint mir unwahrscheinlich, dann wäre Frau Schmidt auch tot. Außerdem kann man sich nur schwer vorstellen, sie habe irgendeine x-beliebige Konserve serviert und gegessen, da sie für sich doch die feinsten und besten Dosen aussuchen konnte. Meiner Meinung nach konnte die »liebe Freundin« Frau Schmidt diese Jüdin, die nun befreit werden sollte und in ihrem Glück zu ihr kam, nur hassen. Sie hat sich gerächt.

Alma ist tot, wir leben noch. Wird nun das Orchester gestrichen? Die Mädchen dringen auf mich ein: »Du kannst es gut mit der Mandel, du bist die einzige, die fähig wäre, uns zu dirigieren, du mußt unser Kapo werden.«

Dieses eine Mal scheinen sie alle der gleichen Meinung zu sein, die polnische Gruppe stimmt auch zu. Tschaikowskas und Founias Grimassen sollen sogar ein Lächeln für mich bedeuten. Diese Nominierung erscheint ihnen logisch, sie glauben daran. Wahr ist, daß ich Alma oft geholfen und sie vertreten habe ... Die kleine Ungarin Ewa nimmt mich schon zur Seite und summt mir eine Melodie aus ihrer Heimat vor: »Könntest du das nicht orchestrieren? Das würde den Deutschen sicher gut gefallen.« Lotte und Clara bestürmen mich beide: »Unser Repertoire muß erneuert werden. Ich werde alles lernen, was du willst ...« Das ist ihr beliebtestes Thema.

Auch als man uns den unmittelbar bevorstehenden Besuch Kramers ankündigt, schlagen die Herzen schneller: Wird das Orchester aufgelöst oder beibehalten? In dem brutalen Gesichtsausdruck des Kommandanten kann man nichts lesen. »Stillgestanden!«

Seine Stimme ist schroff, wo sind die Tränen von vorher?

Kramer eröffnet uns: »Sonia übernimmt den Platz von Alma Rosé. Sie ist zum Dirigenten eures Orchesters ernannt.« Das ist eisig und unumstößlich.

Sonia scheint eine gute Pianistin zu sein, was ich selbst nicht beurteilen kann, denn ich hörte sie nie spielen, da wir schon lange kein Klavier mehr haben. Kann sie ein Orchester dirigieren? Sie gehört zu den Ukrainerinnen, die sich im Abseits halten, mit denen ich aber öfters ein paar Worte spreche. Wie kommt es zu dieser unerwarteten Nominierung? Weil sie ein Sonderhäftling ist und weil dieser Titel genügt? Still und verschwiegen hat sie sich nie in irgendeiner Weise bemerkbar gemacht. Wie muß sie intrigiert haben, um diesen Posten zu bekommen, und wir haben nie etwas davon bemerkt!

Reserviert, dem Anschein nach bescheiden, steht sie vor uns. Was für eine Chefin werden wir haben?

Auf dem Podium an Almas Pult sind ihre stämmigen Einmeterzweiundsechzig, ihr Gesicht, ihr kleines, kurzes Näschen, ihre breiten Backenknochen nicht sehr beeindruckend. Sie wirft einen kurzen Blick, der mir unsicher scheint, auf die Partitur, hebt, ohne sich die Mühe zu machen, rituell mit dem Stab auf den Pultrand zu klopfen, die Arme hoch und beginnt den Takt zu schlagen. Was für einen Takt? Den ihren! Wie ein Roboter, *eins, zwei, drei, vier* ... schlägt sie ins Leere, gibt den einzelnen Instrumenten keinen Einsatz. Ihre blauen Augen starren auf die Partitur, man sieht, wie unfähig sie ist, sie zu lesen! Obwohl die große Irène als erste Geige versucht, die andern mitzunehmen, ist das Resultat entsetzlich. Sonia zieht die Schultern hoch, legt den Taktstock ab und ruft mich, zu ihr zu kommen. Ich versuche, ihr ein paar rudimentäre, unerläßliche Dinge beizubringen, die man braucht, um ein Orchester in den Griff zu bekommen. Aber das lernt man nicht in fünf Minuten, und länger kann sie mir nicht zuhören. Also gehe ich an meinen Platz zurück. Verblüfft und spöttisch spielen die Mädchen halt irgendwie. Ohne große Überzeugung malen meine Schreiberinnen ihre Noten weiter, man müßte noch dümmer sein, als sie es ohnehin schon sind, um bei dieser Kakophonie nicht zu bemerken, daß Sonia nie fähig sein wird, uns neue Musikstücke beizubringen, Konzertprogramme aufzustellen. Im Augenblick macht diese Disziplinlosigkeit die Mädchen, auf denen Almas Tyrannei noch unangenehm lastet, euphorisch. Aber bald werden sie sich, genau wie ich, fragen, was aus unseren Konzerten werden soll. Die sorgenvolle Unruhe, die sich unerbittlich breitmacht, spitzt sich zu, als man uns Dr. Mengele meldet. Er ist Musikkenner, dieses Larifari wird ihn keinen Augenblick lang täuschen, und dann?

Im Stillgestanden erkundigt sich Sonia, was der Herr Doktor zu hören wünsche. Wie wenn sie fähig wäre, ihn irgend etwas, sei es, was es wolle, hören zu lassen! Nichts, er hat keine Zeit, er kam nur vorbei, um nach uns zu sehen; die Redewendung gefällt mir. Elegant, gekonnt, geht er ein paar Schritte auf und ab und bleibt vor der Wand stehen, an der wir Almas Taktstock und Armbinde befestigt haben. In respektvoller Haltung verweilt er einen Augenblick lang davor, dreht sich zu Sonia um und sagt zu ihr in einem den Umständen angemessenen Tonfall: »*In memoriam.*« Verständnislos lächelt ihn unsere neue Kapo idiotisch-dumm an.

Kaum ist er draußen, da fragt sie mich auch schon, ob das ein Kompliment gewesen sei, oder ob das bedeutet habe, wir sollten »das« wieder abmachen?

In memoriam, in Birkenau von Dr. Mengele ausgesprochen, das vergißt man nicht!

Hat mir's Mandel nun erlaubt oder befohlen? »Schreib deiner Familie einen Brief, ich werde ihn abschicken.« Das werde ich nie wissen. Was steckt hinter diesem Satz? Mein älterer Bruder ist in Amerika, für ihn befürchte ich nichts, er ist außerhalb ihrer Reichweite. Mein jüngerer Bruder ist beim Widerstand, wissen sie das? Wohl nicht. Wären sie nur auf den Gedanken gekommen, hätten sie mich nicht in Ruhe gelassen. Die Männer von der Gestapo hätten mich bei meiner Verhaftung noch mehr geschlagen und gefoltert. Meine sonstige Familie ist verstreut, ich werde mich hüten, ihnen zu schreiben. Wenn ich aber überhaupt nichts schreibe, wird die Mandel wütend; also verfasse ich einen vollkommen farblosen, belanglosen Brief an jemand, der nichts zu befürchten hat. Im übrigen bin ich sicher, er wird seinen Empfänger nie erreichen. Aber warum tat die Mandel das? Ihre Beweggründe sind mir unergründlich. Die Tage vergehen, und von dem Brief, den ich ihr gab, wird nicht mehr gesprochen.

Eben wurde das Ende einer Blocksperre gepfiffen. Die Mandel kommt, durchquert mit ihrem langen, harmonischen Schritt den Musiksaal und kommt zu mir an den Tisch. Es ist so still, daß man einen Floh husten hören könnte. Sie mustert mich und sagt mit neutraler Stimme: »Ich habe deinen Brief nicht abgeschickt. Deine Freunde, die Engländer, sind in Paris.«

Ich verstehe nicht, was sie sagt. Wird sie es wiederholen? Sie schweigt. Ganz allmählich dämmert mir, was der Satz heißen soll, der in meinem Gedächtnis hängengeblieben ist. Ich begreife ihn so klar, daß er sich fast in meinem Gesicht widerspiegelt, und das darf unter keinen Umständen sein. Ich muß ungerührt bleiben. Beim leisesten Augenzwinkern, beim winzigsten Freudenstrahlen wird sie sich, das ist einleuchtend, an mir, am Orchester rächen ...

Entgeistert starren uns die Mädchen an. Ein voll Spannung knisternder Moment. Die Mandel sieht aus wie ein sprungbereiter Panther, sie wartet nur auf eine Reaktion, ein Blitzen in meinen Augen. Sie ist weder so blöd noch so borniert, um zu glauben, diese Nachricht, die sie uns überbringt, könne uns gleichgültig lassen. Und doch verlangt sie eben das von uns: Gleichgültigkeit.

Ein undefinierbarer Ausdruck liegt in ihrem Blick, Befriedigung, Bedauern, Stolz ... Sie kehrt uns den Rücken, will keine Musik hören, sie ist nur gekommen, mir, »ihrer kleinen Sängerin«, das zu sagen.

Vor der völlig verwirrten Sonia lassen wir unserer Freude freien Lauf. Wie ein ausbrechender Vulkan seine Lavakappe hochschleudert, brechen wir in lauten Freudenjubel aus, tanzen, schwärmen, schreien: Paris ist befreit! Diesmal ist es wahr, wir haben es aus amtlicher Quelle! Hätte die Mandel die Tür noch einmal aufgemacht, welches Schauspiel hätte sie erlebt! Es soll Ehemänner geben, die lieber nicht überraschend nach Hause kommen – ist die Mandel auch so?

Wie oft hatten wir uns tagelang ausgemalt, was wir »danach« tun würden. Diese mystischen Tage waren wie Morphium für uns. Wenn alles zu schlimm, zu schwer, zu traurig wurde, faselten wir unablässig von diesem »danach«. Aber heute ist das anders. Heute haben wir nicht mehr das Gefühl, von einem unerfüllbaren Traum zu sprechen, heute glauben wir daran. Er ist Wirklichkeit geworden, nur noch eine Sache von ein paar Wochen, vielleicht sogar weniger? Für uns ist Paris, das wieder Frankreich gehört, gleichbedeutend mit dem Zusammenbruch der Moral der Nazis, mit dem Ende des Krieges. Wir sehen schon die Siegesstraße von Paris bis Berlin, auf der die kleinen alliierten Soldaten singend vorrücken!

»Ich werde mir ein Maschinengewehr kaufen und alle Deutschen, denen ich begegne, umbringen!«

Das ist Florettes Triumphmarsch. Die Idee ist gar nicht schlecht, erscheint uns aber doch etwas zu simpel. Ihren Blutrausch überwunden, fügt sie noch hinzu:

»So werde ich mich rächen, aber dann wird das Leben gelebt ...«

»Wird das Leben gelebt.« Dieser Satz macht uns selig, öffnet uns alle Türen zum Glück.

»Und dann«, fährt Florette fort, »werde ich die hier verlorene Zeit aufholen; ich werde lernen, Prüfungen machen, Musik studieren, Filmstar werden ...!«

Heute abend darf man alles sagen. Wir sind überaus tolerant. Florette ist wirklich sehr schön, so verrückt ist dieser Traum gar nicht.

Eva schließt sich Florettes Zukunftsplänen an: »Und ich

werde wieder Schauspielerin, werde wieder spielen können, die Leitung eines großen Theaters in Krakau übernehmen, der schönsten Stadt der Welt. Werde zusammen mit meinem Mann altern, meinen Sohn aufwachsen sehen, der Arzt wird. Mein Polen wird frei sein, frei von Deutschen und Russen.«

Die große Irène sieht mit freudenfeuchten Augen ihr künftiges Glück so: »Ich werde meinen Mann wiederfinden, Kinder haben . . . «

»Und deine Schwiegermutter, was machst du mit der?« mischt sich Jenny ein. »Dieses verräterische Judenweib muß büßen!«

Die große Irène blickt sie an. Gott! wie sanft sind ihre blauen Augen: »Sie ist die Mutter meines Mannes, und im übrigen wird sie genug bestraft, wenn sie erfährt, wie man hier starb.«

Ich frage sie, ob sie weiter Geige spielen wird.

»Nein, Fania, ich brauche nur meinen Liebsten, um glücklich zu sein, ein bißchen Geld und viele Kinder . . . «

Anny meint, wenn man hier rauskomme, müsse man größere Ansprüche ans Leben stellen. »Ich will ein großes Lederwarengeschäft. Der, der mich heiratet, wird ein reicher Mann, und ich werde ihm die hübschesten Kinder schenken.«

Clara nimmt ihren kleinen Mund anmaßend voll, sie sieht sich als gefeierte Heldin nach Frankreich zurückkehren! Das verschlägt uns einen Augenblick lang die Sprache, aber heute abend sind wir alle so großzügig, daß wir diese Maßlosigkeit nicht zur Kenntnis nehmen. »Ich werde mich sehr gut verheiraten, zur Oper gehen und an der Metropolitan singen.«

Warum auch nicht?

Mit gewissem Humor, der bei ihr ziemlich erstaunlich wirkt, sagt Lotte zu ihr: »Dann treffen wir uns ja dort, aber ich bin schon etwas vor dir da, ich komme von der Prager Oper und gehe auch da wieder hin. Ich werde meinen Mann wiederfinden, und wir trennen uns nie mehr!«

Jenny kann es nicht lassen und murmelt: »Das wird auch besser sein!« Laut sagt sie: »Also ich, ihr Küken, wenn ich heimkomme, dann fackle ich nicht lange, dann fliege ich auf meinen Feuerwehrmann. Wenn ihr wüßtet, wie der nackt aussieht, wie schön der ist! Na, das schwör' ich euch, wenn der im Adamskostüm durch den Louvre spazierte, sämtliche Apollostatuen würden sofort grün vor Neid. Einen Götterkörper hat der, und er kann's! . . . Er macht mit mir, was er will. Ich lasse mich nicht lange bitten, ich mache mit auf meine Weise . . . Oh Kinder! das wird einfach klasse . . . «

Die polnischen Jüdinnen machen wilde Projekte. Sie wollen alle arischen Polinnen umbringen, und nach der großen Säuberungsaktion heißt es dann: »Nächstes Jahr in Jerusalem!« Ohne sich um dieses geplante Massaker zu kümmern, sehen sich die arischen Polinnen schon wieder daheim. Sie wollen heiraten, ihr Leben leben, und vergessen dabei ganz, daß ihr Lebensweg eine Zeitlang umgeleitet wurde.

Marta hat nur einen Wunsch: ihre internationale Karriere als Cellistin. Mit verträumter Stimme fügt sie hinzu: »Eben die Karriere, von der Alma träumte . . . «

Meine Pläne sehen anders aus. »Wenn ich nach dem totalen Sieg der sowjetischen Armee wieder heimkomme, werde ich durch ganz Deutschland reisen und mir die Zerstörungen ansehen, Berlin, Hamburg, alles . . . das wird mir das Herz wärmen. Viel höher aber wird mein Herz schlagen durch eine wundervolle Liebe, *die* große Liebe, die so einmalig sein wird, wie die in den Träumen, in den Märchen!«

»Heiraten willst du nicht?« fragt mich Florette.

»Ich spreche nicht von Heirat, ich spreche von Liebe!«

Neid und Mißbilligung gehen durch die Reihen, aber da wir heute abend voller Güte sind, lassen sie mich ruhig weiterschwärmen. »Und natürlich, damit mein Leben vollends glücklich wird, Musik, viel Musik.«

Die kleine Irène findet, ich vernachlässige zu sehr die politische Zukunft, sie beteuert: »Ich werde kämpfen. Nach diesem Krieg wird die Welt wenigstens begriffen haben, daß es außerhalb eines internationalen Kommunismus auf marxistischer Grundlage kein Glück geben kann. Seht mal, ich bin ganz sicher, es wird keinen Faschismus, keinen Nazismus, keinen Rassismus mehr geben. Die SS wird von der Erdoberfläche verschwunden sein; ich kann nur lachen, wenn ich sie mir ansehe. Es fehlt nicht viel, und sie würden mir leid tun. Wir werden sie alle massakrieren, bis auf den letzten Mann! Aus den Zuchthauswärtern werden Häftlinge. Die werden Augen machen!«

Das stellen wir uns so bildhaft vor, daß wir lachen müssen. Keine einzige von uns zweifelt daran, daß sie ins Leben zurückkehren und sämtliche Formen des Faschismus ausgerottet sein werden. Wir sind so sicher, daß die Welt endlich begriffen hat! Daß die Welt von Grund auf neu sein wird!

In der Nacht habe ich Schmerzen. Wie mit Messern sticht es mir durch den Leib, ich friere, schwitze, fiebere. Am nächsten

Morgen begreife ich: Ich habe einen Abszeß in der Scheide. Der Appell scheint mir dreimal so lange zu dauern. Am Eingang zum Musiksaal befiehlt uns Sonia, uns für den Ausmarsch fertig zu machen. »Die Sängerinnen auch, Fania, du und die anderen, und übersetze ihnen, was ich eben sagte!«

Seit Almas Tod sind kaum vierundzwanzig Stunden vergangen, und schon zeigt Sonia ihr wahres Gesicht. Um sich an Tschaikowska zu rächen, die es wagte, schlecht über sie zu sprechen, ersetzt sie sie durch ihre Freundin Maria, die wie sie ein Sonderhäftling ist und vom Schneidereiblock kommt. Wir kennen sie nicht und wissen nicht, ob wir traurig sein oder uns freuen sollen. Sehr schnell merken wir jedoch, sie könnte in Sachen Grausamkeit jedem noch was beibringen.

Man hört es geradezu, wie die Polinnen in ihrer Ecke mit den Zähnen knirschen, weil man es wagte, einer der ihren etwas anzutun. Nun sollen sie einer *Russki* gehorchen! Das ist eine echte Beleidigung, ein Anschlag auf ihre Würde. Wir würden uns ins Fäustchen lachen, wenn wir sie nicht auch ertragen müßten. Jenny sagt: »Das ist vielleicht ein Weib! Wenn mir jemand gesagt hätte, daß ich eines Tages dieser Tschaikowska nachweinen würde! Maria ist noch schlimmer, noch brutaler, noch übergeschnappter als die andere!«

Florette läßt sich nicht lumpen. »Und ich fange an, Alma nachzutrauern! Weil diese Sonia, der das Orchester völlig wurscht ist, der die Konzerte auf die Nerven gehen, sich bestimmt nicht vor uns stellt, wenn uns etwas geschieht. Die läßt uns nicht stricken, um uns über den Berg zu helfen, die schreit uns auch nicht an, wenn wir falsch spielen, ihretwegen kann das ganze Orchester vor die Hunde gehen! Die Amis sollen sich mal beeilen, mit der Sonia geht es dem Orchester wie dem Chagrinleder – es wird von Tag zu Tag minder.«

Wir alle fragen uns, woher Sonia und ihr Spießgesell Maria eigentlich kommen. Im Augenblick weiß ich es auch noch nicht, erfahre es aber ein paar Tage später von Bronia und Olga, den beiden kleinen ukrainischen Widerstandskämpferinnen, mit denen ich mich manchmal unterhalte:

»Hüte dich vor den beiden, diese Frauenzimmer entehren unser Rußland. Ich kenne ihre Geschichte, ich komme aus ihrem Nachbardorf. Zum Glück wissen sie es nicht, sonst hieße es für mich: ›Adieu Ukraine, dich seh' ich nie wieder!‹ Die beiden waren in dem Gebiet, das erst von den Deutschen besetzt und dann von den Unsrigen wieder zurückerobert wurde. Sie kollaborierten mit der SS, feierten Feste und denunzierten unsere Kameraden, die es gewagt hatten, ihnen ihr schamloses Verhalten vorzuwerfen. Frauen, Greise, Kinder wurden wegen dieser *Kourvi* (Huren) umgebracht und deportiert! Als dann die Soldaten der Roten Armee wieder vor dem Dorf standen, als ihr Sieg sicher war, suchten die beiden Schutz bei der SS. Die Unsrigen hätten sie erschossen. Aber nun werden wir sie mit bloßen Händen erwürgen! Die überleben nicht, das haben wir uns geschworen. Warne deine Kameradinnen, denn die sind zu allem fähig!«

Daß die Deutschen sie für ihre guten Dienste mit der Internierung in unserem Lager belohnten, mag erstaunlich klingen. Aber wer die SS kennt, wundert sich nicht darüber. Für diese beiden Verräterinnen, die sich an sie verkauften, empfinden sie nichts als Verachtung; sie hätten es für völlig normal gehalten, sie fallen zu lassen, nachdem sie sich ihrer bedient hatten. Sie zu beschützen ist also eher ein Gnadenakt. Man läßt solches Hurenvolk bei sich nicht frei herumlaufen, man sperrt es ein und sondert es ab aus Angst, es könnte das ganze Haus verstänkern!

Kurz vor der Dusche ist mein Abszeß glücklicherweise geplatzt, ich konnte mich waschen. Etwas erleichtert nehme ich am Ausmarsch teil, wie Sonia befahl. Auf dem Podium dirigiert sie mit ihrem Taktstock kreuz und quer durch die Luft; das Orchester spielt, es geht sogar ganz gut, denn die Mädchen spielen Musikstücke, die sie im Schlaf können. Nur die Sonntagskonzerte und die Privatvorstellungen nach stattgehabter Selektion machen mir Kummer.

Von unserem Podium aus sehe ich die erschöpften Arbeitskommandos zurückkommen. Wissen diese Frauen, daß Paris befreit worden ist? Daß endlich eine Chance besteht, aus Birkenau rauszukommen? Sicher. Heute abend verrät ihr Blick keine Verachtung, keinen Neid, keinen Haß. Manche schauen mich sogar nachsichtig an. O ja, sie wissen's!

Die SS-Leute sind nervös, die Kapos brüllen brutaler, die Spannung macht die erregten Hunde sprungbereit, sie warten nur auf ihren Befehl, um ihre Sehnen, ihre Nerven, losschnellen zu lassen.

Die Polin Stenia, Lagerkapo von Birkenau, steht stämmig da und durchsucht die Zurückkehrenden unter Aufsicht und Assistenz der Deutschen.

Frauen, die in der Nähe der Felder arbeiten, trotzten der

Wachsamkeit der Wärter, der Peitsche, den Hunden, dem Tod, um eine Karotte, eine Kohlrübe, eine Kartoffel auszureißen. Die mehr oder weniger strenge Durchsuchung spielt sich unter den munteren Klängen unseres Orchesters ab.

Ich selbst habe heute hier nichts zu tun, bin nur dabei, weil Sonia es so beschlossen hatte. Ein neuer Fieberschub überfällt mich, ich friere und sehe, wie die Lagerkapo Stenia eine bis zum Skelett abgemagerte Frau am Arm packt, schüttelt, ihr ein Büschel Tabakblätter unter die Nase hält und brüllt: »Du wirst es fressen!«

Die SS-Leute stehen Stenia bei. Einer kommt als Verstärkung, deutet grinsend auf seinen sprungbereiten Hund, während die unglückliche Frau diesen Tabak kaut, der für sie gedanklich schon gegen Brot getauscht war. Sie kaut und kaut, brauer Speichel fließt ihr aus dem Mund, über ihre zersprungenen Lippen. Sie bringt ihn nicht runter, ihre Augen flackern angstvoll und irr in den dunklen Höhlen. Sie würgt, zwingt sich, schluckt mühsam, während an diesem Elend der Vorbeimarsch der Misere nach dem Takt unserer munteren Kapelle weitergeht. Mir dröhnt der Kopf von Musik und Fieber, ich schließe die Augen. »Wozu bin ich hier?« Schluckend vom qualvollen Tabakkauen wird die Frau von ihren Leidensgefährtinnen mitgeschleppt.

Aufs Neue gellen Stenias Schreie; wahrhaftig, die Durchsuchung ist durchgreifend. Sie hält einer Frau den Rock hoch, deren jammervolle Magerkeit dabei zum Vorschein kommt. In ihrem Slip sind eine Gurke und ein paar winzige Tomaten versteckt. Die SS-Leute und sogar das Orchester schütteln sich vor Lachen. Hat Stenia nun ihre Genugtuung, wenn sie das Gemüse konfisziert? Läßt die SS aus Dank für diesen Anlaß zum Lachen nun großmütig die »Muselmanin« laufen? Nein, sie wird einer Kapo überantwortet. Man wird sie zu Tode peitschen, und wir haben gelacht. Und wann immer wir von diesem ungewöhnlich versteckten Gemüse sprechen, werden wir lachen müssen. Wer wird das je verstehen?

Die Abszesse mehren sich, Dr. Marie ist machtlos dagegen. Sie hat keinerlei Medikamente, versorgt mich medizinisch mit den bloßen Händen. Helfend legt sie ihre Hände auf mich, redet mir zu, macht mir Mut, wie man es bei einer Gebärenden tut, bei einem Kind. Der Eiter läuft aus mir heraus, pumpt mich aus. Wenn es sehr schlimm um mich steht, verbergen mich die Mädchen den Blicken der andern. Sitzen ist eine Tortur, und doch muß ich an meinem Tisch bleiben und kann nicht instrumentieren. Zum Glück merkt Sonia nichts; sie fuchtelt nur hochmütig mit ihrem Taktstock herum. Die Mädchen spielen so gut sie können. Wirft sie mal einen Blick zu mir herüber, dann halte ich den Bleistift in der Hand und bin über das Notenblatt gebeugt, das reicht ihr. Meine Schreiberinnen kopieren was kommt, ihnen ist's egal, und mir erst!

An besonders schlimmen Tagen, wenn sich neue Abszesse bilden – insgesamt werden es siebenundfünfzig sein – stehen mir meine Freundinnen bei. Die Nächte sind grausam, ich beiße in meine Fäuste, um nicht loszubrüllen. Niemand darf es wissen, vor allem die Mandel nicht, denn sie würde mich ins Revier schicken. Das Schlimmste ist der Eiter, der mir an den Beinen herunterrinnt; um ihn abzuwischen, habe ich nur ein Handtuch, das ich nicht waschen kann, und nie werde ich zulassen, daß ein anderes Mädchen das macht. Indem sie nichts sagen, laufen meine Kameradinnen Gefahr, bestraft zu werden. Kranke dürfen nicht im Block bleiben. Bin ich weg, dann befürchten die Mädchen das Ende des Orchesters mit dieser unfähigen Sonia an ihrer Spitze. Founia hat so sehr Angst, daß sie mir sogar das Bett macht. Ich weiß nicht, wie viele Tage vergehen, wovon nur ein paar Bilder, ein paar Einzelszenen hängenbleiben, deren Wirklichkeit sich mit meinen Fiebervisionen vermengen. Wie die neue Blockowa Maria unsere kleine französische Gruppe unflätig auf russisch beschimpft: »Founia und Maria holen keinen Kaffee mehr; wenn die Judenkühe einen wollen, sollen sie ihn selber holen!« Vom Krach angelockt, kommt Sonia: »Nichts als Hundekotze, diese Jüdinnen, die nur Stunk machen.« Sonia bestraft, wie ein Papst segnet, von oben herab, aber bei ihr hagelt's heftig, wie Platzregen.

Dieser Ausschluß macht mich rasend, überall herrscht derselbe beschränkte Nationalismus, der engstirnigste Chauvinismus. Die Zionisten hegen für die Nicht-Zionisten nur Verachtung. Die Deutschen behandeln die Polinnen als minderwertig. Die Arierinnen lassen keine Gelegenheit ungenutzt, uns zu den Sündenböcken allen erdenklichen Übels zu erklären, und freuen sich, wenn's Prügel hagelt. Werden sie es denn nie lernen?

Fieberwahn mischt sich weiter mit Wirklichkeit. Florette ist zu spät aufgestanden. Diesmal hat sie eine Entschuldigung, ich habe sie in der Nacht mehrmals geweckt. Maria zwingt sie, sich hinzuknien, die Hände auf den Kopf zu halten. Jedesmal, wenn

Florettes Körper zusammensackt, richtet sie Maria mit einem Tritt ins Kreuz wieder auf. An so etwas hätte Tschaikowska nie gedacht, und Alma hätte es nie zugelassen. Zwei Stunden dauert die Strafe. Sollte Maria so einfallsreich sein wie Tauber?

Tauber, Kramer, Mengele, die Grese, die Mandel, die Drexler – diese verfluchten Namen tanzen mir im Kopf herum, zertreten mir mein Hirn.

Wieder ist Blocksperre. Da kein Zug gekommen ist, muß eine Selektion aus den Lagerinsassen stattfinden. Im Lager ist's still wie im Schlaf, der Abend sinkt so romantisch sanft, daß es weh tut. Kein Geräusch ist zu hören ... Wir horchen hinaus, warten ... Das ganze Lager wartet ... Der Lärm vorbeifahrender Lastwagen bricht die Stille. An welchen Blocks werden sie anhalten, bevor sie zu den Krematorien weiterfahren? An einem Abend wie diesem wird der Lärm hier, vor unserer Tür, verstummen, und wir werden an der Reihe sein.

Wenn ich eines Tages wieder ins Leben zurückkehre, dann nehme ich, dann entreiße ich ihm – für die, die ich liebe, und für die, die ich nicht mag, für alle – jedes nur menschenmögliche Stückchen Glück ... Nicht das winzigste Restchen lasse ich mir entgehen. Glücklichsein ist etwas so Kostbares ...

Schweißgebadet liege ich da und höre Schreie, Laute, die das Fieber verfälscht, Lachen, Weinen, Musik. Schon lange bin ich krank, seit Tagen schwanke ich zwischen allmählicher Besserung und Rückfall.

Sonia kündigt uns einen ungewöhnlichen Ausmarsch an. Seit achtundvierzig Stunden fühle ich mich etwas besser, mittlerweile bin ich beim vierundfünfzigsten Abszeß, vielleicht ist das der letzte? Ich betrachte mir die Zahl, addiere die Ziffern und ziehe die Quersumme. $5 + 4 = 9$, eine gute Zahl, diese 9. Ich beschließe, mich auf sie zu verlassen.

»Dr. Mengele möchte, daß wir für ihn spielen.«

Das hat uns gerade noch gefehlt! Seitdem Sonia dirigiert, vernachlässigt die SS unsere Sonntagskonzerte, man könnte meinen, sie haben andere Sorgen, als uns zuzuhören. Glücklicherweise, denn die Mädchen bemühen sich zwar, so zu spielen, wie sie es bei Alma gelernt haben, aber nach und nach verlernen sie's. Immer mehr trauern wir Alma nach. Florette sagte sogar: »Alma war streng und hart, aber sie verstand was von Musik, sie liebte Musik, man fühlte sich gestützt, geführt. Wenn sie ein Lob vergab, dann war's ein Geschenk!«

Dr. Mengele – der Name schon macht mich schaudern, diesmal nicht vor Fieber, sondern vor Angst – gibt sich mit seinen Versuchen nicht zufrieden, die anscheinend wohl wissenschaftlichen Wert haben sollen. Er mordet aus Lust, tötet um des unmerklichen Zitterns willen, das sogar im Auge der Mutigsten angstvoll blitzt; diesem kurzen Flackern jagt er nach, das genießt er genüßlich. Er hat ein empfindsames Gehör, womöglich erträgt er Sonias Orchestermusik nicht. Macht mich die Krankheit so ahnungsvoll klarsichtig? Ich spüre, daß es unser Orchester nicht mehr lange geben wird, daß die Galgenfrist allmählich abläuft. Ich frage Sonia: »Hat Dr. Mengele gesagt, was er hören möchte?«

»Er will Märsche, Zirkusmusik, Tänze, Walzer, Foxtrott.« Ihre blauen Augen werden listig: »Du kannst das Programm ja zusammenstellen und mit deinen Freundinnen durchgehen, mit Irène und Marta.«

Ich atme auf. Sicher hat sie vor Mengele Angst. Ich kann auch auf Halina zählen, die sehr gut Geige spielt, auf Helga, Frau Kröner und sogar auf Jenny, die zwar kein Talent, dafür aber viel Routine hat!

Wir proben. Sonia hält zwar ostentativ den Taktstock hoch, aber den Einsatz für die Geigen gibt die große Irène, nicht die Chefin. Ich gebe den andern ihre Einsätze. Das Resultat ist nicht besonders, aber besser. Wirklich, im Vergleich zu Sonia war Alma eine Toscanini.

Sonntag. Das übliche Hin und Her in unserm Schlafsaal. Mit ihrer Liebe zur Musik und zur guten Leistung gelang es Alma, in uns eine gewisse Erregung zu wecken, die uns vorübergehend das seltsame Publikum unserer Konzerte vergessen ließ. Heute sind die Mädchen lustlos, apathisch. Sie ziehen sich an, während Maria ins Leere schreit. Das Wetter ist schön, die Sonne scheint noch warm, aber der Herbst und mit ihm der nahende Winter kündigen sich an. Müssen wir noch einen Winter hier durchhalten?

»Wo findet das Konzert statt? Im Freien? Im Revier?«

»Wirst schon sehen«, antwortet Sonia kurz und knapp. »An einem ganz neuen Ort.«

Was hat sich Mengele da wohl einfallen lassen?

Einen Zirkus! Er hat einen Zirkus bauen lassen. Eine Manege, umgeben von Stufen, samt Balkon für die Musik über dem Eingang, gegenüber der Ehrenloge natürlich, wie es sich gehört.

Florette brummelt: »Zirkusspiele!«

»Fehlt nur noch Ben Hur!« spottet Jenny.

»Was hier wohl am meisten fehlt, sind die Christen!« sagt Eva.

»Keine Sorge! Als Ersatz haben sie die Juden!«

Der kleine Zirkus ist leer, nur ein paar SS-Soldaten scheinen hier Dienst zu tun.

»Die Prätorianergarde«, meint Marta.

Anny wird unruhig. »Wir müssen so gut spielen, wie wir nur können.«

Ich bin sicher, sie werden ihr Bestes geben. Mengele, dessen Schönheit sie bewundern, jagt ihnen eisigen Schrecken ein. Welchem Schauspiel werden wir beiwohnen? Hinter den Stufen stehen massenhaft Häftlinge, umgeben von SS-Männern mit ihren Hunden. Nicht mal Raubtiere fehlen in diesem Zirkus. Die verschiedensten SS-Dienstgrade kommen an, gefolgt von »unserem« gewohnten Publikum, das sich auf die Stufenbänke setzt. Abwechslung ist hier äußerst rar, niemand scheint das versäumen zu wollen: Kapos, Blockowas, Anweiserinnen, Aufseherinnen, Arbeitsdienstführer, Kommandoführer, Lagerkapo, die Offiziere des Lagerkommandos, Ärzte, Krankenpfleger, und – natürlich in der Ehrenloge – unter anderem auch unsere gewohnte SS-Sippe, Kramer, die Mandel, die Grese, die Drexler. In ihrer Mitte thront wie Cäsar: Mengele. Er ist leicht gebräunt – wie kann das Schlechte nur so schön sein?

Tauber spaziert durch die Reihen. Wird ihn dieser Einfall, der nicht von ihm stammt, aufheitern, seine gelangweilten Nerven aufrütteln?

Wir bekommen den Befehl zum Spielen. Ich habe mich diskret hinter Sonia gestellt. Die große Irène läßt kein Auge von mir.

Gleich nach den ersten Takten beginnt das Spektakel. Gleichmäßig in Reih' und Glied betritt eine Truppe, eine Herde Zwerge, die Manege. Woher kommen sie? Wie kam Mengele an sie?

Später erfahren wir, daß es sich um einen Liliputanerzirkus handelte, der in ganz Europa berühmt war und mit den Transporten aus Ungarn kam.

Die einen sind im Zirkuskostüm, die anderen zauberhaft gekleidet: Frack und Smoking für die Männer, Abendkleider für die Frauen, wovon manche aus der Garderobe zusammengeschneidert sein müssen, die die Optimisten, die Naiven mitgebracht hatten . . . Wundervolle Stoffe. Die Damen brechen unter ihrem

Schmuck fast zusammen. Halsketten baumeln bis zur Hüfte, Armbänder sind doppelt um die Handgelenke gewickelt, Ohrgeschmeide streift die Schultern, umrahmt ihre geschminkten Gesichter, in den phantastischen Frisuren funkeln Diademe. Echtes vermischt sich mit Falschem, es muß ein Vermögen sein. Es ist atemberaubend!

Wenn die Mädchen bei diesem fabelhaften Spektakel nicht falsch spielen, haben wir Glück! Nach dem Defilee durch die Manege setzt sich ein Teil des kleinen Völkchens auf die Stufen. Der Rest macht akrobatische Sprünge, Späße unter lautem Gekicher, bietet eine ziemlich banale Clownnummer, wobei die molligen kleinen Händchen drollig mitklatschen. Es ist zum Weinen.

Wir spielen. Die SS-Leute lachen. Meine Aufgabe hier hindert mich nicht daran, diesem befremdenden Spektakel zuzusehen. Wir spielen einen Foxtrott an. Mengele macht eine Handbewegung, gibt einen Befehl, und schon kommen alle Zwerge wieder in die Manege zurück, die sich mit turbulent tanzenden Liliputanern füllt. Manche Paare drehen sich rhythmisch im Kreis, andere bleiben weich wiegend auf der Stelle stehen, es sieht grotesk und beklemmend aus. Die Männer verbeugen sich nach allen Seiten, die Frauen machen eine Reverence.

Schmuck, Seide und Flitter funkeln in der Sonne, werfen tausend kleine, wandernde, wirbelnde, walzende Lichtpunkte ins Rund. Diese Geschöpfe stoßen kleine Freudenschreie aus, versuchen mitzusingen, mit Clara, Lotte und mit mir. Ihre kleinen Stimmchen kreischen. Das Orchester beginnt einen Marsch, sie begleiten ihn mit Klatschen und Trampeln. Die etwa fünfzig fleischigen, mit Fingerringen bedeckten Händchen, die am Ende ihrer kurzen, hocherhobenen armreifrasselnden Arme klatschen, die winzigen Füßchen, die auf den Boden stampfen, haben etwas Unwirkliches, Erschreckendes an sich. Hat mich der Fieberwahn wieder gepackt? Nein, ich lebe, höre, sehe. Mein Hirn empfängt diese Bilder, meine Ohren vernehmen diese Dissonanzen.

Irgendwo in einer Ecke steht unbeweglich unter der sengenden Sonne ein Publikum aus gestreiften Gespenstern, mit tiefliegenden Augen, Todesangst im Herzen, und schaut verständnislos diesem Irrsinns-Spektakel zu.

Ich weiß nicht mehr, was das Orchester spielt, und glaube, das kümmert auch keinen. Unter unserem Balkon ist die Manege nur mehr eine Masse mißgebildeter, wirbelnder Wesen, klatschender Kinderhände, die zum Teil schon fünfzig Jahre alt sind. Das SS-Publikum lacht. Dieses Lachen, unsere Musik, die Zwerge und ihre Maskerade haben etwas so Erschreckendes an sich, daß die Mädchen vor Angst zittern. Gewaltiges, wahnwitziges Gelächter übertönt unsern Singsang ...

»Schluß!« schreit Mengele, und alles verstummt. Ein Arm baumelt aus, ein Lachen erstarrt zur Grimasse. Die vorgetäuschte Freude weicht aus den Gesichtern, die sich vor Angst verzerren. Hat ihr Herr und Meister ihnen etwas vorzuwerfen? Nein, der Meister hat genug gelacht, hat sie genug genossen, die andern. Das Fest ist aus.

Auf dem Rückweg in unseren Block wünsche ich mir, das Ganze wäre ein Fiebertraum gewesen, um die Bilder des Zwergzirkus besser verjagen zu können.

Dr. Mengele ist nicht wahnsinnig. Er ist Wissenschaftler, ein Gelehrter, dessen Arbeiten über die Iris-Färbungen Aufmerksamkeit erregten. Er hat sämtliche Menschen mit ungleich gefärbten Augen »selektiert« und an ihrer Iris alle erdenklichen Versuche mit Hilfe von Hornhautentnahmen gemacht, die dann ans Kaiser-Wilhelm-Institut geschickt wurden. Wußte man dort in Berlin, wie er an sein Versuchsmaterial gekommen war?

Eine Zeitlang sieht man den schönen Doktor durchs Lager, die Lagerstraße entlang, gehen, gefolgt von seinem kichernden, glücklichen Zwergenvolk. Wer sollte auch auf die Idee kommen, diese kleinen Wesen vernichten zu wollen, die an jeder Kleinigkeit Spaß haben? Mengele scherzt mit ihnen, es scheint dem großen Herrn Vergnügen zu machen, über so kleine Leutchen zu herrschen.

Eines Tages dann führt er selbst seine fröhliche und zutrauliche Gruppe in die Gaskammer. Der Vorhang senkt sich über der Komödie.

Später erfahren wir, daß viele von ihnen vor ihrer Vernichtung zu Versuchen, zur Beobachtung des Zwergphänomens, benutzt wurden.

In dieser Nacht döse ich wieder fiebernd vor mich hin und glühe und friere zugleich. Schneidende Schmerzen durchbohren unablässig meinen Leib. Neue Abszesse bilden sich.

Nach dem erschöpfenden Schlaf, den Alpträume mit fratzenschneidenden flitternden Zwergen unterbrechen, graut der Morgen. Es regnet. Ein neuer Tag ist erwacht. Ich werde keine Kraft haben aufzustehen und weiß auch nicht, was die Mädchen noch für mich tun können, aber nach dem Appell helfen sie mir wieder auf meine Koje zurück, und alles verschwimmt. Dunkel und grau dämmert's mir. Ich weiß nicht mehr was, aber irgendwann wußte ich es. Irgendwann, zwischen zwei schwarzen Lücken, fiel es mir ein: Heute ist der 2. September, mein Geburtstag. Das ist unwichtig. Als ich noch ein kleines Mädchen war, da war der Tag wichtig, heute nicht mehr.

Ob sich wohl jemand in der Welt der Lebenden daran erinnert, daß heute mein Geburtstag ist? Vielleicht denken meine Brüder dran, oder meine Tanten? . . .

Wie falsch die Mädchen spielen! Schlimmer als sonst, scheint mir. Eva bringt mir Wasser. Dr. Marie habe ich heute noch nicht gesehen. Sicher kann sie nicht kommen, sie steht unter dem Befehl des so selbstlosen, so gewissenhaften Dr. Mengele; drei Nächte lang saß er am Bett einer Operierten, tat alles, um sie zu retten, mobilisierte sein ganzes Wissen dafür, und als feststand, daß ihm der Versuch gelungen war, ließ er sie vergasen. Meine Gedanken kommen nicht los von diesem Mann.

Marie sagte mir, nach den Zwergen habe er sich für Zwillinge interessiert. Auf der Suche nach Zwillingen durchstöberte er das gesamte Zigeunerlager, war bei der Ankunft vieler Transporte dabei. Zwillinge sind unerläßlich für seine Forschungen über Erblichkeit und Rasse. Was macht er mit ihnen? Zahlreiche Versuche. So läßt er beispielsweise die zwei Versuchspersonen gleichzeitig und auf dieselbe Weise sterben, dann unterzieht er sie einer Autopsie und hält minutiös seine Beobachtungen fest. Waren ihre Organe absolut identisch und reagierten sie gleich?

Mengele ist intelligent, gebildet, feinnervig. Er hat weder mit einem brutalen Klotz wie Kramer noch mit einem primitiven Rohling wie Tauber etwas gemeinsam, und doch ist er ein fanatischer SS-Mann. Sicher stammt er aus bester Familie, hat eine gute Kindheit und Jugend hinter sich. Er besitzt diese Leichtigkeit, diese gelassene Selbstsicherheit, die eine vollkommene Erziehung vermittelt. Er hat nie hungern müssen, weder sozialer Kampf noch Not und Armut machten aus ihm diesen verbohrten Fanatiker. Also! Genügt der zur Religion erhobene Rassenhaß zur Erklärung des Phänomens Mengele?

Was wird aus ihm werden?* Ich bin von einer unmöglichen Vorstellung besessen: Der Krieg ist aus, die Welt vom Nazis-

---

* Er hat sich nach Paraguay abgesetzt, wo er seine Tage geruhsam verbringt.

mus befreit, alles ist wieder in Ordnung, wir kehren heim, und ich begegne Mengele ... Wo, wie? Ich weiß es nicht, aber ich begegne ihm. Und ich frage ihn: *Warum?*

Als ich den Mädchen diesen Wunsch erzähle, toben sie, ich sei wahnsinnig, hier gebe es nichts zu erfahren, nichts zu verstehen.

Diese Gedanken quälen mich, ermüden mich. Ich möchte sie vergessen, diesen Ort vergessen, und so versuche ich, in meinen Kindheits- und Jugenderinnerungen ein bißchen Frische zu finden.

Ich bin wieder fünfzehn, bin im Konservatorium, die Gesichter meiner Kommilitonen haben sich verflüchtigt, schweben vage im Raum, übrig bleibt nur ein sehr hübscher, blonder Schwede. Er sagt, er sei ein Prinz, stimmt das? Warum auch nicht? Er ist sehr groß, vor allem im Verhältnis zu mir; um ihn anzusehen, muß ich mich bis zur Decke strecken.

Der Riese beachtet mich nicht. Um mich interessant zu machen, erfinde ich eine Tante, die Prinzessin sei, auf diese Weise ziehen wir gleich. Es ist geschafft, er trägt den Kopf nicht mehr so hoch, läßt sich herab, mit mir zu sprechen. Ich juble ohne Bescheidenheit, alle anderen beneiden mich, ein angenehmer Augenblick. Wenn es in meinem Leben einen langen, einen sehr großen Mann gäbe, dann würde ich vielleicht doch noch wachsen, weil ich mich immerzu nach ihm strecken müßte ...

Ein Name klingt höchst erfreulich in mir: Jascha Heifetz. Empfinde ich das Leben allzu banal, dann träume ich davon, seine Begleitung am Klavier zu spielen, und erfinde ein ganzes Drehbuch dazu. Ich gehe durch die Straßen, da kommt Jaschas langer Wagen, ich überquere die Fahrbahn, renne auf ihn zu, falle vor seine Räder. Jascha springt heraus, sammelt mich auf, nimmt mich in seine Arme und ... ich werde seine Pianistin! An Phantasie fehlt es mir nicht. Die Wirklichkeit sah dann anders aus. Eines Abends, bei einem seiner Konzerte, wette ich mit meinen Kommilitonen, daß ich es wage, ihn um ein Autogramm zu bitten. Alle machen sich lustig über mich, fordern mich: »Du traust dich nicht!« Da kennen sie mich schlecht. Ich traue mich. Ich bleibe auf der Stufe seiner Garderobe stehen, zittere wie Espenlaub, bringe kein Wort über die Lippen und staune mit meinem Programmheft in der Hand meinen Gott an. Sehr freundlich, allerliebst, bittet er mich herein, bietet mir Platz an und fängt an, mir Fragen zu stellen. Als er hört, ich sei Musikstudentin, beglückwünscht er mich zu meiner Berufswahl und signiert mir mein Programmheft. Im Weggehen erlebe ich etwas Einmaliges: Ich bin um eine Elle gewachsen. Ich schaue meine Kommilitonen von oben herab an und erkenne sie nicht wieder, sie sind plötzlich so klein, sogar mein großer, schöner Eisprinz!

Die Jungens, die Männer, das war ein wahrer Walzertraum! Ich verlobte mich, entlobte mich, verlobte mich und entlobte mich wieder. Papa machte mir keinerlei Vorwürfe, er ließ mich das Leben leben und lernen ...

Solche Erinnerungen darf man hier gefahrlos wachrufen, sie tun nicht weh, sie sind weit aus der Wirklichkeit in ein fernes Land entrückt, leben irgendwo verloren im Reich der Jugend. Jung? Aber ich bin doch noch jung, ich bin fünfundzwanzig! Jung sein im Lager ...

Ich schlafe wieder ein. Durch einen Wattenebel höre ich Musik, Lachen, Rufen, dann nichts mehr, Stille ... alle liegen jetzt im Bett, es ist Nacht. Niemand denkt an mich. Wer erinnert sich schon an meinen Geburtstag, und wenn, was ändert's?

Schnell verstummte Laute. Ich glaube, leises Knarren zu hören, Rascheln, Flüstern. Mädchen steigen aus ihren Kojen. Wer ist krank? Ich versuche, etwas zu sehen, aber die Beleuchtung ist sehr schlecht. Ein kleiner Lichtstrahl, der Scheinwerfer eines Wachtturms streicht langsam durch den Raum. Die Tür zu unserem Block geht auf, und ich meine, Marie zu erkennen. Warum kommt sie? Bin ich so krank? Sie sind da, stehen um mein Bett herum, im Nachthemd mit einem Päckchen in der Hand, und singen leise ›Happy Birthday‹. Danach einen Vers aus ›Compagnons, dormez-vous‹? Die Mädchen beglückwünschen mich mit einem Geburtstagsständchen! Ich weine und möchte doch lachen. Auf meinem Bett liegen die Geschenke, sie sind reichhaltig, sie müssen ein Vermögen an Brotrationen gekostet haben! Ein seidenes Nachthemd, Seife, Zahnpasta, Parfum, ein Kartenspiel, das die kleine Irène gemalt hat ... Alle sind sie da, die beiden Irènes, Florette, Marta, Anny, Clara, Eva, Jenny, Lotte, die Polin Halina, die drei kleinen Russinnen, Yvette, Lili, alle ... sogar Regina, sie bringt mir ein Glas Milch. Ich wußte gar nicht mehr, wie Milch schmeckt. Founia ist aufgewacht, sie schimpft nicht – vermutlich ihre Art, mir ein frohes Fest zu wünschen!

Sie sind da, und ihre Gegenwart läßt alles andere vergessen, den Rassenhaß, die Intoleranz, den Egoismus, alles, was mich nur allzuoft aufregt. Ich umarme und küsse sie, ich liebe sie, sie lassen mich einen Augenblick der Brüderlichkeit erleben, was ich schon für nicht mehr möglich geglaubt hatte. Sie singen mir Lieder von Blumen, von Vögeln, von Liebe ... Von lauter Dingen, die es anderswo gibt und die ich zweifellos nur noch im Traum erleben darf ...

Beim Ball der Schwarzen Dreiecke

Schon beim Betreten des Toilettenblocks schreit mir Hilde, Frau Kapo dieser Örtlichkeit, eine kleine, dicke, sechzigjährige Megäre, in miserablem Deutsch, einer Art Niederbayrisch, das ich nur mühsam verstehe, entgegen: »Du komm am Abend, nach Appell!« Will sie mich auf den Arm nehmen, oder was? Ich werde ja schließlich nicht erst am Abend meiner natürlichen Notdurft nachkommen dürfen! Da ich Mühe habe, sie zu verstehen, und sie überhaupt keine Lust zeigt, mich anzuhören, beschließe ich, Verstärkung zu holen. Ohne weiter auf ihr gutturales Grunzen und heftiges Gestikulieren zu achten, gehe ich wieder.

Meine Nachricht über den Zwischenfall mobilisiert die allgemeine Aufmerksamkeit unseres ganzen Blocks. »Hört mal, Mädchen, die Scheißhausführerin verbietet uns den Zugang zu ihrem Palast bis zum Abend, bis nach dem Appell!«

Jenny verschlägt's die Sprache, sie kneift ihr rosiges Mäuseschnütchen zusammen und sagt: »Scheiße! Das hat uns gerade noch gefehlt!«

Sofort bildet sich ein Kreis um mich, diese Neuigkeit, die mir inzwischen fragwürdig scheint, ist wichtig: Da will uns jemand unsere Freiheit nehmen, auf die Toilette zu gehen, wann es uns gefällt, eines unserer ganz wenigen Vorrechte, mehr noch: ein Privileg! Anstatt zweimal täglich unter Stockschlägen zu den gräßlichen Latrinen des Lagers getrieben zu werden, dürfen wir den schaurigen Schuppen gegenüber unseres Blocks mitbenutzen, der den Schwarzen Dreiecken zu Diensten steht.

Die »Toiletten« dieser »duften Damen« sind ehrlich erstaunlich: vier mal fünf Meter groß, sechs Holzkisten mit kreisrundem Loch in der Mitte. Winter wie Sommer glüht ein kleiner Ofen, auf dem irgendein Kohl langsam vor sich hin kocht, in dem eine der beiden Wärterinnen stochert, während die andere Kartoffeln schält. Diesen Palast beherrschen despotisch zwei dumme Scheusale, die Kapo Hilde, eine dicke, fette Frau, die unablässig an einer bayrischen Deckelpfeife saugt, und ihre Geliebte Inge, die neben dem runden Tabaksfaß von Freundin geradezu schmächtig wirkt und deren rührseliger, gerissener, hinterlistiger Blick den Eindruck erwecken soll, sie lebe in ständiger Angst. Dieses reizende Paar, diese Pipi-Mädchen, die ihre zärtlichen Gefühle füreinander nicht verniedlichen, sind beide gleich böse und, natürlich, reine Rassisten, überzeugte Antisemiten, sie verabscheuen die Juden. Erst nach Kramers persönlicher Order ließen sie sich herab, ihren Garten Eden von Drecksjuden verschmutzen zu lassen. Diese beiden asozialen Deutschen verbergen uns ihre gegenseitigen Liebesgefühle genausowenig wie ihre Günstlinge, ihre verhätschelten Kundinnen, die Schwarzen Dreiecke. Meistens sind sie betrunken, denn als Gegenleistung für die Benutzung ihrer gelöcherten Holzkisten bekommen sie von den Mädchen vom »Canada« oder von der Küche alles, was sie wollen: Getränke, Lebensmittel, Rauchwaren, Seife usw.

Von einer zweistöckigen Koje aus, von wo sie Tag und Nacht freien Blick auf jeden »Thron« haben, empfangen uns die beiden Megären mit Schimpf und Schande und werfen uns vor, wir beschmutzen ihre Bude! Da sie nun mal gezwungen sind, uns zu ertragen, machen sie uns das Leben so schwer wie möglich. Sind die sechs Sitze besetzt, wenn wir kommen, was fast immer der Fall ist, dann glotzen und grinsen uns die zu Besuch weilenden Klatschweiber an, die – Hose runter, Rock rauf – qualmend und quatschend auf ihren Löchern sitzen und hoffen, der Durchfall zerreiße uns inzwischen schon mal das Gedärm. Neben ihrem Ofen sitzend, die Ellbogen fest auf den Tisch gestemmt, führen die beiden Vestalinnen mit diesen Damen, ihren Besucherinnen und Kundinnen, höchst gesellschaftsfähige Gespräche: »Wie wohl das Wetter heute in Berlin ist?«

»Wie trägt man denn dieses Jahr das Haar?«

»Man spricht davon, der Führer wolle sein Bärtchen abrasieren.«

»*Mein Gott!* Das soll er doch nicht tun! Es steht ihm so gut, es macht ihn so verführerisch!«

Und so geht das endlos weiter.

Hat eine endlich wirklich lang genug gesessen, dann steht sie auf, und sofort ziehen die andern um den freigewordenen Sitz mit konstant gleichbleibenden Kommentaren auch ab: »Ich kann nicht neben dieser dreckigen Jüdin sitzen bleiben!«

»Der Kommandant meint es zu gut, wenn er sie hierher kommen läßt. Sie stecken uns noch an mit ihren Krankheiten, diese Weiber da sind doch völlig verdorben!«

»Uns kann die Musik von diesem verkommenen Judenorchester doch gestohlen bleiben!«

Meistens, nur nicht gerade mitten im Winter, warten wir lieber draußen, bis wir an der Reihe sind, denn bei dieser Mischung aus Kohlmief, Parfumduft – diese Damen sind närrisch auf Parfum – und Klogestank dreht sich einem der Magen um. Das höchst realistische Bild, das diese Versammlung bietet, ist so abstoßend, daß wir unseren Aufenthalt dort möglichst abkürzen. Und doch haben wir diese ekelige, winzige Baracke mit den beiden Kreaturen, die sich tätscheln, sich anschreien, die fressen, saufen, rülpsen und paffen, und die »sechs« Durchgangskundinnen mit ihrem ordinären Lachen und ihren schmutzigen Witzen zu ertragen gelernt, denn die Benutzung dieses Ortes gehört zu den Vorteilen, die es uns ermöglichen, am Leben zu bleiben. Das ist ein Vorzug, den wir in dieser völlig verkehrten Welt als aristokratisches Privileg empfinden.

Um so mehr empfinden die Mädchen die Nachricht, die ich ihnen überbringe, als Skandal: »Das darf man keinesfalls durchgehen lassen, ich gehe mit dir«, beschließt Florette, und schon sind wir auf dem Weg.

Als wir eintreten, sind alle sechs Luxuslöcher besetzt. Betrunken, die Brüste entblößt, zärtlich umschlungen, glotzen uns Hilde und Inge grinsend an. Kaum hatten wir die Tür geöffnet, waren Gespräch und Gelächter verstummt. Florette, bei der Geduld und Diplomatie nicht gerade die hervorstechendsten Merkmale sind, fragt wütend: »Warum sollen wir bis nach dem Appell warten?«

Schwerfällig schütteln die Kapo und ihre Kumpanin den Kopf, bis ihnen langsam klar wird, was sie gefragt wurden. Sie lassen ab von ihren gegenseitigen Liebesbeweisen, brechen in helles Gelächter aus, knuffen sich in den Rücken und klatschen auf die Schenkel, was von ihren Kundinnen vertraut nachgeahmt wird.

Ich rate Florette: »Reg dich nicht auf!« Und nachdem sich der tobende Sturm gelegt hat, kommt der Dialog in Gang.

»Du hast völlig falsch verstanden«, sagt Florette zu mir, »sie hat für dich ein Rendezvous mit der Kapo der Nutten ausgemacht!«

Diese Neuigkeit ist das Verblüffendste, das ich je hörte. Zwischen diesen Frauen und uns gibt es ganz und gar keine Gemeinsamkeit. Im Gegenteil. Was soll also dieses Rendezvous? Die beiden beteuern, sie wüßten nichts, und so muß ich bis zum Abend warten, um zu erfahren, was sie wollen. Ihr Wunsch kommt wahrlich unerwartet: Die Damen wollen nächste Woche ein Fest geben und werben nun ums Orchester! Wir werden mit Sauerkraut honoriert!

Am Abend beleben bei uns Gelächter, Witzeleien und Wut unsere Runde um den Ofen, der eben wieder angezündet wurde, denn es regnet, und der Oktoberwind ist eisig.

Florette erklärt: »Ich spiele nicht für diese Biester, die sonst auch nichts von uns wissen wollen.«

Jenny platzt vor Wut, überlegt es sich dann anders und meint: »Ein Ball bei denen muß maßlos komisch sein.« Clara meint mit verkniffenem Mund: »Sauerkraut ist wie Geld, das stinkt nicht, wenn man's hat.«

Annys Bemerkung dazu ist gelassen: »Meiner Meinung nach kann man das schon machen, die Prostituierten sind immer noch ehrenwerter als die SS!«

Marta beschließt ohne weitere Erklärung, sie werde hingehen. Helga sagt ebenfalls zu, denn sie weiß, daß wir ohne sie nicht auskommen. Das Schlagzeug wird schwer zu transportieren sein, aber ohne das geht es nicht. Sylvia flüstert schüchtern ja. Da wir eine Geige brauchen und die brave, erst siebzehnjährige große Irène schon beim bloßen Gedanken an die Schwarzen Dreiecke erschrickt, erklärt sich Halina von den ersten Geigen bereit mitzukommen. Ich selbst habe keine Skrupel; sie wollen, daß ich singe, also singe ich.

»Was wollen die eigentlich genau?«

»Musik zum Tanzen und zum Feiern für ihren Ball!«

»›Die kleine Nachtmusik‹ bietet sich an!« sagt Anny ohne Augenzwinkern.

»Für die Nacht bei denen brauchen wir eher einen Kuh-Walzer!« trumpft Jenny lachend.

»Ich bin für die ›Lachpolka‹!« schlägt Florette vor.

Diese ›Lachpolka‹, die seit kurzem zu unserem Repertoire gehört, geht auf Sonias Sonderkonto. Sie mag nur Schlager, und die läßt sie uns dauernd üben. Alles andere, so sagen die große Irène und Anny, spielt das Orchester alleine; die Mädchen haben Alma noch nicht ganz vergessen.

Die ›Lachpolka‹ ist etwas absolut Absurdes. Ein paar Takte Polka, dann »Ha, ha, ha!«, die aber nicht gesungen, sondern »gelacht« werden. Als Sonia sie uns zum ersten Mal proben ließ, hätte ich mich am liebsten ins nächste Mauseloch verkrochen.

Sollten wir schon so schamlos geworden sein, diese Scheußlichkeit vor den geschundenen Häftlingen, den »Muselmaninnen« aufzuführen? Oder soll sie nur der Aufheiterung der Herren Offiziere der SS dienen?

»Ha, ha, ha!« kreischen die Geigen, zittern die Mandolinen, »Bum! Bum! Zing! Zing! Bum!« schmettert das Schlagzeug, und auf ein Zeichen von Sonia – dem einzigen Einsatz, den sie schafft – erschallt Florettes Lachen, das uns zum Mitlachen animieren soll. Alle Musikerinnen müssen lachen, das ganze Orchester, auch die Sängerinnen, alle lachen, lachen . . . bis zum bitteren Ende, während Sonias Stab vor Freude hüpft. Peinlich! Mich schaudert schon jetzt vor dem Konzert, in dem wir, statt Schubert zu spielen, diese Scheußlichkeit produzieren sollen, ich fürchte um die Zukunft, um das Leben des Orchesters und hoffe nur, daß Mengele nicht da sein wird. Kramer ist dickfellig genug, um sich darüber zu freuen. Und was die Mandel betrifft, ein Hauch ›Butterfly‹ wird sie diesen Blödsinn vergessen lassen, obwohl ich gar nicht so sicher bin, ob sie sich vielleicht nicht doch darüber freut.

Am nächsten Morgen befiehlt mir Sonia auf russisch: »Sag ihnen, daß sie beim Sonntagskonzert die Polka spielen werden.«

Weil es regnet, findet das Konzert in der Sauna statt. Da wir während der Sommermonate meist im Freien spielten, eröffnen wir damit die Wintersaison. Unser gewohntes Publikum, bestehend aus bedauernswerten Häftlingen, erwartet uns schon in seinem Winkel. Auf den Stufen sitzen die Schwarzen Dreiecke. Davor ein paar Mitglieder des Sanitäts- und Verwaltungsdienstes. Nur wenige Offiziere sitzen in den Stuhlreihen. Erleichtert merke ich sofort: Mengele ist nicht da; aber die Stimmung ist düster. Sonia stochert mit ihrem Stab in alle Himmelsrichtungen, das kann Kramer, der Mandel oder sonst jemandem unmöglich entgehen. Nachsicht oder Gleichgültigkeit? Jedenfalls beunruhigt es mich. Die Mädchen spielen ohne Überzeugung, nur die Ungarin produziert – sich selbst überlassen – auf ihrer Geige ein grauenhaftes »Fiedel-Festival«; Alma hätte ihr übliches Vokabular gebrauchen können. Jenny fühlt sich durch dieses unorthodoxe Spiel animiert und quält hingebungsvoll ihre Saiten. Nie kam mir ein Konzert lustloser, disharmonischer, endloser vor.

Sonias gleichgültiger Blick strahlt freudig, als wir »ihr« Stück, den Clou »ihres« Konzerts anstimmen: die ›Lachpolka‹! Florette spielt abwesend und mechanisch; sie ist mit ihren Gedanken so offensichtlich woanders, daß sie, ohne auf ihren Einsatz zu

warten, allein und zu früh in ihr rhythmisches »Ha, ha, ha!«
ausbricht, das so gekünstelt und ungewohnt kommt, daß wir in
unserer Nervosität unbändig lachen müssen, was auf die SS
ansteckend wirkt. Dieses haltlose, absurde Gelächter hallt in
diesem Saal aus grausigen Gefängnismauern unheimlich wider.
Geschlossen steht die Gruppe der Gefangenen gegen uns. Sie
sind ein feindseliger Block geworden, der unser irres Gelächter
in sich verschließt. Ihr bedrückendes Schweigen, ihre vorwurfs-
vollen Blicke, ihre rasende Empörung, die geradezu physisch
spürbar werden, tun mir weh. Unser sinnloses Lachen, an dem
sie sich nicht beteiligen, wirft uns wieder einmal auf die Seite
der Henker.

Am gleichen Abend findet der feuchtfröhliche Firlefanz bei
den Schwarzen Dreiecken statt. Sobald Sonia und ihre Maria
weg sind, gehen wir hinüber. »Wir müssen ein Gefäß für's Sauerkraut finden!« Dieser Satz ist der Schlüssel für unsern Hunger
und läßt uns das Wasser im Mund zusammenfließen. Nie wurde
der Lohn sehnsüchtiger erwartet. Mit saftigen Kommentaren
hat Jenny inzwischen die Eimer gesäubert, die sonst zum Bo-
denputzen benutzt werden.

»Meinst du, daß sie uns die füllen?«

»Die müssen! Kein Kraut, keine Musik. Wir lassen uns im
voraus bezahlen.«

Clara wird unruhig. »Das wird nicht reichen, wir könnten
noch die Suppenkannen mitnehmen.«

»Wenn Maria merkt, daß die nicht mehr da sind, dann geht's
rund im Block.«

Alle Vorsichtsmaßnahmen sind bedacht. Falls unversehens SS
im Musikblock auftauchen sollte, muß es uns eine kleine Läuferin melden. Das Haus dieser »Damen« ist massiv aus Stein gebaut, nicht aus Holz wie das unsrige.

Nur die Lagerlampen, die Scheinwerfer der Wachttürme und
die Glut der Zigaretten erleuchten das Innere des Asozialen-
blocks. Der Raum wirkt groß und gemütlich, die Kojen sind an
die Wände gerückt, die Tische in der Mitte zusammengestellt,
aus Bettlaken wurden Tischtücher. Im Halbdunkel macht sich
das mit Speisen, Getränken und aufgereihten Gläsern beladene
Buffet gut. Der so gewonnene große, freie Raum ist zur Tanzfläche umfunktioniert. Am Eingang empfängt uns Georgette.
Sie ist die Chefin hier, ein echter kleiner Zuhältertyp. Im Lager
wie im Leben spielt Georgette die Rolle des Mannes. Sie hat es
sogar geschafft, sich im Lager neben ihrer regulären »Frau«

auch noch Konkubinen zu halten, die ihr zutragen. Georgette ist kein schlechtes Mädchen, sie bringt uns mit ihrem Stimmchen oft zum Lachen, denn im Gegensatz zu den andern Drohnen des Baues, die sich anstrengen, möglichst tief zu sprechen, damit sie männlicher wirken, hat sie eher eine Fistelstimme, mit dem entsprechend komischen Effekt.

Zeremoniell zeigt sie uns unsere Ecke. Ich rechne mit einer immer möglichen Überraschung und verlange unser Honorar.

»Nein, das bekommt ihr beim Weggehen!«

Die leeren Eimer hinter uns stillen unsern Hunger nicht. »Hoffentlich lassen sie uns was übrig!«, knurren Florette und Jenny und starren auf die Sauerkrautberge mit den fetten Würsten auf dem Buffet, die geradewegs aus den SS-Küchen stammen.

Meine Augen gewöhnen sich schnell ans Dunkel, und ich versäume fast nichts von diesem Spektakel. Die ganze Gesellschaft hier besteht aus deutschen Prostituierten, arisch natürlich! Sämtliche Sorten von Frauen sind vertreten: junge, alte, zahnlückige, fette, magere, rothaarige mit grünen, blonde mit blauen, braune mit schwarzen Augen. Für jeden Geschmack etwas! Ganz nach Lust und Laune! Gut frisiert – man rasiert Prostituierte nicht – und geschminkt gleichen sie dem Typ der »femme fatale«, glühender Blick, blutroter Mund, rosige Bäckchen.

Jenny schaut sie mißbilligend an. »Von weitem, im schnellen Vorbeigehen mögen sie ja ganz gut aussehen, aber im Vergleich zu den Unsrigen in der rue Blondel oder Saint-Denis würden die keinen Fünfer verdienen!«

Schöner Nationalstolz!

In diesem komischen Frauenclub sind die Rollen sehr genau verteilt. Abendkleidung ist vorgeschrieben, die »Herren« sind im Pyjama, aus Seide selbstverständlich, ein Geschenk ihrer »netten Freundinnen«! Die »Damen« tragen entzückende, transparente, fließend weiche, mit schwarzen Spitzen besetzte Hemden ... Déshabillés mit flaumigem Marabou an Décolleté, Manschetten und Saum, Wolken in Rosa, Blau und Schwanenweiß. In welches Eldorado glaubten die Frauen zu kommen, die so neckische Negligés mitbrachten? Bei diesem unerwarteten Zauber reißen wir die Augen auf, stoßen uns gegenseitig die Ellbogen in die Rippen und unterdrücken, mühsam wie kleine Schulmädchen, das Lachen.

Offenbar hat die erlauchte Versammlung gewartet, bis das

Orchester das Fest eröffnet. Anfangs hört man nur geziertes Gekicher der echten »Mädchen« und gestandenes Lachen der unechten »Jüngelchen«, die nun alle ums Buffet drängeln und sich mit dämlicher Eleganz, mit gespreiztem kleinen Finger, graziös vollfressen. Gläser werden angestoßen, klingendes und gutgelauntes *Prosit!* und *Zum Wohl!* gewünscht. Noch nie habe ich mehr bedauert, nicht fließend Deutsch zu verstehen. Florette ist schockiert, Marta steht darüber, also wird es mir sicher niemand verdolmetschen. Bereits bei den ersten Takten beschließen ein paar »Kavaliere«, ihre »Damen« zum Walzer aufzufordern. Binnen weniger Augenblicke steht das Buffet verlassen da, und der ganze Block tanzt, jung und alt.

Der langsam suchende Lichtstrahl der Scheinwerfer der Wachttürme läßt Satin und Seide weich schimmern, die Farben aufleuchten: das brave helle Blau, das zarte Rosa heben sich deutlich vom Nachtblau und Granatrot der dunklen Pyjamas ab, die zum Teil dem russischen Modell, dem Modeschrei dieser Zeit, nachgeschneidert sind. Wer so was im Koffer hatte, konnte sich wohl kaum ein Fest wie dieses vorstellen! Wer könnte das je? Hübsch sieht es aus, dieses Wiegen im Walzertakt, die Deutschen tanzen gut, und ich gestehe, dieses Fest macht mir in gewissem Sinn Spaß, zumal die Fehler im Halbdunkel verschwinden und das Fremdartige daran einen gewissen magischen Zauber verbreitet. Nach jedem Tanz wird getrunken. An alkoholischen Getränken fehlt es nicht. Alkoholdunst hängt in der Luft und vermischt sich immer mehr mit dem Duft der schweren, süßen Parfums, dem würzigen Geruch von Sauerkraut und dem stechenden Gestank von Schweiß.

Von Mal zu Mal schmiegen sich die Paare beim langsamen Walzer enger aneinander, wiegen sich die lasziv umschlungenen weiblichen Körper wohliger, werden die Köpfe der »Kavaliere« schwerer, rutschen die Hände aus den Taillen tiefer, wird das Lachen höher, suchen mehr Münder den weichen Platz an Hals und Schulter ...

»Hei, hört mal«, spottet Jenny unverfroren, »geniert euch nur nicht! ... Aber unsere Gigolettes würden sich so nicht benehmen, die haben mehr Anstand im Leib, das kann ich dir sagen. Alle Rausschmeißer, von der rue de Lappe bis zum Balajo, würden dich vor die Tür setzen, wenn du dich in so 'ne lesbische Sexorgie schunkeltest! Und überhaupt, die Unsrigen befummeln sich nicht, die sehen das anders!«

Unverwandt, den Blick woanders, mit ernstem Gesicht, spielt Marta ihr Cello. All das berührt sie nicht.

»Jedenfalls ist das nicht der richtige Ort für kleine Mädchen, wir hätten Sylvia nicht mitnehmen dürfen.«

Sylvia bläst hingebungsvoll in ihre Blockflöte. Wie sieht sie dieses Spektakel?

Alkohol und wachsende Begierde entflammen die Gesichter, die im flüchtigen Schein einer Zigarette rot gefärbt sind. Es ist heiß, sehr heiß. Eine Frau hat ihre Hemdenträger über die Schultern gleiten lassen. Sie hat hübsche, volle Brüste mit dunklen Aureolen, die sich verliebt an die unsichtbaren Rundungen ihres »Freiers« im Pyjama drücken, und sie lacht mit zurückgelegtem Kopf, lacht und tanzt ... Inmitten des Stimmengewirrs befiehlt Georges-Georgettes Eunuchenstimme »Ruhe! Ruhe!«

Wir hören auf zu spielen. Ein eigenartiges Bild, diese zu plötzlicher Ruhe erstarrten Paare, die offnen Münder, die eingefrorenen Gesten ... Offenbar geht ein SS-Mann in der Nähe vorbei, der Lärm könnte ihn neugierig machen.

»Könnt ihr leiser spielen?« fragt sie uns. »Und ihr andern, vergnügt euch, soviel ihr wollt, aber macht keinen Lärm. Sonst könnt ihr die Nacht im Stehbunker verbringen!«

Die Pantöffelchen und Halbschuhe treten leichter auf. Wir spielen nur noch gedämpfte Musik. Die Frauen schmachten, werden sentimental, tanzen auf der Stelle und trinken weiter dabei. Mit dem Alkohol verwandelt sich das Fest schnell zur Orgie.

Wir spielen jetzt seit fast drei Stunden mit extrem kurzen Pausen. Allmählich sind wir erschöpft und hungrig und wollen vor allem unseren Lohn! Ihr ewiges Knutschen, ihren Liebesschweiß haben wir satt!

Auf der Tanzfläche wiegen sich die Paare Haut an Haut, Hemden und Unterhemden wurden abgelegt, vom Leib gerissen. Viele sind volltrunken. Die Schminke rinnt, das verschmierte Rouge auf den Lippen macht die Münder groß und glänzend, bestialisch ... Eine Frau zieht eine andere ins Bett, die Kojen füllen sich mit Paaren, manchmal zu dritt. Münder saugen sich an Brüsten fest, verbeißen sich in Schultern, Hände verkrallen sich in Rücken und Schenkel, ein Schrei gurrt in einer Kehle und ertönt befreit. Eine Ohrfeige klatscht auf eine Wange, eine Backe. Eine Frau schluchzt. Erschöpfendes und erschöpftes Stöhnen begleitet rhythmisch dieses Paaren.

Nur noch wenige Frauen sind auf der Tanzfläche, bewegen

ihre Füße kaum, bleiben wie Finalisten beim Marathon aneinander hängen, hautnah kleben. Wo hört der Tanz auf, wo fängt die Lust der engumschlungenen Körper an, die ein vager Rhythmus wiegt und die nicht voneinander lassen können? Überall umarmen sich Frauen, drücken sich, küssen sich, streicheln sich, liegen auf Tischen und auf dem Boden ... Im Dunkel der Kojen rollen Körper aufeinander zu, übereinander weg, auf der rasenden, tollen, schmerzlichen Suche nach Lust ... Schatten verschlingen Glieder, ganze Körperteile, schmälern die Genauigkeit einer Geste, die das kurze Aufglimmen einer Zigarette oder das langsame Dahinstreichen eines Scheinwerfers einen Augenblick lang zeigen. Ekelhafte Sexszenen, die Augen und Ohren anwidern, und solche, die fremden, langsamen Tänzen im Seemannsmilieu gleichen. Die ganze Kußskala, vom verliebten Turteln übers balzende Schnäbeln bis hin zum nassen, lutschenden, schmierigen Schmatz, ist zu hören. Irreal. Gespentisch.

Irgendwann kommt Georges-Georgette, die ihren kühlen Kopf behalten hat, und rät uns, jetzt zu essen. Wie Heuschrekken über einen Feigenbaum in der ausgetrockneten Wüste herfallen, so stürzen wir uns aufs Sauerkraut und die noch warmen Würste. Dann setzen wir uns, müde und schläfrig von diesem ungewohnten Essen, wieder an unsern Platz zurück und spielen langsam für diese Frauen, die uns nicht mehr hören, die nur noch darauf aus sind, sich bis zum letzten Tropfen Lust zu verausgaben.

Diese Bacchanale, diese Parodie anderer Orgien war notwendig für diese Frauen, die beruflich gewohnt waren, täglich Männer zu empfangen. Ohne Männer zerbrach ihre Welt. Mehr noch als Sex fehlte ihnen ihr bloßes Dasein. Man wußte, daß es manchen Schwarzen Dreiecken des Männerlagers gelang, sich zu ihnen herüberzuschleichen, aber das war trotz ihrer oft privilegierten Stellung nicht leicht. Neunzig Prozent der Frauen waren homosexuell geworden, zweifellos aus Mangelerscheinungen, aber auch, weil schon ein paar dazu reichten, dieses Gesetz zu erzwingen. Wer sich weigerte, wurde so verprügelt, daß er lieber mitmachte, vor allem die Jüngeren.

Mitten aus diesem Gurren, den schnell von einer vorgehaltenen Hand erstickten Schreien und den Liebesklagen hört man immer häufiger Schnarchen. Der Alkohol hat viele der Frauen berauscht und betäubt. Die stickige Luft hängt voll schwerer Gerüche. Wir spielen immer noch! Die sichtlich müde Helga schlägt kraftlos auf ihr Schlagzeug. Jenny, der wohl auch das Handgelenk weh tut, findet noch die Kraft, Helga spöttisch aufzumuntern: »Mehr Tempo, damit sie schneller fertig werden!«

Es muß Mitternacht sein, als eine Läuferin die Tür aufreißt: »Schnell, schnell, die SS!«

Die Paare trennen sich, springen hoch, schieben Tische, ziehen Kojen, schleppen Betrunkene ins Bett. Wir bleiben da, bereit, alles zu riskieren, um unsere Gage zu kassieren! Während Georges-Georgette, Kapo und Blockowa den ganzen Laden mit Stockschlägen zur Eile treiben, nutzen wir das unvorstellbare Durcheinander und holen uns unsern Lohn. Wir füllen unsere Eimer bis über den Rand mit Sauerkraut, Wurst und Speck, obwohl uns drei Frauen anschreien: »Haut ab! Verschwindet! Schnell! Schnell!« Ich glaube, nichts auf der Welt hätte uns daran hindern können, darauf zu verzichten . . .

Im Nu, schon als wir gehen, sieht der Block fast wieder normal aus, was auch nötig ist. Wäre die SS während dieser Lustparty gekommen, dann wären die Strafen schrecklich geworden.

Zwei Minuten später kommen wir in Begleitung schriller Pfiffe, die eine Blocksperre ankündigen, mit den Eimern in der Hand wie Stars in unsern Block zurück und verteilen am großen Tisch unser Sauerkraut *garni* an die Mädchen. Es kommt einer Volksspeisung mit königlicher Freigebigkeit gleich. Jede erhält ihren Teil, sogar die Polinnen, denen diese Großzügigkeit zwar nicht ins Gehirn, aber doch in den Magen will. Diesen reichen »Fang« tauft Florette: »Die Nacht des großen Gebens und Nehmens«.

Kaum sind wir zurück, hören wir auch schon die Lkws durch den Regen fahren. Wen werden sie holen? Kein einziger Zug ist angekommen. Wer wird vergast?

Morgens erfahren wir, daß es den Zigeunern galt. Aus Ungarn kommend, lagerten sie ziemlich weit von uns entfernt auf der anderen Seite des Männerlagers. Eines Morgens oder Abends waren sie, umringt von SS-Soldaten, mit Sack und Pack angekommen, mit Wagen, Greisen, Frauen, Kindern und Tieren. Sie hatten die Planwagen abgestellt und ihr Lager aufgeschlagen. Seit Monaten lebten sie da, oder gar länger. Es hieß, die Amerikaner hätten durch Vermittlung eines neutralen Landes ihretwegen eine Übereinkunft mit den Deutschen getroffen, für sie zu bezahlen, damit ihnen das Leben erhalten blieb. Sie sangen, spielten Gitarre, und manchmal, wenn der Wind in der Nacht ihre Weisen zu uns herübertrug, konnten wir sie hören. Hörte man sie wirklich, oder meinten wir es nur . . .? Die SS hat sie vernichtet, weil ihre »Pension« nicht pünktlich eingetroffen war. Wahrheit oder Legende? Nur eines ist sicher: Sie wurden in der Nacht des Balls der Schwarzen Dreiecke vergast. Zweifellos verschwieg das die SS und strich das für sie gezahlte Geld weiterhin ein, bis zur Befreiung des Lagers Auschwitz.

Werden wir noch einen Winter, noch einen Frühling, noch einen Sommer überstehen müssen? Und dann ... wenn ... leben wir dann? Wir sind schon jetzt so mager, zwar noch keine »Muselmaninnen«, denn da wir nicht körperlich arbeiten müssen und deshalb weniger Kalorien verbrauchen als die Außenkommandos, reicht unsere Ration von weniger als zwölfhundert Kalorien pro Tag gerade noch zum Überleben. Die meisten von uns finden sich gar nicht so schlecht! Jede hat sehr feste Vorstellungen von ihrem physischen Aussehen. Die große Irène bewundert ihre Schlankheit, obwohl sie ganz aufgedunsen ist, Anny meint, sie habe harmonische Rundungen, dabei ist sie alarmierend mager! Jenny ist nur noch Haut und Knochen, hält sich aber für wirklich gutaussehend, während Clara ihren dicken Po als Beweis ihrer Schönheit ansieht.

Wir dachten, nachdem Paris befreit war, der Vormarsch der Alliierten fege wie ein Wirbelwind die Wege frei und reiße alles mit. Was tun die Partisanen in den Karpaten, deren Gipfel wir an den seltenen Tagen sehen können, an denen der Horizont klar ist? Vergeblich versuchen wir in den Gesichtern der SS zu lesen, entdecken aber keine Spur; manchmal scheinen sie nervöser zu sein. Graf Bobby ist verschwunden, aber das bedeutet nichts, bei der SS herrscht ständiges Kommen und Gehen. Ein anderes Mal glauben wir zu erkennen, daß sie mit ihren Gedanken woanders, daß sie bösartiger oder auch weniger bösartig sind.

»Neulich«, erzählte uns ein Mädchen aus einem anderen Block, »fand die SS vermutlich, euer Orchester reiche nicht für unsere Unterhaltung. Sie wollten uns wohl mal was anderes bieten, nicht immer nur vergasen, und entschieden sich für eine Filmvorführung. Hingehen war nicht obligatorisch, also blieben die meisten weg. Da fragte mich doch ein SS-Mann: ›Warum seht ihr euch den Film nicht an?‹ – ›Weil wir krank sind!‹ – ›Ach! Ihr wißt nicht, was ihr wollt. Es lohnt sich nicht, sich für euch anzustrengen. Ihr bleibt lieber im Bau sitzen und tratscht. Was habt ihr bloß gegen Kino?‹ Und verdrossen schloß er: ›Ihr seid auch mit gar nichts zufrieden!‹«

Zu dieser Geschichte paßt die andere, die in einem Außenkommando passierte: »Ich war fix und fertig, meine Hände bluteten, meine Beine zitterten. Bei jedem Stein, den ich schleppte, glaubte ich zusammenzubrechen, als ein flachsblonder junger SS-Mann zu mir sagte: ›Schau doch mal hoch und sieh, wie blau der Himmel ist!‹ Das machte mich so wütend, daß ich mich nicht mehr bremsen konnte und ihm antworten mußte: ›Ich will den Himmel von Birkenau nicht sehen!‹ Da starrte er mich an, als sei ich ein Ungeheuer, und sagte: ›Ihr Juden könnt nicht mal das Schöne genießen!‹«

Die SS braucht Platz. *Selektion! Selektion!* Sie warten auf neue Transporte. Diese Nachricht und der Herbstregen wirken wie Novembernebel in unserer Seele. Wir sind allesamt melancholisch. Warschau wurde beim Vormarsch der Russen erobert, verloren, wieder erobert, wieder verloren. Schon beim Wecken heute früh hörten wir, das Lager sei über und über mit arischen Polinnen gefüllt, junge und alte Frauen mit Kindern. Sie kampieren vor allem zwischen den Lagern A und B, unweit des Schienenstrangs, aber es sind so viele, daß sie bis nahe zu unserem Block heranreichen. Umgeben von ihrem Gepäck sitzen die Frauen auf mitgebrachten Decken, wärmen auf kleinen Stöfchen oder irgendeinem Zufallsfeuerchen ihr Süppchen, ihre Milch, füttern die Kleinen damit oder legen sie an ihre Brust. Wir wissen nicht mehr, wo wir hintreten sollen, steigen über schlafende, in unzählbar viele Röcke gewickelte Großmütter. Manche weinen, meistens die ganz Alten und die ganz Jungen. Alle sehen verhärmt aus, fühlen sich verloren, schauen sich um und fragen sich, wo sie wohl sind.

Die dicken Rauchwolken über den Schornsteinen zeigen demonstrativ, daß die Krematorien voll sind bis zum Rand, nichts mehr fassen können, also läßt man sie liegen, warten sie mit ihren Kindern, bis sie an der Reihe sind. In allen Blocks werden die Deportierten nervös: Diese Polinnen, diese Kinder, es sind Tausende. Sie sind Arier, vielleicht lassen die Deutschen sie am Leben? Um sie unterzubringen, braucht man Platz, also werden sie die Blocks leeren. Das ist das Thema des Tages, der Gesprächsstoff. Einige »wissen« es bestimmt und behaupten, wir würden alle vergast!

Bei uns zeigt eine der Polinnen, Masha, ihre kleinen Haifischzähnchen und schreit verzweifelt vor Angst: »Man wird sie in unsern Block legen!«

Eva macht sie darauf aufmerksam: »Wir sind siebenundvierzig, das sind Tausende. Glaubst du nicht, du übertreibst?«

»Nein, nein! Ich bin sicher!« heult die andere hysterisch.

Ihre Überspanntheit löst eine Angstwelle aus, die uns erfaßt. Hier ist alles möglich.

Das Wetter ist gut. Diese wimmelnde Masse von Kindern, die rennen, spielen, trotz der Sorge der Mütter Nachlaufen spielen, gibt dem Lager den ungewöhnlichen Schein eines improvisierten Campingplatzes, einer Pilgerfahrt, so etwas wie Versöhnungsfest. Die Frauen schauen hoch, schauen uns erstaunt an, während wir fürs Sonntagskonzert auf unserem Podium Platz nehmen. Wir spielen unter der widerlichen Stabführung von Sonia, die die Polinnen verabscheut, die heute unser einziges Publikum sind. Die SS-Leute hören uns nicht zu, sie kommen und gehen, sind beschäftigt, wütend, weil dieser Pöbel in ihr makellos geordnetes Lager eingedrungen ist. Mögen diese Frauen ihre heiligen Ikonen bitten, denn lange wird Kramer diese Unordnung nicht dulden! Unser Dasein scheint die Polinnen zu beruhigen. Vielleicht ist das Ganze zu ihrer Begrüßung? Hilft es ihnen, verkürzt es den langen Sonntag, bevor sie in ihre Blocks eingewiesen werden? Dieser Platz ist zwar nicht gerade erfreulich, aber was kann man von seinen Feinden schon anderes erwarten? Und nun, da ihnen ein Konzert geboten wird, lächeln uns viele zu, kleine Jungens klatschen in die Hände, ein Mädchen tanzt. Wie gerne möchte ich beten können, um einen Gott zu bitten, Er möge sie verschonen! Aber, kann man um irgend etwas, was immer es sei, einen Gott bitten, der dies alles zugelassen hat, der sich zum Komplizen der Mörder macht?

Unser treuester Gönner, Frau Maria Mandel, die in ihrer Uniform so gepflegt aussieht, kommt auf uns zu, geht mitten durch die Menge, tritt zwischen die liegenden Körper, die hockenden Frauen, als ginge sie durch einen Schlangenpfuhl, wütend und angewidert. In der Sonne sehen ihre Haare aus, als seien sie aus Weizengold geflochten. Mit ausgestreckten Ärmchen trippelt ein strahlendes kleines Kerlchen auf sie zu, ein Engelchen mit Lockenkopf, zwei, drei Jahre alt. Er läuft ihr nach, hält sich an ihren Stiefeln fest, grapscht nach ihrem Rock. Mir stockt das Herz vor Angst, gleich wird sie ihn mit einem Fußtritt wegstoßen. Nein, sie beugt sich zu ihm hinunter, hebt ihn vom Boden hoch, nimmt ihn in die Arme und küßt ihn über und über. Diese Szene ist so unvorstellbar lieb und schön, daß wir sekundenlang nicht weiterspielen. Mandel mit ihren kalten, blauen Augen trägt das Kind in den Armen und geht. Die Frauen schauen ihr nach. Ziemlich weit weg steht eine Polin und ruft, schreit weinend einen Namen. Sicher seine Mutter. Eine Menschenmasse trennt sie von ihrem Kleinen. Mandel dreht sich um, der Abstand zwischen den beiden wird immer größer ...

Die ganze Nacht hindurch fahren die Lkws. Stechend durchbohren die schrillen Pfiffe unser Gehör. Eine Höllennacht. Ich komme mit meinen Gedanken nicht von den Polinnen los, ich sehe sie vor mir, wie sie ihre Bündel liegen lassen, in die Lastwagen steigen ... Sie haben Vertrauen, diese Frauen, die man in den Tod führt. Sie denken: ›Endlich werden wir ein Dach über dem Kopf haben, werden wir uns ausruhen können! ...‹ Sie denken ... sie glauben ... sie ... Hol's der Teufel! Ich muß schlafen, meine Tränen müssen endlich trocknen! ...

Am Morgen haben wir alle rotgeweinte Augen. Draußen ist keine einzige Frau mehr zu sehen, kein einziges Bündel, nichts mehr. Das Lager hat wieder seine strenge Ordnung. Wir dürfen immer noch nicht raus, das Ende der Blocksperre ist noch nicht gepfiffen. Sie wird über den ganzen Tag verhängt. Die Gesamtkapazität der Krematorien pro Tag beträgt vierundzwanzigtausend Leichen.

Den Mädchen vom »Canada«, deren Mitgefühl schon voller Narben-Schwielen ist, blutet das Herz angesichts der unvorstellbaren Massen von Kinderkleidern, die sie nun sortieren, verpacken, nach Berlin schicken müssen.

Und die Kinder? Was haben sie mit den Kindern gemacht? fragen sich die Mädchen.

Ich versuche sie zu beruhigen: »Sind doch Arier. Mala hat mir gesagt, wenn sie alle Merkmale der nordischen Rasse zeigten, würden sie nach Deutschland weitergeleitet.«

»Und was wird dort aus ihnen?«

»Sie werden Eltern gegeben, die ihre Kinder verloren haben. Vielleicht bringt man sie auch in spezielle Heime. Ganz genau weiß ich es nicht, aber ich glaube, man läßt sie am Leben.«[*]

Die große Irène, deren warme, blaue Augen in die Weite schauen, fragt besorgt: »Und die Mandel, was hat die mit dem Kleinen gemacht?«

[*] Die Autorin spielt hier auf die SS-Organisation »Lebensborn« an, deren Namen sie damals zwar nicht wußte, deren Existenz ihr aber schon teilweise bekannt war.

»Die mußte ihn wieder abgeben!«

Irrtum. Während der Probe wird uns »die Lagerführerin Mandel!« gemeldet. Sie kommt mit dem Kind auf dem Arm. Sie hat den Kleinen wie den Liebling reicher Eltern angezogen, er sieht zauberhaft aus! Das Schönste dürfte für ihn gerade gut genug gewesen sein. Ein kleiner Anzug, Jacke und Hose, ganz in Blau, zum Verlieben. Seine veilchenblauen Augen schauen sie voll Vertrauen an. In seinen kleinen Patschhändchen hält er eine Tafel Schokolade, die er ihr entgegenstreckt und munter plappert. Sie neckt ihn lustig: »Nein, nein«, er läßt nicht locker und lacht dabei so frisch und strahlend, wie glänzende Perlen schimmern. Spielstunde, Mutter und Kind. Sie tut so, als beiße sie ab und esse, nickt mit dem Kopf . . . Wie gut die beiden sich verstehen!

Warum ist sie zu uns gekommen? Möchte sie, daß ich ihr ›Madame Butterfly‹ singe? Warum nicht? Nein, sie ist gekommen, um uns den kleinen Waisen zu zeigen, dessen Mutter letzte Nacht vergast wurde. Denkt sie daran? Sicher nicht, das sind für sie zwei völlig verschiedene Dinge. Ihr Gewissen ist wie bei allen Deutschen säuberlich in Kästchen eingeteilt, in wasserdichte Schotte, wie beim U-Boot. Dringt in eine Kammer Wasser, so schadet das den andern nicht. Die Hinrichtung der Polinnen tangiert sie nicht.

Sie sitzt auf einem Stuhl in unserem Musiksaal, hat das Kind auf den Knien und ist selig, daß wir um sie herumstehen, ist stolz. Mutterstolz. »Hübsch ist er, nicht wahr?« Auf ihren Schenkeln stehend, schubst und tritt der Kleine sie mit den Füßchen. Sie verschwendet keinen Gedanken daran, daß seine kleinen Schuhchen ihren Uniformrock beschmutzen könnten. Er legt seine Ärmchen um ihren Hals und küßt sie mit seinem runden, schokoladeverschmierten Mündchen. Und wir sehen, wir hören die Mandel lachen. *Lachen.* Dann geht sie wieder, Hand in Hand mit dem Kleinen, der neben ihr hertrippelt. Ihr Gang ist gar nicht mehr soldatisch, Frau Mandel zügelt ihren Schritt, paßt ihn dem des kleinen Jungen an.

Mehrere Tage lang, ich glaube, es waren acht, spaziert sie stolz mit dem Kind durchs Lager.

»Siehst du«, sagt die große Irène zu mir, »vielleicht ist sie gar nicht so schlecht.«

Anny ist zurückhaltender, ihre dunklen Augen schauen sorgenvoll: »Bei ihr darf man sich nicht zu früh festlegen!«

Jeden Tag hat der kleine Mann einen neuen Anzug an, es

scheint, als treibe sie die Mädchen vom »Canada« zum Wahnsinn, als lasse sie alles wieder auspacken, als bestehe sie auf Blau. Dieses Kind ist für sie zur wahren Leidenschaft geworden. Dann, eines Abends, ziemlich spät, während der Wind zornig den Regen gegen unsere Fensterscheiben peitscht, die meisten Mädchen schon in ihren Kojen liegen, meldet man uns Mandel. Sie kommt, in einen großen, schwarzen Umhang gehüllt. Ungewöhnlich blaß, dunkel umränderte Augen, hohläugig, bittet sie um das ›Butterfly‹-Duett. Hört sie es? Mit verbittertem Mund, verschlossenem Gesicht scheint sie weit weg zu sein. In ihrem Ausdruck steckt eine Angst, die ich mir nicht erklären kann. Das Duett ist verklungen, sie steht auf und geht ohne einen Blick, ohne ein Wort.

Am nächsten Tag erfahren wir von Martas Schwester Ingrid, die Mandel habe das Kind eigenhändig zur Gaskammer getragen.

Die Reaktionen sind stark.

Eva: »Entsetzlich! Wie kann man das tun? Warum hat sie's getan?«

Die kleine Irène: »Ich sehe nicht ein, was euch daran so interessiert, was geht euch diese Bestie an?«

Marta schweigt, aber ich weiß, was sie denkt: ›Sie ist Deutsche wie ich, und sie hat das gewagt!‹

Viele weinen, weinen, weinen halt über dieses unerklärliche Drama, weinen um das Kind. Und, ohne es zu wissen, über diese Frau, von der die Ungarinnen sagen, sie sei über ihr eigenes Herz gegangen! Aber warum? Das ist es, was ich begreifen möchte.

Viele weichen dieser Frage aus und stellen fest: »Sie ist verrückt, eine Verrückte!«

Ich protestiere: »Nein, sie ist nicht verrückt. Das ist zu einfach, so leicht kann man ihr die Verantwortung nicht abnehmen.«

Die große Irène schaut mich mit ihren schönen, tränenschimmernden Augen an: »Kannst du sagen, warum?«

»Ich kann eine Erklärung geben. Die Mandel ist eine überzeugte Nazi, eine Fanatikerin. Sie hat nicht das Recht, ihr Herz und ihre Gedanken an irgend etwas anderes zu hängen als an den Nationalsozialismus, sie hat nicht das Recht, ein Gefühl der Parteidoktrin vorzuziehen. Sie hat nicht das Recht, ein menschliches Wesen der Gaskammer zu entreißen, und sei es ein Kind. Nicht *sie* weiß, was gut ist für die Partei, für das Reich, das wissen nur ihre Vorgesetzten. Sie konnte nicht mehr länger den Gehorsam verweigern.«

»Vielleicht«, sagt Sylvia versonnen, »für mich ist dieser kleine Unschuldsengel direkt in den Himmel aufgestiegen, von dort aus wird er uns beschützen!«

Wurzelte diese unbeugsame Härte in der Vergangenheit der Maria Mandel? Man sprach davon, diese Österreicherin – sie ist in Oberösterreich geboren – habe einen jüdischen Geliebten gehabt. Seither bestrafe sie sich unablässig selbst dafür. Ehe sie nach Birkenau kam, war sie Aufseherin in Ravensbrück und wurde so gut beurteilt, daß man sie zur Lagerführerin unseres Lagers beförderte.

Man erzählte ... man erzählte ... Aber ein Kind hatte ihr sein Vertrauen geschenkt, hatte sein Händchen in die große Hand dieser Frau gelegt, sich wie ein Vögelchen im warmen Nest geborgen gefühlt, und sie hatte es gewagt, dieses Kind in den Tod zu führen. War das anders zu erklären als mit Fanatismus, dem erschreckendsten, dem engstirnigsten Fanatismus? Und konnte man für den, der solche Verbrechen beging, seine Vollmacht dazu gab, sie predigte und rühmte, ein anderes Gefühl erübrigen als Haß?

Unserer SS geht's schlecht. Irgendwas stimmt nicht mit ihrer Moral, ihrem Mut. Irgendwas ist faul. Sie kommen und gehen noch unberechenbarer als ohnehin üblich. Sie selektieren wie die Irren, sind aber nicht mit dem Herzen dabei. Es ist nicht mehr wie einst, als die Arbeit sie froh machte. Tauber hatte allerdings einen besonders hübschen Einfall. Nackt – eine andere Dienstkleidung scheint er nicht zu kennen, aber Vieh zieht man ja auch nicht an! – mußten die Frauen, immer im Stillgestanden, die Arme vor sich ausgestreckt halten. Wem die Hände zitterten: »Zelle 25!« Das einzig Erstaunliche für mich daran ist, daß es überhaupt welche gab, deren Hände nicht zitterten!

Mengele ist subtiler, wahrlich, er gehört einer höheren Schicht an. Was mir Marie von seinen Selektionen im Revier erzählt, vergiftet mir tagelang die Seele.

Er fragte ein Mädchen, das unablässig aus Todesangst heulte: »Hast du Angst? Wovor hast du denn Angst? Hast du etwa kein gutes Gewissen?«

Seit mehreren Nächten hören wir Wellen und wieder Wellen von Flugzeugverbänden ... das sind keine Messerschmitt, das ist unüberhörbar, das sind die Alliierten. Heute nacht bin ich durch ein dumpfes Geräusch aufgewacht, es hörte sich an, als fielen Bomben, noch etwas weit weg, aber schon näher ... Aber die SS kann uns, um die letzten Spuren des Lagers zu verwischen, während der Wartezeit immer noch töten, vernichten, alle und jeden, bis zum letzten. Mit diesem Satzende schlafe ich ein: Alle und jeden, bis zum letzten ... Wie lange hat mir der Schlaf Vergessen geschenkt? Zwei Stunden, drei? Da betritt ein SS-Mann den Musiksaal, schreit laut und verlangt nach dem Orchester. Sonia kommt angerannt, Maria hinterher. Wir sehen ihn nicht, erkennen auch seine Stimme nicht, die so volltrunken krächzt, daß Jenny unruhig wird: »Einen besoffenen SS-Mann hatten wir noch nie, hoffentlich wird er nicht bösartig im Suff!« Anny riskiert während des Anziehens ein Auge: »Das ist der Typ von Florette!« Ich bin wie vor den Kopf geschlagen. Die Deutschen, die Polinnen werden grün im Gesicht. Bei ihnen hat er einen verheerenden Ruf. Vor einigen Tagen kam ein Monstrum von SS-Mann in unseren Block getrampelt, noch nie hatten wir etwas so Scheußliches gesehen, jeder Affe war eine Schönheit neben dieser Kreatur. Er polterte durch unsere beiden Räume, brummte unverständliches Zeug und verschwand wieder, ohne daß wir verstanden, was das sollte. Schlagfertig hatte Florette gerufen: »Vorsicht! Bei dem heißt's gut spielen! Greift nicht daneben!«

»Warum?« hatten die Mädchen gefragt.

»Das ist der neue Chef vom Krematorium!«

Unsere Gruppe merkte sofort, daß das reine Phantasie war, und Florette, die sich an ihrem eigenen Witz berauschte, machte weiter. Sie sorgte dafür, daß auch Sonia sie hörte, die nun von mir eine Erklärung verlangte, die ich ihr mit Freuden verpaßte und ohne zu zögern auf meine Weise virtuos weiterspann. Jenny überzog das Ganze: »Wenn wir's schaffen, ihn mit unseren Schnulzen zu rühren, schmeißt er uns vielleicht ein Schlückchen Gas mehr 'rein, dann dauert's nicht so lange!«

Unser Gelächter löste einen Skandal aus.

Heute nacht lachen wir nicht mehr. Chef des Krematoriums hin oder her, dieser betrunkene Deutsche kann fürchterlich werden.

Er brüllt wie ein Stier: »Raus! Raus! Kommt! Schnell! Schnell!«

Während wir unsere Instrumente nehmen, vor Schreck stolpern, wartet er draußen auf uns. Was er hören wolle? Schlager und Zigeunermusik! Jenny schiebt die Ungarin vor: »Du bist dran! Umgarne ihn!« Frierend, die Nächte sind schon kalt, spielt das ganze Orchester im Freien vor unserer völlig leeren Baracke. Er verlangte, sämtliche Mädchen sollten rauskommen und dem Konzert lauschen, das ihm zu Ehren gegeben wird. Stockbesoffen steht er vor uns und schlägt mit den Armen den Takt. So steif und schwankend zugleich, sieht er aus wie eine schlecht eingestellte Puppe, die gegen den Takt schlägt. Uns bleibt wirklich kein Possenspiel erspart!

Zu unserem Glück ist er im Rausch nicht tobsüchtig, sondern sentimental, schmachtend. Lily spielt ihm mit ihrer Geige sehnsüchtige Zigeunerweisen ins Ohr, er weint dicke Tränen.

Die Komödie dauert lang – eine halbe, vielleicht auch eine ganze Stunde –, bis wir endlich wieder in den Block zurück dürfen, aber nicht, ohne drüben am Horizont, gar nicht sehr weit von hier, ein seltsames Leuchten bemerkt zu haben, das den Nachthimmel fast wie fernes Feuerwerk durchzog. Leuchtraketen. Rückt die Front näher?

Am nächsten Tag erfahren wir, daß unser SS-Mann einen Abschiedsabend gab anläßlich seiner Versetzung an die Front!

»Wenn das so flutscht wie gestern nacht, hat er nicht mehr weit zum Schützengraben!« bemerkt Jenny.

Dieser SS-Mann betrank sich, weil er den Schutz des Lagers aufgeben mußte, eben des Lagers, wo er einer der Meister des Todes war. Als Herr und Knecht zugleich zahlte er dem Tod seinen Tribut mit dem Leben der andern, was hatte er also hier von ihm zu befürchten? Nicht viel, nicht mehr als im normalen Leben: einen Unfall, eine Krankheit. Hier provozierte er den Tod nicht, er ging ihm nicht entgegen. Die Front, das war was ganz anderes. Die Helden werden verweichlicht, wenn man sie zu Henkern macht! Aber warum tranken die andern, seine Kameraden? Vor den Selektionen, um sich Mut anzutrinken? Danach, um zu vergessen?

»Warum?« hatte ich Marie gefragt.

Sie hatte die Achseln gezuckt: »Wie alle andern, aus Angst!« Das nahende Gericht demoralisiert sie.

Wir freuen uns über ihre Aufregung, ihre Unruhe. Wir sehen sie gern die Hand ans Ohr halten, um das Dröhnen der Flugzeugmotoren zu erkennen und das Brummen besser abschätzen zu können, das den nächtlichen Himmel durchzieht. Mir scheint, zum dumpfen Wummern der Bomben hat sich plötzlich das Krachen von Kanonen gesellt, ich habe sogar den Eindruck, Gewehrfeuer gehört zu haben. Aber da, fürchte ich, geht mir vielleicht die Phantasie durch. Für mich sind es die Russen, die uns da zu Hilfe kommen, die Kosaken sind die Kavaliere meiner Träume geworden, meine Befreier . . . Auch da, fürchte ich, bin ich etwas vorschnell, sicher schneller als sie!

Inzwischen ist die Stimmung gereizt. Florette wurde eben erwischt, sie hatte drei Kartoffeln stibitzt. Wer hat sie denunziert? Wie ein kleines Kind wiederholt sie verschämt: »Das war für Irène, ich wollte ihr Klöße machen, wie sie's mag.« Dieses Rezept ist ihr Meisterstück: sie stochert in einen Dosendeckel mehrere Löcher. Damit reibt sie rohe Kartoffeln, mischt etwas Margarine dazu, formt Klöße daraus, schmeißt sie ins kochende Wasser und übergießt sie mit einer Art Soße aus aufgeweichten Zwiebeln – ein Hochgenuß! Aber jetzt ist nicht Zeit für Kochrezepte. Für diesen Skandal, den Florette damit auslöste, wird sie von Marie rechts und links geohrfeigt und beschimpft.

Von der lieben Freundin unterrichtet, beschließt Sonia, die Diebin zur Mandel zu schleppen und eine exemplarische Strafe für sie zu verlangen. Aus der Farce wird ein Drama, und das Drama kann als Tragödie enden: Florette riskiert, in ein Außenkommando geschickt oder in Zelle 25 gesteckt zu werden. Wütend packt Sonia sie wie eine Katze am Nacken und schleppt sie mit großen Schritten davon.

»Wohin geht sie?« fragt die große Irène besorgt.

Ich weiß es, ich antworte ihr nicht, ich stoße die grinsende Maria zur Seite und laufe Sonia nach. An ihrem Arm, in ihrer harten Bauernhand, gleicht die heulende, schnupfende Florette einem miserablen kleinen Schulmädchen. In der Lagerstraße erwische ich sie. In russisch, eiskalt und schneidend, in meinem verächtlichsten Ton, warne ich Sonia: »Wenn du zur Mandel gehst, wenn du der Kleinen was anhängst, dann bringen wir dich heute nacht in deinem Bett um. Wir stecken dich unter deinen Strohsack und setzen uns alle drauf, so lange, bis du erstickt bist.«

Sie schaut mich mit ihren kleinen, hinterlistigen, unnachgiebigen Augen abschätzend an. Werde ich meine Drohung wahrmachen? Den Zweikampf durchstehen? Sie muß mir glauben. Sie glaubt mir, läßt Florette los. Wir gehen in unseren Block zurück.

Draußen ist es dunkel, Nacht. Wir proben mechanisch, man könnte uns für ein Drehorgelorchester vom Jahrmarkt halten. Plötzlich Pfiffe, Sirenengeheul, Rufe, Gerenne. *Alarm! Alarm!* Das ist was Neues. Schwerfällig, mit lautem Stiefelgetrampel und Waffengeklirr, rennen die tapferen Mitglieder der SS in Deckung. Welch erfreuliches, tröstliches Spektakel! Das mächtige Brummen der Bomber übertönt alle anderen Geräusche, stülpt sich wie eine Glocke über uns. Mit Kolbenhieben und lautem Gebrüll werden die Frauen in die Blocks zurückgetrieben. Wir kleben an unseren Fenstern, drängeln uns an den beiden halboffenen Türen und schauen zu: Wir sind sicher, das sind russische Flugzeuge. Wir möchten ihnen zuwinken, ihnen zurufen: ›Hier sind wir! Hier! Greift sie an, hier gibt's keine Flak ...‹ Die Alliierten beherrschen den Luftraum. In ihren Luftschutzbunkern ist die SS machtlos, ich weine vor Freude. Dann fallen die ersten Bomben, zielen auf die Krematorien, auf die Gaskammern. In Ekstase schreie ich: »Seht doch, seht! Welche Wonne! Diese Präzision! Als legten sie sie mit der Hand da hin!«

In unserer Begeisterung stoßen wir die Tür ganz auf und stehen auf der Schwelle. Die Scheinwerfer der Wachttürme, sämtliche Lichter sind aus. Die Dunkelheit steht wie eine Wand ... Plötzlich, brutal, wird sie durch einen grellen Schein mit ohrenbetäubendem Getöse zerrissen. Unsere Baracke zittert, und ich, ich schreie vor Angst, habe eine echte Nervenkrise! Das kommt so überraschend für die Mädchen, daß sie ernstlich meinen, ich sei verletzt. Keine kann sich vorstellen, daß ich ganz einfach vor Angst zittere.

»Kinder, heute ist ein tolles Fest!«

Wir schauen Jenny verständnislos an.

»Heute ist der 1. November, Allerheiligen, das Fest der Toten!«

Ihrem Humor können wir nicht folgen.

Wir haben heute andere Sorgen, ernstere. Ein Krematorium wurde von den Bomben getroffen. Also? Sie werden nicht mehr so viele Menschen selektieren können, sie werden gezwungen sein, den Neuankommenden den Vorrang zu geben. Gräßliche Rechnung: Weniger Insassen des Lagers werden vergast.

Morgen, Konzert im Revier, wir müssen gut spielen, Mengele kann da sein. Ich mache mir Sorgen, denn allmählich gehen Almas strenge Anweisungen verloren. Florette sagt über Sonias Stil: »Das Gute daran ist, daß man was ganz anderes spielen kann, als sie dirigiert, sie merkt es nicht einmal!« Wir spüren das Desinteresse der SS sehr deutlich. Sicher haben sie andere Sorgen im Kopf als uns und unsere Musik, aber an dem Tag, an dem wir ihnen egal sind ... nur nicht darüber nachdenken!

»Zum Duschen, ihr Mädchen!«

Ein herrlicher Augenblick, das wird uns nie zuviel. Duschen bedeutet für uns Leben. Handtuch unter'm Arm, Seife in der Hand oder in der Tasche, den Mantelkragen hochgeschlagen, denn es ist kalt, gehen wir in Reih' und Glied. Im grauen Winterhimmel hängt schwer immer der gleiche Rauch, der gleiche Leichengeruch.

»Wenn man nicht wüßte, daß es ein Krematorium weniger gibt, man würde es nicht merken« sagt Anny, die neben mir geht.

Es hat geregnet, und wir waten im Schlamm. Nachher werden wir die Schuhe putzen müssen. Unsere Strümpfe müßten dringend erneuert werden, aber jetzt ist wohl nicht der rechte Zeitpunkt, darum zu bitten.

Auf dem Rückweg, in der Dämmerung, spüren wir ein beklemmendes Gefühl im Herzen. Der Regen nieselt. Die Nässe kriecht in uns hinein. Wir fürchten uns vor dem Winter. Bald wird's schneien. Wie eisig doch dieser Regen ist!

»Halt! Achtung!«

Vor uns steht breitbeinig SS, Stahlhelm auf, Waffe im Anschlag. Sie versperren uns den Weg zum Block. Das ist das Ende! Es mußte ja so kommen, mein Herz hämmert kaum schneller in meiner Brust, ich hätte gedacht, ich hätte mehr Angst.

Der Regen wird stärker, wir frieren und wickeln das Handtuch um den Kopf. Wohin mit der Seife? Ich lasse sie in meine Tasche rutschen und berühre dabei mein kleines Notizbuch, mein Tagebuch, das ich stets bei mir trage; ich werde es nicht retten, es wird mit mir verbrennen.

»Jüdinnen nach links, Arierinnen nach rechts!«

Das alte Lied. Die SS läßt unsere arischen Kameradinnen, eine nach der anderen, durch. Bronia, Alla, Olga winken mir verstohlen zu. Halina schenkt mir ein Lächeln. Eva schaut sich um, als sie durch die Sperre ist, ihr Blick heftet sich an den meinen. Ich sehe sie noch eine gute Weile an der Türschwelle unseres Blocks stehen, wie sie uns anschaut, mit einem Blick, wie man ihn nur Verurteilten schenkt . . . ich lächle ihr zu.

Die SS umringt uns. Pfiffe. Fünf zu fünf! Angetreten! Der Abmarsch wird befohlen. Wir lassen das Krematorium hinter uns, aber noch ist es zu früh, froh zu sein, denn bei denen will das gar nichts heißen. Richtung Sauna. Oft werden bei Überfüllung die Selektierten dorthin geführt. Für uns gibt es eine kleine Variation, wir werden in den Keller gesperrt. Wir sprechen kein Wort, wir wagen es nicht. Was man zu sagen hätte, weiß jede, und keine will's hören. Wie lange stehen wir schon so, eingesperrt in diesem Keller? Ich weiß es nicht mal schätzungsweise. Unser Gehirn, aufgezogen wie eine Spieluhr, spult immerzu die gleichen Worte ab: ›Es ist aus mit dem Orchester, aus . . . aus . . . aus . . . Gehen wir direkt in die Gaskammer oder müssen wir über Zelle 25? . . . Es ist aus mit dem Orchester, aus . . . aus . . . aus . . . Gehen wir direkt . . .‹

Die Tür geht auf. Nacht. Im abgeblendeten Licht der Wachttürme webt der Regen einen dichten, glitzernden Vorhang, durch den wir gehen. Die Pfoten der Hunde patschen durch

Pfützen, der Tritt der Stiefel wird vom Schlamm verschluckt. Die SS-Leute riechen nach nassem Tuch, nach Hunden, nach feuchtem Leder. Das muß der Augenblick zum Beten sein. Wir werden aus dem Lager B heraus zum Bahnsteig geführt. Dort steht ein Zug für Häftlinge. Man befiehlt uns, in einen hölzernen, offenen Güterwagen, der weder Dach noch Plane hat, zu steigen. Wieder einmal ist das Orchester von den anderen getrennt. Wir sind allein. Mitten im Waggon steht unerwarteterweise ein Ofen, daneben sitzen zwei alte Soldaten der Wehrmacht. Tief in ihren Mantel vermummt, verschwinden sie völlig unter ihrer stählernen Glocke: Man sieht nur einen ausgebleichten Uniformmantel und einen Helm drauf – man könnte fast meinen, sie hätten keinen Kopf. Vielleicht sind das Vogelscheuchen. Einer der beiden hält mit der einen Hand sein Gewehr und stopft mit der anderen Holz in den Ofen. Stehend, dicht aneinander gerückt, spüren wir, wie der Boden unter unseren Füßen zu vibrieren beginnt. Der Zug fährt an, zockelt langsam weiter. Birkenau verschwindet. Seit den Fliegeralarmen sind die Lichter verdunkelt. Nur der rötliche Himmel zeigt uns noch, wo das Lager liegt. Es ist vorbei. Der Zug rollt durch die Nacht. Der Regen hat aufgehört.

Flugzeuge fliegen über uns weg, ziemlich hoch am Himmel. Bombenexplosionen donnern wie fernes Gewitter durch die Wolken.

Wir sind so eng zusammengepfercht, daß ein Mädchen auch dann stehenbliebe, wenn es ohnmächtig würde. Ist das vielleicht am andern Ende des Waggons schon passiert? Wir versuchen zu singen, aber das Lied verzischt wie ein nasser Knallfrosch. Anny murmelt: »Und ich hab' das schöne, dunkelblaue Kissen zurückgelassen, das ich für Florettes Geburtstag machte. Was soll ich ihr bloß schenken?«

Ich antworte ihr: »Und ich mein Kartenspiel, das wird hart werden, ohne!«

Mut? Sinnlosigkeit? Der Zug schüttelt uns durch.

Wer von uns sagte: »Die Galgenfrist ist abgelaufen«?

Von Zeit zu Zeit bleibt der Zug stehen. Sein ruckartiges Anziehen rüttelt uns rücksichtslos. Wir werden aufs Abstellgleis ma-
növriert. Lange Munitionszüge, Lazarettzüge, Truppentrans-
porte rollen vorbei ... Der Krieg. Hinter den verdreckten
Abteilfenstern kann man die matte, feldgraue Herde, die vor
sich hinstiert, sehen. Sie haben den gleichen passiven Ausdruck
wie wir, wie Tiere, die man zur Schlachtbank führt.

Die Nacht vergeht, der Zug rollt weiter. Wir fahren auf einen
Tunnel zu. Ein Mädchen – Polin? Deutsche? – fängt an zu
schreien: »Im Tunnel töten sie uns mit Starkstrom! Das ist der
Todestunnel!« Wenn in einem Viehwagen eine Kuh ihren
Schmerz, ihren Schrecken, ihre Langeweile langgezogen muht,
dann antworten ihr die andern. Das nimmt kein Ende. Bei uns
ist es genauso. Eine genügt, und alle andern werden mit verrückt. Sie schreien sich an, bedrohen sich gegenseitig. Der Zug
fährt ins Tunneldunkel. Am Tunnelausgang sind wir vom
Strom verschont geblieben! Aufatmen. Aber im fahlen Morgen-
licht erkennen wir einen hoffnungslosen Friedhof. Kreuze, kleine, große. Blumen, viele Blumen, ganze Berge von Blattkrän-
zen, ruhmreich wie die Lorbeerkränze der Olympischen Spiele.
Kränze für die Helden. In Deutschland wird derzeit viel gestorben. Lotte, die uns an Länge überragt und vollen Überblick
über das Ganze hat, ruft pathetisch: »Oh, all die frischen Blumen!« und trauert mit tränenbewegter Stimme um die Toten:
»Wie traurig, so ein Friedhof! Die armen Soldaten! Die armen
Familien!«

Florette, die dicht neben ihr steht, schlägt heulend mit Fäusten und Füßen auf sie ein: »Verrückte Kuh, Idiot! Du küm-
merst dich um ihren Friedhof, du bist wohl wahnsinnig! und
wir, WIR ... WIR!«

Seit zwei Tagen rollt unser Zug. Wir pinkeln, wo wir stehen,
und versuchen, das Übrige zurückzuhalten. Wir bekommen
keinen Tropfen Wasser, kein Krümelchen Brot.

Am 3. November 1944 hält unser Zug mitten im Wald. Soldaten der Wehrmacht befehlen uns auszusteigen; wo ist unsere SS
geblieben? Die Abwesenheit dieser Selektionstechniker beruhigt uns. Unsere neuen Wächter schreien nicht, schlagen nicht,

sie sind alt und resigniert, aber wenn sie uns anschauen, blitzt im Graublau ihrer müden Augen etwas Hartes auf, das wir nicht übersehen oder mißverstehen können. Sie würden uns wie die anderen mit *einer* Kugel abknallen, wenn sie noch gute Schützen sind, mit mehreren Kugeln, wenn ihre Hand nicht mehr sicher trifft. Nur, Hunde haben sie nicht.

Scheu und stockend trottet die Herde von tausend Frauen, unsere Elendskohorte, mühsam voran. Wie immer und überall, Ehre der Musik! Wir gehen voraus. Ganze Schuhe, ganze Kleider machen uns den Marsch erträglicher. Aber die andern, die uns folgen, hilft man ihnen hoch, wenn sie fallen? Offenbar erledigt man sie nicht, denn wir hören keine Schüsse. Die lange Reihe, die sich hinter uns her schleppt, die wir nachzuziehen scheinen, läßt mich nicht los. So gehen wir schon lange, vielleicht zwei Stunden – ich schätze, wir haben rund sieben Kilometer geschafft – als Marta mir Stacheldraht zeigt, ein Holzbrett am Baum eines Wäldchens: SCHIESSPLATZ.

»Ich glaube, wir sind da«, murmelt sie mir zu.

Die andern haben nichts gesehen. Wir durchqueren das Wäldchen. Auf der anderen Seite erkennen wir vor uns eine ziemlich große, offene Anhöhe, einen Hügel, den wir hinaufklettern. Von unten her hören wir regelmäßiges Maschinengewehrfeuer, das wohin schießt? Ins Leere? Oder erschießen sie einen vorherigen Transport?

»Halt! Achtung!«

Marta sagt zu mir: »Wir sind mitten auf dem Schießplatz.«

Nach den Anweisungen der Feldwebel stellen uns die Soldaten im Halbkreis auf. Ich wage es nicht mehr, Marta anzuschauen. Werden sie jetzt in Reih' und Glied mit vorgehaltenem MG, den Phallus des Todes auf uns gerichtet, vorrücken und dann, aus der richtigen Entfernung, schießen ... schießen ...?

Wolkenbruchartiger Regen setzt ein, Frauen weinen vor Erschöpfung und Angst, andere schreien, fallen. Es ist unvorstellbar: Schon das einfache Öffnen des Mundes füllt ihn so heftig, so brutal mit Wasser, daß man nicht mehr atmen kann; es dringt in die Lungen, erstickt uns. An diesem Abend sind auf diesem Hügel Frauen am Regen ertrunken.

Zum ersten Mal ist unsere kleine Gruppe auseinandergerissen. Unsere Deutschen sind ziemlich weit weg, die Griechinnen und Ungarinnen sehe ich gar nicht mehr. Ich rate den anderen: »Hört mal, ihr Mädchen, wir müssen beieinander bleiben, haltet euch fest!«

Anny, die beiden Irènes, Marta, Clara, Florette, Jenny, Marie, Lotte, Elsa und ich bilden einen festen kleinen Kern, was wir auch bleiben wollen. Neben uns stöhnt eine unbekannte Deportierte: »Mein Gott, wir sind die unglücklichsten Wesen der ganzen Welt!«

Ich will sie trösten: »Aber nein, der junge Mann, der im geheizten Café auf den Champs-Elysées sitzt und auf sein Mädchen wartet, das er liebt und das er nicht kommen sieht, hält sich auch für den unglücklichsten Menschen der Welt.«

Mein Trost wirkt wohl nicht sehr tröstlich, denn lautes Geschrei bricht los: »Blödes Stück! Irrsinnige Idiotin! Was bildet die sich eigentlich ein! Die scheint nicht viel gelitten zu haben, wenn sie so blöd daherredet.«

Anny beschimpft mich ernsthaft: »Wie kannst du unsere Lage mit solchen Albernheiten vergleichen!«

Die kleine Irène geht noch weiter: »Unglücklichsein läßt sich genausowenig vergleichen wie Glücklichsein!«

Ich versuche mich zu rechtfertigen: »Aber versteht doch, was zählt, ist die Intensität des Gefühls, des Unglücklichseins, nicht die äußeren Umstände!«

Marta scheint als einzige zu verstehen. Ein ungewöhnliches Mädchen. Am liebsten würde ich ihr zurufen: ›Ich habe gewonnen, denn jetzt denkt ihr an was anderes!‹

Neun Stunden lang stehen wir so. Wir stützen uns gegenseitig Arm in Arm, bewegen uns hin- und herschaukelnd, um nicht einzuschlafen, um nicht aus Erschöpfung umzufallen; seit sechsundfünfzig Stunden konnten wir uns nicht setzen. Fällt eine Frau um, versuchen wir sie hochzuheben, was nicht immer gelingt. Dann bleibt sie als tropfnasses Bündel im Regen liegen, halbtot oder tot. Es wird dunkel, die einbrechende Nacht verwandelt den Wald in düstere Schatten. Endlich kommen zwei Offiziere. Sie befehlen, uns nahe des tiefen Kraters, über dem wir stehen und der den Rekruten als Schießplatz dient, aufzustellen. Der Regen hat nachgelassen, ein Oberst ergreift das Wort: »Ihr seid in eurem Lager angekommen . . .«

Wir sehen uns nach allen Seiten um. Welches Lager? Eine Wüste. Hier gibt es nichts, keine einzige Baracke ist in Sicht!

». . . Es ist noch nicht gebaut, das werdet ihr tun. Das notwendige Material wird euch zur Verfügung gestellt. So könnt ihr, wenn ihr den heilsamen Wert der Arbeit wiedererkannt habt, die gerechte Freude ernten . . .«

Schamlos preist er vor diesen tausend taumelnden, halbtoten

Frauen die seligmachenden Tugenden des Großdeutschen Reiches weiter.

Ich höre mir diese bewundernswerte Rede an. Das ist nicht die Rede eines SS-Mannes, sondern die eines deutschen Nazis, ein hübsches Stück anmaßender Heuchelei. Nach einigen weiteren Empfehlungen zu Disziplin, Sauberkeit und Gehorsam wird uns mitgeteilt, solange das Lager noch nicht aufgestellt sei, werde jeder Fluchtversuch sofort mit gezielten Schüssen beantwortet. Soweit wir beurteilen können, fehlt es dazu weder an Waffen noch an Munition. Desgleichen wird uns angekündigt, wir erhielten eine Suppe.

Kochgeschirre werden verteilt, und wir stellen uns in der Schlange an, um zwei Schöpflöffel einer vermutlichen Brühe zu fassen. Hat sich auch nur irgend etwas geändert? All das geht in absoluter Unordnung vor sich, die Geschickteren schaffen es, sich zweimal anzustellen, andere kommen gar nicht dran. Wir haben schrecklichen Durst. Die Wasserversorgung unseres künftigen Lagers besteht aus einem mehrere Meter langen Querrohr, das auf etwa einem Meter Höhe angebracht und in regelmäßigen Abständen durchlöchert ist, woraus primitive Brünnlein fließen, wenn der Hahn geöffnet wird, den ein Soldat bewacht. Die Frauen stürzen sich darauf, sie wollen um jeden Preis trinken. Der Deutsche weigert sich den Hahn zu öffnen, sie verlieren die Nerven, laufen los, und wir hören Schüsse und Schreie. Hat das Massaker begonnen? Anny sieht mich an, ihre schönen, dunklen Augen sind ruhig: »Ich möchte als erste sterben!«

Die Schießerei hört auf, wir werden nie erfahren, ob es Tote gegeben hat und wieviele.

Soldaten fangen an, eine Art riesiges Zelt provisorisch aufzustellen. Es ist niedrig, das Dach hat kaum Abstand zum Boden, ich muß mich bücken, obwohl ich nur eineinhalb Meter groß bin, um hineinzukommen. Die große Irène muß wie die meisten andern hineinkriechen. Wir legen uns bis auf die Knochen durchnäßt und frierend hin. Wir sind so erschöpft, daß wir sofort einschlafen. Seliger Schlaf – gebieterisch wie der Tod – für diese Frauen, die in zentimeterhohem Wasser liegen.

Später erfahre ich, daß unter demselben Dach, wenige Meter von mir entfernt, Anne Frank schlief. Schlief sie?

Auf dem Zelt bildeten sich riesige Wasserlachen, unter deren Gewicht das Ganze zusammenbricht. Wie Vögel unterm Fangnetz schreien die Frauen und schlagen um sich, halb erdrückt vom Gewicht der wasserschweren Plane, verheddern sich in den Falten des Zelttuchs, schlagen um sich, wimmern vor Angst und Kälte. Inmitten dieses Durcheinanders von Körpern, Armen und Beinen bin ich plötzlich wieder im Freien. Über mir türmt sich eine riesige Masse, ein deutscher Offizier, der in sehr gutem Französisch zu mir sagt: »Du könntest deinem Freund Petrus ruhig sagen, er soll mal den Regen abstellen!«

Unglaublich.

»Aufstehen! Raus! Schnell!«

Im zögernden Zwielicht des Morgens treiben sie unsere triefende, hinkende Herde in einen anderen Teil des Lagers. Dieser steht schon: graue Baracken unter grauem Himmel. Himmel, Erde und Soldaten sind eine Symphonie in Grau. Ein Militärlager? Nicht ganz, denn in der Ferne stehen, wie alte Bekannte, zwei hohe Schornsteine der Krematorien, Stacheldrahtzäune und Wachttürme. Wir werden uns nicht allzu fremd fühlen! In diesem nur zu bekannten Bild fehlen die grauen Betonmauern, flach wie Grufte, der Gaskammern.

Später erfuhr ich, daß in Bergen-Belsen, denn da sind wir, mit Phenolspritzen ins Herz getötet wurde, und daß in diesem hastig neben einem Schießplatz errichteten Lager vor unserer Ankunft nur Männer untergebracht waren.

Schonungslos, aber ohne maßlose Brutalität gestoßen, ergießt sich unsere Gruppe in einen langgestreckten Keller, eine Art Materiallager der Armee. Wir sind in der Ecke bei den Stiefeln, schwarze, schwere Lederstiefel, wie sie die Wehrmacht mag. Militärisch ausgerichtet stehen sie reihenweise in Regalen, vom Boden bis zur Decke, sorgfältig gefettet, stinken nach altem ranzigem Talg. Zwischen den beiden Regalreihen ist nur ein enger Durchgang. Die Soldaten stellen uns auf wie ihre Stiefel und lassen uns dann mit ihnen allein . . . Wir versuchen Platz zu schaffen, diese Armee zurückzuwerfen, und legen uns erschöpft zwischen sie, um zu schlafen, schlafen . . .

An die folgenden Tage erinnere ich mich kaum. Diese Zeit in Bergen-Belsen, die da eben begonnen hat, ist mir chronologisch unklar und hat verwischte Stellen. Vielleicht, weil sie mich an die Pforten des Todes führte. Ich behielt davon zählebige und zugleich verworrene Bilder in Erinnerung. Je weiter ich aufs Ende dieser Zeit zugehe, desto mehr zerfallen sie in Einzelstükke und ergeben ein vollkommen erkennbares, aber nicht ganz lückenloses Puzzle.

Offensichtlich ist die Wehrmacht – wir sind im militärischen Teil von Bergen-Belsen – von dieser Frauenherde, die sich in ihrem Lager niedergelassen hat, völlig überfordert. Ich weiß nicht mehr, wie die ersten fünf Tage nach dem Zusammenbruch des Zelts, nach unserem Einzug in den Keller vergingen. Aus meinem Erschöpfungszustand tauche ich erst am Morgen des 9. November wieder auf, am Geburtstag von Florette, die neunzehn Jahre alt wurde! Hat sie beim Aufwachen eine ungeschickte Bewegung gemacht? Ein ganzer Stapel Stiefel prasselt auf sie herunter, deckt sie zu, und während sie flucht und tobt, rufen wir ihr höchst geistreich »Alles Gute zum Geburtstag!« zu. Das verdoppelt ihre Wut. Unter dieser Lawine begraben, im Stiefelberg, wo es nach ranzigem Fett stinkt, tobt Florette weiter. Wir brauchen gute fünf Minuten, bis wir sie freigelegt haben. Und dann, da wir ihr nur unsere leeren Hände geben können, erzählen wir ihr von unseren Geschenken, die sie in Birkenau bekommen hätte.

Den größten Erfolg erzielt Annys dunkelblaues Kissen. »Ich hatte Spielkarten drauf gestickt!«

»Wie hast du das alles organisiert, Stoff und Stickgarn?« fragt Florette gerührt, und ihre Augen werden naß, aus Dankbarkeit.

Sie kann sich nicht satthören an der Beschreibung dieses Wunderwerks, diesem unvorstellbaren Luxus: ein Kissen.

»Ich hätte drauf schlafen können«, sagt sie ekstatisch.

Das ist schön, so schön wie ein Märchen, das wahr geworden wäre.

Wir dürfen unseren Keller frei verlassen und befinden uns plötzlich inmitten eines Tohuwabohus, das uns schlagartig beunruhigt; die strenge Ordnung, in der wir vorher lebten, vermittelte uns paradoxerweise eine Art Sicherheit. Wir waren daran gewöhnt, in einen Rahmen, der jede eigene Initiative unmöglich machte, gezwängt zu sein. Diese falsche Freiheit hier verwirrt uns, wir wissen nicht ein noch aus. Die Frauen kommen und gehen, wie sie wollen. Stacheldraht wurde in aller Eile um das neue Lager gezogen, die Grenzen sind ungenau abgesteckt, wir wissen nicht, wie weit man gehen darf. Sobald sich eine Frau entfernt, werden unsere Wächter verrückt und schießen. Es gibt keinerlei Organisation, irgendwann bekommt man ein Stück Brot, ein Stück Wurst. Dann wieder vergeht ein ganzer Tag ohne alles. Und, um das Maß dieser Unsicherheit voll zu machen, hier knattern unentwegt Maschinengewehre.

Binnen weniger Tage ändert sich alles. Neue Transporte aus Birkenau kommen an, und mit ihnen die SS, an ihrer Spitze Kramer. Unter den Musikerinnen gehen die unsinnigsten Gerüchte um: »Er wird das Orchester wieder zusammenstellen. Instrumente, Uniformen, alles bekommen wir wieder!« Die Nachricht, Irma Grese sei ebenfalls im Lager, bestärkt uns noch in unseren verrückten Vorstellungen. Sicher kommt dann auch die Mandel. Vielleicht sogar die Drexler, aber auf die könnten wir ohne weiteres verzichten!

Das Plateau, auf dem das Lager steht, verändert sein Aussehen. Holzbaracken werden gebaut. Äußerst notdürftig, sie fassen tausend Frauen, haben keinen Tisch, keinen Ofen, aber dreistöckige Kojen. Stromgeladene Stacheldrahtzäune und Wachttürme werden aufgestellt. Mit der SS sind auch die Hunde wieder da.

»Siehst du«, stellt Jenny fest, »kaum sind sie da, und schon ist die Welt wieder in Ordnung!«

Arbeit! Arbeit! Ein paar Wochen, ein paar Monate vielleicht noch bis zu ihrer Niederlage, und sie benehmen sich, als müßte der Krieg nie oder aber mit ihrem Sieg enden. Keine unnützen Esser im Großdeutschen Reich! *Arbeit! Arbeit!* In der Nähe des Lagers gibt es eine Zellophanfabrik, wofür wir die idealen Arbeitskräfte sind, so wie in Auschwitz, wo die Männer für die IG-Farben-Industrie arbeiteten. Es soll mir doch keiner erzählen, die Besitzer, die Direktoren, die Meister, die Arbeiter, die Morgen für Morgen diese beklagenswerten Kommandos aus den Lagern in ihre Werkstätten kommen sahen, hätten von deren Existenz und der Art, wie man die Häftlinge behandelt, nichts gewußt!

Jeden Morgen gehen die SS-Leute durch die Baracken und holen sich ihr Kontingent an Arbeitskräften – hundert, zweihundert, dreihundert. Wer Schuhe besitzt wie Lotte, die große Irène, Clara, Jenny, Marta, Florette, wird in die Fabrik geschickt, wer barfuß geht, wird zum Holzfällen eingesetzt. Seien wir doch vernünftig! Man kann schließlich Frauen, die keine Schuhe haben, nicht in die Fabrik schicken, wir wissen doch, was sich gehört! Für die Waldarbeit ist das unwichtig, wenn sie sich erkälten, sich verletzen, dann krepieren sie um so schneller!

Wir haben schnell begriffen, daß in Bergen-Belsen so selektiert wird: Das Elend ist der Zuträger des Todes!

Stößt mich deshalb morgens, wenn ich mich in ein Arbeitskommando melde, Florette zurück und geht für mich in die Fabrik, wie Marta für die kleine Irène? Sie beschützen uns, denn in unserer Gruppe sind wir die zwei Kleinsten, die zwei Zartesten.

Eine kaum faßbare Neuigkeit: Florette und Clara sind zu Kapos ernannt. Diese beiden Ernennungen sind etwas beunruhigend Neues, das Provozierende daran macht uns nachdenklich. In Birkenau wurden Kapos nur aus Polinnen, Tschechinnen, Slowakinnen und Deutschen rekrutiert. Nie wurde eine Französin Kapo, die SS traute uns nicht. Folglich glaubten wir uns immer geschützt, verschont von diesem abscheulichen Dienst: Kapo zu werden. Warum wählten sie zwei Musikerinnen vom Orchester? Warum Florette und Clara?

Physisch betrachtet, begreifen wir Claras Ernennung besser als Florettes. Die dicke Clara erschien ihnen besonders eindrucksvoll, stark für diese Rolle: schreien, schlagen, strafen. Aber Florette? Die kleine Irène hat die Erklärung: »Sie ist ziemlich groß, nicht allzu mager, und läßt vor allem ihrer Wut, ihrem Zorn freien Lauf. Solche Kraft gefällt der SS. Sie denken, sie können sie zu ihrem Zweck ausnutzen.« Sicher hat sie recht.

Aber wie werden die beiden reagieren? Bei Florette wissen wir, was uns erwartet. Ihre Koller lassen ein ganzes Repertoire an Schimpfworten hageln, aber bestimmt keinen Knüppel, diesen Marschallstab, den die Kapo mit der Armbinde überreicht bekommt. Wir sind auch überzeugt, daß sie uns auf ihre Weise helfen wird, tobend zwar, aber gerecht, daß sie uns nicht schikanieren und ihre Rechte mißbrauchen wird. Bei Clara? Wird diese »Ehre« den letzten Riegel sprengen, ihre Instinkte, von denen ich Böses befürchte, freisetzen, oder wird sie, ganz im Gegenteil, superb großzügig, um uns zu beweisen, wie überlegen sie uns ist? Allzuoft bringt die »Armbinde« die Gesinnung des Menschen zum Vorschein. Aus dem Lamm, dem man Macht erteilt, wird leicht ein Wolf. Also? Die Antwort erhalten wir schnell.

Clara baut sich vor uns auf, Armbinde am Arm, Knüppel in der Hand. Ihre Haltung ist bezeichnend, nun hat sie den letzten Rest ihrer Menschlichkeit auch noch verloren. Was von dem kleinen, schüchternen Mädchen, das ich kannte, übriggeblieben war, ist vollends verschwunden, endgültig von der Umwelt zerstört. Seit Wochen habe ich nicht mehr mit ihr gesprochen, sie war mir gleichgültig geworden, aber in diesem Augenblick spüre ich, daß sie Entsetzliches im Sinn hat. Vor unserer kleinen Gruppe stehend, wirft sie sich zum bösen Starken auf. Sie fordert uns heraus, zeigt uns ihren Knüppel. »Von jetzt an bin ich hier ›Chef‹. Ich befehle. Alles, was ich sage, wird getan, wenn nicht, schlage ich zu!«

»Scheusal!« spuckt ihr Florette ins Gesicht.

Clara hebt den Knüppel. Wir rücken näher zusammen, vereint fühlen wir uns unbesiegbar. Sie weiß es und kehrt uns den Rücken. Wie könnte man die Zerbrechlichkeit dieses Sieges verkennen? Wir schauen uns betroffen an und wissen, wir werden uns gegen sie wehren müssen. In mir ist kein Funken Gefühl mehr für Clara, und doch will ich noch einmal versuchen, sie vor sich selbst zu retten. Ich gehe zu ihr. Sie sieht mich kommen und steht – den Knüppel in der Hand, die Beine gespreizt – in der bevorzugten Pose der Kapos, die sie hingebungsvoll kopiert.

»Clara, sieh dich an! Ein Monstrum, ein Unmensch bist du geworden. Wenn du deine Kameradinnen verprügelst, kannst du dich nicht mehr nach Hause wagen! Denk an deine Kindheit, deine Jugend, deine Eltern … Clara, schau dich an!«

Ihre schwarzen, leicht vorstehenden Augen sehen wie zwei Anthrazitkohlen aus, ihr steinerner Schein ist kalt und unmenschlich. »Sei still und hör mir gut zu. Ich bin fertig mit deinem überlegenen Getue, mit deiner Moral. Hier bin ich die Stärkere, ich befehle. Wenn du eins in die Fresse willst, brauchst du bloß nochmal anzufangen. Ich hab' genug von dir gehört, hau ab!«

Wie selbstsicher sie plötzlich ist, jetzt, da man ihr das Recht über Leben und Tod von tausend Frauen erteilt hat. Über dieses Recht, das die andern vorher gegen sie geltend machten, verfügt Clara jetzt. Erklärt das alles? Vielleicht.

Clara ist in den Nachbarblock versetzt und berauscht sich dort an Schlägen und Schreien. Sie drischt auf die ohnehin schon erschöpften unglücklichen Frauen ein, sucht hemmungslos die Schwächsten aus, um sich ihrer Stärke noch bewußter zu werden, und brüstet sich: »Mein Block bringt die beste Leistung.« Sie sagt es mit SS-gleicher Selbstgefälligkeit.

Seit ich sie aus meinem Herzen verbannt habe, möchte ich sie vergessen, aber sie läßt mich nicht. Als ich heute morgen in der

Kälte am Wasserkran anstand, sah ich sie an mir vorbeigehen. Sie hat ihren watschelnden Entengang abgelegt, der mich so rührte. Mit großen, selbstbewußten Schritten, ihren Knüppel mit Lederriemen am Handgelenk baumelnd, schlendert sie durch unsere Umzäunung.

Das Lager ist durch Stacheldrahtzäune in zwei Teile geteilt, auf der einen Seite sind die Männer, auf der andern die Frauen. Eine kleine, uns unbekannte Französin hat sich dem Männerlager genähert. *Verboten!* Sie ist so klein, daß sie sich mit den Händen am Draht hochzieht, auf die Zehenspitzen stellt und unruhig suchend ruft: »Vater! – Ich bin sicher, mein Papa ist da drüben!«

Sie dreht sich zu uns, kaum ein paar Schritte trennen uns von ihr. »Meinen Sie, ich kann einen der Männer bitten, meinen Vater herzuholen?«

Uns bleibt nicht mal die Zeit, ihr zu antworten: »Komm zurück, das ist verboten!«, da schreit sie schon einem Franzosen zu: »Kannst du bitte fragen, ob Monsieur Baum, Victor Baum, da ist?«

Achtung! Clara hat sie gesehen, Clara ist schon bei ihr. Mit einer schallenden Ohrfeige wirft sie die Kleine zu Boden, reißt sie an den Haaren wieder hoch und zerrt sie durch den Dreck, über die Steine. Wie mächtig sie sich fühlt, wie stark, die Frau Kapo! Sie schlägt auf dieses Kind so sinnlich besessen ein, daß es unanständig wird. Wir sind entsetzt, das Herz stockt uns, aber das ist noch nicht alles. Clara holt tief Luft und befiehlt dem Mädchen, große Steine zu sammeln und vor ihren Block zu tragen. Was wird ihr noch einfallen?

Wir erfuhren es am nächsten Tag. Das Kind mußte die Hände auf den Kopf legen und auf die spitzen Steine knien. Die Marter dieser Fünfzehnjährigen dauerte die ganze Nacht. Am Morgen war das Mädchen ohnmächtig, halb tot. Die SS fand diese Bestrafung zufriedenstellend, erfreulich sogar. Damit hat Clara die letzte Hürde genommen.

Kann man sich für sie, wie für die Zochas, nach der Rückkehr ins Leben einen anderen Beruf vorstellen, als den einer Gefängniswärterin? . . .

In Bergen wie in Birkenau rauchen die Krematorien. Wer füttert sie? Transporte sind selten, Blocksperren gibt es nicht. Wahrscheinlich werden die Ankömmlinge abgespritzt, aber von wem, wo? Von Selektionen ist nichts zu merken, die Frauen, die morgens den Block verlassen, kommen abends zurück, oder sie werden krank, aber sie verschwinden nicht. Die Verpflegung ist scheußlich, die Birkenauer Brühe, die Florette »Kotzkohl« nannte, erscheint uns jetzt gepflegt und sättigend. Wasser ist rationiert, waschen können wir uns nicht. Florette, die als Kapo einmal in der Woche Zutritt zu einer Art Waschküche hat, kommt mich holen: »Ich bade jetzt in einem Bottich, du kannst anschließend mein Wasser benutzen.«

Ein einmaliger, bevorzugter Augenblick. Ich bin noch mit einer anderen, noch wunderbareren Wohltat bedacht, die ich Marie verdanke.

Marie ist unsere einzige Ärztin. Kramer hat ihr zwei Krankenschwestern genehmigt und in einer kleinen Baracke eine Art Revier einrichten lassen: Auf beiden Seiten eines langen Tisches stehen ein paar Kojen, medizinisches Material und Medikamente gibt es nicht. Marie behandelt alles – Durchfall, Halsschmerzen, Tuberkulose, Abszesse, Geschwüre – mit Placebos. Diese kleinen Brotkügelchen, die sie – weiß ich womit – rosa und grün gefärbt hat, verteilt sie nur ganz sparsam, denn es gibt kaum Brot. Aber: Sie verabreicht ihre Wunderpillen mit guten, wunderwirkenden Worten, versichert ihren Kranken, gleich gehe es ihnen besser, und manchmal bessert sich der Zustand tatsächlich.

Ihr einziges Privileg: Sie und ihre beiden Helferinnen bekommen täglich eine Ration Suppe aus dem SS-Topf, und die teilt sie mit mir. Ohne Marie wäre ich schon Hungers gestorben; Margarine macht mich krank und unsere Suppe erbrechen. Ihre Suppe ist sehr gut, ein Genuß. Ich weiß nicht, woher ich den Mut nehme, sie zu schlucken, sie ihr wegzunehmen. Selbsterhaltungstrieb? Marie hat auch Hunger. Eines Tages – warum gerade da, das gab's so oft! – spüre ich die ganze Größe ihres Opfers, als ich merke, wie ihr Blick unverwandt auf mich gerichtet ist, während ich esse. Ihre Augen scheinen geradezu hypnotisiert vom Hin und Her meines Löffels, und ich begreife, wie sehr sie sich nach dem Teil sehnt, den sie mir abgegeben hat. Gierig verschlinge ich ihn trotzdem! Ich hatte nicht die Kraft, das Kochgeschirr wegzuschieben und zu sagen: ›Ich habe keinen Hunger mehr!‹

Hier gibt es kein »Canada«, keinen Tauschhandel, die Küchen sind unzugänglich. Es gibt nichts zu organisieren. Man stirbt auf ganz natürliche Weise.

Weihnachten! Wir haben Angst davor. Schon die Erinnerung an andere Weihnachten macht uns krank, an das letzte vor allem. Zweifellos, weil es uns noch am nächsten steht. Ich war in Drancy. In Drancy ging's gut! Dort hatte ich gesungen. Dank unserer Päckchen hatten wir damals über unseren Hunger hinaus gegessen. Wir fürchten uns davor, vom 25. Dezember zu sprechen, und doch sprechen wir von nichts anderem!

Die große Irène sagt leise: »An Weihnachten hätte ich liebend gern eine Geige in der Hand!«

Sie hatte sie. Kramer, der seinen SS-Offizieren, die fern ihrer Lieben Weihnachten feiern, einen festlichen Abend beschert, erinnerte sich an uns und verlangte Musikerinnen. Anny, Marta, die große Irène, Jenny und Elsa sollen kommen. Anny stöhnt: »Ich kann nicht für diese Leute spielen! Ich möchte lieber hier bleiben.«

Die andern denken genauso. Wir versprechen ihnen, auf sie zu warten.

Auf sie warten, das kann lange dauern. Sollen sie nur spielen, oder wollen die auch tanzen? Tanzen sie?

Ich hoffte so sehr, dieses Weihnachten 1944 nicht fern von Frankreich verbringen zu müssen ... Wie lang der Krieg dauert. Unsere Freunde, die Engländer, die Amerikaner, die Russen, die doch Macht und Recht auf ihrer Seite haben, warum fegen sie diese Schlangenbrut nicht weg? Mit Flammenwerfern beispielsweise! Diese Vorstellung gefällt mir, und diese Heilige Nacht mit ihrem erfreulichen Lied der Liebe, »Friede den Menschen auf Erden, die guten Willens sind!« erschiene mir wahrhaft wunderbar, wenn kilometerweit Männer andere mit Flammenwerfern rösteten, wie man Ameisen ausräuchert!

Wie die anderen Frauen in unserem Block sind auch wir, die kleine Irène und ich, nervös. Seit fast zwei Monaten sind wir nun da. Wir können nicht mehr! Wieder einmal überprüfe ich unsere Festvorbereitungen. Mit bloßen Händen putzten wir unsere Ecke, so gut es eben ging. In ein Kochgeschirr steckten wir ein paar Tannenzweige und schmückten sie mit Zellophanfetzchen, die die Mädchen aus der Fabrik brachten. Ich vergewissere mich, ob ich auch mein Blatt Papier noch habe, auf das ich aus dem Gedächtnis das Sonett von Arvers schrieb. Das ist das Weihnachtsgeschenk für Marie, die sich oft über mein Gedächtnis wundert. Hier fehlt das allen, und ich erzähle ihnen ganze Bücher, ›Das Bildnis des Dorian Gray‹, Racine, Molière, Märchen von Perrault. Wir werden ihr den Zettel mit dem Sonett in einem Zellophankörbchen schenken, das die kleine Irène geflochten hat. Mein Geist lebt von diesen kleinen Dingen, das hält mich hoch ... Ungeduldig warten wir auf die Mädchen, die beim Kommandanten spielen, und auf Marie, die zu uns herüberkommen wollte, sobald sie ihren Kranken geholfen hat, diese Nacht zu ertragen, diese Nacht, die in der Welt der andern, der Lebenden, als wunderbare Nacht gilt! Wer denkt an diesem Tag in Amerika, in Frankreich, in England, in Italien, in Spanien und sonst wo, wer denkt da an uns, an die Deportierten? Wer würde es wagen außer unseren Familien, seine Freunde mit dem Gedanken an unser Dasein zu trüben?

Hoffentlich kommen die Mädchen vor Marie zurück oder wenigstens mit ihr! Irène und ich müssen eingeschlafen sein, denn plötzlich sind die Mädchen da. Ich weiß nicht warum, aber ich hatte mir vorgestellt, sie mit ihren Instrumenten in den Händen wiederkommen zu sehen. Sie haben leere Hände. Wie miserabel, mager, mitgenommen, nicht sehr sauber sie aussehen, trotz der Mühe, die sie sich gaben, präsentabel zu erscheinen.

Wir umarmen uns schweigend. Wir wagen nicht »Bon Noël!«, »Frohe Weihnachten!« zu sagen. Nein, das ist nicht möglich.

Ich frage: »Nun, wie war's?«

Die Antwort ist lakonisch: »Gut.«

Solange sie fort waren, hatte ich mir – um noch entsetzter zu sein – das Fest bei Kramer vorgestellt. Die Leckerbissen, den Champagner, den Christbaum, die Kinder, die Kerzen, die Lichter, alles, was zu Weihnachten gehört und was uns so grausam fehlt. Jetzt bin ich still, möchte lieber nichts davon hören, nichts wissen von diesem Abend.

Sonderbar, undefinierbar lächelnd sagt Anny: »Fania, weißt du schon, daß sie uns applaudiert haben?«

Wir sind stumm vor Staunen. Lotte wiederholt ungläubig: »Sie haben euch applaudiert? Mein Gott!«

Florette lacht laut los: »Die können wohl erst klatschen, wenn sie schon kaputt sind!«

Weihnachten beginnt für uns mit Maries Erscheinen. Sie sieht sich um, und ihr warmer Blick, der uns alle einhüllt, bringt uns ein wunderbares Gefühl von Frieden, von Ruhe ... Sie hat eine Art, einen anzulächeln, die einem das Recht auf Glück schenkt. Und wir, wir fangen ganz leise, fast andächtig, an zu singen: ›Compagnons, dormez-vous‹, ›Plaine, ma plaine‹, Nikolaschas

Lied. In den anderen Kojen ist es still geworden. Köpfe tauchen aus dem Dunkel auf, stützen sich am Kojenholz, Körper richten sich auf, Stimmen rufen: »*Encore!*« Ein wundervoller Augenblick. Wir singen, singen ... Und zum ersten Mal, seitdem wir die »Damen vom Orchester« sind, seit wir spielen und singen für unsere Kameradinnen, applaudieren sie uns.

Konnte es ein schöneres Geschenk geben? Als es wieder still geworden ist, hören wir die rauchige, sinnliche, immer noch sehr schöne Stimme Lottes. Sie macht es sich auf ihrer Liege bequem und stickt in aller Ruhe die Initialen in die Unterhose des Kapos, in den sie verliebt ist ...

Schon weicht unsere gelöste Stimmung der dumpfen Spannung wieder. Florette läuft weg, legt sich auf ihrem Strohsack flach auf den Bauch und weint, weint herzzerreißend. Die große Irène und ich gehen hin zu ihr und bitten sie: »Non, chérie, bitte weine nicht. Nimm dich zusammen, sonst fangen wir alle an!« Anny zieht sie an der Hand hoch und sagt autoritär: »Komm zum Souper!« Souper – das Wort allein weckt, durch seine magische Eleganz, unsere Lebensgeister wieder.

Die große Irène kündet stolz eine Überraschung an: »Ich habe ein Dessert organisiert!«

Dessert – noch so ein magisches Wort ... Sie holt mit der Hand unter ihrem Strohsack eine dicke, runde, rötliche, dreckige Wurzel hervor.

»Was ist das?«

»Eine Rübe, eine Runkelrübe. Ich habe sie gestohlen. Ihr werdet sehen, in Scheiben geschnitten und roh gegessen, schmeckt sie wie Ananas.«

Ein Stück Brot, ein Hauch Margarine, gesparte Suppe vom Mittag und eine Scheibe Rübe ... Das ist ein rundes Essen, ein Festessen!

Mir scheint, wir sind so was wie glücklich. Wir plappern drauflos, sprechen von imaginären Festgelagen und Genüssen in allen Variationen ... Wahrheit und Dichtung werden eins, jede übertrumpft die andere bis ins Unvorstellbare. Sagt die eine: »Bei uns gab's Hähnchen«, antwortet die andere: »Bei eine Gans mit Maroni«, die dritte verdreifacht: »Wir hatten Truthahn, dreißig Pfund schwer!«, die vierte: »Meine Mutter machte Spanferkel, aber es war schon groß!« Die Kuchen hatten mindestens Himalaya-Höhe mit märchenhaften Füllungen: Biskuitboden, Buttercreme, Schokoladenbaisers, kandierte Früchte, Johannisbeergelee, Blätterteighüte, Zuckergußverzierungen, Schlagsahnespitzen ... das steigt und steigt ... erreicht den obersten Kojenrand. Ich mache ihnen mit einem ganz einfachen Rezept den Mund wäßrig: »Hört mal her, meine Mutter kochte große hohle Makkaronis, nahm eine Spritze, füllte sie mit Gänseleberpastete und flupp! ... in die Makkaronis. Kurz überbacken – himmlisch!«

»Makkaroni mit Gänseleber! Mmh, müßt ihr piekfein gelebt haben«, staunt Jenny, »denn auf Medaillons mit Gänseleber legen sie dir in so Prachtpalästen wie Tour d'Argent à la Bastille nur ein hauchdünnes Scheibchen obendrauf. Aber damit gefüllte Makkaroni – das muß ein Milliardärseinfall sein ...«

»Nein, nein, Jenny, nur der Einfall eines kleinen Mädchens, das im Traum übertreibt, weil es vor Hunger fast stirbt.«

In unserer Schwatzhaftigkeit müssen wir wohl auch die Lautstärke übertrieben haben, denn von allen Seiten schreit's: »Jetzt reicht's mir aber mit eurem Freßgeschwätz! Das hält man ja nicht aus mit leerem Magen. Wir haben Hunger! ...«

»Nun denn, dann müssen wir halt schlafen«, sagt Jenny enttäuscht, »wie heißt's doch noch? ›Wer schläft, der sündigt nicht!‹«

Und das hier ...

Später vertraute mir Marie ihre Erinnerungen an diesen Weihnachtsabend an:

»Ich sah euch alle beisammen auf euren Strohsäcken sitzen. Dich, Fania, schon so abgemagert, so verausgabt, die große Irène mit ihrem warmen Lächeln und ihren wuscheligen Haaren, die kleine Irène, die sogar im Lager wirkte, als sei sie im Zeltlager, Florette mit ihrem sinnlich-weichen Mund und ihren spitzen Bemerkungen, Jenny, die wie ein echter kleiner Pariser jeden neckte, Elsa, die ihre innere Qual unter ihrer äußeren Ruhe versteckte, Marta, so distanziert und doch so verwundbar, sogar Lotte mit ihrer hemmungslosen Gier nach Sex. Ich schaute euch an und erkannte hinter euren Masken die klinischen Merkmale eurer Misere ... und doch wart ihr so erfrischend, so tröstlich, ihr ›Mädchen von der Kapelle‹!... Als ich euch verlassen hatte, schneite es draußen. Ich ging langsam durchs stille, schlafende Lager. Die Nachrichten waren nicht gut, eine deutsche Gegenoffensive war im Gang. Hier starben aus Mangel an Medikamenten immer mehr Menschen. Frauen verhungerten ... Wie weit schien mir das Ende dieses Tunnels noch, und das war es auch.«

Wir hatten Schnee, wir hatten Eis. Nun schmelzen sie, erleben
wir den Frühling noch? Wenn ich allein bin, denke ich, es gebe
für uns vielleicht keinen Sommer mehr. Vor den anderen nehme
ich mich zusammen, aber ich spüre mich so sonderbar leicht
werden. Bitten mich die Mädchen abends, »Fania, erzähl uns
eine Geschichte, ein Märchen . . .«, dann muß ich mühsam nach
Worten suchen. Ich rezitiere keine Theaterstücke von Molière,
Corneille oder Racine mehr, sie sind voller Lücken. Ich erzähle
ihnen einfache Geschichten, die sie schon zwanzigmal gehört
haben, oder ich erfinde neue, das fällt mir leichter. Sie selbst
erkennen auch immer weniger das Schwinden meines Gedächt-
nisses, meines Vergessens. Nun denn, ich bin eine Droge für sie,
entführe sie in andere Welten.

Verpflegung kommt nur noch spärlich ins Lager, die Züge
werden bombardiert, die Eisenbahnlinien gesprengt, Schienen-
stränge und Straßen sind abgeschnitten. Es gibt fast nichts mehr
zu essen. Sie brauchen uns nicht mehr zu töten, sie können uns
sterben lassen und in den Krematorien verbrennen. Das Ende
naht, werden wir es erleben? Aber ja, ich habe immer daran
geblaubt, ich werde auch jetzt nicht aufgeben. Hier, in Bergen-
Belsen, konnte ich die unermeßliche Kraft des Lebens ermessen.

Offensichtlich kam ein Transport aus Polen an, oder wurden
ganz einfach Polinnen hierher verlegt, denn unsere ohnehin
schon überbelegten Blocks sind nun völlig überfüllt. Die SS
ließ Stroh auf den bloßen Erdboden schütten, und die Neuankommenden ließen sich darauf fallen. Der Gestank ist zum Ersticken, vor allem nachts. Keine einzige Latrine wurde aufgestellt, nicht mal Gruben im Wald gegraben. Wer noch die
Kraft hat, geht hinaus, die andern lassen sich gehen, wir werden zu Tieren, diese grauenhafte Verschlechterung ist erschütternd.

Ich bin hinausgegangen, um etwas Luft zu schöpfen und Marie zu besuchen. Sie hat tiefe, dunkle Ringe unter den Augen,
alles steht in ihrem Gesicht geschrieben, aber es kann sie nicht
entstellen, sie ist so schön!

Ich frage sie, ob ein Transport aus Polen gekommen sei.

»Sieht so aus, ich habe eine Polin da, die bettelte, hierherkommen zu dürfen, sieh sie dir an.«

Es ist eine dicke Bäuerin, rundum eingewickelt in Röcke, Schals und Mantel. Stehend könnte man sie für eine große Glocke halten, die jemand hier abgestellt hat.

»Was hat sie?«

»Ich weiß nicht, ich habe sie noch nicht untersucht.«

Die Frau mit dem breiten, scharfgeschnittenen Gesicht und den hervorstehenden Backenknochen schaut uns flehentlich an. Ihre Augen sind voll Angst, ihr Gesicht verkrampft sich, ihren zusammengebissenen Zähnen entwischt ein Stöhnen. Marie rennt zu ihr hin, sie hat die Gesichtszüge der Gebärenden erkannt: »Die Frau bekommt ein Kind!«

Marie zeigt ihr den Tisch. Ohne eine Wort zieht die Frau ihre Schuhe aus, hebt ihre Röcke hoch, läßt die Unterhose fallen, behält aber den Schal um den Kopf, und legt sich auf den Tisch. Sie spreizt die Beine, bereitet sich auf die Geburt vor. Natürliche, einfache Bewegungen. Sie hat weiße, muskulöse Schenkel, einen dunklen Schamhügel, ihr Muttermund scheint mir geschwollen, riesengroß, bläulich-rot, die großen, gedehnten Schamlippen umspannen eine ovalförmige Kugel: der Kopf ihres Kindes. Als ich begreife, daß ich den Kopf ihres Kleinen sehe, erfaßt mich ein Hochgefühl. Marie befiehlt mir: »Du wirst mir helfen.«

Sie zieht am Kopf, der schon erkennbar wird, ich schiebe langsam, aber kräftig massierend, noch nie habe ich das getan, und doch habe ich den außergewöhnlichen Eindruck, als wüßten meine Hände, was sie zu tun haben, als hätten sie mehr Instinkt als ich, als würden sie diese Gesten seit eh und je kennen ... Die Frau preßt die Lippen zusammen, beißt auf die Zähne und gibt keinen Ton von sich, keinen Schrei, kein Stöhnen. Sie weiß nur zu gut, welches Schicksal die SS den Kindern beschert. Ich sehe diesen Kleinen langsam kommen, herausschlüpfen, sehe den Kopf, das zerknitterte Gesichtchen, die noch aus ihrer Fötusnacht geschlossenen Augen. Die Schultern tauchen auf. Ich vergesse die allumfassende Müdigkeit, die mich mehr und mehr gleichgültig macht, mir meine Lebenskraft raubt. Ich bin super-lebendig, super-erregt, ich möchte schreien: ›Geschafft! Da ist er! Er ist da!‹

Mit geschickten Händen hat Marie soeben das Kind aus dem Schoß seiner Mutter geholt. Alles ging so leicht, so einfach, so normal, daß ich sprachlos staune. Es ist die erste Geburt, die ich sehe, mir brennen meine Augen.

Wir haben nichts. Nichts, um das Neugeborene darin zu wikkeln. Marie faßt es an den Füßen, klopft auf den kleinen Popo: es schreit.

Ich ziehe meinen Mantel aus, reiße das Futter heraus. Seit Monaten lebe ich Tag und Nacht in diesem Mantel, und in dieses schweißverklebte, erdverschmutzte, fleckige dreckige Stück Stoff wickeln wir das Kind, ein süßes, strammes Kerlchen ... Die Frau hat – ohne ein Wort, ohne einen Tropfen Wasser zum Waschen – ihre Hose wieder hochgezogen, ihre Röcke fallen gelassen, ihre Schuhe angezogen und ihr Kind mit der bewundernswerten Geste des Besitzens und Beschützens in die Arme genommen. Dann half ihr Marie auf eine obere Koje steigen, auf die hinterste in ihrem Behelfsrevier, damit kein SS-Mann weder Mutter noch Kind entdeckte, sonst, wozu dann gebären, wozu retten? (Das Kind überlebte und verließ nach der Befreiung zusammen mit seiner Mutter das Lager.)

Am gleichen Tag erlebe ich bei der Rückkehr in meinen Block etwas, was mich zutiefst angeekelt hätte, wäre es in einem anderen Augenblick geschehen, aber nach dieser Geburt schien mir diese Geste in ihrer rohen Animalität etwas zu bedeuten: Lotte läßt sich vor tausend Frauen von ihrem Kapo bumsen. Sie steht mit dem Rücken an die Wand gelehnt ungeniert da, während der Mann, dem die Hosen unterm Hintern hängt, sie gleichgültig besamt; im Beisein dieser Frauen, wovon manche zuschauen.

Leben säen, während um uns herum der Tod die Leichen zu Bergen häuft. Ist das wirklich ein Wahnsinnsakt? Wahr ist, daß wir uns mehr und mehr dem Wahnsinn nähern. Während sich diese beiden Wesen paaren, höre ich neben mir Frauen beten. Sind sie gläubig? Oder läßt sie die Angst einen Gott anflehen? In dieser Katastrophe, in der wir leben, die entsetzlicher ist als das Beben der Erde, was geschieht da mit dem Glauben? Welchen Sinn bekommen da Leben und Tod für Juden, Katholiken, Protestanten, Orthodoxe? Sie weinen und sprechen Gebete, wovon manche glühend sind: »Ich danke dir, Herr Jesus Christ, daß du für mich am Kreuz gestorben bist, aus Liebe zu uns Menschen. Dank dir, heilige Jungfrau Maria, Mutter Gottes, für die Schmerzen, die wir erdulden, wir opfern sie dir und deinem göttlichen Sohn ... Dank, Dank!« Sie beten und flehen und klopfen mit ihren knochigen Händen schuldbewußt an ihre ausgehungerte Brust, sie schluchzen, ihre Hingabe grenzt an Hysterie und beruhigt sie zweifellos.

Andere wenden sich an denselben Gott, speien schreckliche Flüche aus: »Sei verflucht, Jesus! Ich hab' an dich geglaubt, und du hast mich verlassen. Sei verflucht! Verflucht der Schoß, der dich getragen hat!« Sie ringen die Hände, verkrallen die Finger, spucken ihren Schmerz aus, sind machtlos in ihrer Rache gegen diesen Gott, der sie verraten hat.

Die gläubigen Jüdinnen verschanzen sich verzweifelt im Ritual und versuchen, ihre Riten einzuhalten, psalmodieren mechanisch ihre Gebete. Die ungläubigen Jüdinnen bleiben Gott gegenüber weiterhin hemmungslos verschlossen, verfluchen ihn aber nicht wie die Katholiken. Vielleicht lieben sie ihn weniger fleischlich. Ihre Liebe zu Gott ist vergeistigter als die der Christen zu Christus ... Unsere Zionisten klammern sich aus Angst, sie könnten sie verlieren, an ihre jüdischen Sitten und Gebräuche, als bedeute für sie Vergessen – und sei es auch nur ein Bruchteil ihrer Tradition – die Vertreibung aus dem Gelobten Land, den Verlust der Verheißung ...

Ja, nach und nach macht sich bei uns der Wahnsinn breit. Nachts heult ein Mädchen, man habe ihren Schmuck gestohlen, sie steigt runter, geht von einer Koje zur andern, von einem Strohsack zum andern, schüttelt die Frauen: »Gib mir meinen Schmuck zurück!« Schluchzend, heulend tritt sie die auf flacher Erde Schlafenden mit den Füßen: »Meinen Schmuck, du Diebin, meinen Schmuck!« und weint dann, glücklicherweise, still weiter.

Der Gestank ist unerträglich. In meinen Mantel, dieses unschätzbare Kleinod, gewickelt, gehe ich vor die Tür, ich muß atmen, mich hinlegen, Luft bekommen, schlafen. Der Boden ist kalt und schlammig, ich gehe vor mich hin. Da liegt ein Berg Leichen, sauber aufeinandergeschichtet, einem Heuhaufen ähnlich, gestapelt wie im Getreidespeicher. Die Krematorien sind überfüllt, also schichtet man die Leichen im Freien auf. Ich klettere hinauf wie auf einen Berg; oben lege ich mich hin und schlafe ein. Hin und wieder bewegt sich ein Arm, ein Bein, rutscht in seine endgültige Stellung, stößt mich dabei an, ich bemerke es kaum. Ich schlafe ... Morgens beim Aufwachen denke ich, daß auch ich langsam den Verstand verliere. Panische Angst packt mich, ich laufe ins Revier und erfahre dort von den Helferinnen, daß Marie Typhus hat!

Wie verblödet bleibe ich stehen, bis ich plötzlich weinen

kann, weinen über sie, über uns, über mich. Tag für Tag komme ich mehrmals und erkundige mich nach ihr. Sie ist noch nicht gestorben. Ein paar gewonnene Stunden, Tage ... Drei Wochen, es dauert drei Wochen, dann sagt man mir, sie sei wieder gesund! Ich darf zu ihr, aber in welchem Zustand finde ich sie!

Sie selbst zieht Bilanz: »Ich kann mich nicht bewegen. Teillähmung? Mein Körper ist gräulich. Drei große Wunden am linken Knie, drei am rechten, bei der geringsten Bewegung reiben sie aneinander. Mein linker Arm ist blau und steif, den Mund kann ich nur mit Mühe öffnen. Die eine Gesichtshälfte schmerzt und ist geschwollen, außerdem höre ich nichts mehr: Parotitis.«

Die Frauen neben ihr lachen, scherzen: »Du hast uns dummes Zeug erzählt! Bist du immer noch in einem Sternenfeld? Du hast nachts so laut gesungen, daß kein Mensch mehr schlafen konnte, aber das war uns immer noch lieber, als dich stundenlang denselben Namen rufen hören, unablässig denselben. Wir dachten, du würdest sterben. Wir hatten so Angst!«

Wie gut, sie wiederzuhaben! Uns ist, als könne uns nichts Schlimmes zustoßen, da sie lebt.

Wo sind die Zeiten, da Kramer zu uns kam? Wir wissen nicht mal, ob er noch da ist. Und die Grese? Ein paar von uns haben sie gesehen, sie hat immer noch die Reitpeitsche in der Hand. Hat sie denn immer noch nicht begriffen? Die SS-Leute sind überall um uns, sehen sie uns? Ja, man aufzupassen, um nicht mit uns in Berührung zu kommen. So verdreckt, zerlumpt, verlaust, sind wir ansteckend; Durchfall, vor allem Typhus, hausen verheerend hier. Warten sie auf Befehle? Sie geben uns zu essen, wenn sie dran denken, etwas Suppenähnliches, Flüssiges, ohne Festes. Da sie die Verseuchung noch verschlimmern, wenn sie uns das Wasser sperren, lassen sie uns immer häufiger und immer länger ohne Wasser. Unsere provisorischen, hastig für ein paar Monate aufgestellten Baracken sind halb zerfallen, breite Risse zwischen den Brettern. Ein SS-Mann sah sich den Schaden an und sagte verächtlich über uns Jüdinnen: »Die bringen alles zum Verfaulen, sogar Holz.«

Ja, es ist wahr, wir verfaulen, aber nicht uns gilt diese Anklage, sondern ihnen, deren bloße Gegenwart auch den Gesundesten verseucht!

Einige Tage später habe ich Typhus. Mein letztes Bild als Gesunde: Die Frauen des Lagers, wir wie die andern, stehen draußen nackt in der Schlange, um ihre Kleider und Unterwäsche an dem sparsamen Wasserstrahl aus dem gelöcherten Rohr zu waschen. Auf der anderen Seite des Stacheldrahts stehen wie wir die Männer, wovon uns manche gedankenlos ansehen: Zwei Tierherden an der halbleeren Tränke eines Schlachthofs.

Jetzt bin ich ganz der Krankheit verfallen. Mein Kopf dröhnt, mein Körper zittert, mein Bauch schmerzt grausam, mein Darm verkrampft sich gräßlich, der Durchfall entleert mich. Ich bin nur noch ein krankes Tier, das in seinem Kot liegt.

Seit dem 8. April ist alles um mich herum Alptraum. Existiere ich, existiere ich nicht, ich weiß es nicht. Ich bin nur noch Kopf und Darm, ein Kopf, der zerspringt, ein Darm, der endlos krampft und blutiges, schmutziges Wasser aus mir herausspült.

In der Koje über mir liegt eine Französin, die ich nicht kenne; in meinen lichten Augenblicken höre ich sie mit klarer, ruhiger, sogar freundlicher Stimme zu mir sagen: »Ich muß scheißen, aber ich muß auf deinen Kopf scheißen, das ist hygienischer!« Sie war verrückt geworden. Andere lachen laut los, hören nicht mehr auf, oder schlagen aufeinander ein, auch sie sind wahnsinnig geworden. Niemand kommt mehr zu uns, nicht mal die SS. Sie haben das Wasser abgestellt, ich bin am Ende meiner dritten Krankheitswoche. In einem klaren Moment erinnere ich mich, daß Marie nach dieser Zeit gerettet war, ich vielleicht auch? Um mich herum sterben Mädchen, die ich nicht kenne oder nicht wiedererkenne. Ich möchte doch nicht sterben, ohne vorher einer Polin auf den Kopf gepißt zu haben. Bei dem Gedanken möchte ich lachen. Ich finde mich sehr witzig. Ich rufe Florette, die große Irène und Anny und sage zu ihnen: »Holt eine Polin her, dann pisse ich auf sie.« Und sie lachen. Nein, sie lachen nicht, sie haben Angst um mich; aber ich bilde mir ein, daß ich sie einmal noch zum Lachen bringe!

Ich weiß nicht, ob es mir gelungen ist, meinen unpassenden Wunsch zu verwirklichen, aber vorgestellt habe ich es mir oft. Ich bildete es mir so intensiv ein, daß mir dadurch wirklich wohler wurde.

Es gibt keine Worte, die letzten fünf Tage zu schildern. Sie waren unbeschreiblich. Der Gipfel des Grauens, dieser Block von mehr als tausend sterbenden, halb wahnsinnigen Frauen!

Und dann die Grese, sehr sauber, wohlriechend, die sich über mich beugt. Zum letzten Mal höre ich eine SS-Angehörige mich *Meine kleine Sängerin* rufen! Zum letzten Mal fühle ich mich zum Orchester gehörig ... das hat die Anrede *Meine kleine Sängerin* ... noch einmal wachgerufen.

Die SS hatte die Order ausgegeben, uns zu vernichten, das Lager zu verbrennen. Am 15. April 1945 um fünfzehn Uhr sollten wir erschossen werden. Die Tommys kamen um elf!

Unsere Freude hat sich nicht gelegt, aber der Tumult hat sich beruhigt. Neues Leben herrscht im Lager, Jeeps, Commandcars, Halftracks, Lastwagen fahren zwischen den Baracken durch. Man sieht Khaki-Uniformen, eine wundervolle Farbe! Soldaten in Uniformen aus festem Tuch und unsere fadenscheinigen Fetzen sind ein Gemisch. Sie sind gut genährt, blühen vor Gesundheit, unsere Befreier! Sie gehen *neben* diesen durchsichtigen Skelettsilhouetten der Deportierten. Wie ein sprudelnder Gebirgsbach kommen die Sieger zu uns, und wir möchten sie anfassen, die Hand in ihren Sog wie in frisches Quellwasser tauchen. Sie rufen sich zu, pfeifen fröhlich, und verstummen dann plötzlich vor viel zu großen Augen, einem zu langen Blick. Wie lebendig sie sind! Sie gehen schnell, laufen, springen! Wie leicht ihnen jede Bewegung fällt, wovon uns jede einzelne den letzten Hauch kosten würde. Diese Männer scheinen nicht zu wissen, daß man im langsamen, äußerst sparsamen Gang leben können muß.

Mit Anny, den beiden Irènes, Marta, Florette und Jenny verlasse ich das SS-Gebäude, wo ich soeben für die BBC sang! Das war ein wunderlicher Augenblick, ein Gefühl, das plötzlich wieder abfällt. Ich habe es erlebt. Brauche ich ein anderes, welches? Ich weiß es nicht. Wir beobachten diesen Trubel um uns, so gut wir können, er macht uns benommen.

War es still, oder hörte ich Schritte? Irgend etwas muß geschehen sein, irgend etwas, was meine durch die schmerzhafte Krankheit verfeinerten Sinne wahrgenommen haben. Ich habe den Spürsinn eines Hundes, das Gehör einer Katze. Ich schaue, suche, versuche zu erhaschen, was sich hinter dem Gewimmel tut, was da vom Eingang her auf uns zukommt ... auf uns ... Köpfe drehen sich dem sonderbaren Gefolge entgegen: An der Spitze seiner Offiziere, seiner Feldwebel, seines ganzen SS-Stabs kommt Kramer ohne Uniformrock, ohne Waffe, ohne Kopfbedeckung. Umringt von Tommys mit Gewehr und Stern-MP im Anschlag.

Wir sehen sie, aber begreifen nicht. Nur um diesen Augenblick zu erleben, hielten wir durch. Hundertmal, zweihundertmal haben wir ihn uns ausgemalt, haben ihn aufpoliert, mit tausend Einzelheiten gestillter Rache geschmückt, und nun, plötzlich, sehen wir dieses Gefolge durchs Lager gehen und begreifen nicht, daß der langersehnte Augenblick endlich gekommen ist! Sie treiben die neuen Besiegten vor sich her. Kramer zieht seinen Kopf noch tiefer zwischen die breiten Schultern. Was wird ihm seine Stierkraft jetzt noch nutzen, seine quadratischen Fäuste, die Männer und Frauen niedergeschlagen, Kinder getötet haben?

Er schaut sich um. Diese Würmer, die er gestern noch zertrat, sind seine Feinde. Welche unter ihnen ist die, die er nicht umgebracht hat und die ihm dieses Versehens wegen »danke« sagen möchte? Schläue kriecht in seinen Blick, als er ihn auf uns richtet, sind wir nicht sein Orchester? Uns hat er doch nur Gutes getan! Reglos und stumm genießen wir es, ihn unter unseren Blick zu zwingen. In uns sammeln sich dunkle Kräfte, die von weit her kommen, aus den Tiefen unseres Unterbewußtseins aufsteigen; noch haben sie keine Verbindung zum Bewußtsein hergestellt, deswegen schweigen wir.

An einer Mauer steht ein Militärlastwagen. Die englischen Soldaten befehlen den Gefangenen einzusteigen. Nun ist's aus für sie, sie werden weggebracht, man wird sie einsperren. Wie einfach. Zu einfach! Sie stehen auf dem offenen Lastwagen, nebeneinander, nicht gedrängt, nicht gepfercht, sie werden gefahren wie Gefangene, nicht wie Vieh. Wir sehen sie an, hinter den Latten erscheinen sie uns wie Schießbudenfiguren, wie man sie auf Jahrmärkten findet, wo häßliche Puppen auf den Ball warten, der sie umwirft. Was erwarten sie? Langsam machen wir ein paar Schritte auf sie zu. Zwischen ihnen und uns liegt ein Streifen Erde, und ohne es wirklich wahrzunehmen, sieht mein Auge etwas Grünes, das muß Gras sein.

Wir gehen noch einen Schritt vor. Dann bleiben wir stehen. Hinter uns sind andere Frauen. Rechts und links haben sich Ansammlungen gebildet, die langsam größer werden, durch neu Hinzukommende weiterwachsen, sich voll Haß dehnen, aber nicht platzen. Es ist, als warteten sie auf ein Zeichen von uns, als hätten wir mit Kramer eine ganz besondere Rechnung zu begleichen, als anerkennten sie, als bewilligten sie uns das Vorrecht dieser ersten Konfrontation.

Fühlen die sich da oben auf ihrem Lastwagen, so isoliert, immer noch so überlegen? Oder wissen sie, daß sie von unserer Gnade abhängig sind? Sie sind grau im Gesicht, plötzlich sehen ihre Uniformen, ihre Hemden unordentlich, lappig aus, als hätten sie darin geschlafen. Ist das der Angstschweiß, der sie naß und schlaff macht? Ohne Lederkoppel, ohne Waffen sehen sie schlapp aus. Ihrer Attribute beraubt, haben diese Männer ihre Kraft verloren. Jetzt wird mir dieser Augenblick bewußt, vollkommen bewußt. Mit jeder Faser meines Seins, mit jeder Zelle meines Gehirns möchte ich mich beherrschen können, sie kaltblütig anschauen, jedes Detail lange und durchdringend in ihren unrasierten Gesichtern erforschen, in ihren Augen eine Angst entdecken, die der gleicht, die sie in den unsrigen entzündeten. Ich möchte diesen einmaligen Augenblick in die Länge ziehen, aber schon entwischt er mir. Ich kann mich nicht spalten, nicht Zuschauende und Handelnde zugleich sein. Leidenschaft überkommt mich, überschwemmt mich. Das Schweigen, das sich zwischen diese noch heilen Besiegten und uns gestellt hat, ist höchst zerbrechlich, wartet nur auf den ersten Schrei, um zu zerreißen, um sich in einen immensen, befreienden Protest voll aufgestauten Hasses zu verwandeln.

Was tun die Engländer? Warum bringen sie sie nicht weg? Auf dem Boden bewacht ein Soldat das auf sie gerichtete schwere MG. Plötzlich erscheinen mir diese SS-Männer verwundbar, so ausgeliefert unserer Rache. Jetzt bin ich sicher: Man überläßt sie uns! Sie gehören uns! Die Schleusen der Gewalt öffnen sich. Ist das Zufall? Ein Sergeant geht gelassen, die Hände auf dem Rücken, vom Lastwagen weg. Diesem Pontius Pilatus sind die Unschuldigen nicht gleichgültig, und nach seinem Abgang wird der erste Stein der Steinigung nicht der der Rache, sondern der der Gerechtigkeit sein. Ich weiß nicht, welche Hand es war, die den ersten Stein aufhob und warf! Aber sie war das Signal für die andern. Jeder gut gezielte Wurf erreicht sein Ziel: die Nase, das Gesicht ... die Stirn, das Ohr!

Der Tommy rührt sich nicht, hält die SS immer noch mit seiner Waffe in Schach, er kann nicht übersehen, was hier vorgeht, und doch verzieht er keine Miene.

Gleich wird der Sturm losbrechen. Ich spüre ihn schon, wild und unaufhaltsam, bereit zum Toben. Wie kriegerische Ameisen kommen von allen Seiten die Deportierten angelaufen. Jetzt nimmt eine Abteilung Soldaten Aufstellung, stellt sich zwischen sie und uns. Meine Hand läßt den Stein fallen; dem dumpfen Aufschlag, den er im Fallen macht, folgt der der andern, wir sind verdrängt. Die Engländer halten sich an die Order: »SS ist wie Kriegsgefangene zu behandeln.« Der Lastwagen fährt an, wir sehen Kramer und die andern, aschfahl vor Angst und Zorn, aus unserem Umkreis verschwinden.*

Am gleichen Abend noch schläft unsere Gruppe in den Räumen der SS, in ihren sauberen Feldbetten, sechs pro Zimmer; welcher Luxus. Ein Tisch, Stühle, Wände, sauberer Fußboden und Wasser . . . wir brauchen nur den Hahn zu öffnen! Wir wuschen uns bis auf die Knochen! Dieses Wasser wurde reinigendes Wasser, wir fühlten uns beschmutzt von all dem, was wir erdulden mußten. In den sauberen Laken der SS liegend, weinen wir vor Glück und wiederholen immer wieder: »Siehst du, spürst du, es ist geschehen, wir sind da, wir sind befreit!«

»Für uns wird es ein ›Danach‹ geben!«

In der Nacht erlagen Deportierte diesem »Danach«, starben am Überfluß von Lebensmitteln, Konserven. Die Soldaten wußten nichts von den Wirkungen der Dysenterie, des Hungers, unter dem wir litten, und gaben uns alles, was sie hatten: *Rations*, Zigaretten, Bonbons; viel zu schwere Nahrung, die wir nicht mehr vertrugen. Unser Magen und unser Darm mußten sich erst ganz allmählich wieder an normales Essen gewöhnen.

Sehr schnell sieht es im Lager anders aus. Unsere Befreier gehen, setzen ihren Vormarsch fort, andere kommen zur Ablösung. Bis zu unserer Repatriierung, Heimführung, die natürlich Papierkram erfordert, bleiben wir hier in einer Art Durchgangslager, was uns nicht stört. Sonderbarerweise zieht es uns gar nicht mehr so schnell nach Hause. Das normale Leben beunruhigt uns, wir kennen seine Gesten und Worte nicht mehr. Und dann – wer wird uns am Bahnhof erwarten? Leben sie noch, all die, für die wir am Leben bleiben wollten? Keine von uns spricht darüber. Wir schätzen diesen Zwischenraum zwischen zwei Lebensformen, in dem wir uns eingerichtet haben. Er ist ein Geschenk für uns, das uns beruhigt.

Serben und Kroaten kommen durch unser Lager, ich weiß nicht, woher sie kommen. Von weitem sehen wir sie, diese dunkelhaarigen, großgewachsenen Männer mit den starken weißen Raubtierzähnen. Wir sehen sie nicht richtig, wir nehmen sie nicht wahr. Letztlich begreife ich, daß uns nichts interessiert als allein das Wunder, am Leben geblieben zu sein. Wir können es immer noch nicht glauben, nicht fassen. Wir bewa-

* Josef Kramer wurde von einem britischen Kriegsgericht zum Tode verurteilt.

chen dieses Wunder, behüten es vor jedem Stoß, vor jeder Störung. In Wirklichkeit sind wir noch sehr schwach. Wir versuchen, uns in einem bedenklich schwankenden Gesundheitszustand, der oft noch von Koliken, Kopfschmerzen, unbegreiflichen Fieberanfällen geschüttelt wird, aufrecht zu halten. Wirklich, das Leben flößt uns Furcht ein, es macht uns apathisch, weil wir eingeschüchtert wurden.

Heute morgen, ein sonniger Morgen im Mai, ist es schön.

»Wie wär's, ihr Mädchen, sollen wir rausgehen?«

Die beiden Irènes, Florette, Anny und Jenny – Helga und Marta wurden als Deutsche woanders hingewiesen, wir wissen nicht wohin – schauen mich von ihren Feldbetten aus unsicher an.

Florette schaltet als erste: »*Verboten!* Das weißt du doch. Sie befürchten, wir machen Rabatz auf dem Land, in den Dörfern! Der Russe, der den Eingang bewacht, läßt uns nicht durch.«

Ich hab' mich wohl verhört: »Ein Russe, hier, woher kommt er? Gestern war noch keiner da.«

In seinem langen Mantel und seinem komischen Käppchen mit dem roten Stern vorne drauf bewacht ein baumlanger Iwan das Lagertor. Ist das ein befreiter Kriegsgefangener, der für diesen einfachen Dienst eingeteilt wurde? Oder lagert in der Umgebung eine Abteilung der sowjetischen Armee? Das werden wir nie erfahren. Dieser Russe ist jedenfalls der einzige, den ich je gesehen habe.

»Du kannst doch russisch, geh und versuch's, ob er uns rausläßt.«

»Wartet auf mich.«

Ich gehe zu ihm hin: »Salut, Towaritsch! . . .«

Ein waschechter Kalmück, rundum spaßig mit seiner Stupsnase, den vorstehenden Backenknochen, seinen flinken Augen, die wie zwei schwarze Kügelchen nach allen Seiten schauen. Ich reiche ihm höchstens bis zum Gürtel. Der lange Lulatsch beugt den Kopf zu mir herunter, lächelt mich an, wir kommen ins Gespräch und haben unsere helle Freude: »Sag mal, Väterchen, willst du nicht mal dorthin schauen?«

Ich zeige in die entgegengesetzte Richtung der Mädchen.

»Und warum, Duschka?«

»Weil wir ein bißchen spazierengehen möchten und nicht dürfen. Also, dreh dich so rum, dann siehst du uns nicht, und was du nicht gesehen hast, kann dir keiner vorwerfen!«

Er lacht . . . lacht . . . sein Mantel hüpft auf der ganzen Länge. Dann dreht er sich langsam wie ein dicker Bär um, und wir sausen den Hügel hinab, so schnell wir nur können, als hätten wir schulfrei, als ging's in die Ferien. Außer Atem laufen wir bis zum Waldrand in eine blühende Wiese hinein. Die taufrischen Blumen sind für unsere Beine wie Flutwasser. Während wir in unser Zimmer gesperrt waren, wagten wir nicht mehr, dem Leben entgegenzugehen . . . wußten wir nicht, daß es Frühling geworden war.

Es ist so wunderschön, daß wir stehen bleiben, mitten in den Blumen, und kein Wort sagen können. Mit klopfenden Herzen lassen wir uns ins Gras fallen, liegen auf dem Rücken und schauen in den herrlich blauen, so nahen Himmel. Schweigend hören wir den Vögeln zu; zwei Jahre lang hatte ich sie nicht gehört.

Auf einer Wiese in der Sonne liegen, am Rand eines Wäldchens mit Tannen und Birken, das Gesicht in der Sonne, das klingt so einfach. Nur, wir kennen den Preis für dieses einfache Leben – Blut, Schweiß und Angst –, und unsere Augen füllen sich mit Tränen. Wo sind sie, die anderen Kameradinnen von Birkenau, die geliebten und die weniger geliebten? Wo sind die, die wir lieben, die wir verlassen mußten und die uns – jetzt sind wir sicher – erwarten? Es ist Zeit, zu ihnen zu laufen, die Welt wiederzufinden. Also! Wir richten uns auf und fangen an, im Sitzen, das Leben zu betrachten! Das ist, für jede von uns, wie Wiedergeburt!

Einen guten Augenblick lang bleiben wir so sitzen, und dann, als die Sonne weniger sticht, stehen wir auf und machen uns, Hand in Hand, ruhig auf den Heimweg.

Auf diesem Weg kommt uns eine Gruppe Serben entgegen, braungelockt, dunkeläugig, einen Grashalm, eine Blume zwischen den weißen Zähnen, das Hemd offen über der gebräunten, behaarten Brust, warme Haut, die man berühren möchte . . .

Wir fühlen uns unbeschwert, leicht . . . jung, so jung. Die Burschen lachen das Lachen der Eroberer . . . wir möchten flirten . . . an ihrem Arm mitgehen, eine Stunde lang, einen Tag lang, ein Leben lang . . .

Wir sind gerettet.

Epilog

Was aus uns wurde...

Das Leben lag vor uns, wartete auf uns, wir sprangen hinein. Es nahm uns mit und führte manche von uns weit weg von den andern. Das Verhängnis, das uns zusammengebracht hatte, mußte uns, seiner Unbeständigkeit wegen, wieder trennen.

In Bergen war vom Orchester nur noch ein kleiner Kern übriggeblieben. Dort hörten wir vom Tod von Frau Kröner, die im Alter von fünfzig Jahren unsere Leiden nicht länger ertrug. Zweifellos starben dort noch mehr Mädchen vom Musikblock, aber wie hätten wir das erfahren sollen? In uns selbst zurückgezogen, beschützten wir leidenschaftlich jeden Hauch unseres Lebens vor allen erdenklichen Formen von Aggression und bewachten nur unser eigenes Dasein.

Elsa, das geduldige, ruhige, unauffällige Mädchen, ertrug die Freude der Rückkehr ins Leben nicht. Sie starb kurz nach ihrer Befreiung.

Die kleine *Irène* hatte die Zeit zu heiraten, zwar nicht ihren Paul, aber einen anderen. Übrigens, selten fand die Frau, die der Gedanke an ihren Mann am Leben erhalten hatte, diesen bei ihrer Rückkehr wieder. Die mutige, kluge, begabte kleine Irène, die so sicher war, lange zu leben, starb an Krebs.

Clara überlebte nur kurze Zeit. Ihr Benehmen als Kapo verschloß ihr die Türen des Deportierten-Verbandes. Ihren Traum, berühmt zu werden, konnte sie nicht verwirklichen. Sie heiratete und bekam ein Kind, das unter entsetzlichen Umständen starb: es erstickte an seinem Lätzchen. Als Produzentin einer Fernsehsendung flackerte ihr Name kurz und ruhmvoll über den Bildschirm, dann starb auch sie.

Anderen war das Schicksal holder.

Eva, die Polin, meine große Freundin, fand ihren Mann und ihren Sohn wieder. Und als ich sie 1960 wiedersah, war ihr sehnlichster Wunsch in Erfüllung gegangen: Sie hatte die Leitung eines Krakauer Theaters übernommen.

Irène, die große, heiratete nach ihrer Rückkehr in Belgien wieder. An ihrer früheren Schwiegermutter rächte sie sich nur mit Verachtung. Sie hat zwei Kinder und lebt glücklich in Brüssel, nicht weit entfernt von *Anny*, die, ebenfalls verheiratet und Mutter zweier Kinder, in ihrem Geschäft voll ausgelastet ist.

Florette heiratete, nachdem sie große Schwierigkeiten mit Mut gemeistert hatte. Zwei Kinder und ein Geschäft füllen ihre Tage irgendwo in Südfrankreich.

Docteur Marie meistert ihr Leben vollkommen. Sie ist mit dem Mann verheiratet, den sie seit jeher liebte und der auf sie warten konnte. Sie arbeitet an einer wichtigen Stelle in der Préfecture de la Seine.

Ewa, die Ungarin, lebt verheiratet in der Schweiz, wie ich 1958 durch Zufall erfuhr, während ihre Landsmännin *Lily* mit einem Engländer in London verheiratet ist.

Lily und *Ivette,* die beiden Griechinnen, wanderten in die Vereinigten Staaten aus, wo ich sie zu meiner großen Freude wiedertraf.

Von *Jenny* weiß ich nichts. Nichts von meinen beiden netten Ukrainerinnen, den anderen Russinnen, Polinnen und Deutschen. Nichts von der Tschechin *Margot,* der Holländerin *Flora,* von *Marta* . . . In allen diesen Fällen: Schicksal unbekannt.

»Danach . . . ! Danach . . . !« sagten wir damals, und unsere Träume hatten Adlerschwingen bei den einen, Spatzenflügel bei den anderen.

Ist mir der Flug gelungen, den ich mir vorgestellt hatte? Ja. Ich wollte singen, von Freud' und Leid der Welt, singen. Fünfundzwanzig Jahre durfte ich dieses Glück von Stadt zu Stadt, von Konzertsaal zu Konzertsaal, so tief empfinden, wie ich es mir erträumt hatte. Mit einem Unterschied: diesen Erfolg hätte ich mir nicht außerhalb meiner Heimat denken können; gefunden habe ich ihn in Ostdeutschland.

Ich wollte eine große und schöne Liebe. Ich hatte sie! Sie füllte zwanzig Jahre meines Lebens als Frau.

Über alles andere stellte ich die Freundschaft, und meine Freunde sind zärtlich und treu.

MUSIK-BLOCK

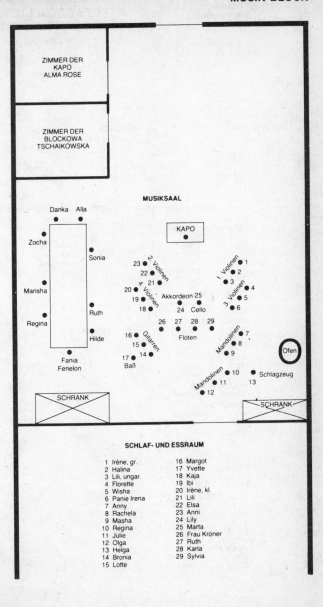

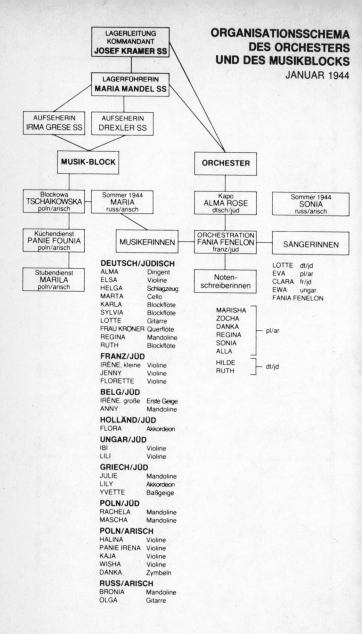

ORGANISATIONSSCHEMA DES ORCHESTERS UND DES MUSIKBLOCKS
JANUAR 1944

LAGERLEITUNG KOMMANDANT
JOSEF KRAMER SS

LAGERFÜHRERIN
MARIA MANDEL SS

AUFSEHERIN
IRMA GRESE SS

AUFSEHERIN
DREXLER SS

MUSIK-BLOCK

ORCHESTER

Blockowa
TSCHAIKOWSKA
poln/arisch

Sommer 1944
MARIA
russ/arisch

Kapo
ALMA ROSE
dtsch/jüd

Sommer 1944
SONIA
russ/arisch

Küchendienst
PANIE FOUNIA
poln/arisch

MUSIKERINNEN

ORCHESTRATION
FANIA FENELON
franz/jüd

SÄNGERINNEN

Stubendienst
MARILA
poln/arisch

Noten-
schreiberinnen

DEUTSCH/JÜDISCH

ALMA	Dirigent
ELSA	Violine
HELGA	Schlagzeug
MARTA	Cello
KARLA	Blockflöte
SYLVIA	Blockflöte
LOTTE	Gitarre
FRAU KRÖNER	Querflöte
REGINA	Mandoline
RUTH	Blockflöte

FRANZ/JÜD

IRÈNE, kleine	Violine
JENNY	Violine
FLORETTE	Violine

BELG/JÜD

IRÈNE, große	Erste Geige
ANNY	Mandoline

HOLLÄND/JÜD

FLORA	Akkordeon

UNGAR/JÜD

IBI	Violine
LILI	Violine

GRIECH/JÜD

JULIE	Mandoline
LILY	Akkordeon
YVETTE	Baßgeige

POLN/JÜD

RACHELA	Mandoline
MASCHA	Mandoline

POLN/ARISCH

HALINA	Violine
PANIE IRENA	Violine
KAJA	Violine
WISHA	Violine
DANKA	Zymbeln

RUSS/ARISCH

BRONIA	Mandoline
OLGA	Gitarre

LOTTE	dt/jd
EVA	pl/ar
CLARA	fr/jd
EWA	ungar.
FANIA FENELON	

MARISHA	
ZOCHA	
DANKA	
REGINA	pl/ar
SONIA	
ALLA	
HILDE	dt/jd
RUTH	

Schalom Ben-Chorin im dtv

Die Heimkehr
Jesus, Paulus und Maria
in jüdischer Sicht

Mit dieser Triologie will Schalom
Ben-Chorin die tragenden Gestal-
ten des neuen Testaments sozusagen
ins Judentum heimholen und damit
einen Beitrag zum »Abbau der
Fremdheit zwischen Juden und
Christen durch den lebendigen
Dialog« leisten.
Kassettenausgabe in drei Bänden
dtv 5996
Auch einzeln lieferbar:

Bruder Jesus
Der Nazarener in jüdischer Sicht
dtv 1253

Paulus
Der Völkerapostel in jüdischer Sicht
dtv 1550

Mutter Mirjam
Maria in jüdischer Sicht
dtv 1784

Jugend an der Isar
Ben-Chorins Schulzeit in München
das Engagement in der jüdischen
Jugendbewegung, die Begegnung
und Auseinandersetzung mit
Martin Buber und dessen Werk,
und seine Liebe zur Dichtung
seiner Zeit. dtv 10937

Ich lebe in Jerusalem

Ben-Chorin, 1935 von München
nach Jerusalem emigriert, schildert
in seinen Erinnerungen das Wachsen und Werden dieser berühmten
Stadt. dtv 10938

Zwischen neuen und
verlorenen Orten
Beiträge zum Verhältnis von
Deutschen und Juden

»Unwissenheit erzeugt Mißtrauen,
Mißtrauen erzeugt Haß, Haß
erzeugt Gewalttaten. Wir alle
müssen die Kettenreaktion beim
untersten Glied abbauen.
Christen müssen mehr von Juden
und umgekehrt Juden von Christen
mehr wissen, damit die Fremdheit
verschwindet.« dtv 10982

Der Engel mit der Fahne
Geschichten aus Israel

Gemütvolle Geschichten aus einem
halben Jahrhundert »zwischen den
Welten«, zwischen der Vaterstadt
München und dem Jerusalem von
heute, zwischen Christentum und
Judesein. dtv 11087

Zeugen unseres Jahrhunderts

Das
Programm
im
Überblick

Das literarische Programm
Romane, Erzählungen, Anthologien

dtv großdruck
Literatur, Unterhaltung und Sachbücher in großer Schrift zum bequemeren Lesen

Unterhaltung
Heiteres, Satiren, Witze, Stilblüten, Cartoons, Denkspiele

dtv zweisprachig
Klassische und moderne fremdsprachige Literatur mit deutscher Übersetzung im Paralleldruck

dtv klassik
Klassische Literatur, Philosophie, Wissenschaft

dtv sachbuch
Geschichte, Zeitgeschichte, Gesellschaft, Politik, Wirtschaft, Religion, Theologie, Kunst, Musik, Natur und Umwelt

dtv wissenschaft
Geschichte, Zeitgeschichte, Philosophie, Literatur, Musik, Naturwissenschaften, Augenzeugenberichte, Dokumente

dialog und praxis
Psychologie, Therapie, Lebenshilfe

Nachschlagewerke
Lexika, Wörterbücher, Atlanten, Handbücher, Ratgeber

dtv MERIAN reiseführer

dtv Reise Textbuch

Beck-Rechtsliteratur im dtv
Gesetzestexte, Rechtsberater, Studienbücher, Wirtschaftsberater

dtv junior
Kinder- und Jugendbücher

Wir machen Ihnen ein Angebot:

Jedes Jahr im Herbst versenden wir an viele Leserinnen und Leser regelmäßig und kostenlos **das aktuelle dtv-Gesamtverzeichnis.**
Wenn auch Sie an diesem Service interessiert sind, schicken Sie einfach eine Postkarte mit Ihrer genauen Anschrift und mit dem Stichwort »dtv-Gesamtverzeichnis regelmäßig« an den dtv, Postfach 40 04 22, 8000 München 40.